How-nual Shuwasystem Industry Trend Guide Book

図解入門 業界研究

最新 住宅業界の動向とカラクリがよ〜くわかる本［第4版］

業界人、就職、転職に役立つ情報満載

阿部 守 著

秀和システム

はじめに

私たちの身近な存在であるにもかかわらず、いざ「住宅」についてその業界を調べようとすると、「どうしてこのようになっているのだろうか」と考えてしまうことがよくあります。

例えば、欧米に比べて短い住宅寿命、既存住宅市場の未発達などの業界全体の問題から、耐震性への不安、空き家問題、欠陥住宅、訪問販売リフォームなどの個別の課題まで、断片的に表面上の問題だけを知るしかありません。また、住宅を購入する方も後から「こんなはずではなかった」と気付くこともよくあります。これは、業界内部と外部の人の間に大きな情報格差があるためです。住宅業界を本当に知るためには、いろいろな問題の背景を理解することが必要になります。

本書は、住宅業界の仕組みについて、住宅業界を志す方、住宅業界のことを調べようとする方々のためにわかりやすく書いたものです。旧版第3版の刊行から四年が経過し、その間に制度の変更や住宅性能の向上、新技術の開発などがありました。したがって、全面的に再編して、データも最新のものに改めました。さらに、これから施行される省エネ基準の義務化、木造二階建て住宅の構造審査、そしてゼロエネルギー住宅であるZEHシリーズの解説なども加えました。また、大手住宅メーカーの特徴や動向、用語解説もさらに充実させました。住宅の長寿命化や中古住宅の価値向上、流通促進を図る仕組み、IoT住宅の発展など、住宅の快適性や安全性を高める新技術の動向にもこれまで同様に触れています。これらは、今後の住宅業界に大きな変化をもたらします。

住宅は、人生の大半を過ごす生活の基盤です。個人資産である一方、都市や街並みの構成要素として、また社会的な資産として地域の環境にも影響を与えるものです。本書によって、住宅業界をこれまでより少しでも身近なものに感じていただければ、これに勝る喜びはありません。

二〇二二年七月　MABコンサルティング代表　阿部　守

住宅業界勢力図

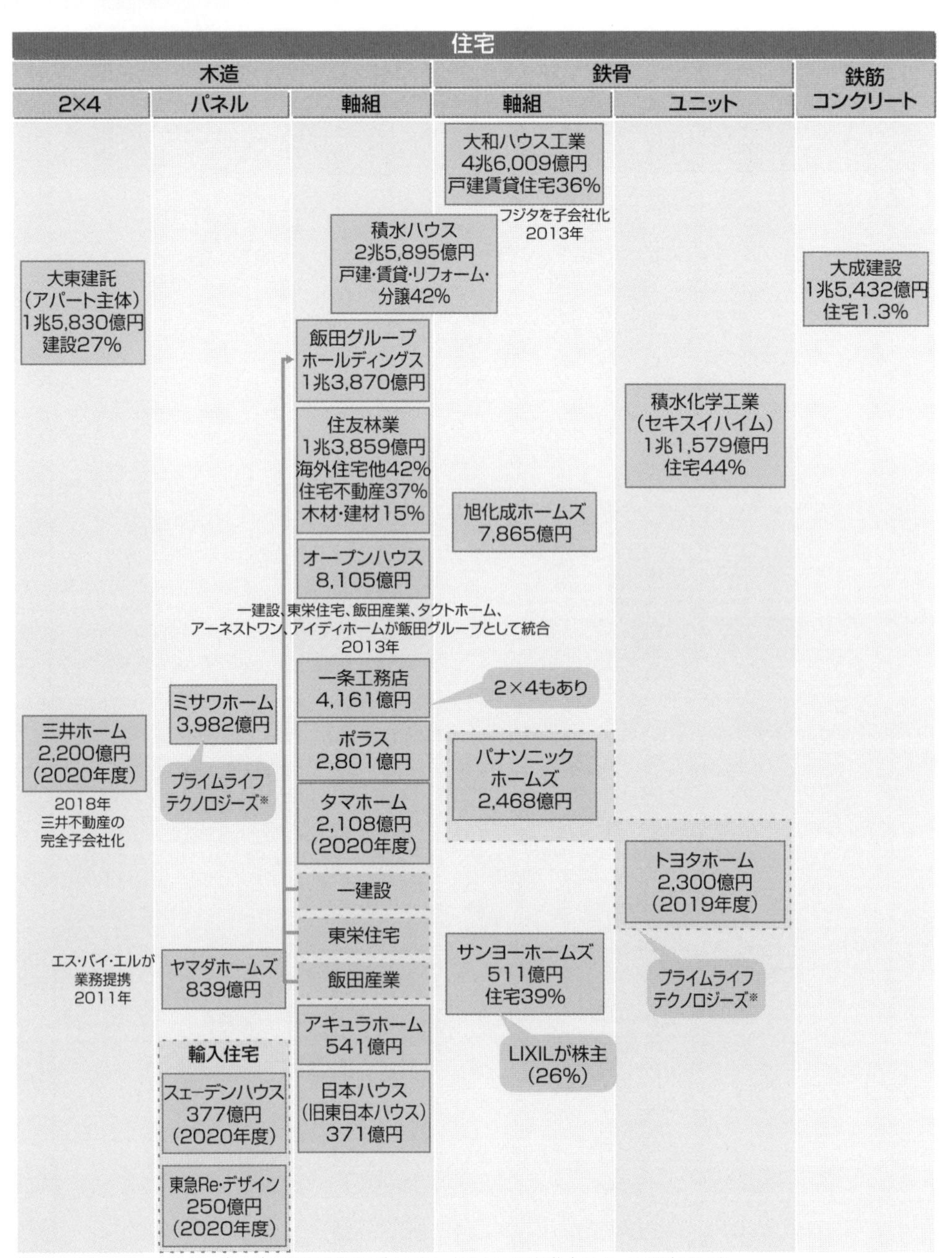

※プライムライフテクノロジーズは2020年にパナソニックとトヨタ自動車によって設立された。

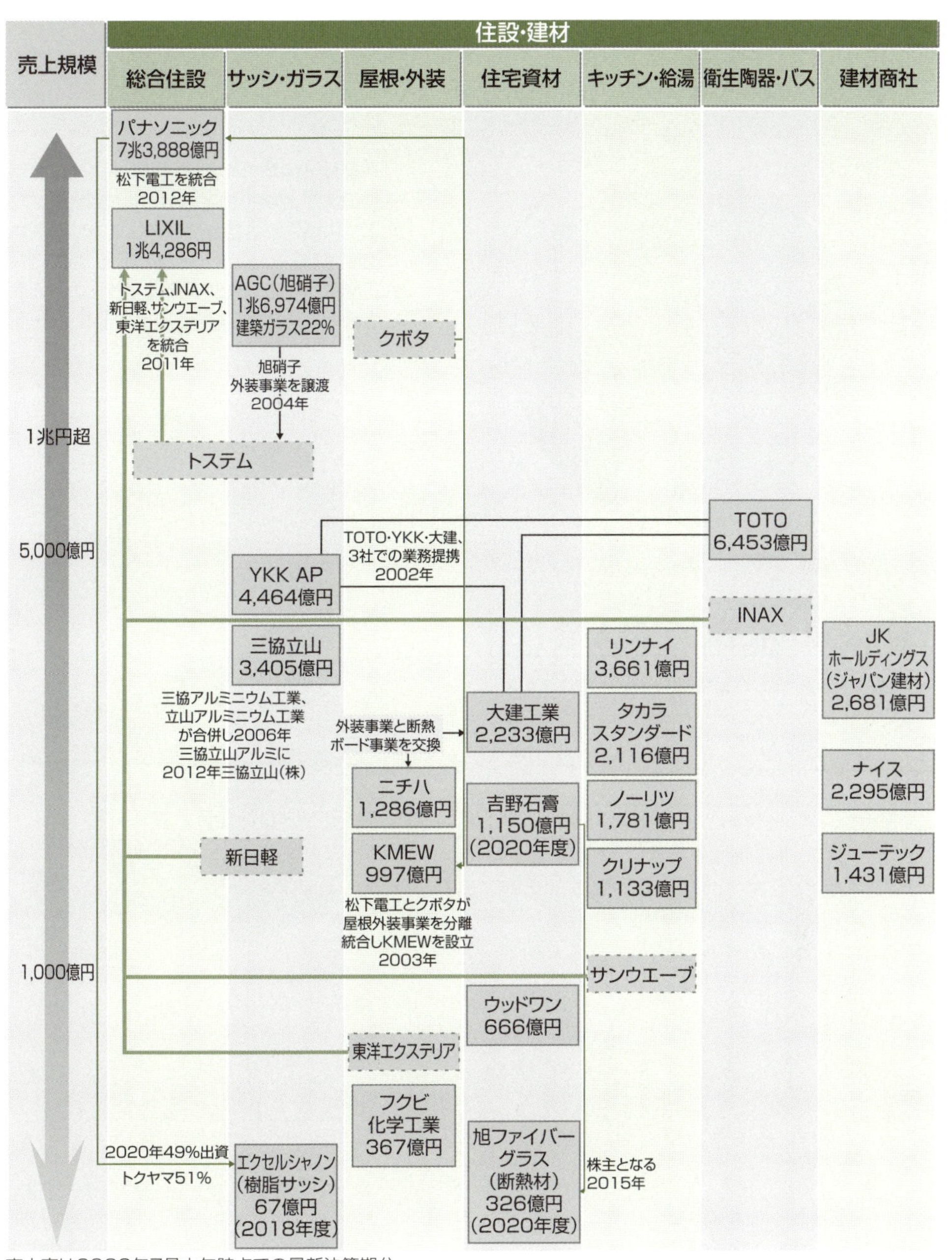

売上高は2022年7月中旬時点での最新決算期分

縮小する国内住宅市場の大きな可能性

工務店や中小住宅会社のシェアが高い！

▼戸建住宅建築の担い手（年間着工戸数別（シェア））

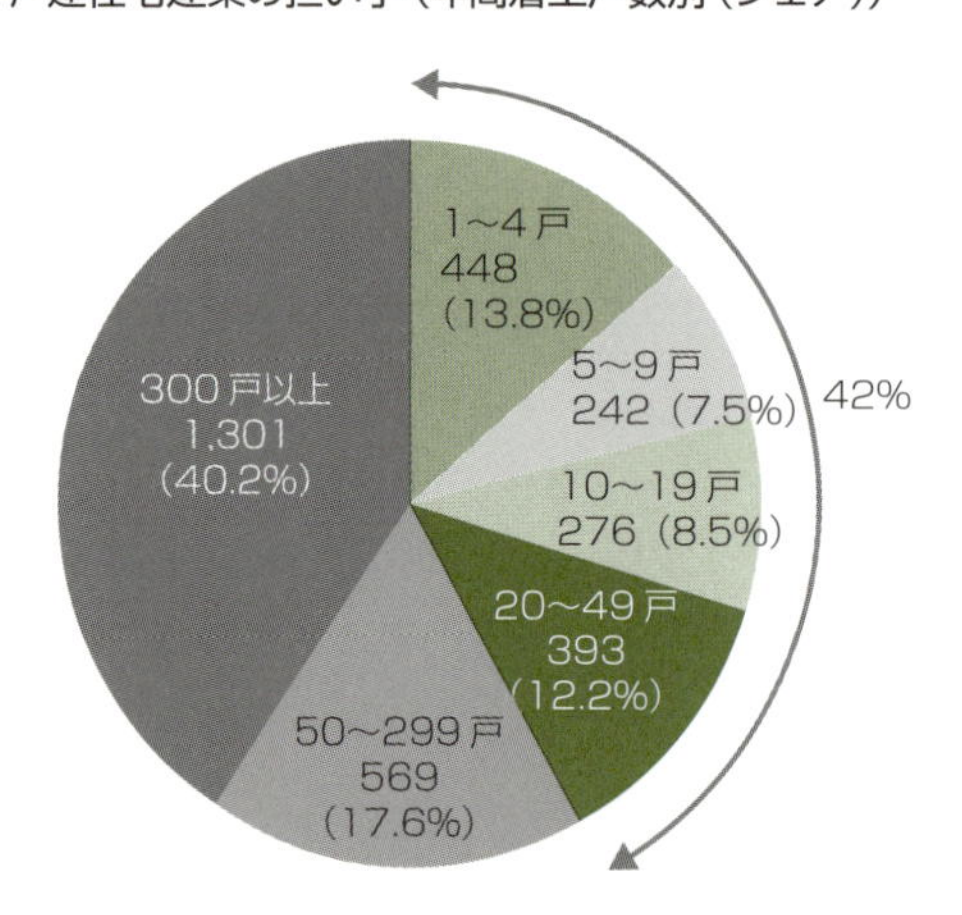

出典：「木造住宅の担い手の現状」（国土交通省）より作成（データは平成25年度）

戸建住宅建築の４割は年間受注戸数50戸未満の大工や中小住宅会社が担っています。大工や中小住宅会社も最新の技術を取り入れて、魅力的な住宅で大手と差別化しています。大工や中小住宅会社が大手住宅メーカーと同じ土俵で堂々と戦いを繰り広げています。

根強い木造住宅の人気！

戸建住宅の大半は木造（軸組工法）となります。

▼大工就業者数の推移

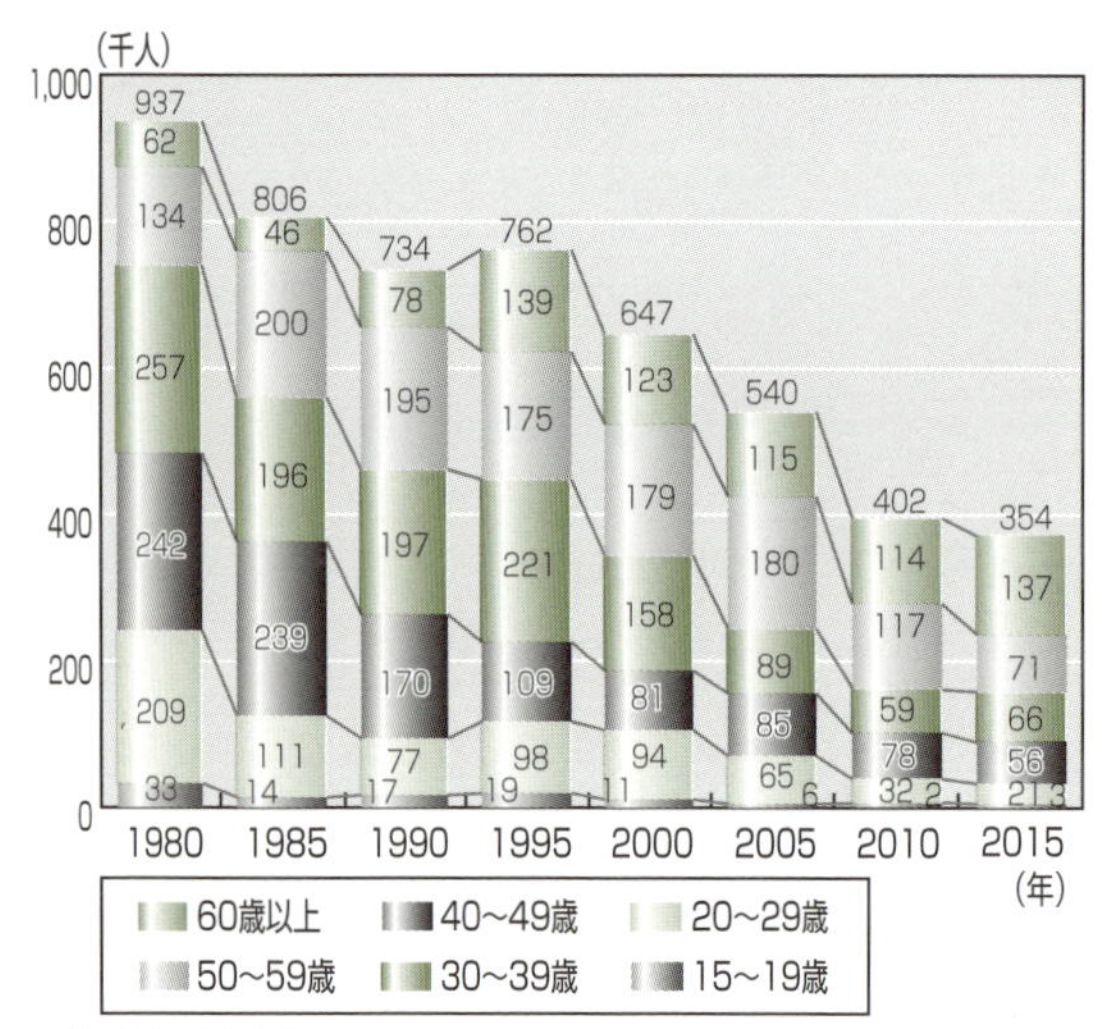

出典：国勢調査から

▼戸建住宅の構造別シェア

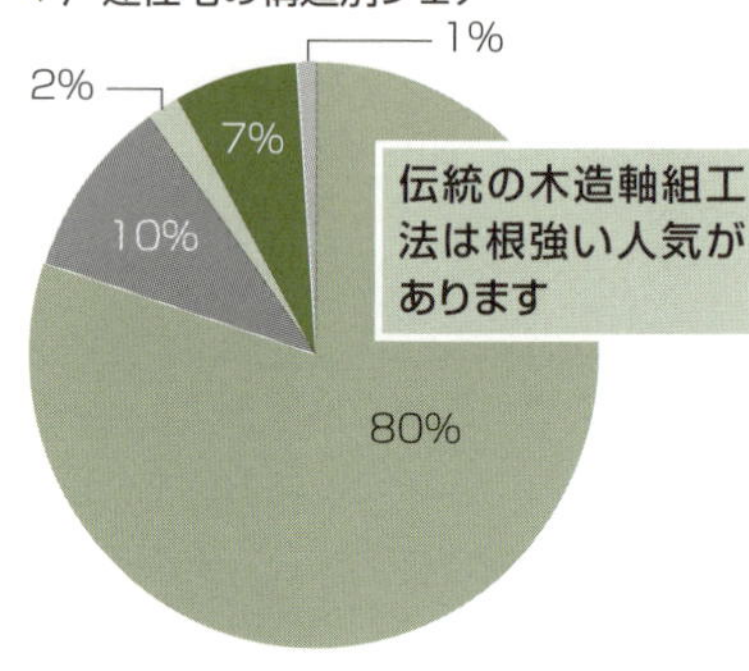

出典：「令和３年度　住宅着工統計」

大工さんが引っ張りだこに！

大工さんの数は、ピークの3分の1になっています。しかも50歳以上が約6割。一人前になるまでの修業は厳しいですが、技術があれば、あちこちから引っ張りだこの時代になると予想されます。

新設住宅着工戸数はピークの半分に！

長期的な需要減！

平成29年度の住宅着工戸数は95万戸とピークから半減しています。少子高齢化と人口減少、世帯数減少、世帯当たり人数の減少もあり、住宅需要は減少傾向が続きます。➡ 今後の新設住宅着工戸数は50万戸の時代に！

▼新設住宅着工戸数の推移

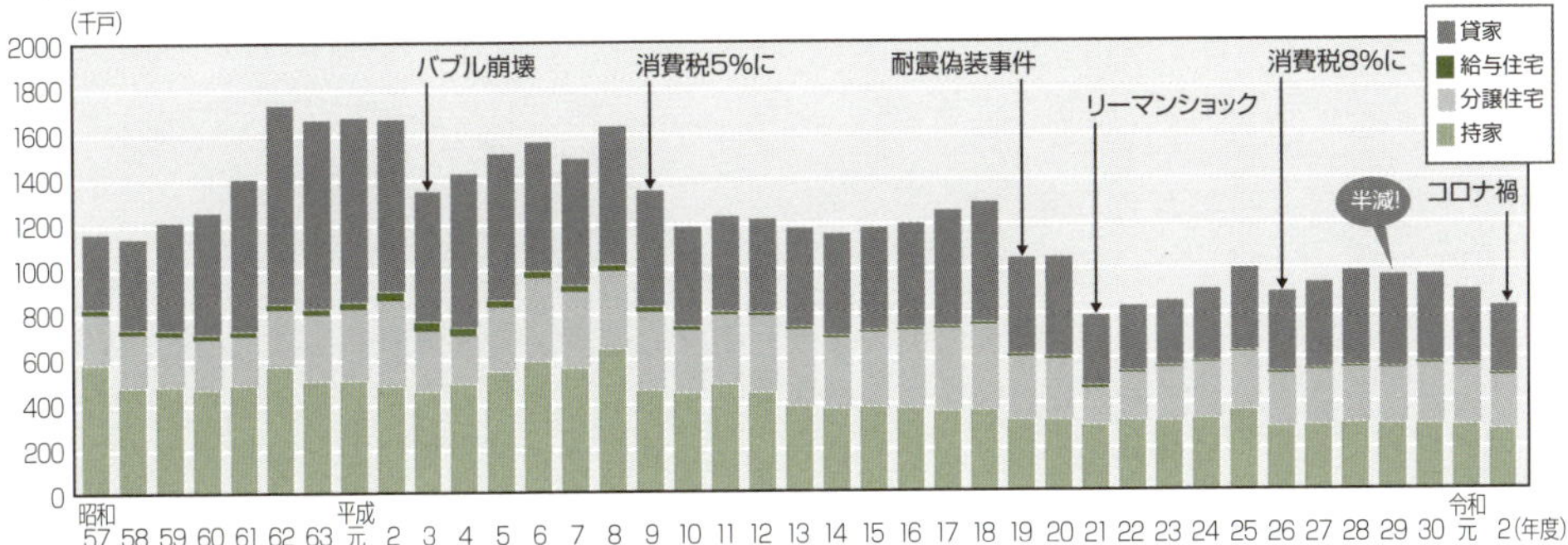

出典：「建築着工統計」(国土交通省)より作成

▼滅失住宅戸数も減少

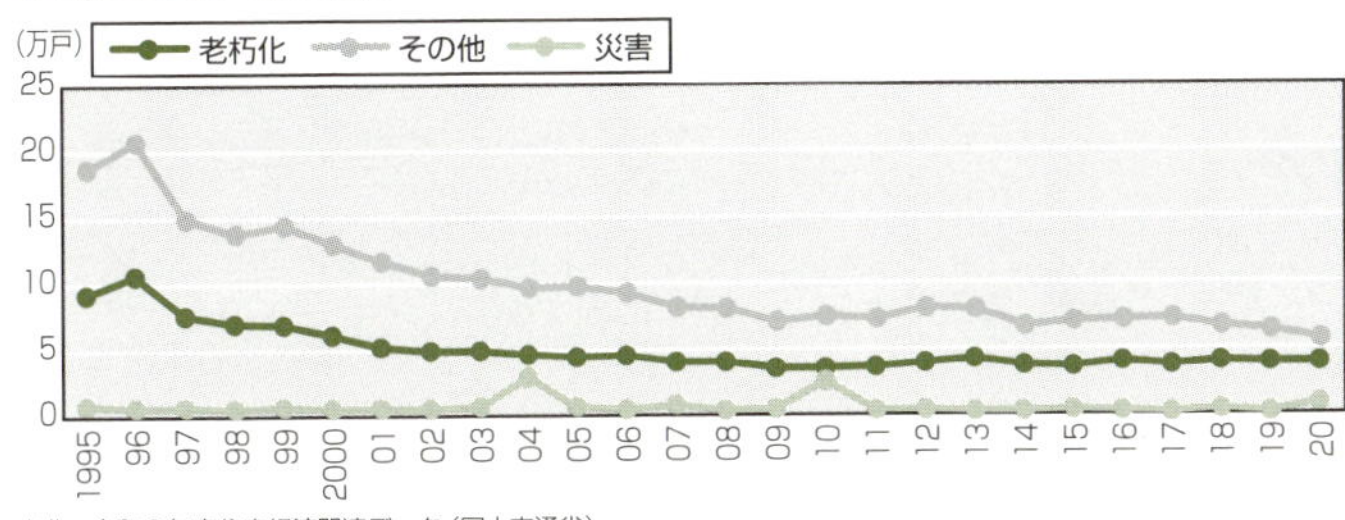

出典：令和３年度住宅経済関連データ（国土交通省）

住宅の長寿命化

住宅の長寿命化により建替えや除却する住宅が減少しています。

➡ 住宅の長寿命化により建替えや除却する住宅が減少しています。

空き家管理が新たなビジネスに！

現在、既存住宅の15%程度が空き家といわれています。住宅需要の減少に合わせて、新設着工戸数が減少しても、いま以上に空き家は増えると予想されています。

持家の需要減！

▼若者（40歳未満）の住宅の所有関係の推移

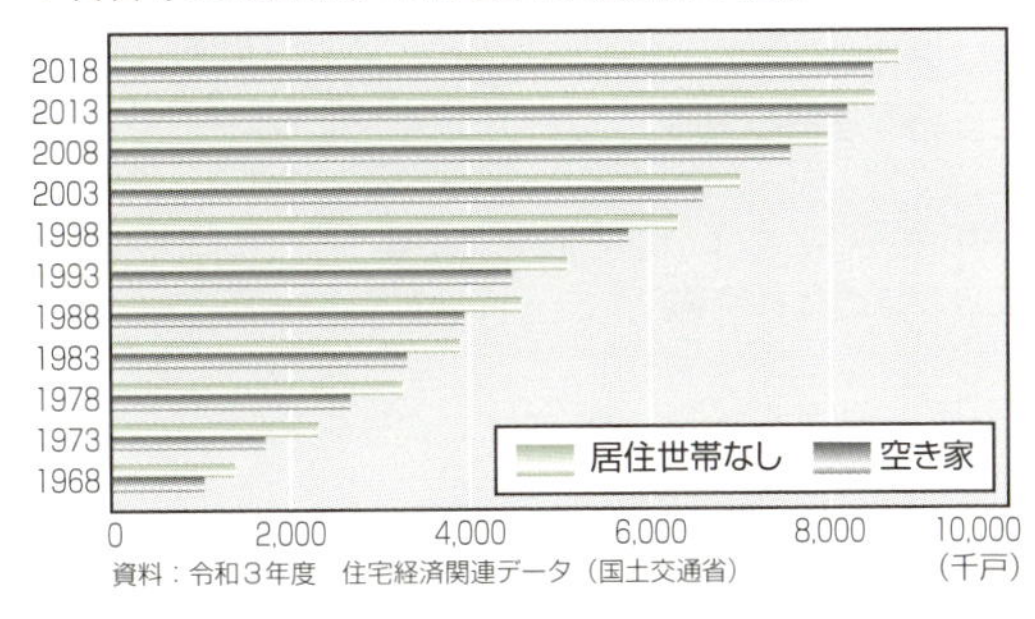

資料：令和３年度　住宅経済関連データ（国土交通省）

グローバル化を進める大手住宅メーカー

縮小する国内市場から海外へ！

大手住宅メーカーは、縮小する国内市場にとどまることなく、海外へ目を向けています。日本の技術と品質には高い信頼が置かれています。海外からの期待に応えて、住宅やマンションの建設・販売、住宅生産工場の建設などを始めています。日本の住宅メーカーが海外での大量販売を行う時代が近付いています。

増加を続けるアジアの人口！

成長を続けるアジアでは、人口増加と、さらに国民所得の増加に伴い、これまでよりも快適な住宅に対するニーズが増えています。日本の住宅に高い関心が寄せられています。

▼東アジアと東南アジアの人口規模の推移

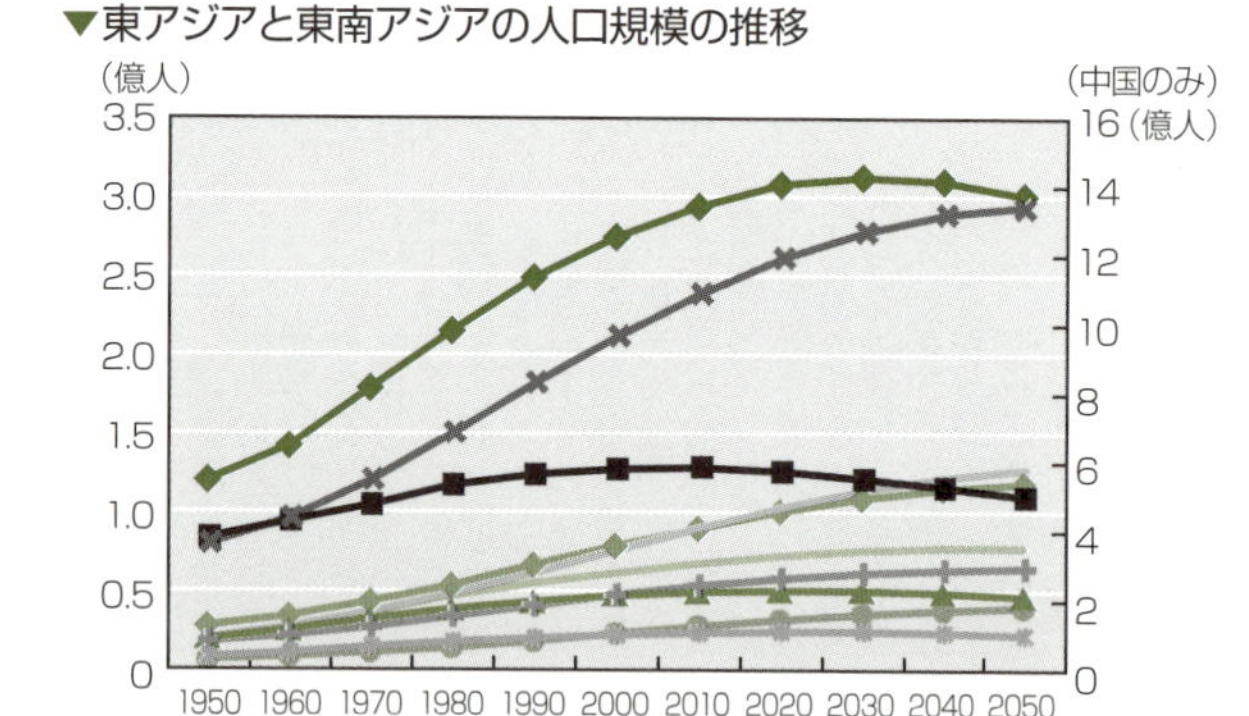

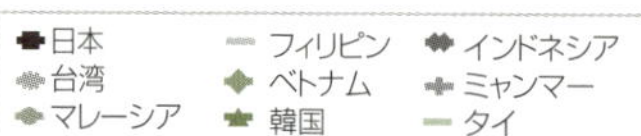

これからの住宅とまちづくりのテーマ

▼これからの住宅とまちづくりのテーマ

これからの住宅市場においては
　○少子高齢化に対応した居住
　○安心して住み続けられる住居
　○持続・循環可能な住宅ストック
が重要なテーマになります。

　○性能向上
　○長寿命化
　○既存住宅の流通

住宅業界はこのような方向を目指すことが求められます。

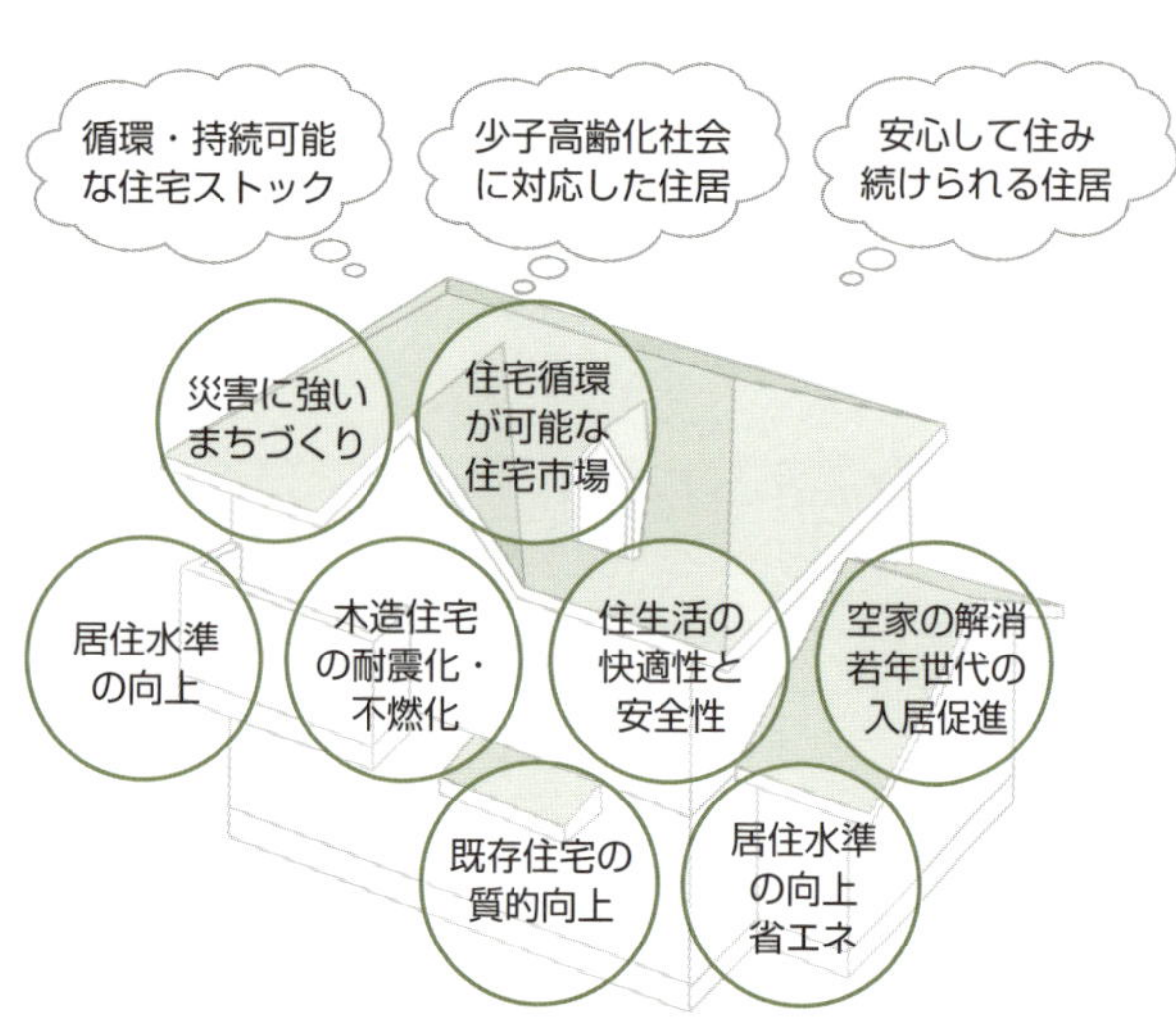

業界に求められる地球温暖化対策！

省エネ基準の適合義務化へ

これまで、住宅の省エネ基準は努力目標であり、義務ではありませんでした。2025年には省エネ基準が義務化される予定です。そして2030年には省エネ基準がZEHレベルに引き上げられます。ZEH（ネット・ゼロ・エネルギーハウス）とは、年間の一次エネルギー消費量の収支をゼロにする住宅です。

▼ZEH普及に向けたロードマップ

2030 年度以降に新築される住宅ではZEH基準の確保を目指します。

		2015年度	2017年度	2020年度	2030年度
国	定義の確立	定義確立	定義・目指すべき水準の拡張	（必要に応じて）定義・水準の見直し	
国	事業者の補助	建築補助		定義・水準に応じた建築補助	（必要に応じて）限定的な延長
国／業界団体・民間事業者	目標の設定	自主的な行動計画等に基づくデータ収集・進捗管理・定期報告		評価制度の確立、登録制度の見直し	
国／業界団体・民間事業者	技術者の育成	中小工務店等のノウハウ確立		設計ノウハウの普及促進	設計ノウハウの標準化
国／業界団体・民間事業者	広報	ZEH広報／ブランド化		販売ノウハウの普及促進	販売ノウハウの標準化
業界団体・民間事業者	技術開発		ZEHの標準仕様化（ZEH+の住宅商品ラインナップ化を含む）	要素技術の高度化・普及促進	ZEHの要素技術の標準仕様化
目標	ZEHの普及			新築戸建住宅の過半数をZEH化	新築戸建住宅におけるZEHの自立普及／新築住宅の平均でZEHを実現

資料：ZEH の普及促進に向けた政策動向と令和 2 年度の関連予算案（資源エネルギー庁）

注）ここでの ZEH とは、ZEH+ を含めた広義の ZEH を指す

▼ZEHの普及状況

2021年度には大手住宅メーカーの注文戸建住宅の56%がZEHとなっています。注文戸建住宅全体では24%の普及率です。エネルギー自立化により災害対策になるだけでなく、室内温度環境の改善により快適性と健康性も高まります。

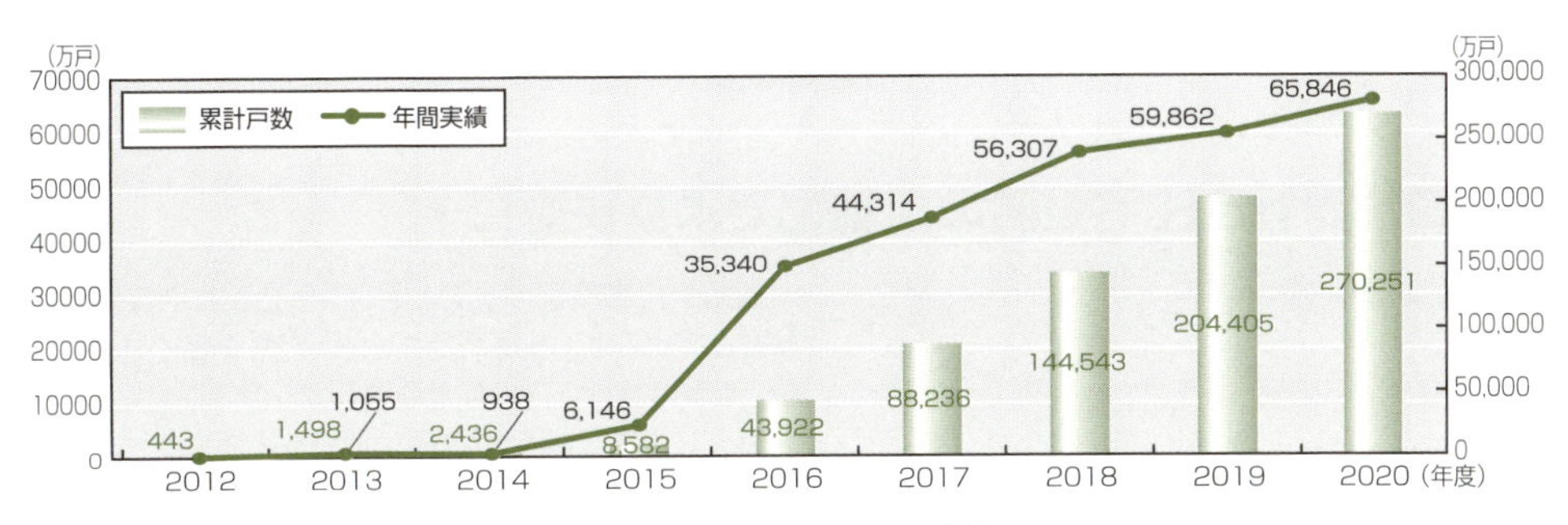

注）2015年度まではネット・ゼロ・エネルギー・ハウス支援事業の交付決定件数。
　　2016年以降は、ＺＥＨビルダー／プランナー制度に登録している建築事業者により供給されたＺＥＨを集計。

出典：更なるZEHの普及促進に向けたZEH委員会の今後について（ZEHロードマップフォローアップ委員会）

次世代住宅のイメージ

より快適な生活を実現するIoT住宅！

▼進化するIoT住宅

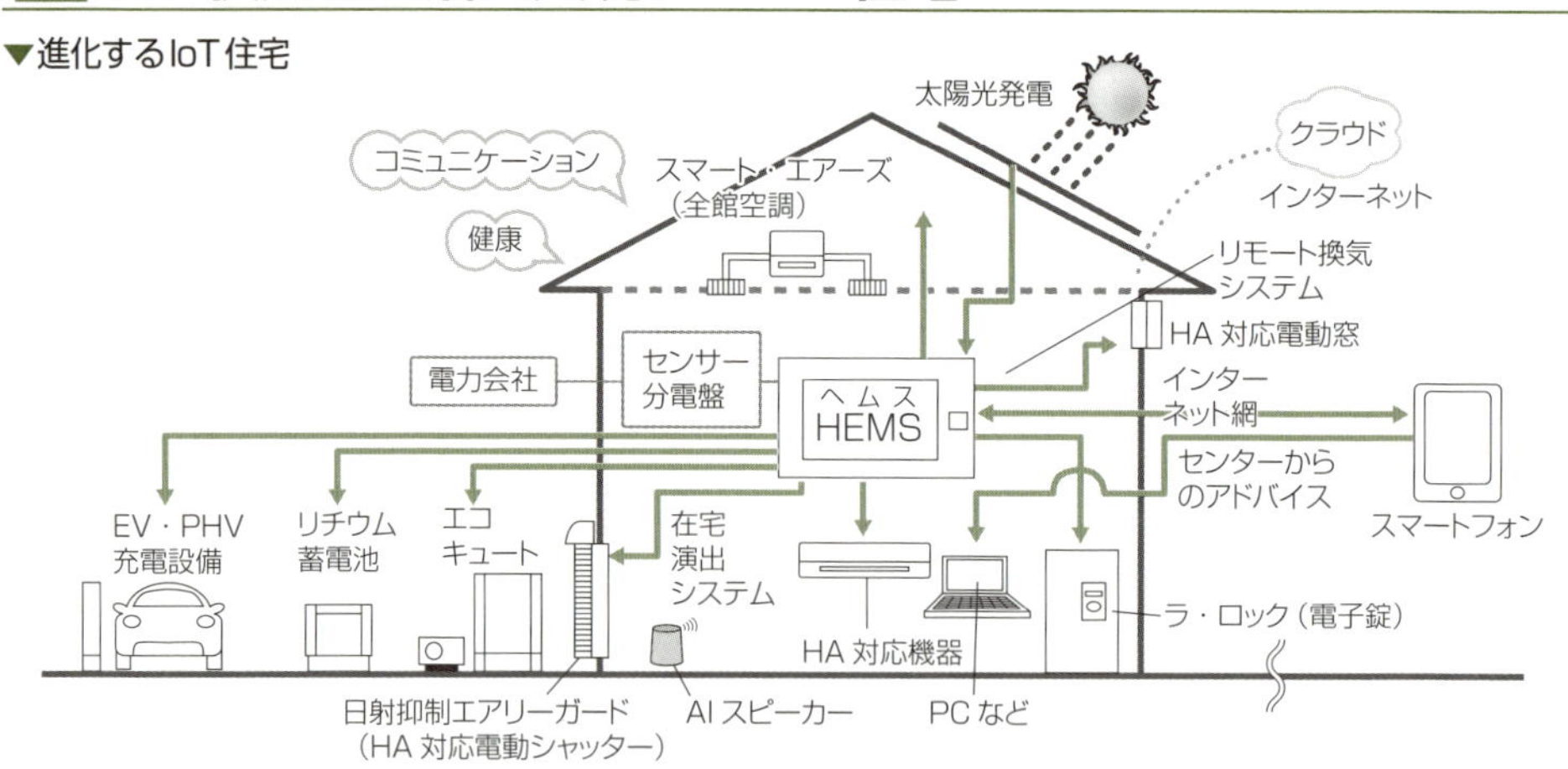

エネルギーを賢く使う

IoT住宅は、エネルギーを賢く快適に使う住宅です。住宅内の設備機器をHEMSで連携させて、エネルギーを見える化します。スマートフォンによるリモートコントロールなども可能です。

生活者をより快適に

IoT住宅は、各種の機器をコントロールしたり、エネルギーマネジメントするだけでなく、セキュリティや見守りシステムなど、生活者の安全にも役立つサービスを提供します。AIスピーカーと組み合わせ音声で機器をコントロールします。

▼IoT住宅で広がる可能性

エネルギーマネジメント	・電気使用量、電気料金モニター ・エアコン、換気扇、照明、ブラインドの協調省エネ運転 ・契約電力デマンド制御
快適生活支援	・ブラインド、換気扇、照明の集中操作 ・宅内機器のスケジュール運転（予冷・予熱）
ホームセキュリティ	・防火（火災、ガス漏れ、漏電監視） ・防災（漏水検知、地震避難指示、凍結防止） ・防犯（訪問者管理、侵入者防止）
ホームヘルスケア	・健康管理サービス ・高齢者生活ケアサービス ・在宅医療機器監視・制御
機器リモートメンテナンス	・宅内機器遠隔故障診断・保守 ・宅内運転機器コンサルタント
モバイルサービス	・宅内運転機器状況遠隔モニター ・宅内機器遠隔操作、施錠操作 ・訪問者、高齢者生活状況遠隔モニター

ロボットと住宅設備の自動化でより快適に！

▼ロボットとの共生

家電や住宅設備のリモートコントロールや自動運転が進んでいます。在室認識により、窓やブラインドの開閉、照明コントロールなども進んでいます。そして、一人暮らしの話し相手や介護サポートにロボットとの共生も考えられています。

How-nual 図解入門 業界研究

最新住宅業界の動向とカラクリがよ～くわかる本［第4版］●目次

第3章 住宅業界の規制、法律

第4章 住宅業界の技術開発

第5章 住宅業界の問題点

第6章 住宅業界の将来展望

第1章

住宅業界の現状

本格的な少子高齢化が進み、人口減少時代が到来する中で、住宅の量は充足し、その質も向上してきています。しかし、欧米と比べると、住宅の質には依然として大きな開きがあります。住宅業界には、将来の住生活の基盤となる、良質な住宅ストックを形成することが求められています。

1 日本の住宅事情と満足度

日本の住宅は狭く、寿命が短いといわれてきましたが、近年では徐々に改善されています。住宅に対する不満も減少しています。

●伸びている日本の住宅寿命

戦後の**住宅政策**は、不足する住宅を充足させるために、質より量を優先してきました。そのためにかつての住宅の平均寿命は二六年程度と、短いものでした。

解体された住宅の平均寿命は最近ではイギリスでは七九年、アメリカ五六年に対して、日本も三八年と長くなっていますが、欧米と比較すると極端に短く、これまで日本では、すべての世代ごとに住宅を新築しなければなりませんでした。やっと住宅ローンが終わったと思ったら、すぐに建て替えの時期になるため、住宅にかかる費用が大きな負担になっていました。

イギリスのような住宅寿命があれば、おおよそ三世代分、その住宅が使えることになります。費用負担が軽くなるだけでなく、頻繁には建て替えが行われないため、周辺の街並みや景観も保全できます。

二〇一八年の調査では、日本の住宅のうち、築二八年以上の住宅が全体の四三%を占め、築三八年以上の住宅が二五%を占めています。住宅の寿命も伸びてきており、国土交通省では、二〇一八年に建設された戸建住宅の平均寿命は五四・三年と推定しています。住宅の広さについては、持家住宅の平均で二〇一八年には一二〇㎡となっています。一五七㎡の米国とは大きな差があります。

＊**住生活総合調査**　現在の住まいに対する居住者の満足度、今後の住まい方の意向などを明らかにするため、国土交通省が全国の約9.3万世帯を対象として行う大規模調査である。5年ごとに行われ、最近では、平成30年12月1日に実施された。

●向上している住宅に対する満足度

国土交通省の**住生活総合調査***によると、一九九八年には約五割の生活者が住宅に対する不満を持っていましたが、二〇一八年には、約二割まで減少しています。不満の要因は、「バリアフリー」、「地震時の安全性」、「遮音性」、「台風時の安全性」、「断熱性」などです。

現在の住宅の約三割は、まだ質の十分でなかった時代に建てられているのですから、このような不満は当然ともいえます。これらの不満の背景には高齢化の進行や災害の多発もあると考えられます。

欧米と日本の住宅寿命の差は単に耐久性の差ということではなく、住宅に対する考え方に大きな差があるのかもしれません。日本では新築直後が価値が最も高く年数を経るに従って建物の価値が低下します。しかし、欧米では、そもそも住宅とは持ったときが始まりであり、きちんと維持され、手のかかった住宅に価値がある、と考えるようです。

住宅会社*や**工務店**には、日本の住宅資産の質を向上させることが求められています。

建築年代別の住宅ストック総数

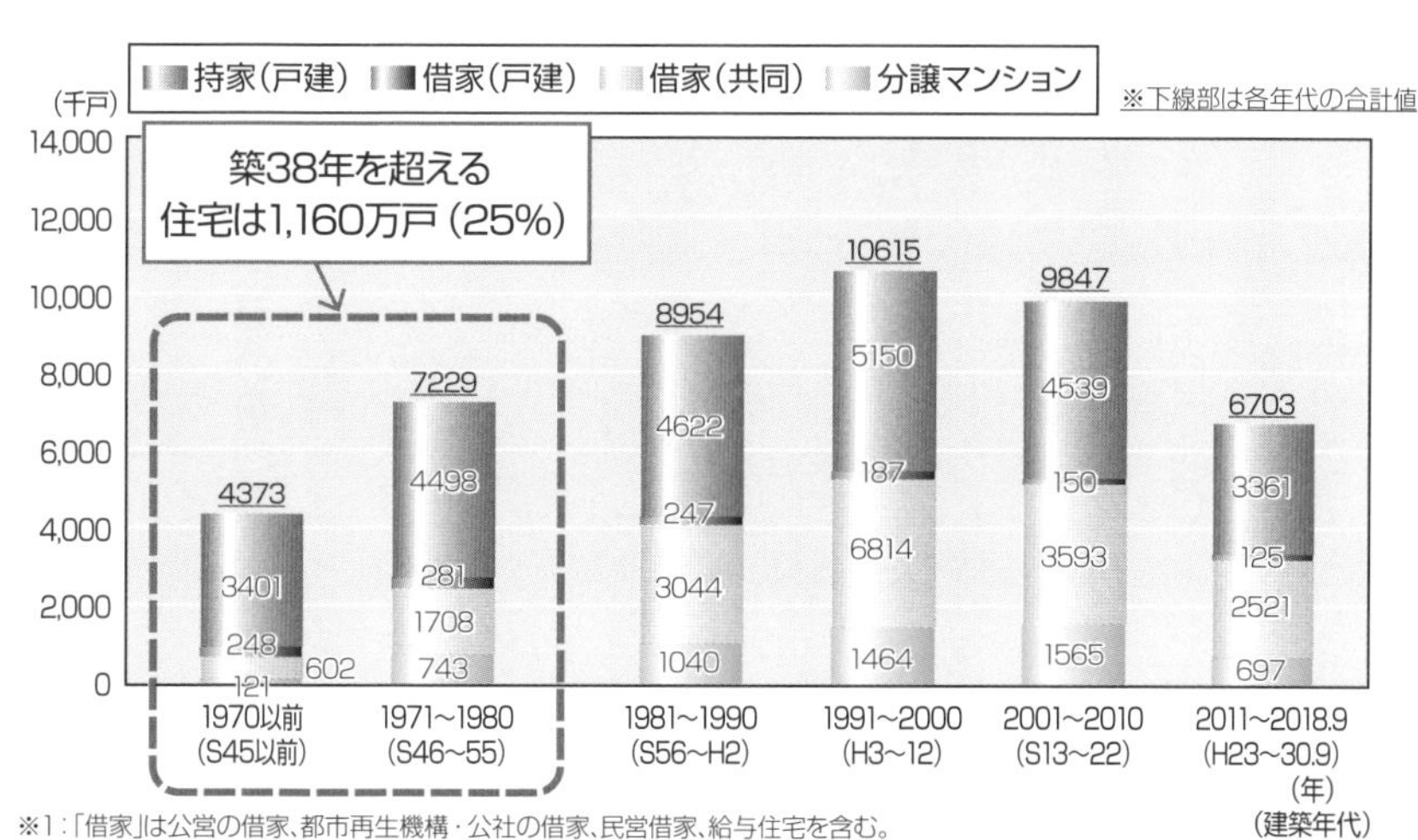

※1：「借家」は公営の借家、都市再生機構・公社の借家、民営借家、給与住宅を含む。
※2：持家・借家の「長屋建て」「その他（工場・事務所などの一部が住宅となっているもの）」および「不詳（建築年数または住宅の種類が不明）」は除いている。
出典：「令和３年度　住宅経済関連データ」（国土交通省）

***住宅会社**　本書では、住宅建築を行う中小企業を住宅会社と呼び、特に規模の小さな会社を工務店と呼んでいる。

2 世帯数より多い住宅戸数

一九七三年には、すべての都道府県において住宅戸数が世帯数を上回り、住宅の量的な不足が解消されました。二〇一八年には、全国約五四〇〇万世帯に対し、総住宅戸数は約六二四一万戸となり、住宅戸数の方が世帯数より一五%多くなっています。

●減少する新設住宅着工戸数

新設住宅の着工戸数は、バブル期に年間一六〇万戸以上の時期が続きました。土地の価格が高騰したため、都心から離れた場所にも通勤者用の住宅が建ち、都市部には投機用のワンルームマンションなども多く建てられました。バブル崩壊後、着工戸数は急減しましたが、ローン金利や税制の優遇などの内需拡大策により持ち直しました。

一九九六年には消費税アップ前の駆け込み需要もあり、再び一六〇万戸台に達しましたが、それは一時的なもので、消費税が五%になったあとは、一二〇万戸レベルで落ち着きました。

その後、耐震偽装問題をきっかけとした建築確認の厳格化、景気の低迷もあり、一〇〇万戸から八〇万戸レベルへと減少しています。

日本の人口は二〇〇五年をピークに減少に転じました。世帯数の伸びも鈍化し、二〇二三年には減少に転じる見込みです。住宅の寿命も延びる傾向にありますから、今後の新設住宅着工戸数は、さらに少ないレベルで落ち着くと考えられます。

総住宅戸数と総世帯数の関係で見ると、八四一万戸の住宅が空き家になっている計算になりますが、古く狭い空き家も多く、賃貸・売却用として使用できる住宅はこのうちの半分程度となっています。

【空き家率ランキング】 2018年の「住宅・土地統計調査」によると、山梨県の空き家率が21.3%と最も高く、和歌山県の20.3%、長野県の19.5%と続く。逆に空き家率が低いのは、埼玉県の10.2%、沖縄県の10.2%、東京都の10.6%となっている。全国平均では、13.6%と過去最高になっている。

●住宅需要とストックのミスマッチ

戸数としては充足し、広さと長寿命化が求められる日本の住宅ですが、実は需要とストックに大きなミスマッチが生じています。

六五歳以上の単身、および夫婦の持家世帯の五〇%が、一〇〇平方メートル以上の広い住宅に住む一方で、四人以上家族の三二%が一〇〇平方メートル未満の住宅に住んでいます。そのために、中古住宅の流通促進など**住宅の流動化**が必要だといわれています。

全国規模で見るとこのような状況ですが、それぞれの居住地域を考慮すると、地方では大きな家に単身や夫婦で住んでいる高齢者世帯が多く、都市部では、子供と両親で狭い家に住む世帯が多い、ということになります。

ですから、単純に住宅の流動化を促進すれば解決するという問題ではありません。ここにも**都市と地方の差**という社会の大きな問題が潜んでいるのです。

住宅ストック数と世帯数の推移

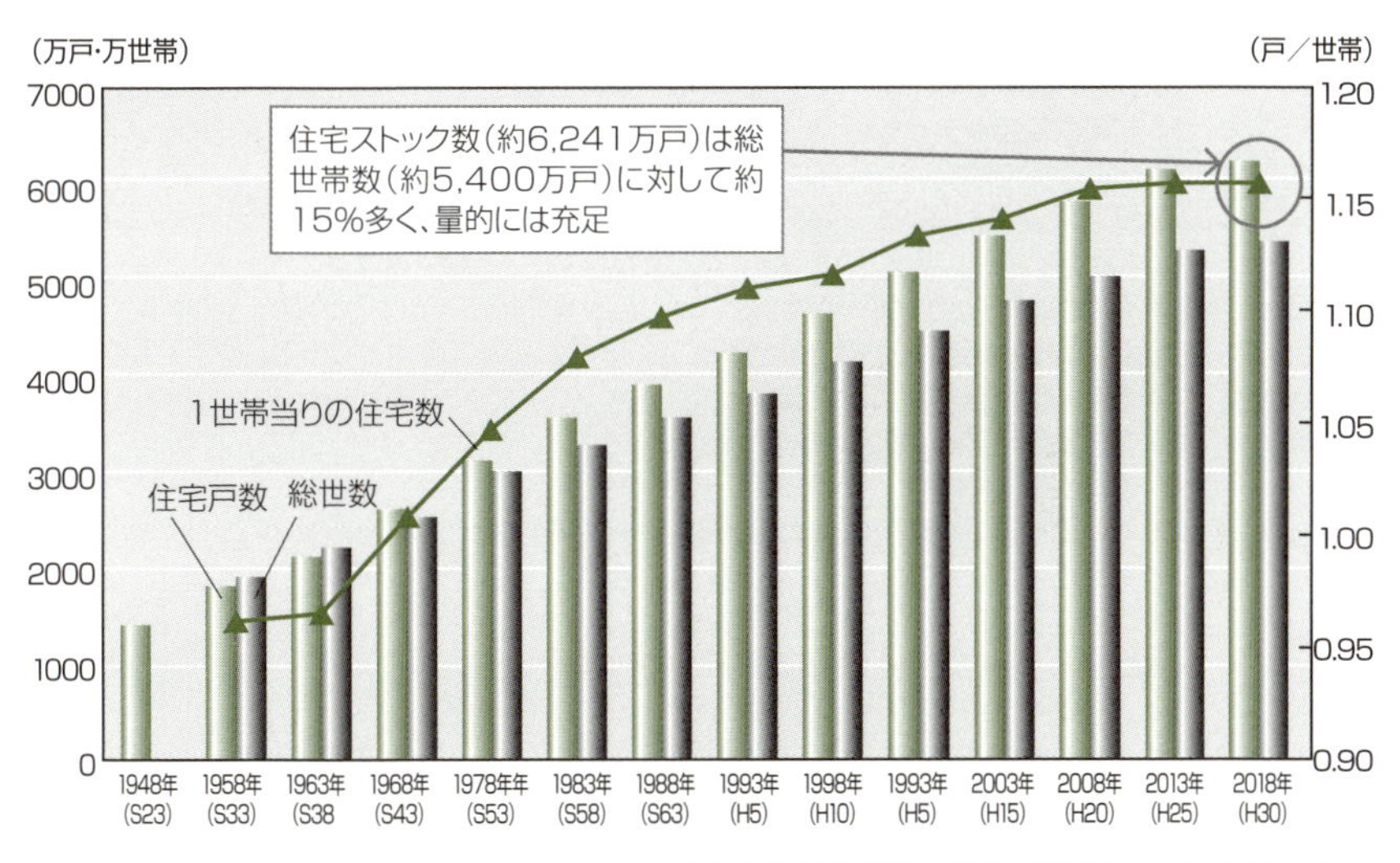

出典：「令和３年度　住宅経済関連データ」（国土交通省）

【給与住宅】 社宅、公務員住宅などのように、会社、団体、官公庁などが所有または管理して、その職員を職務の都合上または給与の一部として居住させている住宅のこと。
【住宅の増加率ランキング】 2013～2018年の5年間での住宅の増加数は、東京都の31万戸が最も多く、神奈川県15万戸、千葉県14万戸、埼玉県12万戸と続いている。

住宅着工戸数の推移

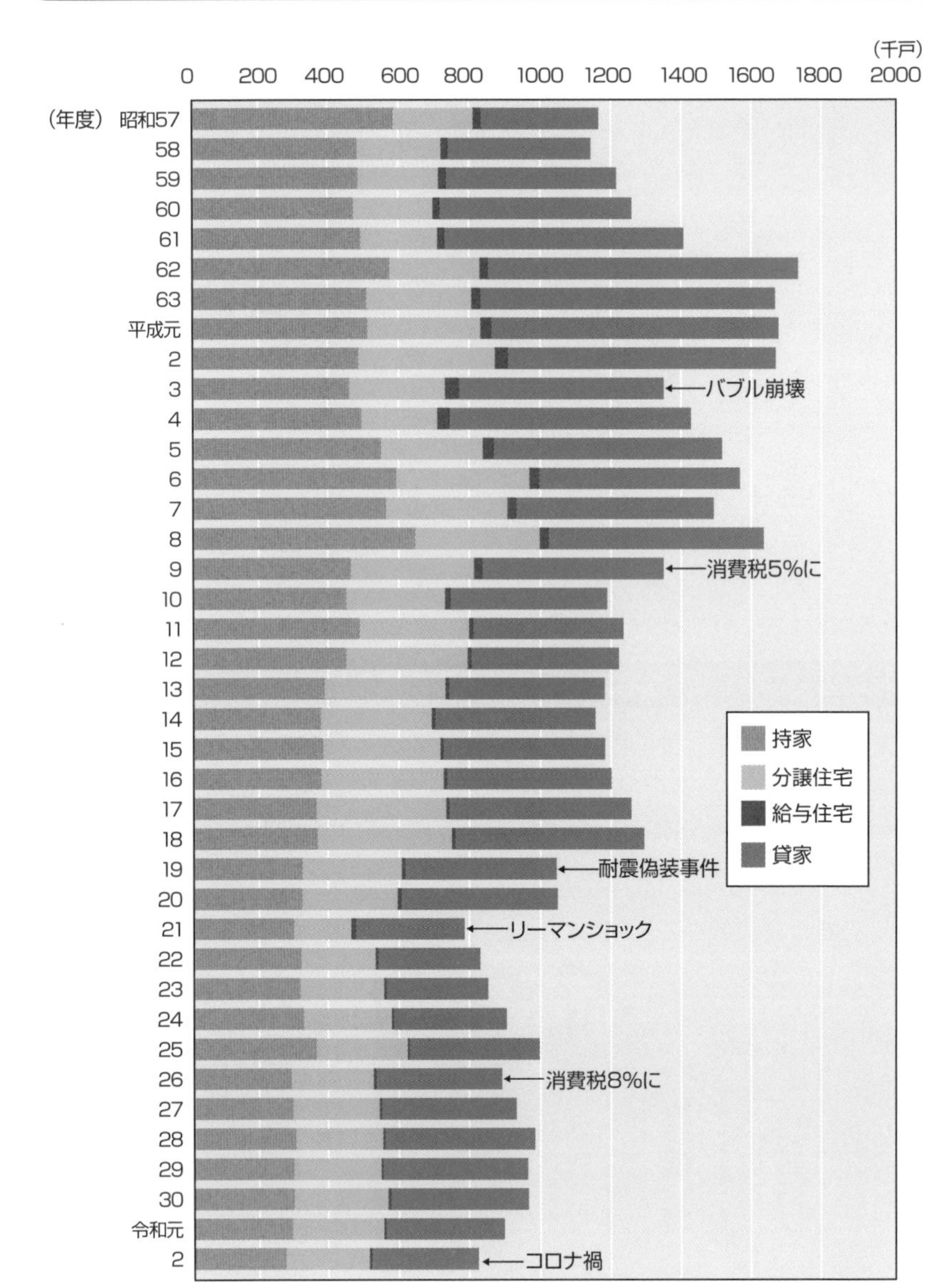

出典：「建築着工統計」(国土交通省)より作成

【地震保険】　火災保険とセットで契約することが必須で、地震保険単独での契約はできない。損害保険会社での地震保険への加入率は約3割、全労済とJA共済等の加入を加えると、全世帯の5割程度の加入率となっている。地震保険の保険料は、建物の構造や所在地によって異なっている。火災保険・共済の加入は8割以上である。

世帯人数構成の変化

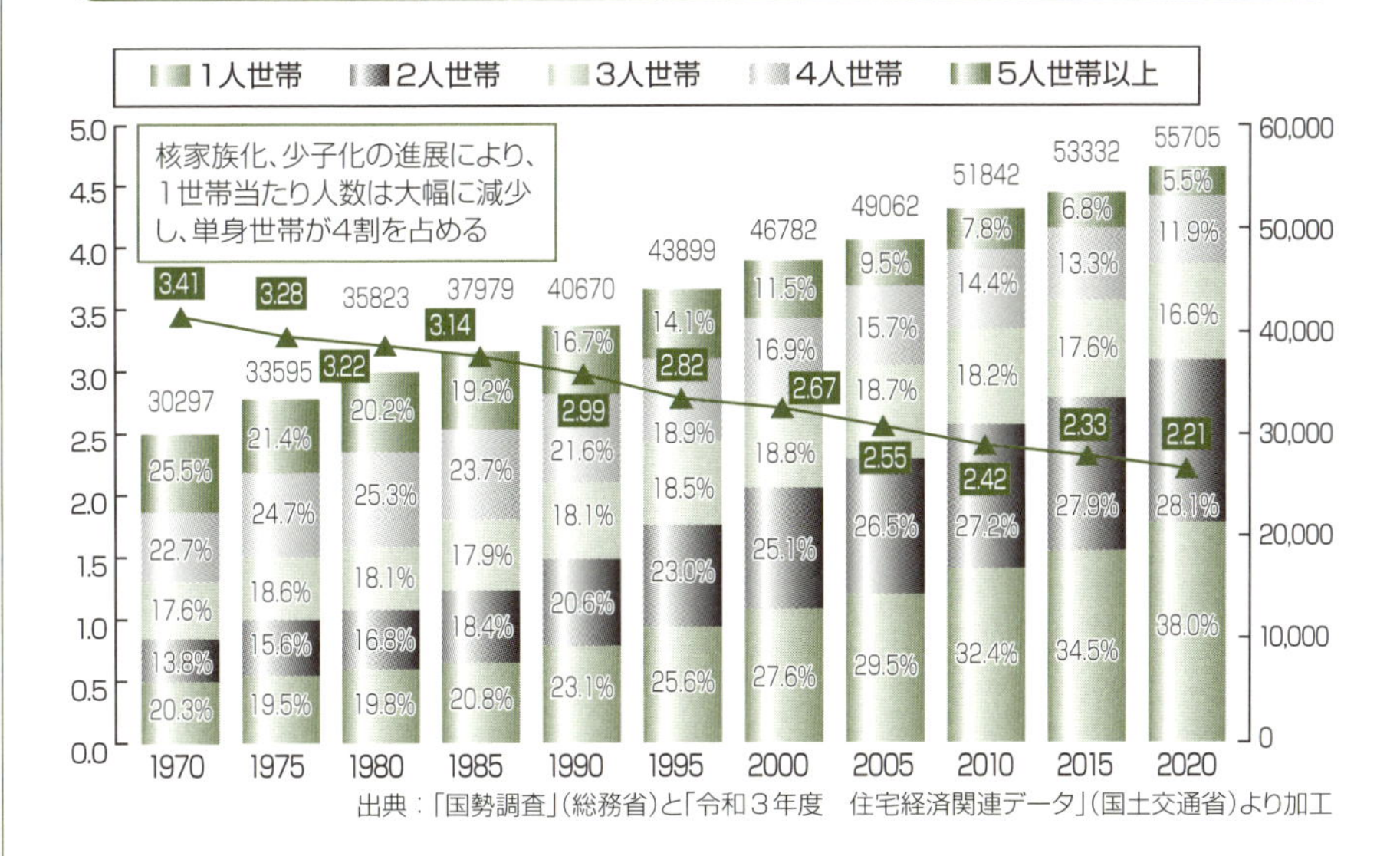

出典：「国勢調査」（総務省）と「令和３年度　住宅経済関連データ」（国土交通省）より加工

住宅ストックと居住ニーズのミスマッチ

世帯類型別の持家床面積構造（平成30年）

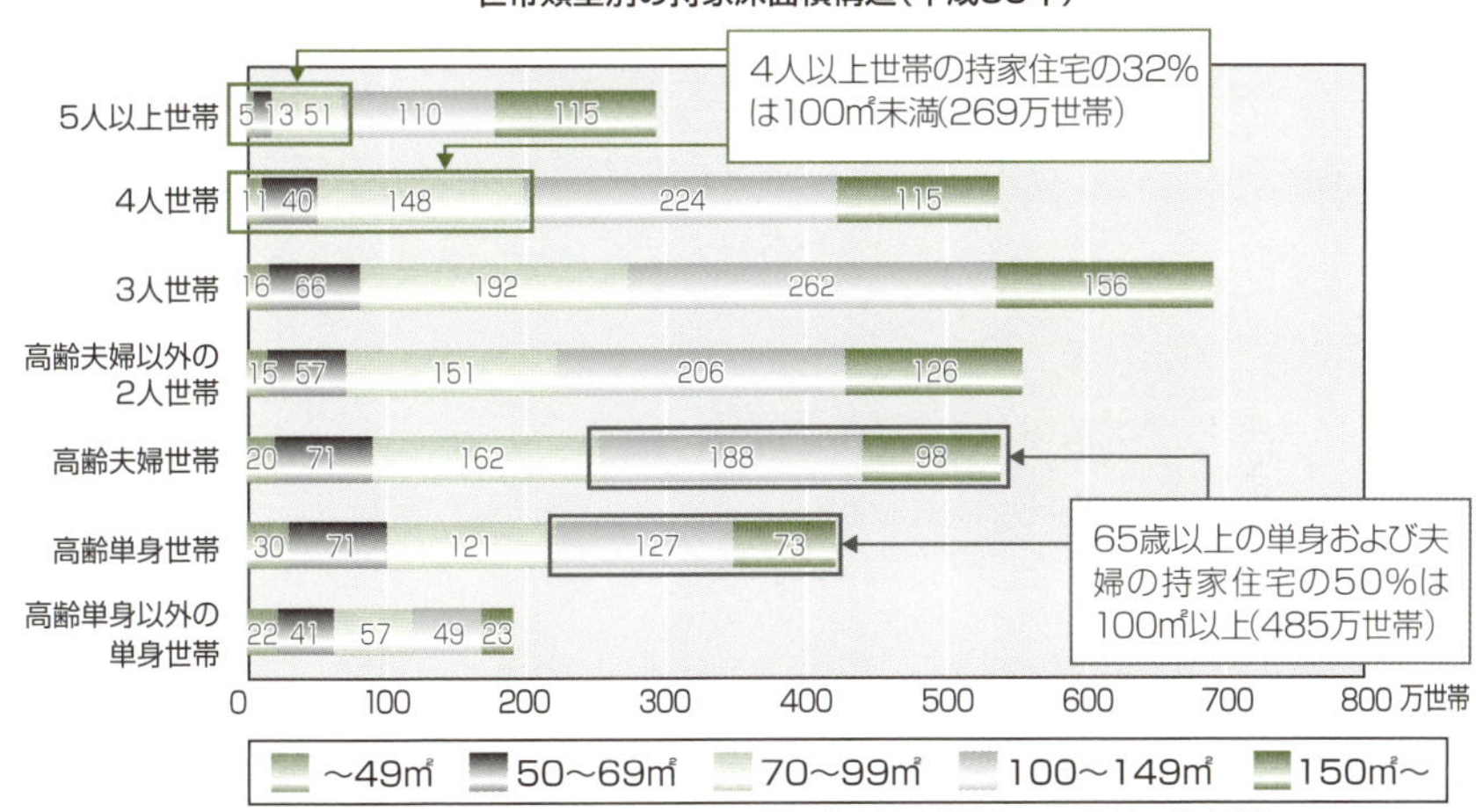

※「高齢夫婦世帯」は夫65歳以上、妻60歳以上の夫婦のみの世帯、「高齢単身世帯」は65歳以上の単身世帯。

出典：「令和３年度　住宅経済関連データ」（国土交通省）

【二世帯住宅】　親世帯と子世帯のように、2つの世帯が同一の住居内に居住するために考慮された住宅のこと。同居との違いは、キッチン、リビング、ダイニング、洗面所など基本的な生活が別々という点。それぞれの生活スペースが壁や天井で完全に区分され玄関が2つあれば、2戸の住宅と見なされ、様々な税制上の軽減措置などが別々に受けられる。

3 フローからストックの時代へ

世帯数より多い住宅戸数という環境の下で、人口や世帯数の減少が始まっています。住宅ストック数は六二四一万戸に上っており、これからは既存住宅の活用が大きなテーマになります。

●住宅流通の活性化

これまで、日本の住宅は、三〇年も経たない家を解体して建て替える**スクラップ&ビルド型**といわれていました。しかし、近年の住宅は、性能も耐久性も向上し寿命が延びてきており、既存住宅の扱いが大きな課題になっています。

欧米では、住宅は、長期にわたってリフォームしながら住み続けるものとなっているため、住宅の寿命が長く、流通量も多くなっています。

既存住宅流通と新設住宅着工の合計である全住宅流通量に占める既存住宅流通の割合は、アメリカは八〇%、イギリスは八九%と既存住宅流通の割合が非常に高い水準となっています。つまり、新築中心でなく、既存住宅の活用が中心であり、既存住宅への住み替えが多く行われているということです。

日本では、これまで既存住宅を選ばない理由として、隠れた不具合に対する心配やリフォーム費用の不安、耐震性や断熱性がよくわからない、などが原因として挙げられていました。

このような問題を解決するために、既存住宅を適切に評価する手法や査定する仕組み、瑕疵保険や住宅履歴情報蓄積の促進が図られています。二〇〇六年に住生活基本法が施行され、日本の住宅政策は量から質へと大きく転換し、二〇〇九年には長期優良住宅普及促進法が施行されました。建て替えを繰り返すフローの時代から既存住宅を活用するストックの時代

【木材の変形】　木造住宅に使われる木材は水分を含んでいるため、施工後の乾燥によって収縮や変形を起こし、それが住宅の品質に影響を及ぼすことがあった。最近では人工的に平衡含水率*以下に乾燥させた木材を使用することが多くなっている。

に変わってきました。最近では、建て替えよりリフォームをしてできるだけ長く住み続けようという人も増えています。日本でも既存住宅流通の割合が増加し、不動産流通経営協会の調査では二〇一九年には全国平均で四〇%になっています。

●大手住宅メーカーのストック活用戦略

大手住宅メーカーは適切な維持管理を行ってきた住宅に対する査定基準を定め、市場での流通を促進させようとしています。建物をスケルトンとインフィルに分け、スケルトン部分を五〇年償却、インフィル部分を一五年償却として評価します。さらに、住宅履歴データが整っていること、新耐震基準をクリアしていること、長期のメンテナンスプログラムがあることなどの基準をクリアした住宅を**スムストック**と呼んでいます。

旭化成ホームズ、住友林業、積水化学工業、積水ハウス、大和ハウス工業、トヨタホーム、パナソニックホームズ、ミサワホーム、三井ホーム、ヤマダホームズの一〇社で優良ストック住宅推進協議会を構成しています。

住宅ストックの姿

1住宅当たりm²　全体平均 93.0m²

	戸建	共同建	給与住宅	公営の借家	都市再生機構住宅·公社の借家	民営借家
1住宅当たりm²	129.3m²	75.1m²	52.8m²	51.5m²	51.0m²	45.6m²
住宅総数に占める割合	50.4%	10.6%	2.1%	3.6%	1.4%	28.5%
戸数	2,701万戸	571万戸	110万戸	192万戸	75万戸	1,530万戸

ストックシェア

戸数　持家3,272万戸 61.0%　持家：借家=6：4　借家1,906万戸 35.6%

出典:「令和3年度　住宅経済関連データ」(国土交通省)

＊**平衡含水率**　大気中で湿度と平衡状態となる木材の含水率（気乾含水率）のことで、15%程度といわれている。冷暖房を使用する室内では外気より湿度が低いため、木材が収縮・変形しない安定した含水率は、内装材では5%程度、構造材では10%程度となる。

持家と借家の大きな違い

持家と借家の大きな違いは、その広さにあります。どちらも一戸当たりの床面積は広くなってきていますが、相変わらず借家は持家より著しく狭い水準になっています。

●持家志向の変化

日本の借家と欧米の借家の広さを比較してみると、その違いが顕著に表れます。日本の持家の広さの平均は、一九七三年の一〇三平方メートルから、二〇一八年には一二〇平方メートルと、欧米のレベルに近付いています。しかし、借家に関しては一九七三年の四〇平方メートルから二〇一八年の四七平方メートルとあまり変わらず、欧米と大きな差がついたままになっています。持家と借家の床面積比を見ると、欧米では、〇・六程度であるにもかかわらず、日本では〇・四と低くなっています。

その理由は、日本では、長い間根強い**持家志向**があり、借家は仮の住まいという意識があったためです。

また、従来の借家法では、「正当な事由」がない限り、貸主からは更新の拒絶や解約を申し出ることができませんでした。そのため、長期にわたって居座られる心配がない、学生や単身者向け、若い世帯向けの借家が中心となっていました。その結果、狭い借家ばかりになっていたのです。

●求められる広い借家

二〇〇〇年三月に施行された**定期借家法**により、期間を確定して賃貸借契約を行うことができるようになりました。ファミリー向けなどの借家の普及や、高齢者が広い自宅を賃貸に出すことが増えるものと期待されています。

【延べ床面積ランキング】 一住戸当たりの延べ床面積の最も広い県は、富山県の145.17㎡、次いで福井県の138.43㎡、山形県の135.18㎡、秋田県の131.93㎡、新潟県の128.95㎡で、逆に狭い県は、東京都の65.90㎡、沖縄県の75.70㎡、大阪府の76.98㎡、神奈川県の78.24㎡となっている（2018年住宅・土地統計調査）。

「土地問題に関する国民の意識調査」によると、「借地・借家でかまわない」という意識の人が一九九六年の六・〇%から増加し二〇一八年には一七・八%となりました。「年齢・収入などに応じて住み替えをしていくには、借地または借家の方がよい」「土地・建物の維持管理にかかる負担が大きい」、「子供や家族に土地・建物の形で財産を残す必要がない」、「ローン返済により生活水準を落としたくない」などが理由となっています。土地を有利な資産と思う人は、一九九六年の五三・一%に対して二〇一八年には三一・六%まで減少しています。

住まい方の選択の自由度を上げるためには、家族で住める借家が増える必要があります。そのためには、毎月の家賃負担がマイホームを購入する場合よりも軽く、住むのに十分な広さであることが求められます。

今後は、持家との比較も視野に入れ、家賃の設定や居室の広さなど、多様な借家が増えることが期待されています。二〇一八の住宅総数五三六二万戸のうち、持家が三二八〇万戸（六一・二%）、借家が一九〇七万戸（三五・六%）となっています。

戸当たり住宅床面積の国際比較

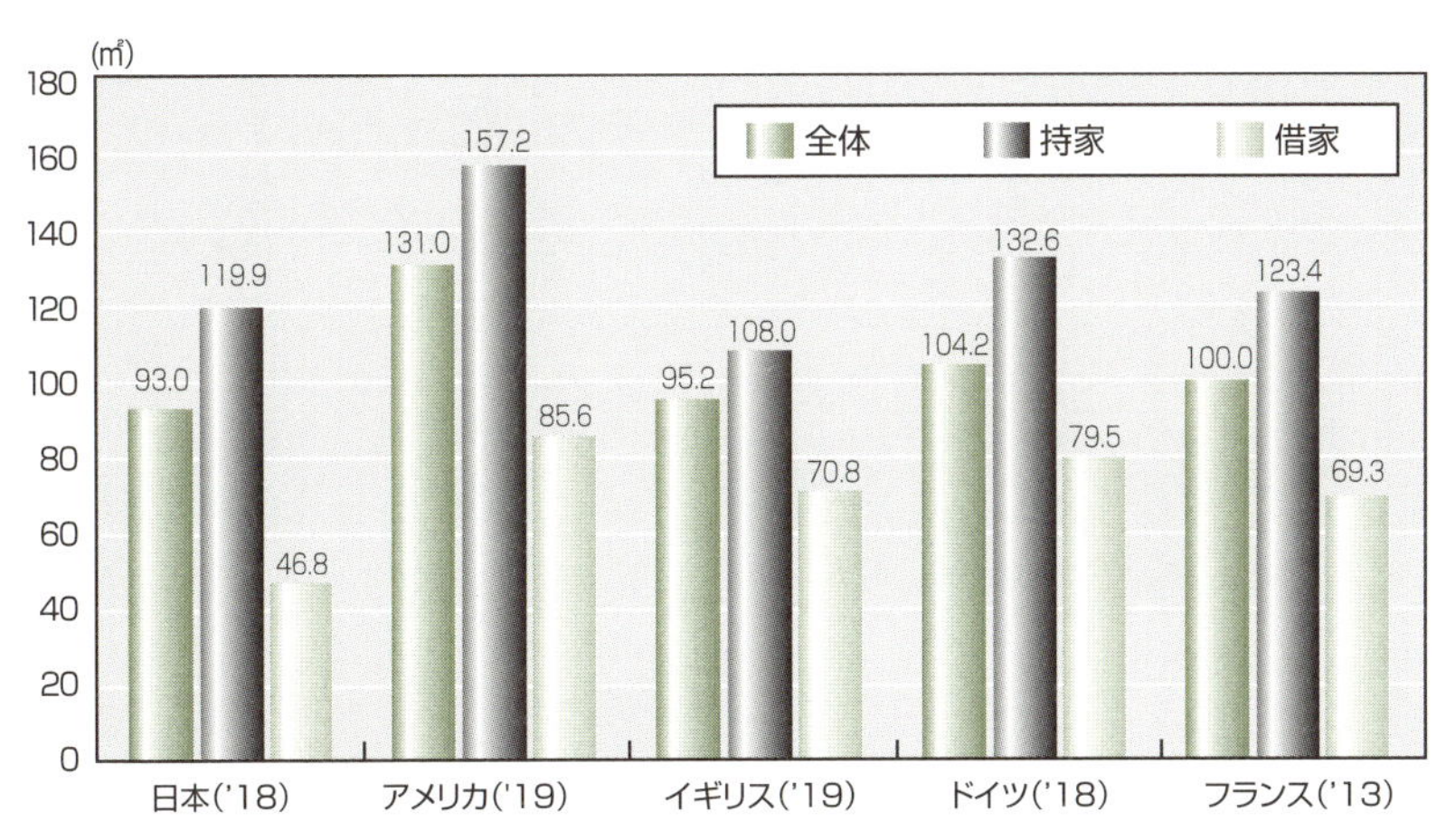

〈資料〉　日本：総務省「平成30年住宅・土地統計調査」(データは2018年)
出典：「令和３年度　住宅経済関連データ」(国土交通省)

【持家住宅率ランキング】　持家住宅率が最も高いのは、秋田県の77.3%で、次いで富山県76.8%、山形県の74.9%、福井県の74.9%となっている。逆に最も低いのは、沖縄県の44.4%で、次いで、東京都の45.0%、福岡県の52.8%、大阪府の54.7%と続く（2018年住宅・土地統計調査）。

5 変化する住宅ニーズ

家族形態の変化や価値観が多様化する中で、住まいのニーズも大きく変化しています。

●「日当たりの良い南向き」からバリアフリーや安全性へ

人々が住まいに求めるものは、時代と共に変化しています。「庭付き一戸建て」という言葉に象徴されるように、かつては住宅を手に入れること自体が多くの人の夢でした。そして、**住宅ニーズ**といえば、「日当たりの良い南向き」、そして「広さ」や「間取り」が上位の常連でした。阪神淡路大震災で大きな被害が発生すると、耐震性や防火性といった機能が求められ、高齢社会が話題になると、お年寄りが安全に暮らすためのバリアフリー住宅が注目されました。東日本大震災後は、立地や地盤についての関心が高くなりました。

住宅ニーズを考えるとき、まず第一に思い浮かぶのは、現在の住宅に対する不満です。**住生活総合調査**によれば、二〇一三年、二〇一八年とも不満率の高い項目として「高齢者等への配慮」が挙げられています。高齢化社会が進展していること、そして現在入居している住宅が、建築当時には高齢者への配慮がされていなかったことがわかります。核家族化、少子高齢化の進展により、一九六〇年には全体の一・五割であった一人世帯が、二〇一八年には四割となり、この傾向は今後も続きます。「高齢者等への配慮」はますます重要になります。

二〇一三年と二〇一八年の調査を比較すると、「省エネ性」「いたみの少なさ」の不満が低下し、「遮音性」や「台風時の安全性」についての不満が上位に来ています。社会環境の変化による不安や不満が大きくなっていることが表れています。

【大壁】 柱や筋交いなどの構造材を壁面内に覆い隠すように納めた壁のこと。壁が厚くなるため、筋交いや補強金物以外に、配管設備、断熱材、遮音材などが挿入しやすくなる。その代わり、壁の中の結露に注意する必要がある。

●二世帯住宅と二・五世帯住宅

高齢社会白書によれば一九八〇年には六五歳以上の高齢者世帯の五〇％四二五万世帯が三世代世帯でしたが、二〇一九年には九％二四〇万世帯にまで減少しています。一方、親と未婚の子のみの世帯は一〇％八九万世帯から二〇％五一二万世帯へと大幅に増えています。増加の理由は、若年層の所得水準の低下、共働き世帯の増加、介護問題などです。しかし、高齢期における住まい方の希望で「子と同居する」は二〇〇八年の一七・一％から二〇一八年には一一・六％へと減少しています。住まい方のニーズが多様化しているといえます。

このような変化のもとで、旭化成ホームズは「二・五世帯住宅」を発売しています。二・五世帯住宅は、二世帯住宅に子世代の単身の兄弟が同居することを想定した住宅です。晩婚化、非婚化、離婚の増加によりこのようなケースが増えていることが開発の背景です。工務店や住宅会社は、このような顧客の住宅ニーズを的確につかみ、対応していくことが必要です。

住宅の各要素に対する評価（不満率）

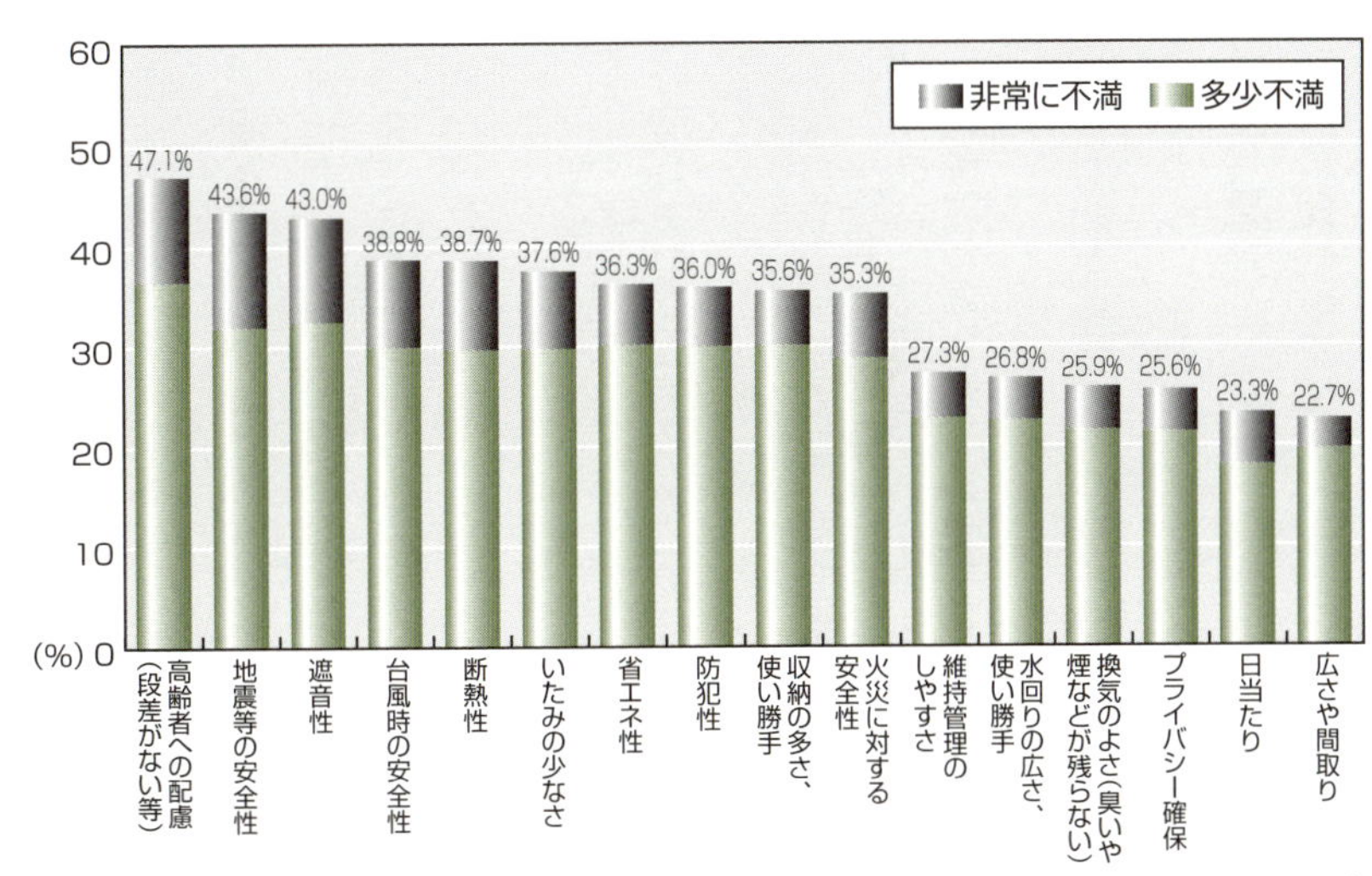

出典：（平成30年住生活総合調査（国土交通省））「令和３年度　住宅経済関連データ」（国土交通省）

【ゾーニング】　住宅の空間を構成している、玄関、トイレ、浴室、キッチン、リビングなどの部屋を、動線を考えながら配置していくこと。動線とは、住宅の中で人の移動する道筋をいい、無駄な動きが少なくなるように計画する。動線が長い間取りは使いにくくなる。例えば、水回りを集中させると効率の良い配置になる。

6 戸建て住宅の主流は木造軸組工法

木造軸組工法とは、柱、梁（はり）、桁（けた）、筋交いなどを木材で組んで家の骨組みを造り、これに壁を付ける建て方です。柱や梁などの「軸材」を組むので「軸組工法」と呼ばれ、また日本家屋の伝統的な工法なので、「在来工法」とも呼ばれます。木造軸組工法は毎年新築される戸建て住宅の約四分の三を占めています。

●日本の風土に適した木造軸組工法

戸建て住宅では、様々な構造、工法が普及しています。構造別には、木造、鉄骨造、コンクリート造などがあり、木造の中には、軸組工法、2×4（ツーバイフォー）工法、プレハブ工法などの工法があります。

木は、湿度の高いときは吸湿し、湿度が低くなると放湿するという調湿作用があり、加工もしやすいという特徴があります。さらに、木は鉄やコンクリートなどより軽いため、材料の強度を比重で割った**比強度**という重さ当たりの強さで比べてみると、「引っ張り」「圧縮」「曲げ」などに対する強さが、鉄の三〜四倍となります。木は軽くて丈夫なので地盤への負担も少なく、住宅に適した材料です。木造軸組工法は、柱と柱の間に開口部が取れるので日当たりがよく風通しのいい家ができるため、日本の四季に最も適した工法といわれます。また、柱や梁の位置が比較的自由に設定できるため、敷地に合わせた間取りも自由に取れます。レイアウトの自由度が高い点や、増改築しやすいことなどがメリットとして挙げられます。構造躯体（くたい）の軸組みが和室の中に現れるため、日本人の柱へのこだわりもあって、根強い人気があります。

問題は、木材が湿気を嫌うことです。水分が多いと「腐朽菌」という微生物や白アリが発生して木を腐らせます。そのため、床下に防湿シートを施工し、換気

＊**耐力壁**　筋交いや構造用合板を用いて、外力に抵抗するようにした壁のこと。
＊**住宅メーカー**　本書では、製造業の大量生産的な考え方で大規模に住宅建築を行う会社を住宅メーカーと呼んでいる。

口を設けて通風を良くします。さらに土台の木材には防腐剤を注入し、防蟻処理をすることで耐久性を高めています。軸組工法は長い伝統があり、シェアも高いので経験豊富な職人が多い反面、現場での熟練作業が必要なため、品質は大工の腕に依存する部分が大きいといえます。

木ということから、火事について心配されますが、木はある程度以上の厚さがあれば、表面が焦げるだけでそれ以上はなかなか燃えず、表面の炭化層が内部への延焼を抑えます。そのため、加熱しても長時間強度を保ちます。

阪神淡路大震災では、一部に木造軸組工法は地震に弱いとの誤解も生まれましたが、圧倒的に多いのが軸組工法の住宅で、それも戦前からの住宅や建築基準法の改正以前の老朽化した住宅が多かったので、倒壊が多く発生しました。現在の建築基準法を順守していれば、他の工法と耐震性に差はありません。一九八一年改正の建築基準法に基づく「新耐震基準」を守り、また、**耐力壁**＊をつり合い良く配置して、きちんとした施工がされていれば、阪神淡路大地震でもほとんど被害がなかっただろうと報告されています。

現在の建築基準法では、木造の柱と土台や、梁や筋交い＊の接合部分を金具止めしなくてはならず、柱と基礎の結合も、より強度を増し、耐震性、耐久性を高めています。最近の木造軸組工法では、外壁や床に合板を張って建物の地震の揺れに対する強度を上げる工法が増えてきています。

●広大な社有林を持つ住友林業

木造軸組工法での家造りに取り組む代表的な住宅メーカー＊が住友林業です。一六九一（元禄四）年に、住友家の別子銅山開坑により周辺山林の立木利用を開始したことから林業との関わりが始まりました。

「保続林業」の理念のもと、国土の約八〇〇分の一に相当する四・八万ヘクタールの社有林を管理しています。日本独自の森林認証制度であるSGECの認証を取得し、社有林が適正に管理されていることを第三者から評価されています。海外では二三・一万ヘクタールの植林地を管理し、温室効果ガスの吸収源や希少動植物の生息地、水源の確保としても貢献しています。

＊**筋交い（すじかい）**　台風や地震など横から建物にかかる力に耐え、建物の変形を防ぐために、柱・梁・土台などで囲まれた四辺に対して対角線方向に入れる部材のこと。建物全体に対してつり合い良く配置することが重要である。最近では筋交いの代わりに構造用合板を用いて耐震性能を確保する方法が多用されている。

住宅ストックに占める木造住宅の割合

（千戸）

総数 A	木造 B	構成比 B／A	戸建 a	木造 b	構成比 b／a
53,656	30,552	56.9%	28,760	26,616	92.5%

出典：平成 30 年住宅・土地統計調査

2 × 4 住宅の着工戸数の推移

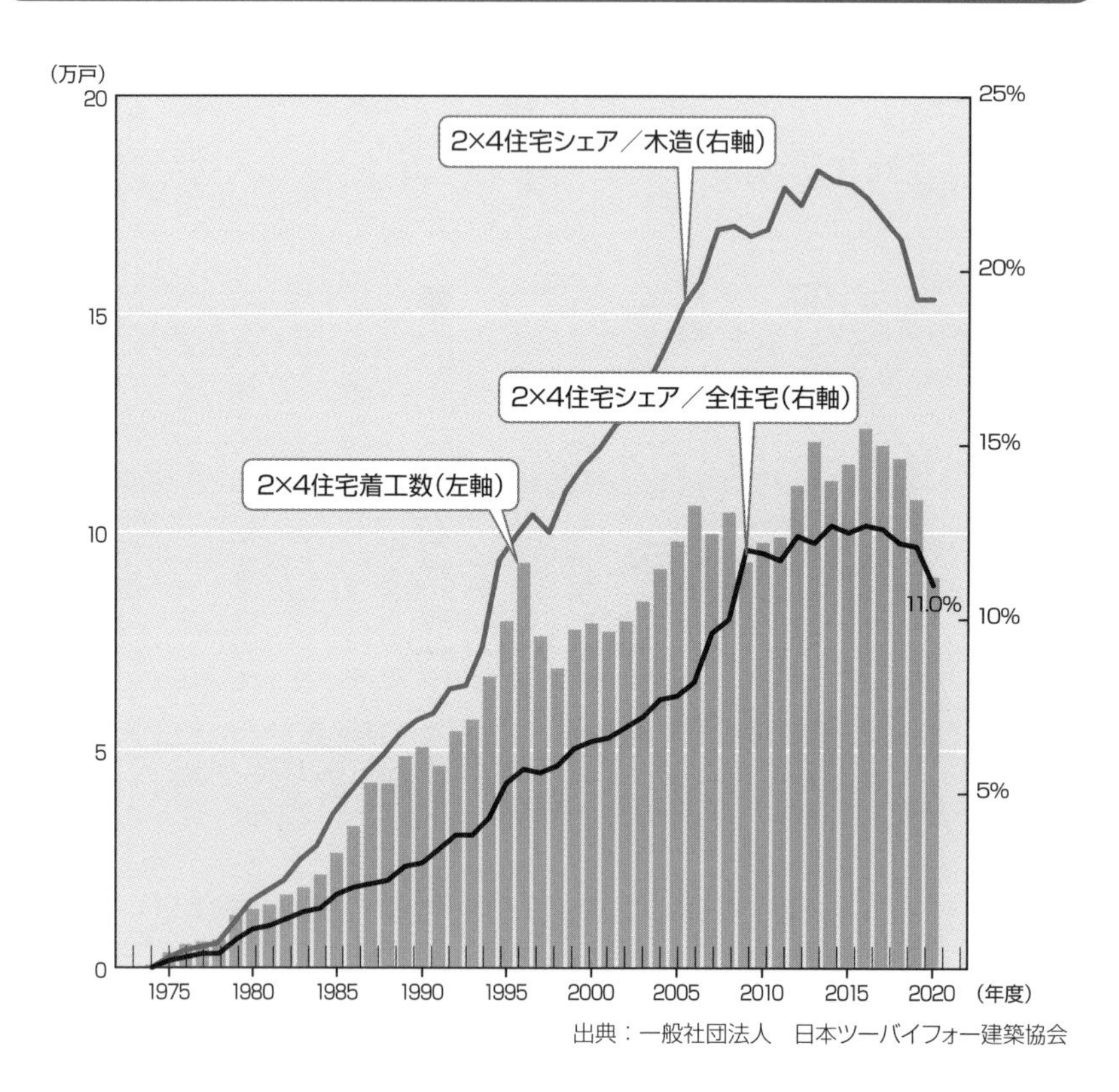

出典：一般社団法人　日本ツーバイフォー建築協会

【墨付け】　木材のどの部位をどう加工するか目印を付けること。少しでも間違えるとすべてが狂うため、その多くは棟梁が行う。墨付けができるのは大工仕事を始めて 10年といわれる。木のクセを見ながら、その個性を活かし、またなるべく美しい面が目立つようにする。

木造軸組工法の構造

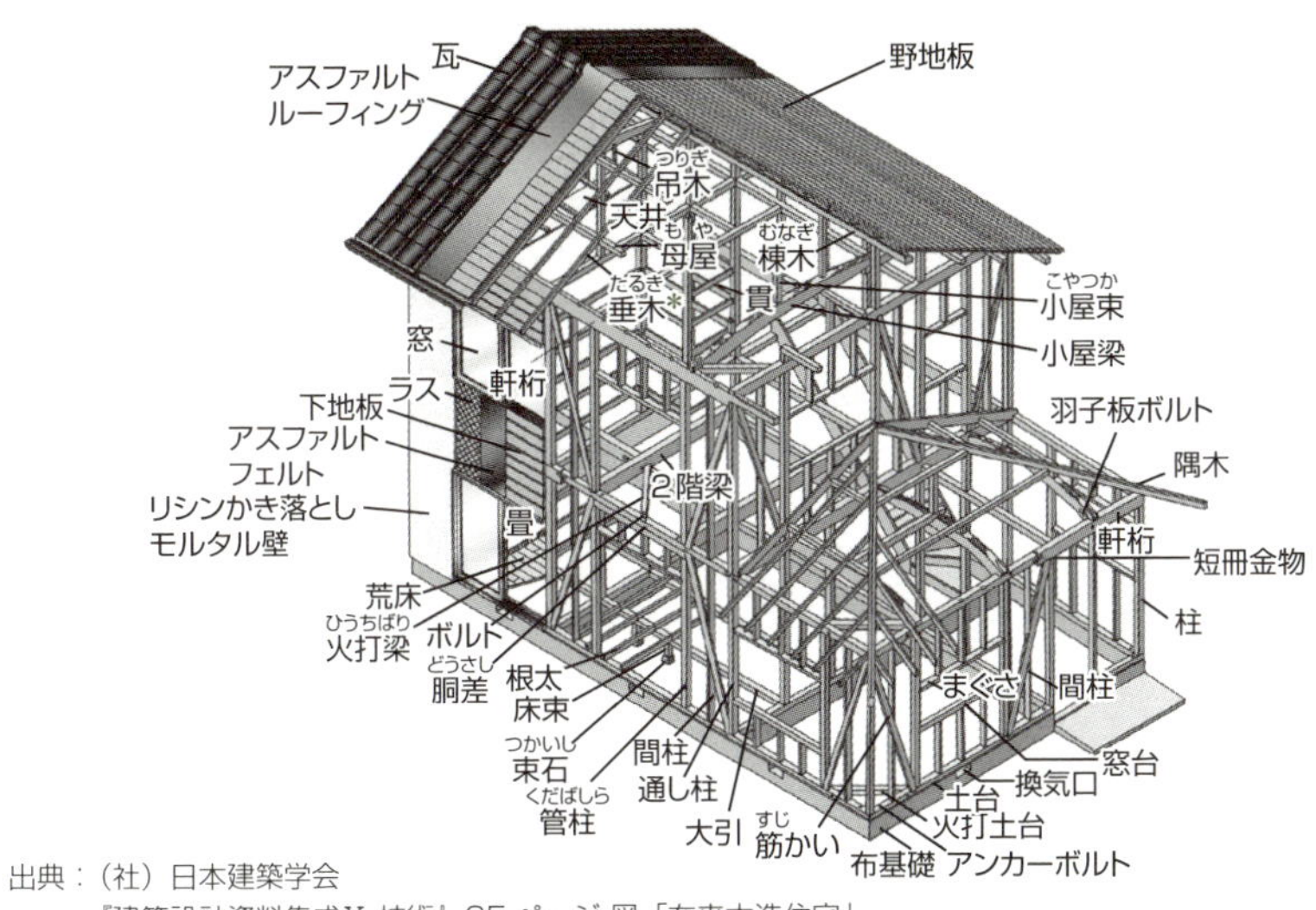

出典：（社）日本建築学会
『建築設計資料集成X 技術』65 ページ 図「在来木造住宅」

2×4工法の構造

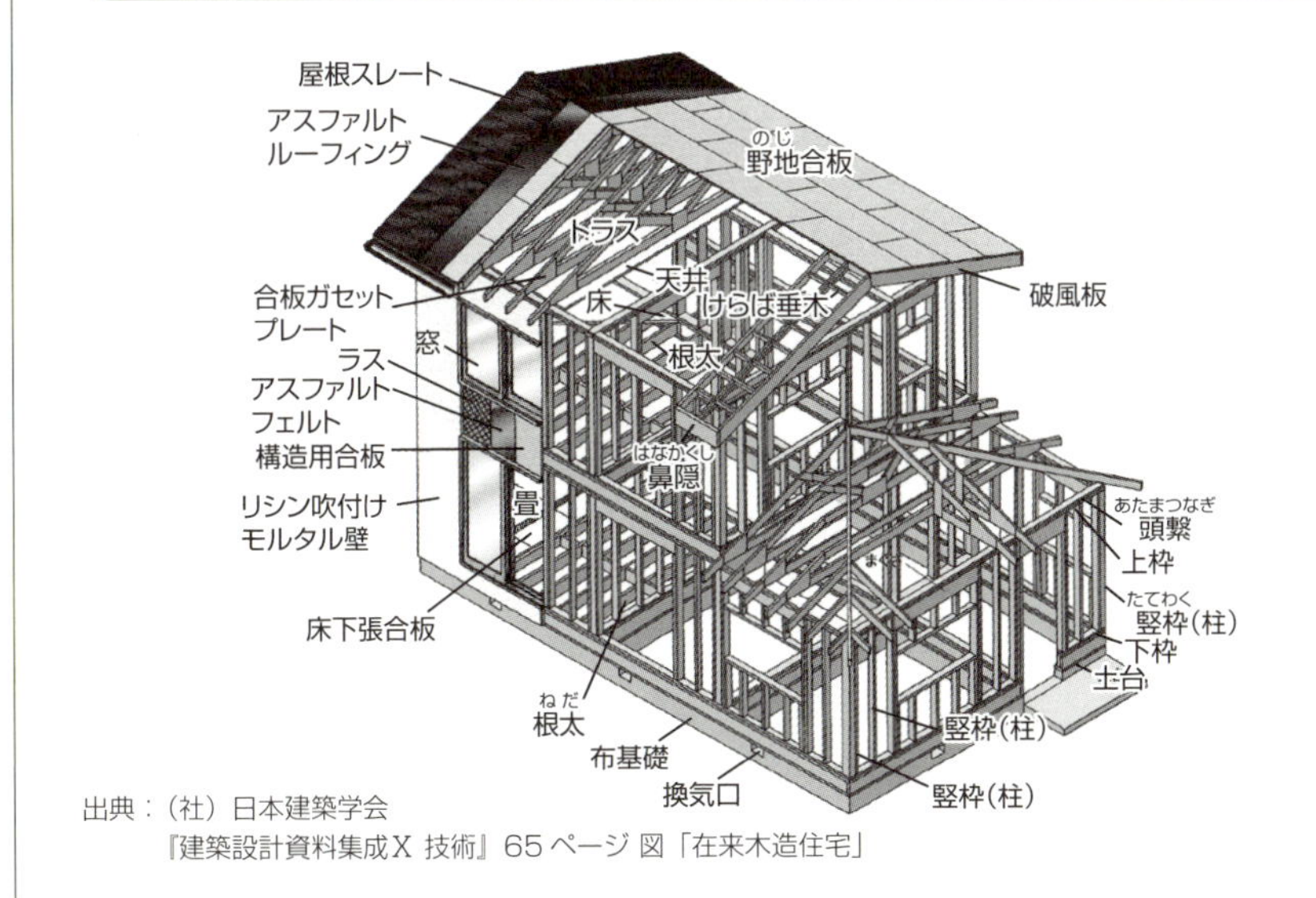

出典：（社）日本建築学会
『建築設計資料集成X 技術』65 ページ 図「在来木造住宅」

＊**垂木（たるき）**　屋根の野地板の下地となる材料。棟木から軒先にかけて渡して取り付ける。棟木とは屋根のいちばん高い位置にある部材のことで、棟木を取り付けることを上棟と呼ぶ。

7 阪神淡路大震災以降急増した2×4

2×4（ツーバイフォー）工法は、北米の伝統工法です。米国、カナダの戸建て住宅のほとんどは、この工法で建てられています。正式には枠組壁工法と呼ばれ、枠材と合板で作られた面材を組み合わせて建物を構成します。

●作業の標準化が進んでいる2×4工法

2×4工法が日本に伝わってきたのは明治の初め頃で、札幌時計台も2×4工法で建てられています。しかし、一般住宅に採用されるようになったのは昭和四〇年代からです。当時の建築基準法では2×4工法についての規定がなかったため、個別に企業が認定を取り、建築していました。その後、業者数、建築実績数が増加したため、一九七四年に一般工法として認められ、その後も着工数は増加を続けました。一九九五年の阪神淡路大震災直後は、2×4工法の耐震性が広く認知されたこともあり、急増しました。その後も増加を続け、二〇一八年度には木造住宅の二二％まで拡大しています。

この工法は、使用する枠材の断面サイズが二インチ×四インチのため、2×4工法と呼ばれます。一インチは約二五ミリですから二インチだと約五センチになりますが、実際に使用される木材の断面は、三八×八九ミリです。北米で大量に長距離を輸送する際、効率を上げるため木材を乾燥させて運ぶようになり、現在の規格になったといわれています。軸組工法に比べると部材の種類が少なく単純です。また、接合のほとんどが規格化された釘と金物で行われるため、建築方法もマニュアル化されるなど、作業の標準化が進んでおり、品質のバラツキが少なくなっています。

【ファイヤーストップ構造】　一般の木造や鉄骨造などの軸組構造では、壁の内側や天井裏を伝わって火が燃え広がってしまう。2×4工法では床や壁を構成する構造材などがファイヤーストップ材となって空気の流れを遮断し、火が燃え広がるのを食い止める。このため、2×4工法はファイヤーストップ構造とも呼ばれている。

2×4工法は、面材で構成される壁や床、天井が一体となって組み立てられた箱形の構造で、建物にかかる力を面全体に分散するため、耐震性や耐風性に優れますが、壁が構造体となるため、開口部を広くするには補強が必要となる場合もあります。

●耐火構造認定を取得した2×4工法

2×4工法は、枠材がファイヤーストップとなって火の回りを遅らせるため耐火性に優れています。そして、面材で構成されているため、建物に隙間ができにくく、筋交いがないことで、壁の中に断熱材を取り付けやすいこともあり、断熱性を確保しやすくなっています。

二〇〇四年には木造として日本で初めて**耐火構造***の認定を取得しました。このため、都市部を中心に、防火地域での2×4木造耐火建築の新規需要が生まれました。そして、三階建て以上の商業施設や、四階建て以上の共同住宅などの建設への道が開かれました。二〇一五年には、二時間耐火構造の認定を取得し、五階建以上の建物の建設が可能になりました。

●世界一の2×4住宅メーカー——三井ホーム

三井ホームは日本への2×4工法導入以来、工法の普及のため、多くの研究成果や検証事項を積み重ねてきました。断熱性と居住性を高めるために、ダブルシールドパネルを開発し、従来、断熱がしにくかった屋根下地部分に使用しています。これは、広葉樹のチップを集成した構造用面材（OSB）の間に発泡成形ポリスチレン（EPS）を芯材にして両面接着したサンドイッチパネルです。構造強度と断熱性を両立するため、小屋裏を快適な居住スペースに変えるだけでなく、大空間や吹き抜けも、快適さを損なわずに実現します。

引き渡し後六〇年にわたり、一〇年ごとに点検を実施し、必要なメンテナンス工事を行うことで、基礎と構造躯体を六〇年保証しています。建物を売却する際、三井ホームグループが仲介を行い、万一サポート期間終了までに売却できなかった場合は、買い取りをしてもらうことが可能です。

***耐火構造**　建物の主要な構造部分が、火災が起きてから30分から3時間以上の間、建物が倒壊したり他に延焼したりしない耐火性能を持っている構造のことをいう。2×4による耐火構造では、主要構造部すべてで2時間耐火構造の認定を取得している。

8 展示場で買う商品となった住宅

住宅を建てようと考えるとき、住宅展示場は最も身近な情報源です。多くの住宅メーカーは、魅力的な提案や新しい仕様を盛り込んだモデルハウスを住宅展示場に建設し、営業活動に利用しています。

●情報収集に役立つ総合住宅展示場

総合住宅展示場では、広い土地に数社の住宅メーカーが、それぞれモデルハウスを建てて展示しています。展示場は全国各地にあり、大きなところでは、三〇〜四〇棟が建ち並んでいます。これらの展示場の多くは、新聞社や放送局などの企業グループの企画・運営で行われています。展示場内にはセンターハウスと呼ばれる運営会社の管理事務所があり、キャンペーンや広告宣伝など、集客のための活動を行っています。

消費者にとっては、複数の住宅メーカーのモデルハウスを一度に見学できますし、住宅メーカーにとっては集客がしやすくなります。住宅に関するあらゆる情報が揃っているため、モデルハウスを展示している会社で建築する予定がなくても、住宅を建てようとする人は、まず住宅展示場を見に行こうとするのです。

総合住宅展示場では、他社と比較されるため、モデルハウスの見栄えを良くする必要があります。また、室内にいろいろな展示をする必要もあります。そのため、一般住宅よりかなり大規模であり、追加料金が必要なオプション仕様を採用していることが多くなります。そのため、同じものを建てるのは敷地面積の面からも、予算の面からも現実的ではありません。

一方、**単体住宅展示場**は、住宅メーカーが直接運営する展示場で、ほとんどの場合、モデルハウスは一棟だけです。住宅メーカーにとっては、自社独自の営業方針で運営できますし、消費者にとっては、建築予定の住

【モデルハウスの大きさ】 モデルハウスの延床面積は、その多くが60坪前後で、一般の住宅に比べてかなり大きめ。一つひとつの部屋も大きくなっているし、特に玄関などは見栄えを良くするために豪華になっている。自分の敷地を想定して、空間のスケール感を割り引いて考えることが必要である。

宅に近い大きさの建物を見学できる、というメリットがあります。

●夢を見せる住宅展示場

一九七〇年代後半にでき始めた住宅展示場は、その後各地に広まり、多くの人がモデルハウスを見て住宅を決めるようになりました。それまで、見て買うことができなかった住宅が展示場で買う商品となっていったのです。コロナ禍により住宅展示場への来場者は減少していますが、令和三年度住宅市場動向調査によれば、注文住宅取得者の五割が住宅展示場での情報収拾を行っています。

以前は、帰宅後に売り込みの電話が頻繁に掛かってくることもありましたが、最近ではそのようなことはありません。個人情報保護法の影響で、アンケートへの記入などにも住宅メーカー側の配慮が見られます。

多くの住宅展示場では、休日、祝祭日に子供向けのイベントを開催しています。以前はイベントをきっかけにした来場も多くありましたが、最近は減少しています。来場予約制度の利用が増えています。

住宅展示場来場者アンケート

総合住宅展示場について

訪問個所数 （平均 2.5 か所）	1 か所	35%
	2 か所	31%
	3 か所	18%
	4 か所以上	16%
訪問回数 （平均 4.9 回）	1 回	22%
	2～3 回	31%
	4～9 回	32%
	10 回以上	15%
訪問のきっかけ	もともと展示場を知っていた	37%
	ホームページを見て	27%
	折込チラシを見て	24%
訪問で満足した点※	いろいろなモデルハウスを見ることができた	46%
	住宅会社による違いや特徴がわかった	42%
	訪問目的の会社のモデルハウスを見て参考になった	39%
	最近の住宅情報やトレンドを知ることができた	31%
	自分が希望する住宅のイメージが具体化できた	26%

※大いに満足、だいたい満足回答者のみで、年代別回答の平均
出典：総合住宅展示場来場者アンケート 2021 調査報告書（住宅展示場協議会）より作成

【住宅展示場のトイレ】　住宅展示場にはたくさんの建物が建っているが、これらのモデルハウスのトイレはあくまで展示用であり、配管もされていない。トイレは会場内の管理棟で使うことになる。

9 構造計算が不要な木造二階建て住宅

意外に思われるかもしれませんが、実は、ほとんどの木造二階建て住宅は構造計算を行っていません。「壁量計算」という簡易的な方法で地震などに対する強度の確認を行っています。

●バランスが重要な耐力壁の配置

二階建て以下で、高さ一三メートル以下、軒の高さ九メートル以下で、延べ面積五〇〇平方メートル以下の木造建築物は**四号建築物**と呼ばれ、特例として確認申請での構造計算書添付が義務付けられていません。これは、熟練した大工が、その経験を活かして安全な住宅を建てるはずである、と考えられているからです。

ただし、構造計算書を添付していないからといって、地震などに対する住宅の強さを検討していない訳ではありません。木造軸組工法では、**壁量計算**という簡易的な方法で検証を行っています。

建物にかかる地震力と風圧力に対抗するために必要な壁量より、実際に存在する壁量が多くなっていることを確認して安全を確保するのが壁量計算です。

地震力に対しては、建物の階数、重さによって定められている係数を床面積に乗じて、建物平面のX・Y方向の必要壁量を算出します。一階建てよりも二階建ての方が、そして二階よりも一階の方が、多くの壁量が必要です。そして、軽い屋根よりも重い屋根の建物の方が、多くの壁量が必要となります。

風圧力に対しても、各階の床面より一・三五メートルの高さから上の**見付け面積***に、定められた係数を乗じて、建物のX・Y方向の必要壁量を算出します。地震力と風圧力に対して、それぞれ算出した必要壁量のうち、条件の厳しい方が建物の必要壁量となります。

***見付け面積**　建物の外壁、屋根の部分を含めて、鉛直面に投影した場合の面積を指す。屋根は斜めになっているが、その実際の面積ではなく真横から見える面積と考えればわかりやすい。

実際に存在する壁量は、個々の耐力壁の壁倍率*とその長さの掛け算で算出されます。各階のX・Y方向について、必要壁量より、存在壁量の方が大きいときに、安全と判断されるのです。

阪神淡路大震災をきっかけに、建物のX・Y方向だけでなく、建物の四方向全体の耐力壁の配置バランスを検討し、地震時の建物のねじれに対しても強くなるよう、建築基準法が改正されました。

●四号建築物の特例の見直し

二〇〇五年の構造計算書偽装事件をきっかけに、「四号建築物の特例」の見直しが行われることになり、講習会などでの周知が開始されました。しかし、各団体から国土交通省に対して、住宅着工戸数が低迷しているため、実施時期を慎重に判断して欲しいとの要望があり、実施には踏み切られませんでした。

ただし、行政庁の中には、実質的に特例を廃止している地域もあります。二〇二五年に、省エネ基準の適合義務化とセットで四号特例の範囲が縮小される予定です。

地震力に対する必要壁量

地震力に対する必要壁量＝各階の床面積×地震係数

地震係数(cm/㎡)					
軽い屋根(金属板・石綿スレートなど)			重い屋根(日本瓦・洋瓦など)		
平屋	2階建	3階建	平屋	2階建	3階建
11	15 29	18 34 46	15	21 33	24 39 50

風圧力に対する必要壁量

風圧力に対する必要壁量＝各階の外壁見付け面積×風圧係数

風圧係数(cm/㎡)	
風の強い地域	一般地域
0～75(cm/㎡)の範囲で、各行政にて定められています。	50(cm/㎡)

***壁倍率**　壁に筋交いや合板を取り付けることで、壁を強くすることができる。その強い壁で建物を支えているのである。壁の強さは、その種類により、建築基準法で、0.5倍から5.0倍までの間で定められている。

壁倍率

存在壁量=(壁長さ×壁倍率)の合計

仕様	筋交い耐力壁				面材耐力壁	
	断面:30×90(mm)		断面:45×90(mm)		構造用合板　7.5mm	
	片筋交い	たすき掛け	片筋交い	たすき掛け	片面	両面
倍率	1.5	3.0	2.0	4.0	2.5	5.0
形状						

出典：住宅サポート建築研究所ウェブサイト

建築確認の手続き

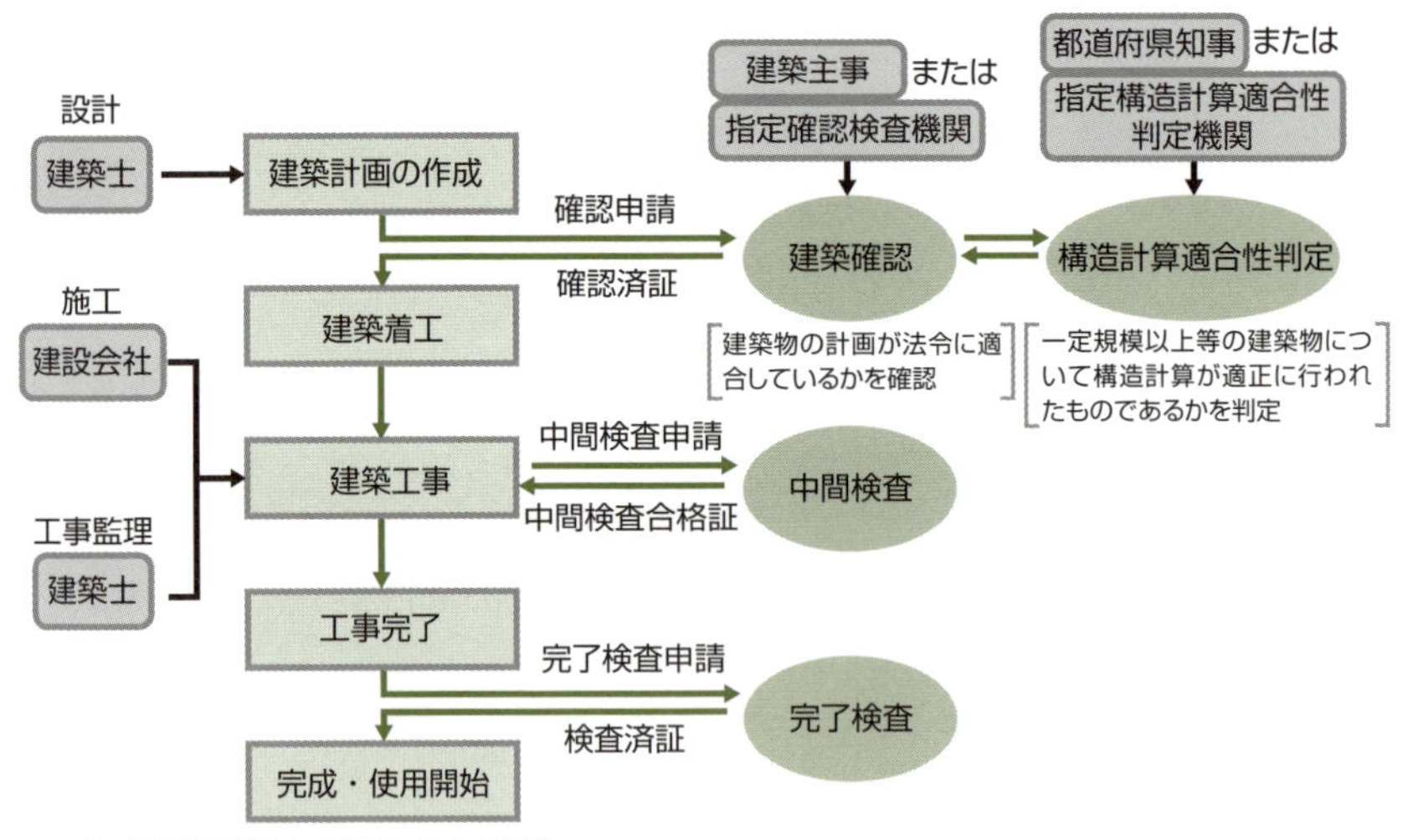

出典：「建築確認審査の実態」国土交通省

【液状化】　地盤中には多くの隙間があり、この隙間は水と空気で満たされている。砂質土が、地震などにより間隙水圧が上昇して有効応力が減少する結果、せん断強さを失い土粒子が間隙水の中に浮いた状態になる現象。地盤が地震などの急速な繰り返し載荷を受けたときに、あたかも液体のようになってしまい、支持力を失う。

住宅政策の変遷

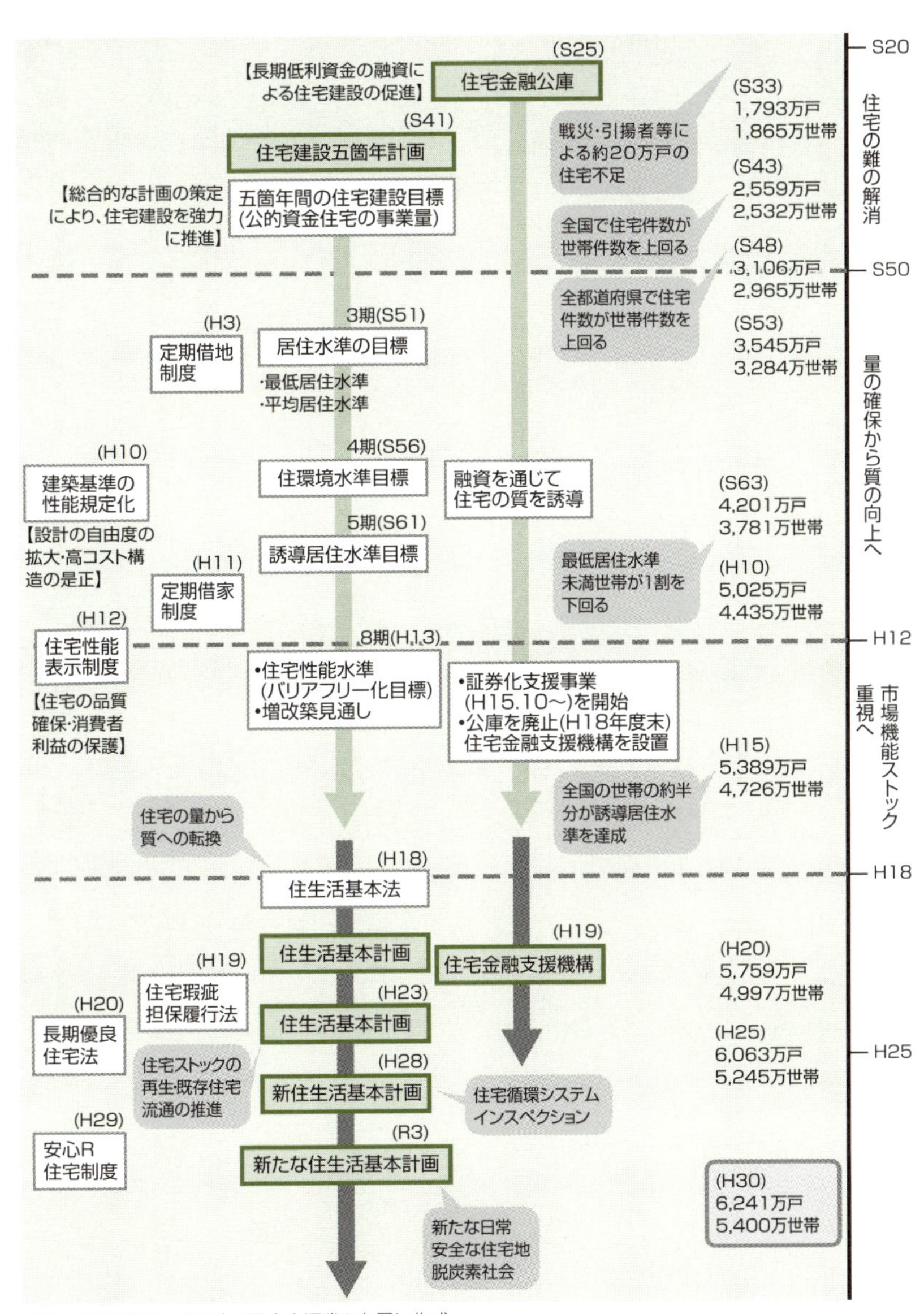

出典:「住宅政策の変遷」(国土交通省)を元に作成

【特定行政庁】 建築主事のいる自治体のこと。政令で指定された市(人口25万人以上)については、建築主事を置かなければならない。それ以外の市町村では建築主事の設置は任意となっており、建築主事がいなければ、都道府県の関係事務所が特定行政庁となる。令和3年4月現在で451となっている。

10

住みたい買いたい「安心R住宅」

既存住宅の適切な情報提供の仕組み「安心R住宅」制度が創設され、二〇一八年四月一日から運用が始まっています。既存住宅流通の促進が期待されています。

既存住宅のうち、空き家の総数は一九九三年から二〇一八年までの二五年間で一・九倍に増加して八八〇万戸に達しています。このうち賃貸用以外の住宅が三五〇万戸あります。その中で、耐震性があり、腐朽・破損がなく、駅から一キロメートル以内という条件を付けると数は大きく減少しますが、それでも五〇万戸が存在しています。既存住宅の流通促進によって、これらの空き家を減らすことが大きな課題となっています。

●既存住宅購入の不安

既存住宅購入には、①新築に比べて安い、②実際の住宅を見て検討できる、③あらかじめ周辺環境を確認できる、④リフォームによって自分のニーズに合わせることができる、というメリットがある反面、①品質が不安、②古い・汚い、③選ぶための情報が少ない・わからない、という心配があります。これが、既存住宅の流通を妨げている原因でした。

そこで、既存住宅に関する情報提供の仕組みとして、「安心R住宅」制度が創設されました。

耐震性があり、建物状況調査（インスペクション*）が行われ、リフォーム等についての情報提供も可能な既存住宅に対して、事業者団体が「安心R住宅」の標章を付与する仕組みです。標章の使用を希望する事業者団体を国が審査・登録し、標章の使用を許諾します。

その結果、「安心R住宅」は、①基礎的な品質があり「安心」、②リフォーム工事が実施されていて「きれ

***インスペクション**　住宅の劣化状況、不具合の有無、改修すべき箇所やその時期を第三者的かつ専門的な立場からアドバイスを行う専門業務である。

い」、③情報が開示されていて「わかりやすい」となり、これまでの既存住宅購入の不安を取り除くことができます。

●安心R住宅の要件

具体的な安心R住宅の要件は、以下のとおりです。

①現行の建築基準法の耐震基準に適合している。

②建物状況調査（インスペクション）が行われ、構造上の不具合や雨漏りなどがない。

③基準に合致したリフォームが行われ、従来の既存住宅の「汚い」イメージが払拭されている。もしくは、リフォームに関する提案書が付いている。

④建物の履歴情報*が収集されていて、書類の保存状況等を記載した書面が交付される。

「安心R住宅」の標章を使用する事業者団体は、事業者が守るべきルールを設定し、団体に加入している事業者の指導・監督を行います。

これからは、古い建物であっても状態が良ければ適切に評価されて売買が行われる、欧米のような既存住宅市場に転換していくことが期待されています。

安心R住宅の要件

「不安」の払拭	耐震性	現行の建築基準法の耐震基準に適合するもの又はこれに準ずるもの
	構造上の不具合・雨漏り	既存住宅売買瑕疵保険契約を締結するための検査基準に適合したものであること
	共同住宅の管理	管理規約および長期修繕計画を有するとともに、住宅購入者の求めに応じて情報の内容を開示すること
「汚い」イメージの払拭		・基準に合致したリフォームを実施し、従来の既存住宅の「汚い」イメージが払拭されていること ・リフォームを実施していない場合は、リフォームに関する提案書を付す、住宅購入者の求めに応じてリフォーム事業者をあっせんすること ・外装、主たる内装、台所、浴室、便所および洗面設備の現況の写真などを閲覧できるようにすること
「わからない」イメージの払拭		建築時の情報や維持保全の状況などについて情報収集を行い、当該住宅に関する書類の保存状況等を記載した書面を作成・交付し、情報の内容を開示

出典：「安心R住宅制度について」（国土交通省）より作成

＊**建物の履歴情報**　建物がどのようなつくりでどのような性能か、また、建築後にどのような点検や修繕、リフォームが実施されたか等を保存、蓄積したもの。具体的には、新築時の図面や建築確認の書類、点検の結果やリフォームの記録などである。

普及が進む快適な住宅設備

温水洗浄便座や洗髪洗面化粧台、システムキッチンがここ30年で多くの家庭に普及してきました。日々の生活がますます快適になっています。

●温水洗浄便座の歴史

最近では当たり前になっている温水洗浄便座ですが、その歴史は古く、アメリカで医療用として開発されました。日本では東京オリンピックが開催された1964年に東洋陶器（現：TOTO）が米国から輸入販売を開始したのが始まりです。1960年代後半に伊奈製陶（現LIXIL）や東洋陶器が国産化を行いましたが、温度調整や価格の問題から普及には至りませんでした。当時は和風便器も多く、下水道の普及も進んでいませんでした。

その後、開発が進み、1980年、TOTOが「ウォシュレット」の名称で新たな温水洗浄便座を発売しました。40年が経過し、約8割の家庭に普及するまでになりました。「ウォシュレット」は「レッツ・ウオッシュ（洗いましょう）」を逆さまにしたものです。

主要耐久消費財の普及率の推移

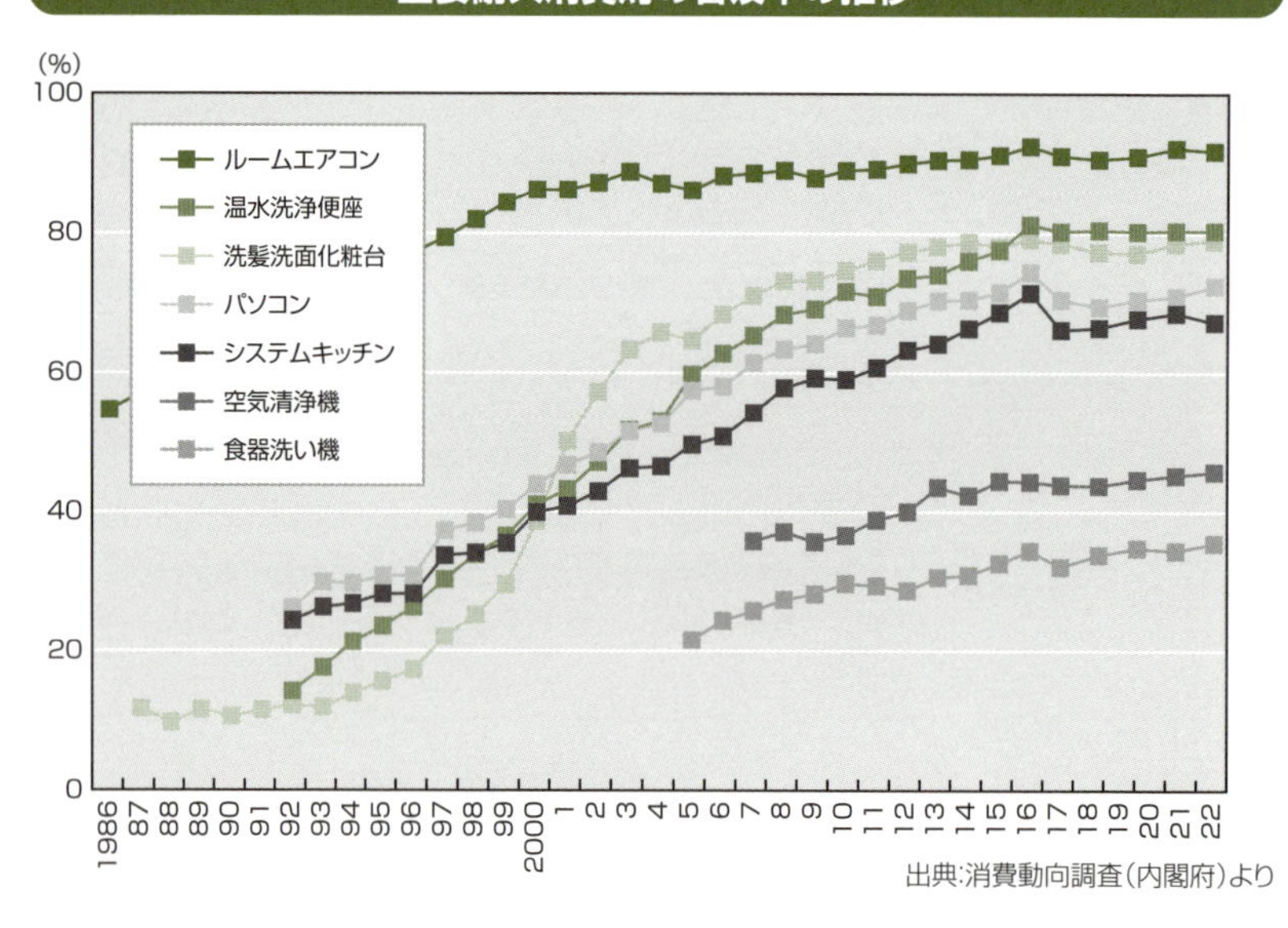

出典:消費動向調査（内閣府）より

第2章

住宅業界の構造

大手住宅メーカーはCMなどで知名度を高めていますが、日本の住宅建築を担っているのは、地場の多くの大工、工務店や専門工事業者です。

1 大工、工務店から住宅メーカーまでが競合する

日本の住宅業界は大手住宅メーカーを頂点に、住宅会社、大工、工務店があり、内装、電気、水道などの専門工事業者が存在しています。

●地域からの信頼を大切にする大工・工務店

住宅産業は元々地場産業であり、地域での実績と信用で仕事を確保してきました。ところが、日本では、戦後に住宅の大量供給が求められました。そこで、住宅を工業製品化することでスケールメリットを生み出そうとしたのです。その結果、大手住宅メーカーが登場し、大手という安心感で受注を確保して成長してきました。

日本の大手住宅メーカーとしては、積水ハウス、大和ハウス工業、住友林業、積水化学工業、ミサワホーム、旭化成ホームズ、パナソニックホームズ、一条工務店などが挙げられます。

これらの企業では、耐震技術や耐久性、省エネなどの新しい技術を取り入れたモデルを次々に発売し、住宅業界をリードしようとしています。しかし、戸建住宅における、これらの企業の戸数シェアは、合計でも一五％程度です。戸建て住宅のほとんどは、まだ地域の住宅会社や大工、工務店によって建てられています。住宅産業が地場産業といわれるゆえんです。

●新しい業界からの参入

近年は、ホームセンターや家電量販店なども住宅業界へ参入し始めています。いずれも住宅業界のリフォーム需要拡大を見込んでのことです。ホームセンターでは専門の相談員を配置したり、工務店と提携して、顧客の相談に対応しています。また、家電量販店

【オール電化】 オール電化住宅は、調理、給湯、暖房など熱源を必要とする家庭内の機器をすべて電気でまかなうものである。ガス漏れや火災のリスクが低いため、2000年代に入って拡大してきたが、東日本大震災後の電力不安から拡大がペースダウンした。

も太陽光発電や省エネを切り口にリフォーム工事を行っています。

異業種が住宅会社を買収・提携して進出するケースも増えています。ヤマダ電機は住宅メーカーのエス・バイ・エルに加えて住宅設備メーカーのハウステック、リフォームのナカヤマを子会社化しました。「家電住まいる館」と名付けた新業態店を数多くリニューアルオープンさせています。ニトリは中古戸建買取再販のカチタスを子会社化しました。リフォームした住宅にニトリの家具を配置して販売する戦略です。保険大手のSONPOホールディングスもリフォーム会社を子会社化しています。火災保険や介護ルートを活用して市場を開拓します。ヤフーショッピングや楽天市場もリフォームサービスを販売しています。住友林業、積水化学工業、旭化成ホームズ、パナソニックホームズ、トヨタホームなどの大手住宅メーカーも当初は異業種からの参入でした。住宅業界では、このように規模の小さな会社と大手との戦いだけでなく、新しい方式との戦いや新規参入との戦いが日夜行われています。

建築工事業、大工工事業の資本金階層別業者数

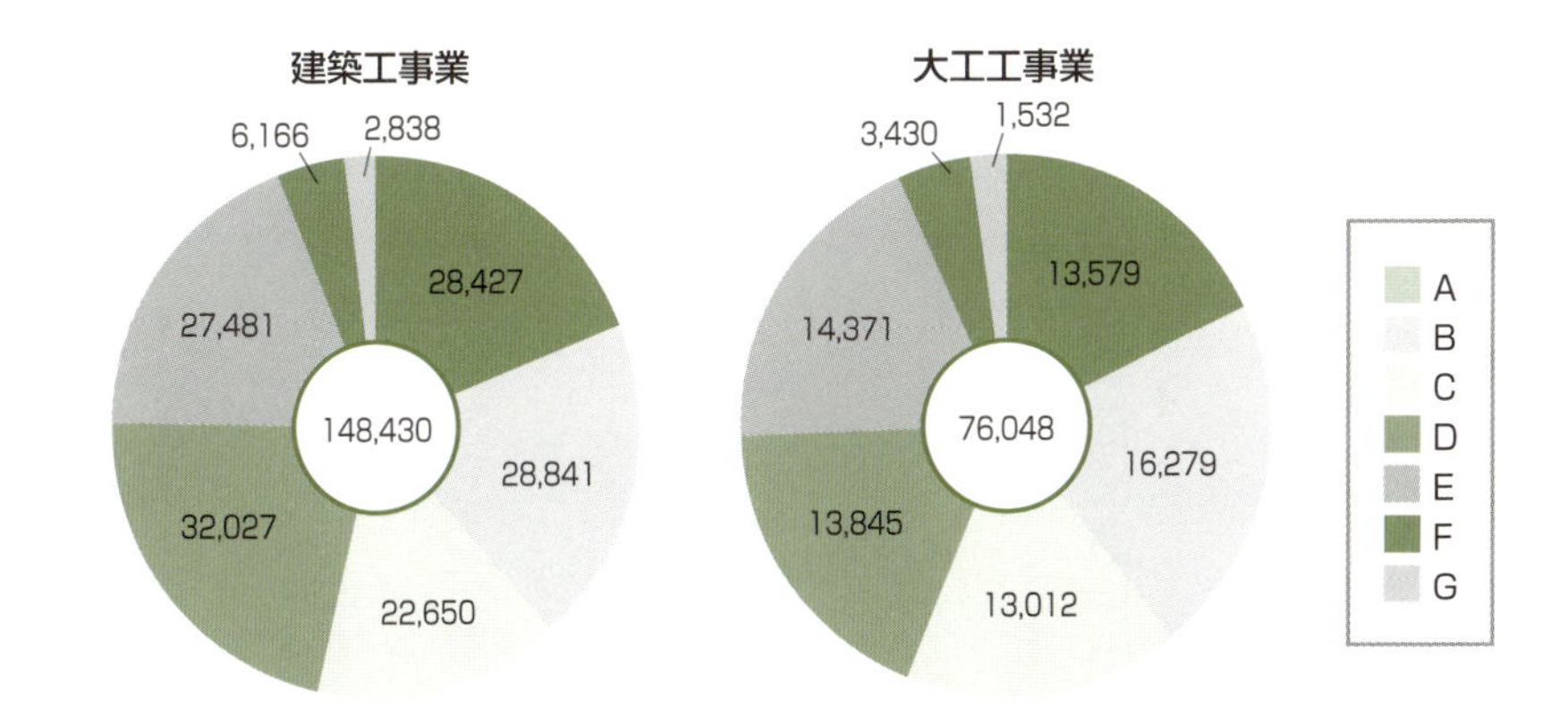

A:個人
B:500万円未満
C:500万円以上1,000万円未満
D:1,000万円以上2,000万円未満
E:2,000万円以上5,000万円未満
F:5,000万円以上1億円未満
G:1億円以上

出典：国土交通省「建設業許可業者数の現況（令和３年３月末現在）」より作成

【専門工事業者】　建築一式工事や土木一式工事を請け負うものを総合建設業者といい、大工工事、屋根工事、板金工事、左官工事などの専門的な工事を行うものを専門工事業者という。住宅建築においては、工務店・住宅会社（建築一式工事業者）の下請けとして仕事をすることが多い。

2 工務店と住宅メーカーの違いは何か

日本の住宅は、従来、地域に密着した工務店によって建てられてきました。しかし今日では建売住宅や大手住宅メーカーの住宅が増えています。造り手と住み手との直接のつながりが希薄になり、お互いに顔の見える住まいづくりは減少しています。

●存在意義の違い

家を建てる会社には、個人の大工さんや中小の工務店、住宅会社、そして住宅メーカーがあります。大工さんや工務店は、かかりつけの医者のように身近にいて、家の面倒を見てくれる存在です。流行のデザインなどには弱い部分もありますが、施主と直接工事をする人との信頼関係を元に仕事を受注しています。

住宅メーカーの大半は、住宅の大量供給が求められていた時代に、**工業化住宅**という考え方からスタートし、住宅建築の合理化を追求して成長してきました。プレハブ工法が中心ですが、在来工法やツーバイフォー工法を扱う会社もあります。一般消費者を顧客としていますから、CMなども積極的に行っており、知名度も高くなっています。部材や設計の標準化、住宅建築工程の工場生産比率を高めて建築工事の合理化を進め、建設業でありながら製造業の特徴を持っています。

●地域密着の重要性に気付いた住宅メーカー

住宅メーカーで家を建てる利点は、**住宅展示場***のモデルハウスで、建物の質感やイメージを確認できることです。その他に、工場生産の比率が高いので品質が安定している、工期が比較的短い、などの特徴が

＊**住宅展示場**　展示場自体の運営は、住宅メーカーとは異なる会社が行っている。運営会社は、展示場全体の管理やキャンペーン、広告宣伝など、集客のための活動を行う。

あります。また、各社とも構造、工法や**部材***の研究に力を入れ、ユーザーの声なども反映させながら商品開発を進めています。そのため、新しいデザイン、間取り、素材、工法などの開発力に優れています。

逆にデメリットとして、消費者はあたかもモデルハウスと同じ家が建つと錯覚してしまいがちであることが挙げられます。実際に建築するときには、面積や間取りなどは物件によって個々に違ってくることを考慮しておかなければなりません。また、規格外の注文には対応しにくいこと、実際の工事は地域の下請け工務店が行う場合が多いことなどがあります。

住宅メーカーは、全国的な営業網で、住宅展示場を使った販売を主体に成長してきましたが、いま、その手法に限界が訪れています。建設業は元々、地縁、人脈などの地域における長年の信用と実績の積み上げで受注するのが一般的でした。そのため、全国一律の展示場営業から、支店の裁量権を高めるなどの地域密着型営業へ政策を転換しています。

住宅メーカーには、一戸建て住宅に強い会社と集合住宅に強い会社があります。

主要住宅メーカーの販売戸数

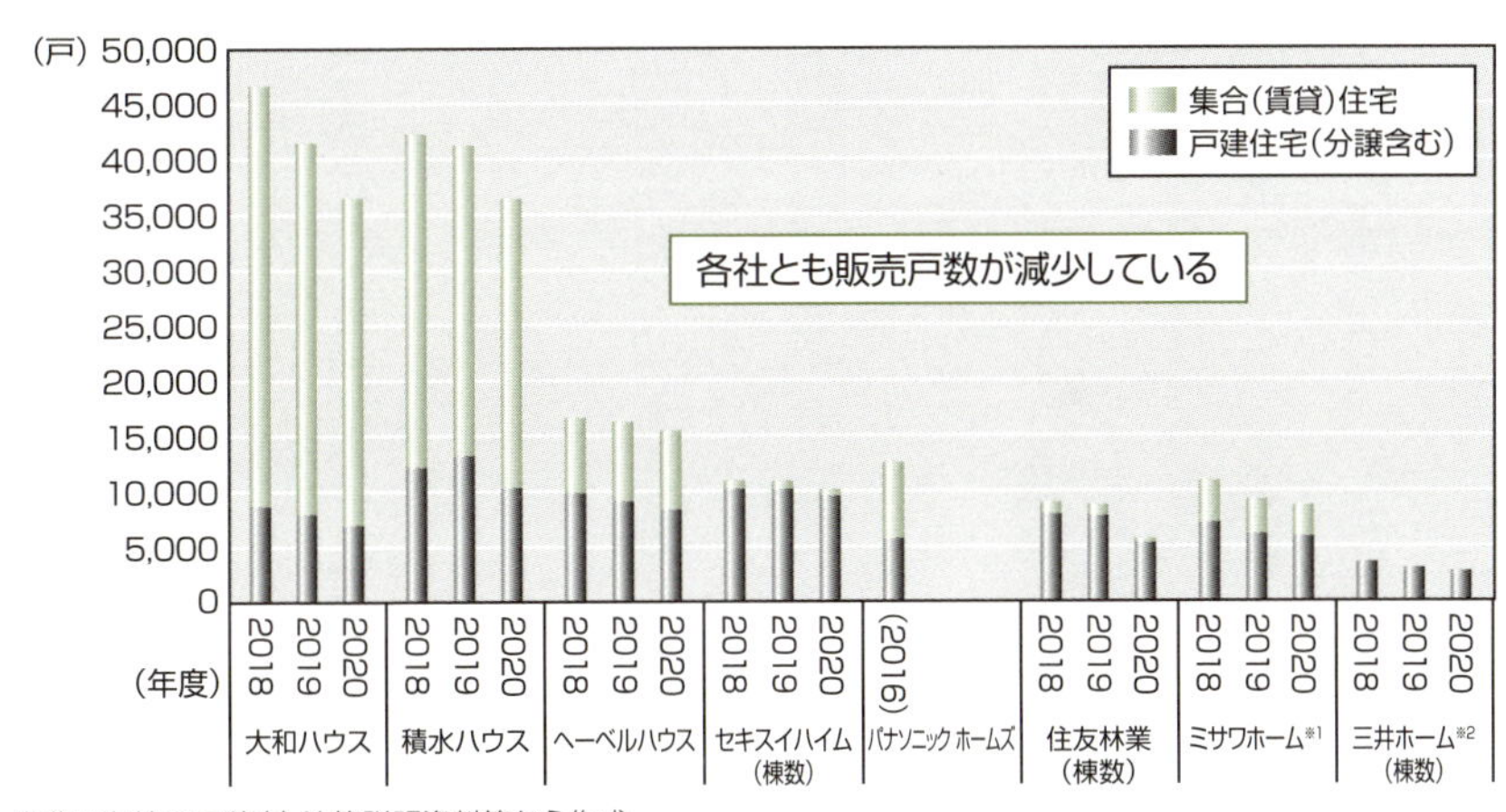

出典：各社のIR資料、決算説明資料等から作成
※1　ミサワホームの2019年、2020年は受注状況(金額前年比増減率)による推定
※2　三井ホームは戸建・集合の合計。2017年のデータをもとにした受注状況(金額前年比増減率)による推定

***部材**　部材とは、本来、構造物を構成する主たる部分のことをいう。建築物における部材とは、建物に使われている様々な材料や部品のことを指す。

3 大量生産に適したプレハブ住宅

プレハブ住宅は、工場生産による規格部材を用い、システム化された工法によって建てられるため、現場での作業が合理化された住宅です。より良い住宅を安く大量に提供することを目的に、一九五八年頃に登場しました。

●プレハブ住宅の種類

プレハブ住宅は、構造の種類によって、木質系、鉄骨系、コンクリート系に分類され、工法によって、軸組工法、パネル工法、ユニット工法などに分類されます。

プレハブ住宅は、工場での品質管理の下で、柱、梁、床、壁などの主要部材が生産されるため、品質のバラツキが小さくなります。プレハブ住宅の現場施工の合理化を極めたのがユニット工法です。現場でユニットを積み上げるだけですから、基礎ができていれば、一日で住宅が建ち上がります。

プレハブ住宅の販売方法は、メーカーによる直接販売と、販売代理店による代理店販売方式があります。いずれかの方法だけを採るメーカーと、両方を併用するメーカーがあります。施工体制についても、メーカーが直接施工する方式と、傘下の施工店が施工する方式があります。プレハブ住宅の施工店の中には、自社独自でも住宅建築を請け負っている会社もありますが、ほとんどは専属の施工店です。

消費者のプレハブ住宅購入の動機は、①安心できる会社だった、②営業担当者の説明に納得、③品質・性能が優れている、などとなっています。

●プレハブ住宅の抱える課題

プレハブ住宅メーカーは、全国に工場を持つ大企業

【プレハブ住宅コーディネーター】 プレハブ住宅の営業担当者を対象として設けられた資格認定制度。(社) プレハブ建築協会が行う講習・試験を受け、認定される。住宅に関する広範な知識を習得し、「住まいづくりのパートナー」として顧客から信頼される人材の育成が目的とされている。2018年3月末時点の資格認定者は3万2708人。

であるため、全国的に住宅着工戸数が減少しても、必ずある程度の受注棟数を確保しなければなりません。工場を遊ばせておくわけにはいかないからです。

そのために、モデルハウスやCMなどの営業経費が必要で、その負担は最終的に住宅購入者である消費者が負うことになります。

ですから、大量生産でコストダウンできるはずなのに、住宅メーカーの住宅は安くならず、プレハブ住宅が当初目指した大量生産のメリットを消費者に提供できていないのです。

建主に提示される契約金額のうち、住宅メーカーや下請け工務店の経費や利益を除いた実質的な工事費は、契約金額の六〇%程度ともいわれています。

プレハブ住宅は、これまで技術・工法開発、設備や建材の開発、まちづくりの提案などで住宅業界をリードしてきました。しかし、工務店の建てる住宅もプレカットや新しい設備・建材の使用が進み、大きな差がなくなっています。

住宅着工戸数に占めるプレハブ住宅の割合は、一五%程度で推移しています。

プレハブ住宅の種類

	鉄骨系	木質系	コンクリート系
軸組工法	積水ハウス 大和ハウス工業 ヘーベルハウス パナソニックホームズ サンヨーホームズ	積水ハウス 大和ハウス工業 ミサワホーム ヤマダホームズ	
パネル工法		ミサワホーム ヤマダホームズ※1	パルコン（大成建設） レスコハウス※2
ユニット工法	セキスイハイム トヨタホーム	セキスイハイム	

※1　2013年、エス･バイ･エルはヤマダ電機と資本提携しヤマダ･エスバイエルホームに（現ヤマダホームズ）。
※2　2016年、レスコハウスはヒノキヤグループの子会社化（現（株）ヒノキヤレスコ）。
　　2020年ヒノキヤグループはヤマダホールディングスの子会社化。
ヒノキヤグループの販売棟数は3,802棟（2021年）。

【応急仮設住宅①】　都道府県から災害救助法の適用を受けた市町村で、災害発生時に住居が全壊、全焼または流失したため居住する住居がなく、また、自らの資力で住宅を得ることができない被災者に対して提供される。

プレハブ住宅比率の推移

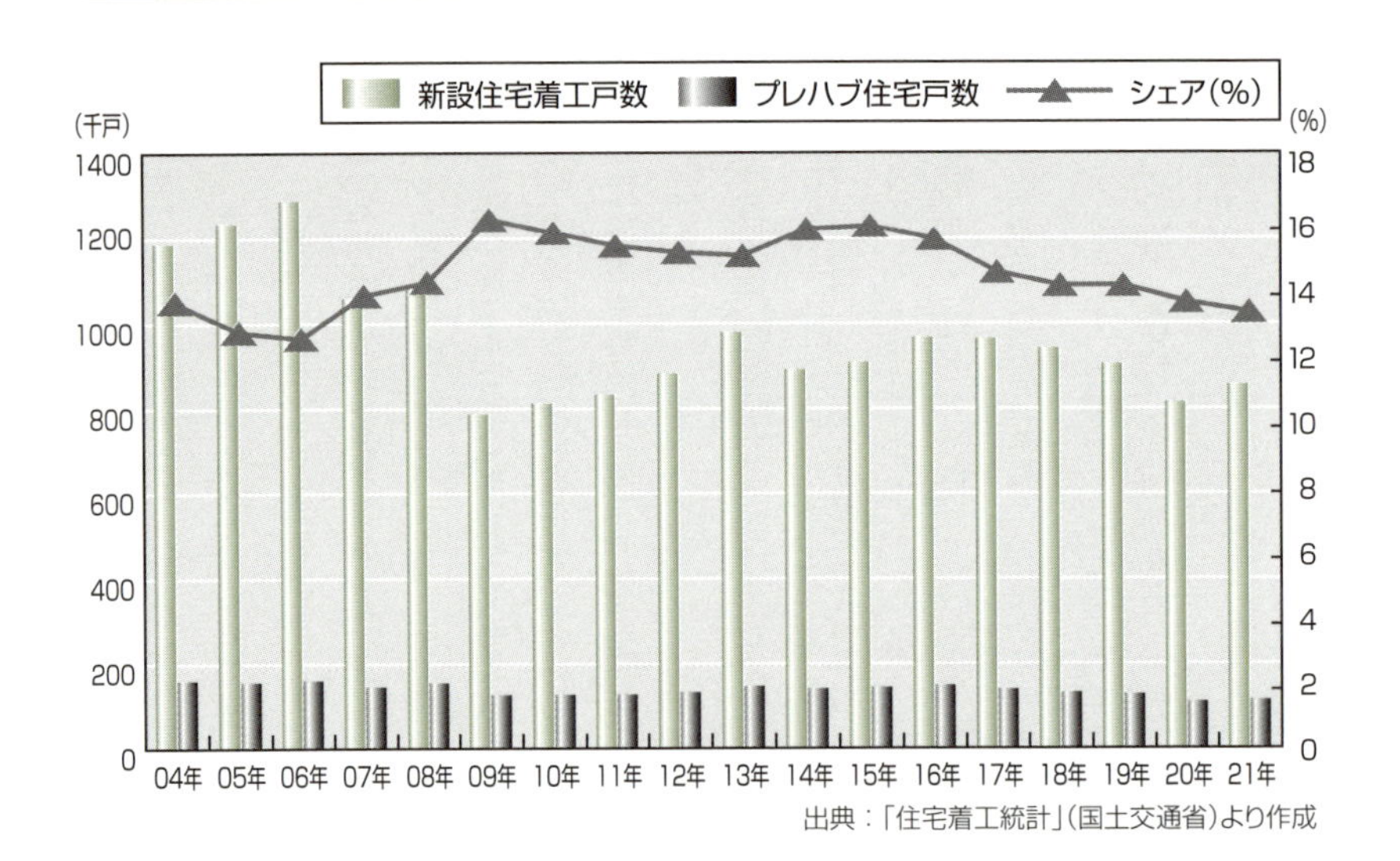

出典：「住宅着工統計」(国土交通省)より作成

プレハブ住宅の階層別・建方別完工戸数

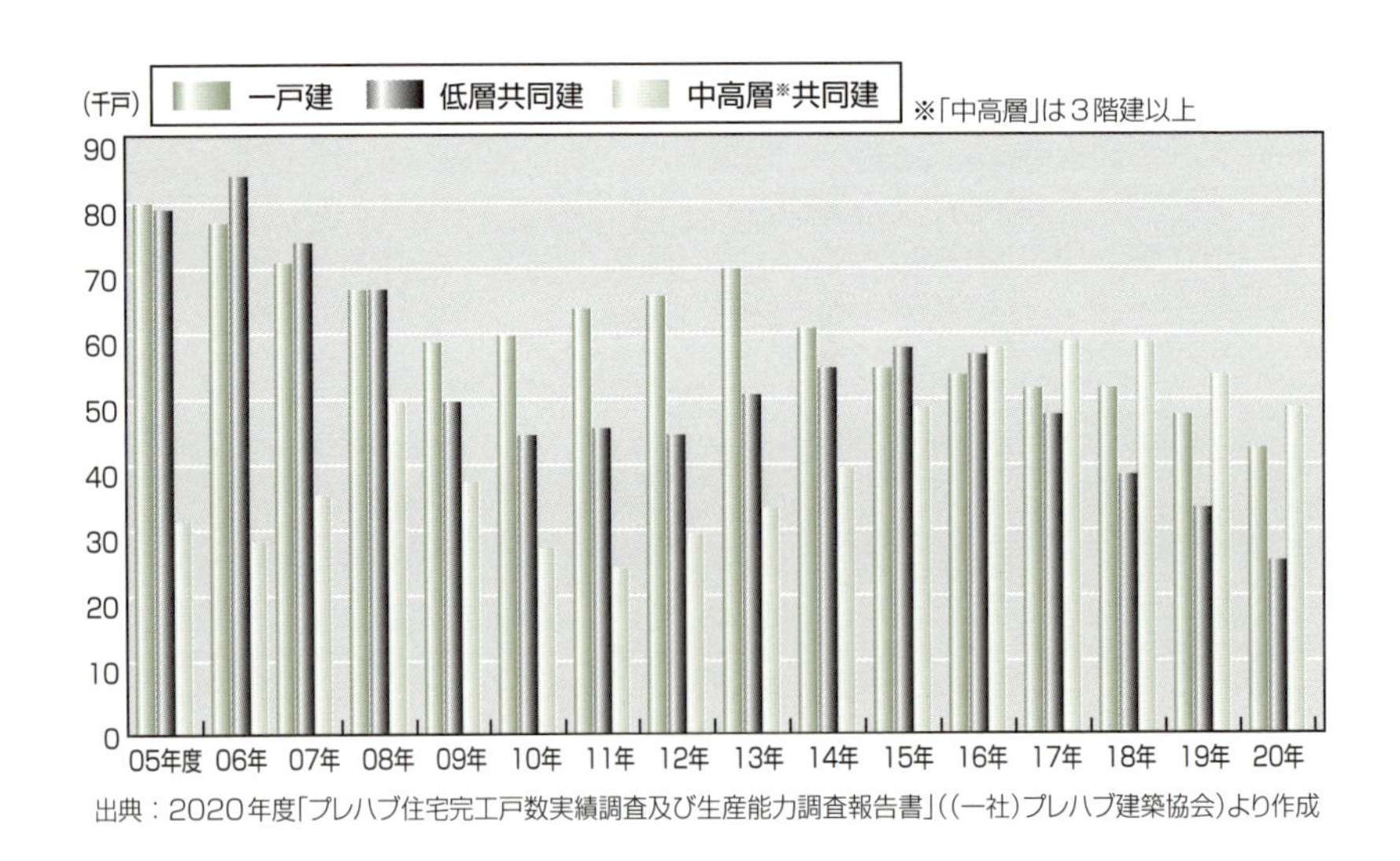

出典：2020年度「プレハブ住宅完工戸数実績調査及び生産能力調査報告書」((一社)プレハブ建築協会)より作成

【応急仮設住宅②】 応急仮設住宅の面積は、単身用：19.8㎡程度（6坪相当）、小家族用（2～3人）：29.7㎡程度（9坪相当）、大家族用（4人以上）：39.6㎡程度（12坪相当）となっている。

都道府県別プレハブ住宅比率（2020 年度）

プレハブ住宅の工場立地県でシェアが高く、住宅部材を運ぶのに不便な遠隔地でシェアが低い。

●プレハブ住宅比率の高い都道府県

順位	都道府県	戸数	割合（%）
1 位	奈良県	1,183	23.7
2 位	栃木県	2,523	23.7
3 位	石川県	1,567	23.2
4 位	静岡県	4,729	23.0
5 位	岡山県	2,651	22.3
6 位	三重県	2,085	21.9
7 位	山口県	1,367	21.3
8 位	長野県	2,532	20.8
9 位	滋賀県	1,839	20.7
10 位	千葉県	8,147	18.9

●プレハブ住宅比率の低い都道府県

順位	都道府県	戸数	割合（%）
47 位	沖縄県	103	1.0
46 位	鹿児島県	435	5.0
45 位	北海道	1,663	5.2
44 位	青森県	312	5.5
43 位	秋田県	258	6.6
42 位	宮崎県	412	7.1
41 位	長崎県	533	8.9
40 位	大阪府	6,399	10.1
39 位	福岡県	3,490	10.1
38 位	山形県	516	10.5

出典：2020 年度「プレハブ住宅完工戸数実績調査及び生産能力調査報告書」（（一社）プレハブ建築協会）より作成

プレハブ住宅の構造別比率（2020 年度）

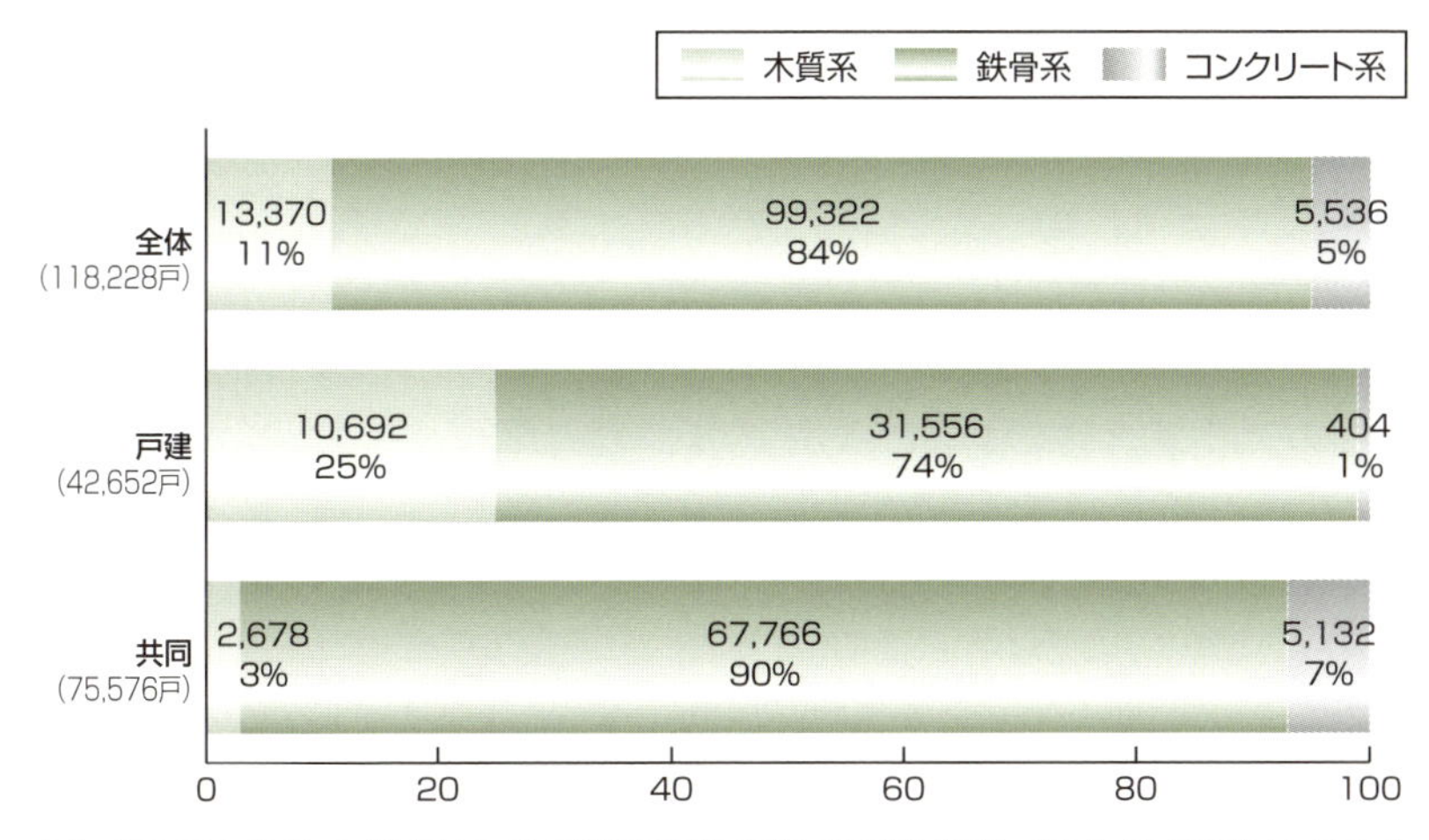

出典：「2020 年度プレハブ住宅完工戸数実績調査及び生産能力調査報告書」（（一社）プレハブ建築協会）より作成

【応急仮設住宅③】（一社）プレハブ建築協会では、災害時に応急仮設住宅の迅速な建設を行っている。阪神・淡路大震災（1995年）では35,287戸、東日本大震災（2011年）では28,714戸、熊本地震（2016年）では3,605戸を建設している。

4 工務店をグループ化するフランチャイズ

住宅FCは、個々の工務店では対応できない新技術の開発や法改正への対応、販促ツールの提供などで、工務店をサポートしています。その代わり加盟店はFC本部のルールに従って営業をしなければなりません。

●工務店と住宅メーカーの良いとこ取りを狙う住宅FC

FC（フランチャイズチェーン）*は、本部と加盟店から構成され、加盟店には一定地域の独占販売権があります。加盟店は、個別の企業ですが、商品管理をすべて本部で行っているため、消費者から見ると、支店のように感じます。住宅FCも、基本的なシステムは他業種のFCと同様です。FC本部は、商品開発、資材の仕入れ、広告・宣伝活動を行い、加盟店に対し技術面、営業面、経営面でのサポートを行います。

FCシステムのメリットは、地場工務店の強さと、住宅メーカーの強さを兼ね備えていることです。住宅メーカーの場合は、商品力があり、資材も一括購入で安価に調達でき、広告宣伝力がありますが、下請け工務店による工事では、品質、施工管理が行き届かない、地域に密着したアフターサービスが行き届かないという欠点があります。

一方、工務店は地域に密着して直接施工を行っていますが、商品力、資材調達力に弱点を抱えています。両方の良いところだけを取り込もうとするのが住宅FCのシステムなのです。

FC本部では、直営店を経営しており、そこで構築した営業、経営のノウハウをFC店に提供しています。アイフルホームでは、加盟金が四〇〇万円、月額のロイヤリティが三〇万円、その他に売上に応じたチャージが発生します。

* **FC（フランチャイズチェーン）** 本部（フランチャイザー）が加盟店（フランチャイジー）との間に契約を結び、自己の商標や経営のノウハウを用いて、同一のイメージの下に事業を行うもの。ノウハウ提供の対価として、加盟店はロイヤリティを支払う。加盟店に建材や販促物の購入などの縛りがあるが、FCに加盟しながら、自社オリジナル物件を請け負う会社もある。

●住宅FCへの加盟

市場の縮小で苦戦する工務店にとって、住宅FCやVC*への加盟は経営を立て直す有力な選択肢の一つです。しかし、加盟さえすれば、簡単に住宅が売れる訳ではありません。FC本部はいろいろなサポートをしてくれますが、個々の加盟店の経営責任は加盟店にあります。自社の弱点を本当に補ってくれるのかをきちんと見極めて加盟することが大切です。

加盟の手順は、まず加盟申し込みをし、仮契約後、出店予定地域の市場調査と、モデルハウス用地を探します。その後、調査に基づき、収益予測、資金計画、モデルハウス施工計画などを作成します。そして、契約を締結して初めて、住宅の設計・施工、販売促進、経営管理、顧客対応など、事業活動のノウハウ指導を受けることができます。最後に、モデルハウスの建築を行い、営業を開始します。

（一社）日本FC協会の調査では、住宅建築等に分類されるFCの店舗数は、二〇一一年の八二〇〇店舗から二〇二〇年には一万四八六店舗に増加しています。

主な住宅FC・VC

		加盟店	特徴
アイフルホーム	FC	72社	エリアで1社、LIXILグループ
ユニバーサルホーム※1	FC	約50社	地熱床システム、ALC外壁
クレバリーホーム※2	FC	152店	3,000坪以上の体験型施設
ロイヤルハウス	FC	約110店	ロイヤルSSS構法
BESS	FC	21社	ログハウス
ハウスドゥ	FC	690店	不動産売買仲介FC
イノスグループ	VC*		
夢ハウスビジネスパートナー	VC	約400社	乾燥無垢材
パナソニックビルダーズグループ	VC	約380社	テクノストラクチャー工法
フォーセンス	VC	300社超	デザイン住宅
JAHBnet	VC	約250社	アキュラホームが運営

※1 飯田グループ（飯田産業の子会社）　※2 新昭和グループ

住宅関連FCの状況（2020年）

チェーン数	店舗数	売上高（百万円）
60	10,486	730,774

※種別：住宅建築・リフォーム・ビルメンテナンス

出典：2020年度FC統計調査（（一社）日本フランチャイズチェーン協会）

*VC（ボランタリーチェーン）　複数の加盟店が共同仕入を目的として結成した組織のこと。工務店は自社ブランドのままでVC本部の提供する写真や広報、システムなどを利用することができる。JAHBnet（アキュラホーム）や、WB工法、エアサイクルの家、イノスグループなどはVCである。FCよりも縛りが少ないが、自己責任の度合いは高い。

5

住宅の企画から完成まで

住まいづくりには様々なステップがありますが、業者選定前の検討が一番大切です。

●家づくりは業者選定で決まる

住宅建築の基本計画では、建設予定地や住宅のイメージ、依頼する建設業者の検討を行います。建てようとする住宅について、何を一番重視するかを考えます。将来の家族構成の変更なども考慮します。

そして、業者選定後にプランの検討に進み、工事契約を行うことになります。手順としては、業者を選定してからプランの検討を行うので、細かいことはそれから決めればよいと考える施主が多いのですが、極端にいうと、業者を選定した時点で住宅の概要は決まってしまうものです。大手住宅メーカーであれば、会社やモデルによって、仕様の種類は決まってしまいます。中小の工務店であっても、使い慣れた建材や工事のやり方があります。慣れていない工事を希望しても、もっともらしい理由を付けて断られるか、慣れない工事をさせることで、リスクを負うことになります。ですから、業者選定においては、過去の施工物件を数多く見せてもらうなどして、十分に検討することが大切なのです。

●集中する住宅の引渡し時期

住宅の完成引渡しが集中する時期があります。転勤や進学の関係、お正月を新居で迎えたいなど、住宅購入者が節目の時期を境に新しい住居に入居したいと意識するためです。住宅会社の営業マンが成績を上げるために決算期間中に引渡しを行おうとし、突貫工事を行うこともあります。無理に間に合わせようとすることは、欠陥工事につながる恐れがあります。

＊**地鎮祭**　建物の工事を始める前に、敷地を清め、工事の安全と建築後の家内安全を祈願するもの。日取りは大安、先勝、友引などの吉日の午前中が良いとされている。参加するのは、施主とその家族、建設会社関係者、棟梁、鳶、設計者、基礎や躯体工事に関係する職人などである。

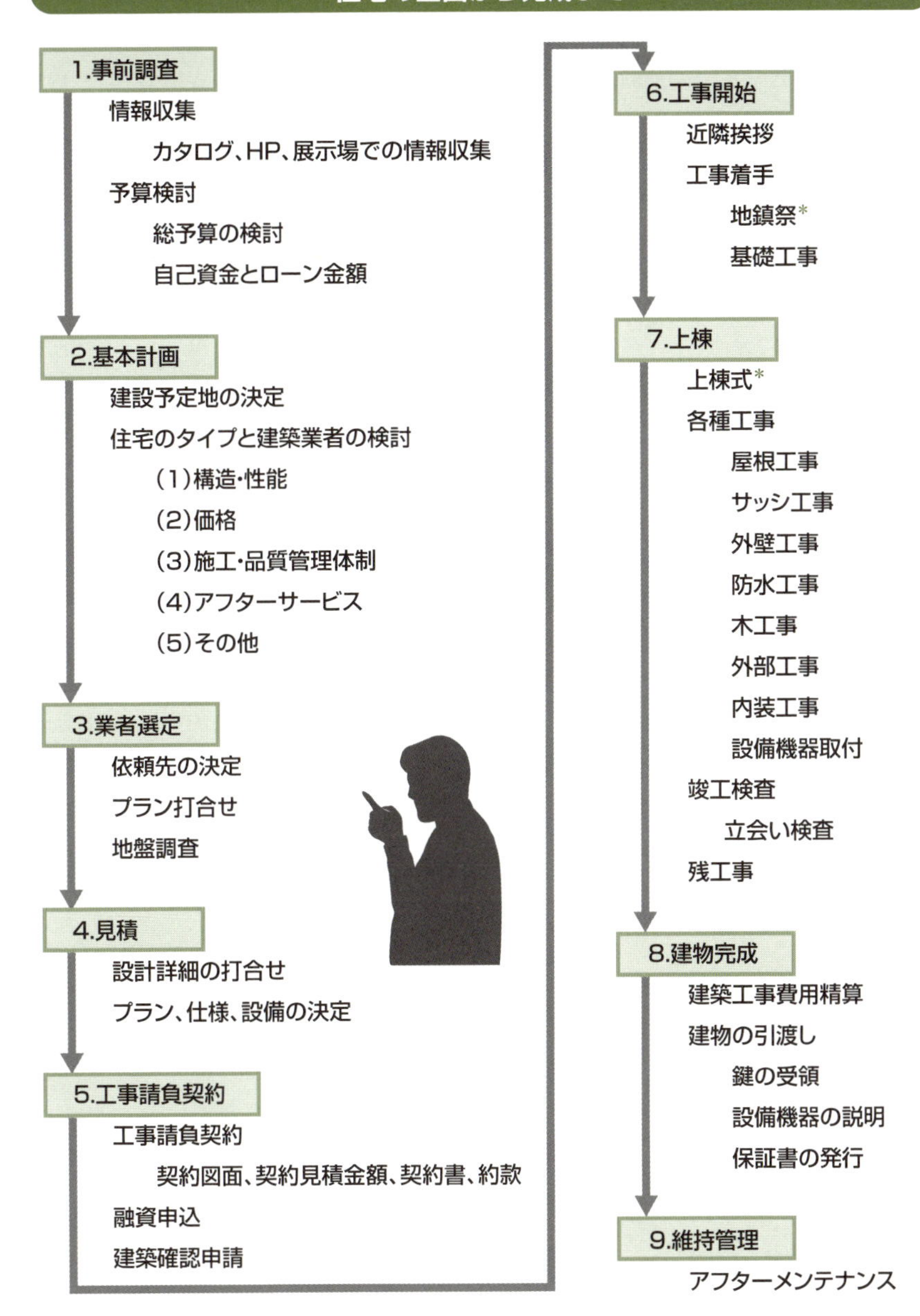

***上棟式**　棟上げまで工事が終了したことに感謝し、無事、建物が完成することを祈願するお祝いの行事。棟上げ（むねあげ）、建前（たてまえ）とも呼ばれる。吉日に朝から柱、梁を建て上げ、夕方頃から上棟式が行われる。現在では工事関係者に気持ちよく仕事を進めてもらうための施主によるもてなしという趣旨が強くなっている。

6 施主の夢をかなえる営業の仕事

住宅展示場への来場や現場見学会に参加した顧客、チラシから反響があった顧客、紹介をいただいた顧客からの相談を受け、夢のマイホームづくりのお手伝いをするのが営業の仕事です。

●顧客の要望を上手に引き出す営業マン

住宅は、一生で最大の買い物です。顧客のこだわりが大きい上に、顧客ごとに要望が異なるため、営業の難しい商品です。そこで、営業マンの役割が非常に重要になります。他人であるお客様のライフプランにまで関わることになりますから、営業マンは何よりも気に入られることが大切です。なぜ、この住宅会社を選んだか、というアンケートでも、「営業担当者の人柄・対応の良さ」という答えが常に上位に入っています。

まず、営業マンが顧客の要望を引き出した上で、それを自社の住宅でどのように実現するかを提案します。会社としてのカタログや販促ツールはありますが、熱意をアピールするために、独自の工夫で顧客に自分を売り込もうと努力しています。営業マンはプレゼンテーション技術を磨くことも必要です。

また、住宅建築の資金計画もサポートしなければなりません。自己資金と借入可能資金の合計をきちんと確認します。建物以外に必要な予算がどこにどれほどかかるかを説明し、建物本体に投入できる金額を確認した上でプランをまとめます。決められた予算の中で、要望に応えながら、快適でしかも長持ちする住宅を建てなければなりません。資金配分の優先順位を間違わないようにアドバイスするのも営業マンの重要な仕事です。

工事中も進捗状況を連絡し、不安になる顧客のサポートを行います。特に重要なのは**アフターサービス**

＊**見込客**　顧客というと「すぐサービスを購入してくれる人」と考えがちだが、住宅では「すぐに買う」ということはない。したがって、展示場や見学会などの来場者の中から、本当に住宅を建てたいと思っている人を「見込客」として選定し、「有望見込客」「契約客」へとステップを踏んでランクアップさせていく。

です。以前は、営業マンは契約したら、「お客様の前に顔を出さない」といわれていましたが、最近では違います。住宅業界のトップセールスの多くは「住宅を建ててもらってからが営業の仕事、信頼はアフターケアの取り組み方で決まってくる」という姿勢で仕事を行っています。

●個人の営業力から営業システムの時代へ

かつては、営業マンにノルマを与え、戸別に飛び込み訪問などをして個人のパワーで住宅を売っていた時代がありました。しかし、近年では会社の営業システムが重要になっています。急な訪問などは、警戒されるだけです。展示場の運営や見学会の開催、ホームページでの情報提供、チラシのノウハウなど、個人の工夫レベルではなく、会社全体として営業力を高める取り組みを行っていくことが必要な時代です。

そこでは、営業部長、営業所長の役割が非常に重要になります。営業マンを育てつつ、**見込客***を増やすような営業の仕組みを構築することが営業幹部の重要な仕事です。

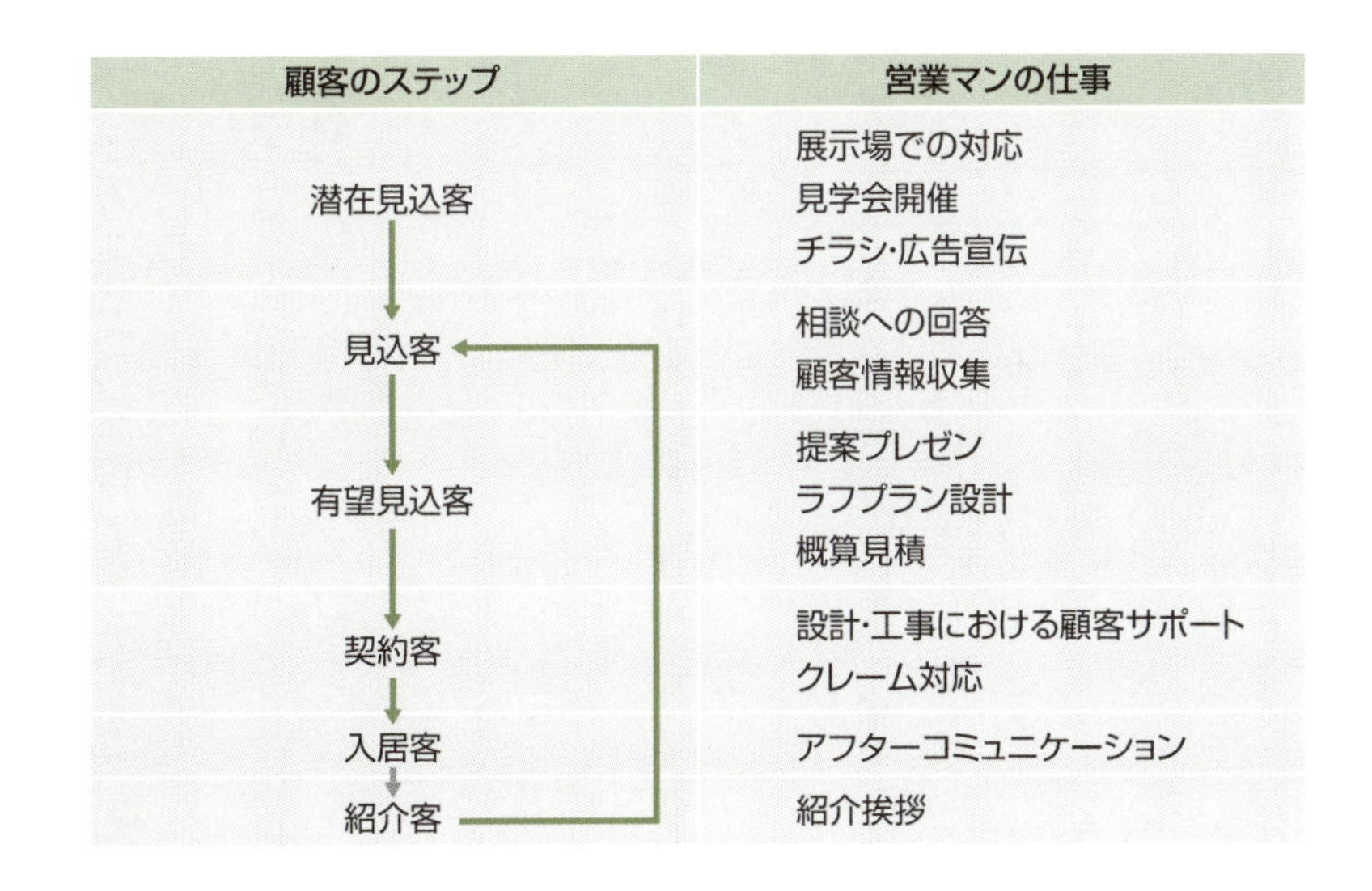

顧客のステップと営業マンの仕事

顧客のステップ	営業マンの仕事
潜在見込客	展示場での対応 見学会開催 チラシ・広告宣伝
見込客	相談への回答 顧客情報収集
有望見込客	提案プレゼン ラフプラン設計 概算見積
契約客	設計・工事における顧客サポート クレーム対応
入居客	アフターコミュニケーション
紹介客（→見込客）	紹介挨拶

【紹介客】　住宅を建てた顧客が紹介してくれたお客様を「紹介客」という。紹介者がすでに住宅を建て、満足していることを知っているため、契約までのハードルは非常に低くなる。住宅会社がアフターサービスに力を入れるようになったのは、「紹介客」の重要性に本気で気付いたからである。

7 独創的な提案で勝負する設計の仕事

かつて、伝統的な木造軸組工法では、大工、棟梁の技能によって住宅が建てられていました。しかし、現代の住宅建築では、顧客の多様なニーズに対応するため、設計者の役割が非常に重要になっています。

●現場との連携も重要な設計の仕事

顧客が持つ様々な価値観、ライフスタイルなどを十分に把握し、住まいの形を具体化するのが住宅の基本設計です。そのために設計者は、顧客の住まいに対する要望をじっくりと聞いた上で、自らの創造力を駆使して、**最適なプラン**を作り上げます。良いプランができなければ、営業や工事現場がいくら頑張っても顧客を満足させる住宅を建てることはできません。顧客との打合せでは、難しい専門用語は使わずに、顧客にわかりやすく説明します。

具体的な設計の作業は、企画から始まります。この段階では、営業マンと協力して顧客の要望を満たすプランを検討します。ここで、他社との競争に勝てなければ、次のステップには進めませんから、顧客に感動を与えるプランを作ろうと、設計者は全力を傾けます。これには、単なる建築技術や知識ではなく、顧客の要望をどのような形で実現するか、という創造力が求められる部分です。このステップを通過して構造設計、実施設計に進みます。これらの過程で、様々な情報が事細かに書き込まれた詳細図面が完成していきます。そして、その図面が施工部隊に引き継がれ、仕事の舞台は建築現場へと移っていくのです。

分譲住宅の企画、設計は、特定の顧客の要望に応える仕事ではありません。家族構成や年齢を想定し、その仮想家族のニーズを満たせるようにプランを考えます。地域の特性などの情報も収集しておくことが必

【デザイナーズ住宅】 いわゆるおしゃれな住宅のこと。建築家のセンスを活かし、デザイン性が高く独創性のある住宅を実現している。デザイナーズマンション、デザイナーズリフォームという言葉もよく耳にするようになった。設計者は、個性を発揮した設計を求められる機会が増えている。

要です。

工事への引継ぎでは、施工会社や建材・設備メーカーなどとの打合せにも参加します。設計の仕事は、ただ図面を描くだけではなく、現場とのコミュニケーションも重要です。施工現場では、図面どおりに施工されているか、施工状況の確認も行います。現場で、問題が発生した場合には、現場監督と共に解決に当たります。そして、なぜ問題が発生したのかを分析し、今後の設計業務に活かします。引渡し前には、完成した物件の検査も行います。ドアやサッシの建て付けから、キズや汚れまで念入りにチェックし、備品などが正常に機能するかどうかの最終点検を行います。

建築設計事務所は、設計を専門に行う会社です。工務店や住宅会社から設計を依頼されることもありますし、逆に、設計の依頼主である施主に対して、工務店や住宅会社を紹介して一緒に仕事をすることもあります。現場での工事状況確認や、引渡し前の検査にも立ち会います。施主がデザイン重視のこだわり住宅を建てる場合、住宅会社を選ぶ前に、過去の作風を見て、設計者を選びます。

●進化する建築CAD

設計の仕事というと図面を描くことが中心のように思われるかもしれませんが、そうではありません。**建築CAD**の進化が図面作成を省力化しています。プラン作成から、構造計算、顧客へのプレゼン資料まで一貫して作製できるようになっているCADもあります。

建材・設備メーカーでは、商品のCADデータをホームページなどで公開しています。CADソフトを使えば、それらのデータを取り込んで利用することができます。図面作成を海外に外注している住宅メーカーもあります。ソフトやシステムに任せられることは、どんどん任せ、設計者の仕事は、より創造力を求められる仕事にシフトしているのです。感性を磨き提案力を高め続けなければ、顧客のあらゆるニーズに応えていくことはできません。設計者は、流行のデザインや新しい店舗、海外の住宅などを視察し、常に情報を収集しています。また、最近では女性設計者の活躍が目立っています。

【建築士と建築家】　建築士とは、法律で定められた建築士資格を持っている人の名称。一方、建築家は、建築設計に携わる中でも、特にデザインや建築計画などに高い能力を持っている人の職業上の名称。建築家のほとんどは一級建築士の資格を持っているが、逆に一級建築士の中には建築家ではない技術者が多くいる。

住宅業界の仕事

営業	住まいづくりをトータルにサポートする顧客のパートナーです。顧客へプランを提案する他、顧客に対する会社の代表として、設計や施工関係への連絡を行います。引渡し後のアフターサービスなども行います。
展示場スタッフ	住宅展示場での受付、案内、資料作成などの、営業サポートの業務を行います。展示場では、顧客への説明やプランの相談に対応したりもします。
設計	設計図面を作製する仕事です。営業担当者と一緒に、顧客の要望を直接聞いて、技術面、意匠面から検討を重ねていきます。敷地調査や見積りの作成を行うこともあります。
工事管理	各施工業者や協力会社と打合わせながら、工事の工程管理を行う仕事です。スケジュールだけでなく、コスト、品質、安全など、全体的な管理を行います。
インテリアコーディネーター	床や壁、キッチンやバスルームなどのインテリアプランを提案する仕事です。顧客の希望を実現するよう住宅全体のデザインをコーディネートします。
商品開発、研究開発	商品開発は住宅の新しいプランを企画する仕事です。社会のニーズを探り、新しい住まいの形を新商品として提案します。研究開発は、より高い安全性、快適性などを目指して、素材（建材、床材など）や構造（耐震性、耐久性など）などの研究、開発を行う仕事です。

住宅設計の仕事

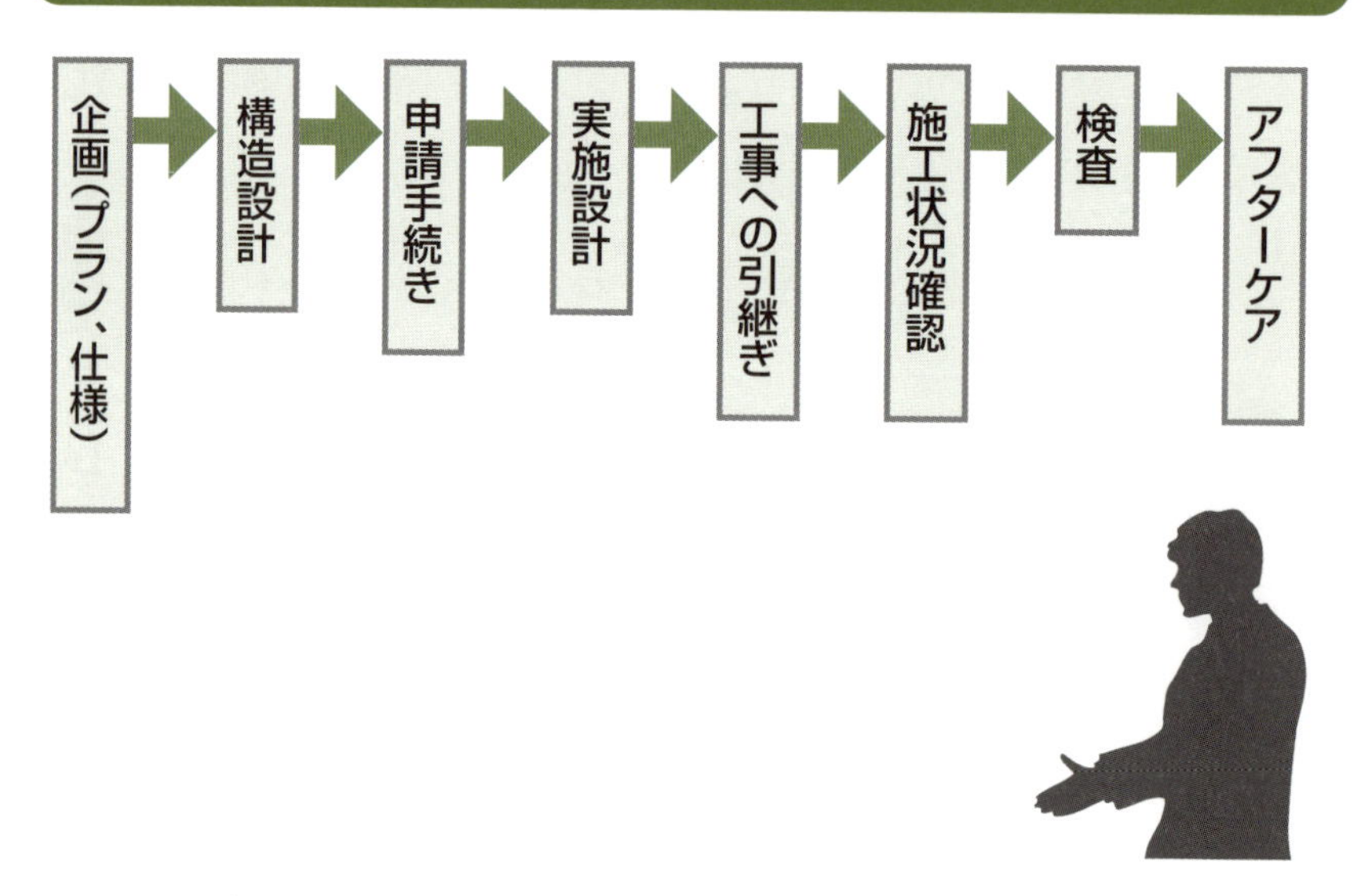

【一条工務店】　一条工務店は、東海地震の危険が懸念される静岡県浜松市で1978年に設立された。地震に強い家づくりが原点となっている。2022年には、「年間で最も売れている注文住宅会社」「年間で最も多くの太陽光搭載住宅を建てた会社」「最大の工業化住宅工場」の3つの項目において、ギネス世界記録に認定された。（いずれも対象年2020年）

積水ハウス㈱の組織体制

（2022年5月1日現在）

- 取締役会 ― 監査役会
  - 監査役室
- 代表取締役 ― 執行役員
- ＜戦略部門＞
  - 経営企画部
  - プラットフォームハウス推進部
  - コミュニケーションデザイン部
    - CXデザイン室
    - 広報室
  - ITデザイン部
    - IT戦略室
    - 情報システム推進室
    - セキュリティシステム推進室
  - CS推進部
- ＜財務・ESG部門＞
  - 経理部
  - 財務部
  - TKC事業部
  - ESG経営推進本部
    - 渉外部
    - IR部
    - ダイバーシティ推進部
    - 環境促進部
      - 温暖化防止推進室
    - 美術館事業室
- ＜管理・人事部門＞
  - 監査部
  - 人財開発部
    - 人材開発室
    - 人材採用室
  - 人事総務部
  - 不動産部
  - 法務部
    - ヒューマンリレーション室
    - 知的財産室
  - 秘書部
  - 取締役室
- ＜技術・生産部門＞
  - R&D本部
    - 総合住宅研究所
    - 住生活研究所
    - デザイン設計部
    - 戸建商品開発部
    - 建築商品開発部
      - シャーメゾン商品開発室
      - 事業建築商品開発室
    - リフォーム商品開発部
    - 国際テクノロジーセンター
  - 技術管理本部
    - 技術人材開発部
    - 技術情報管理部
    - 技術業務部
      - 設計デジタル推進室
      - 設計品質推進室
    - 技術コスト管理部
      - 特建技術コスト室
  - 施工本部
    - 施工体制管理部
    - 品質安全推進部
    - 施工技術開発部
    - 雇用育成推進部
  - 生産調達本部
    - 東北工場
    - 関東工場
    - 静岡工場
      - 関西物流センター
    - 山口工場
    - 兵庫工場
    - 生産部
    - 調達部
- ＜開発型ビジネス部門＞
  - 国際事業部
  - 開発事業部
  - マンション事業本部
    - 東京マンション事業部
    - 名古屋マンション事業部
    - 大阪マンション事業部
    - 福岡マンション事業部
- ＜請負型ビジネス部門＞
  - 積和建設事業本部
  - 東日本建築事業本部
  - 東京建築事業本部
  - 中部建築事業本部
  - 関西建築事業本部
  - 中国九州建築事業本部
  - 東北営業本部
  - 東京営業本部
  - 神奈川営業本部
  - 埼玉栃木営業本部
  - 東関東営業本部
  - 上信越営業本部
  - 中部第一営業本部
  - 中部第二営業本部
  - 関西第一営業本部
  - 関西第二営業本部
  - 中国四国営業本部
  - 九州営業本部

出典：積水ハウス（株）ウェブサイトより作成

【売建住宅】　宅地開発業者が、宅地を分譲販売する際に、購入者と建築請負契約を結んでから建設する住宅のこと。土地を売ってから建てるので「売建」という。「建売住宅」に比べると、購入者が設計プランを選択できるので自由度が高い。

8 日本の住宅を変える技術開発の仕事

住宅の質と快適性がより問われる時代になっています。住宅の技術開発では、①耐震、②環境・省エネ、③健康、④高齢者対策などをキーワードとして、快適で安全な住まいを追求しています。

●大工も使える最新の技術

大手住宅メーカーの開発部門は、大きく研究開発部門と商品開発部門に分けられます。

研究開発は、基礎や構造の強度、耐震性能、断熱性能の研究など、要素技術や評価技術の研究開発を中心に行います。中にはすぐに商品に結び付くものもありますが、息の長い研究が中心です。

研究開発の成果を商品化した例として、免震住宅があります。このような技術開発は住宅メーカー単独ではなく、エンジニアリングメーカーや、素材メーカーなどとの共同研究によって実現します。

商品開発は、新しいモデルを開発する仕事です。市場調査から企画立案、デザイン設計、コスト検討、標準プランの設計などを行います。研究開発で育てた新しい素材や技術も採り入れ、具体的な新商品として形にしていきます。

企業の組織で見ると、積水ハウスの場合は、総合住宅研究所や住生活研究所が主に研究開発を行い、デザイン設計部や戸建商品開発部、建築商品開発部が主に商品開発を行っています。施工本部は施工の分野での開発や施工指導を行います。個別の住宅の設計は支店の設計士が行います。

中小の住宅会社で技術開発部門を持っている会社は多くありませんから、建材メーカーや設備メーカーなどの新しい技術を商品に採り入れています。

各メーカーは新商品のPRだけでなく施工指導も

【軽量気泡コンクリート】 ALC（Autoclaved Lightweight Concrete）とも呼ばれる。高温高圧で蒸気養生された無数の気泡を含むコンクリートである。気泡を含むため軽量で断熱性、遮音性が高く、耐久性、耐火性にも優れている。ALCは1920年代にスウェーデンで開発され、その後、北ヨーロッパに普及した。

行いますから、個人の大工であっても、ある程度は最新の技術を取り入れた住宅を建てることができます。

●住宅の性能や住みやすさを実感できる大手住宅メーカーの体験施設

積水ハウスの納得工房は、同社総合住宅研究所の中に設置された、消費者がつくり手と対話しながら住まいについて体験・学習できる施設です。納得工房には、様々な住宅設備があり、実際に使って試すことができます。

例えば、キッチンなら、高さや広さを変えて試すことができますし、階段ならいろいろな高さや勾配を試すことができます。バスタブも様々な種類があり、実際に試してみることができます。

営業マンは、見込み客に売り込みの言葉をかけるだけでなく、「納得工房で本当に納得できる住宅を考えましょう」という提案をします。顧客は、専門家に納得いくまで尋ねながら、自分の好みの仕様を選んでいくことができるのです。

実際に体験させることで、顧客の悩みを解決して満足度を高めることができるのです。その結果、顧客との関係を親密にすることができます。たとえ契約に至らなくても、顧客が検討した住宅設備のデータは総合住宅研究所に蓄積され、次の商品開発や、顧客への提案に活かされることになります。積水ハウスでは、全国五カ所に展開していた体験型施設「住まいの夢工場」を「Tomorrow's Life Museum」へとリニューアルしています。「ライフスタイル型モデルハウス」や「技術・構造館」「環境館」などでリアルな暮らしを体験したり、実物大の実験施設で構造の仕組みや強さ断熱や防火などを体験することができます。

大和ハウス工業も戸建住宅専用体験施設「住まいまるごと体験館」や「TRY家Lab」賃貸住宅体験館「D-roomプラザ館　夢」を展開しています。

ワンポイントコラム

【スケルトン・インフィル】　建物を構造体と内装・設備に分けて設計する考え方のこと。スケルトンは骨格のことで、構造体を示し、インフィルは内外装・設備・間取りを示す。耐久性の高いスケルトンをつくっておけば、ライフスタイルの変化に合わせてインフィルを変更することで、長く暮らせる住宅をつくることができる。

9

合理化が進む施工現場

施工現場には、数多くの資材が搬入され、多くの職人が出入りして工事を行います。この施工現場の指揮をとるのが、現場監督です。棟梁と連携をとりながら工程がスムーズに流れるように管理を行います。

●ITの活用が進む施工現場

住宅の品質とコストに大きな影響を及ぼすのが**施工現場**の仕事です。資材を過不足なく、工程に合わせて手配します。そして、作業の段取りよく職人を手配し、工事をしてもらわなければなりません。この管理がうまくいかないとコストが予算をオーバーして利益が減少したり、工期が伸びて施主に迷惑を掛けることになります。驚くかもしれませんが、職人が現場に行ったら、前工程の工事が終わっておらず、作業に取りかかれなかった、資材が搬入されていなくて作業ができなかった、などというのは現在でもある話なのです。

工事の途中で設計変更や追加が発生することもよくあることです。そのために、工事を担当する職人に正しく情報が伝わるように図面を作成します。しかし、実際の工事を行う職人に変更図面を渡すのを忘れたり、間違った図面を渡してしまうこともあります。書類や環境の整備された事務所ではなく、現場での打ち合わせで決まることもあり、徹底が難しいのです。これがクレームにつながることもあります。

最近ではこのような問題を解決するために、ITの活用が広がっています。現場工事の進捗状況をスマートフォンやタブレットで住宅会社のパソコンに送信し、顧客や工事関係者が自ら確認できるようにしている会社もあります。顧客の安心や現場の進捗管理に役立っています。また、現場にビデオカメラを設置し、工事の状況をリアルタイムで確認できるようにしてい

【施工現場研修】 住宅業界の原点は、住宅の施工現場にある。現場監督になるのではなく、営業や設計、そして開発に携わる場合でも、施工現場を知らなければ住宅業界の仕事はできない。それは、住宅会社でも建材メーカーでも同じである。そのため、新入社員は研修で施工現場を体験し、家造りのイロハを身に付けるのである。住宅会社では研修として数年間配属されることもある。

る会社もあります。前工程の工事が終わっているか、資材が搬入されているかなどもひと目でわかります。また、変更された最新の図面もタブレットを使って現場から確認することができます。ITツールをうまく使うことで、現場の最前線で働く職人たちにも正確な情報がすばやく伝わるようになっています。

●現場監督で決まる住宅の品質

このように重要な施工現場の仕事ですが、最近では、職人に正しい施工を指導できない現場監督もいるようです。①多くの現場を抱えているため、じっくりと現場を確認することができない、②段取りが悪いと現場が滞るので工程管理を優先せざるを得ない、③新しい資材や工法が次々に出てくるのでついていけない、④ベテランの職人に厳しいことを言えない、などという声を聞きます。それ以外にも、新人として入社し、現場の職人たちから現場のことを教わる場合に、彼らのやりやすい方法を教えられることも少なくありません。このような状況が**欠陥住宅**の背景に存在しているのです。

現場監督の仕事

- 設計からの引継ぎ
- 実行予算作成
- 工程表作成
- 資材発注
- 工程会議
- 近隣挨拶
- 着工
- 現場管理
  - ・工程管理
  - ・品質管理
  - ・原価管理
  - ・資材管理
  - ・安全労務管理
  - ・廃棄物処理
  - ・顧客対応
- 竣工検査
- 引渡し

【現場を工場に持ち込んだプレハブ住宅】　施工現場で行っていた作業を工場に取り込んで厳密な品質管理を行っているのがプレハブ住宅メーカーである。現場作業は合理化が進み、従来より短期間で終了するが、組み立てた部材を現場に据え付けるため、部材の搬入が大がかりな作業になる。

10 センスが求められるインテリアの仕事

床や壁、キッチンやバスルームなどのインテリアプランを提案する仕事です。顧客の希望を実現するように住宅全体のデザインをコーディネートします。

●地味な作業も多いインテリアの仕事

生活の場を、より自分らしく表現する傾向が強くなり、インテリアの仕事に対するニーズはますます高まっています。インテリアの仕事は家族の生活スタイルや価値観、趣味などを元に、どれだけ顧客の実生活を思い描けるかがポイントです。具体的には、絵や写真、壁紙、床材などのサンプルを使ってお客様の好みに合うイメージボードなどを作成したり、**平面図**や**パース**＊に色を付けたりして検討します。言葉だけで説明してもわかりにくいため、このようなツールの活用が大切です。最近では立体的な三次元空間でトータルイメージを見ることができる**建築CG**＊でプレゼンテーションを行うこともあります。

顧客が候補としてリストアップした商品は、ショールームで実物を確認します。照明器具の明るさ、カーテンや壁紙などの質感、システムキッチンの使い勝手など、カタログやサンプルではわかりにくい部分をチェックします。注文住宅を建てるときは、外観の色や素材、内部の色や素材、水廻りの機器の選択、照明計画、カーテンのデザイン、家具の選定と配置などを、施主が一つひとつ決めていかなくてはなりません。大変な作業のため、ときには体調を崩す施主もいます。このお手伝いをするのが、**インテリアコーディネーター**です。各部分のコーディネートによって全体がうまく調和するように、的確なアドバイスで、施主の家づくりを導きます。仕事の性格上、女性の比率が

＊**パース**　空間のイメージがわかりやすいように、建物の外観や内観を立体的に描いた透視図のこと。建物の外観を描いた外観パース、室内を描いた内観パースがあり、完成予想図として用いられる。最近はコンピューターを使用して、建物の内部を歩くように見ることができるソフトもある。

高い仕事です。2×4住宅を日本に根付かせた三井ホームは、インテリアコーディネーターを積極的に活用しています。

●リフォーム市場で重要になるインテリアの仕事

住宅の寿命が長くなり、家が長持ちしても家の中は古くなりますし、家族構成やライフスタイルの変化もあり、リフォームが必要となります。そこで重要になるのがインテリアの仕事です。インテリアコーディネーターは、民間の資格で、現在約五万八一九四人の登録があります。インテリア関連の深い知識だけでなく、住む人のライフスタイルや価値観を把握することが重要です。住宅会社やインテリアメーカーなどで勤務するのが一般的ですが、独立してフリーとして活躍する人もいます。女性の進出が目立つ資格です。リフォーム市場の拡大に伴い、インテリアコーディネーターの需要はさらに大きくなると予想されています。

住宅業界のインテリア関係の資格

インテリアコーディネーター

住宅の居住性や機能性、顧客の好みや生活スタイルなどを考え、インテリア商品を選択、配置・構成して住空間をトータルコーディネートする仕事です。インテリア計画の作成や商品選択のアドバイスなどを行うためには、家具や照明、住宅設備などのインテリアに関する幅広い商品知識を持っていることが必要です。（公社）インテリア産業協会が試験を行っています。

インテリアプランナー

インテリアデザイン全般に関する業務をトータルに実践するスペシャリストとしての資格です。住宅、オフィス、店舗などのインテリア空間で、機能性、安全性、快適性など、望ましい空間のあり方を企画し、設計・工事管理業務を行います。工事現場で監理もするので、建築に関する知識も求められます。インテリアコーディネーターに比べると、建築士的な要素が強い仕事です。（公財）建築技術教育普及センターが試験を実施しています。

キッチンスペシャリスト

住む人にとってよりよいキッチン空間を提案する仕事です。設備機器、ガス、電気、水道などの防災安全対策や建築構造との取り合いなどについての法律、技術的な知識なども必要です。主に、キッチン関連設備のメーカーや販売店でキッチン空間を提案します。（公社）インテリア産業協会が試験を行っています。

照明コンサルタント

近年の照明は、見るための照明から、省エネや快適性を考慮にいれた照明へと変化してきています。住宅やオフィス、店舗など、それぞれの環境に応じて照明を演出します。（一社）照明学会が認定を行っています。

カラーコーディネーター

色彩の豊富な知識をベースに、住宅や店舗のインテリア、地域全体の色彩・配色などについて、企画提案やアドバイスを行う仕事です。建築や家具のデザインだけでなく、ホームページのデザインや印刷関連、ファッション、メイク、スタイリスト、ビューティアドバイザーなど、多くの活躍の場があります。東京商工会議所が試験を行っています。

＊**建築CG**　パソコンの性能向上とソフトの進化によって、リアルなCG（コンピューターグラフィック）パースを作れるようになった。多くの設備機器メーカーや建材メーカーが、商品のCGデータを公開しています。CGソフトに取り込んで手軽に比較できる。「3Dマイホームデザイナー」など施主自ら簡単に使えるソフトもあります。

顧客の不安を解消するリフォーム営業 11

リフォーム工事は新築と異なりすでに建物があるため、顧客の要望が明確です。リフォーム検討のきっかけは、①壁・床・天井・屋根など住宅の構造部分が古くなった、②設備が古くなった・壊れた、③水回りや動線の使い勝手が悪い、③長く住み続けたい、④居住人数の変化・子の成長などです。

●小さな工事を大切にするリフォーム会社

消費者がリフォームで重視するのは、設備の使い勝手、耐久性の向上、省エネ性の向上、最新機能の設備を活用、デザイン性の良さです。リフォームの個所では、トイレ、浴室・洗面、キッチン、リビング・居間、外壁・バルコニー、ダイニングが上位となっています。

設備機器の変更では、パッキンの取り替えや給湯器の交換など小規模な工事が多くあります。しかし、工事会社は、小規模工事だからといってないがしろにはしません。このような小規模工事で信頼を得ることが、本格的なリフォーム工事につながる例が多いことを経験的に理解しているからです。

リフォーム工事の特徴として、工事途中で新たに傷んだ部分が発覚して追加費用が発生したり、予定していた構造と異なることがわかり、そのままでは工事ができなくなるなど、無事に完了するまで不透明な部分があります。また、家人が住んだまま、工事を行う職人が出入りするため、顧客は工事中、ずっと気を使います。そのため、リフォーム企業選定の理由を見ると、「担当者の対応」「工事の質」「価格の明朗さ」など、価格や工事店の信頼に関する項目が多くなっています。

小規模なリフォームでは、契約書を交わさない工事も多くありますが、あとで問題を発生させないためにも契約書を取り交わすことが大切です。住宅リフォーム推進協議会では、標準的な契約書式を公開しています。

【造作家具】 造作家具とは、部屋の寸法に合わせて建物の一部として作る特注家具のこと。建物の一部として作るため、壁との間に隙間や出っぱりがない。すっきりとした使いやすい部屋ができるが、あとで簡単に交換できないので、何を入れるのか、デザインはどうするかなど、よく検討することが必要。しっかり固定されているので倒れることもなく、壁の補強にもなる。

●定額リフォームで受注を伸ばす「新築そっくりさん」

大規模リフォームの受注実績でトップなのが住友不動産の「新築そっくりさん」です。追加負担がなく、契約時の金額そのままで工事をしてくれる定額リフォームが人気となっています。建替えの五〇～七〇％の費用で住宅を再生します。部分ごとのリフォームパックもあります。

柱が腐っているなど、工事を開始してみないとわからない部分のリスクを工事会社が負ってくれるため、消費者は安心して依頼できます。

リフォーム需要は築二〇年から三〇年以上の物件で多く行われる傾向があります。住宅の新築着工数がピークであった一九九〇年代の物件のリフォームが、これから本格化していきます。大手ゼネコンやホームセンター、さらにはスーパー、デパートや家電量販店までがリフォーム市場に参入しています。コロナ禍をきっかけとした在宅ワークの普及によりリフォームのニーズが増加しています。

リフォーム業者選定時の重視点

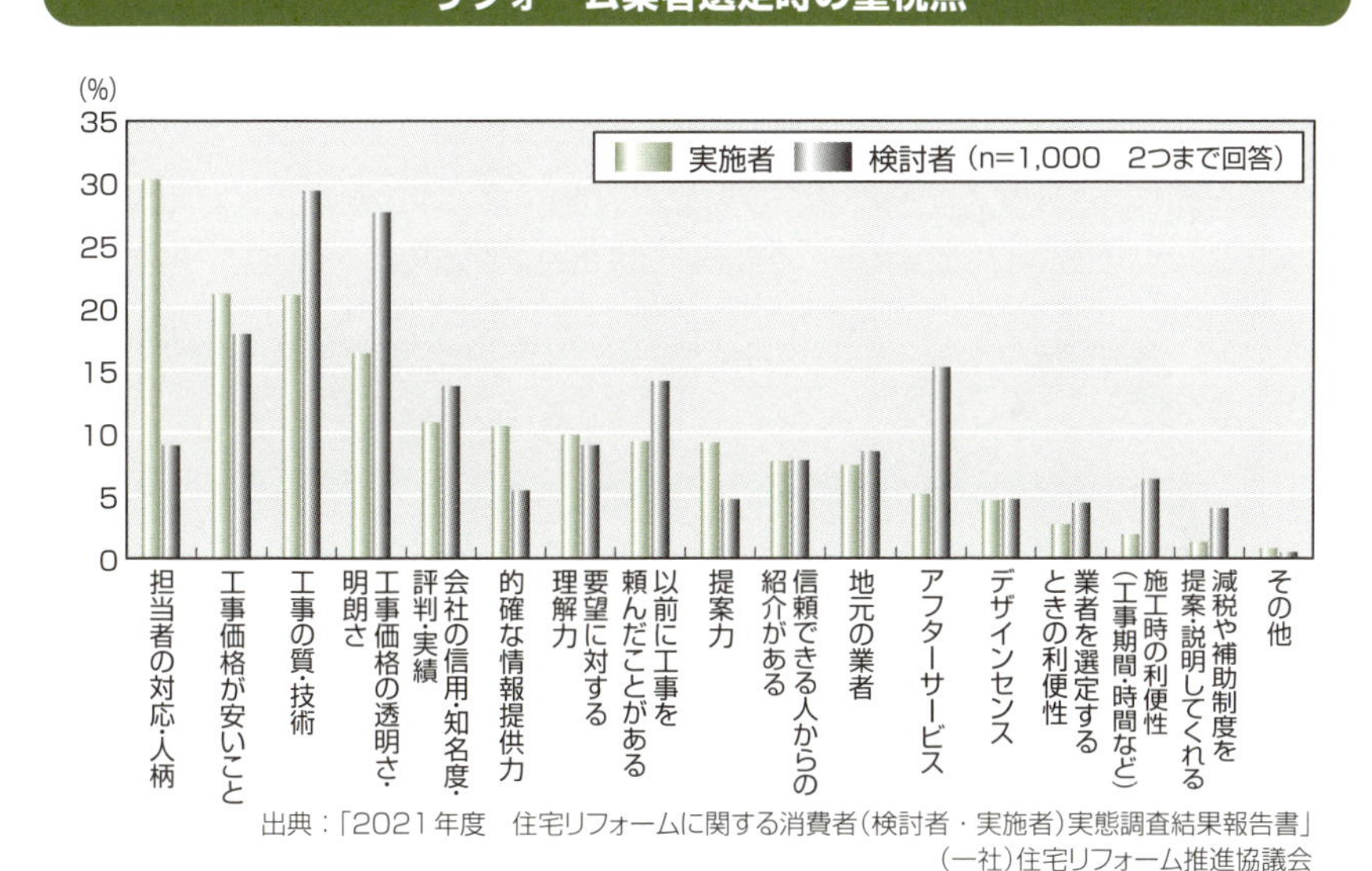

出典：「2021年度　住宅リフォームに関する消費者（検討者・実施者）実態調査結果報告書」（一社）住宅リフォーム推進協議会

【リモデル】　日本では「リフォーム」という言葉が定着しているが、英語では、「リモデル」が使われている。TOTO、DAIKEN、YKK APの3社が協力して「リモデルクラブ」という名称の増改築工事会社ネットワークをバックアップしている。

リフォーム時の予算と費用（2021 年度　戸建）

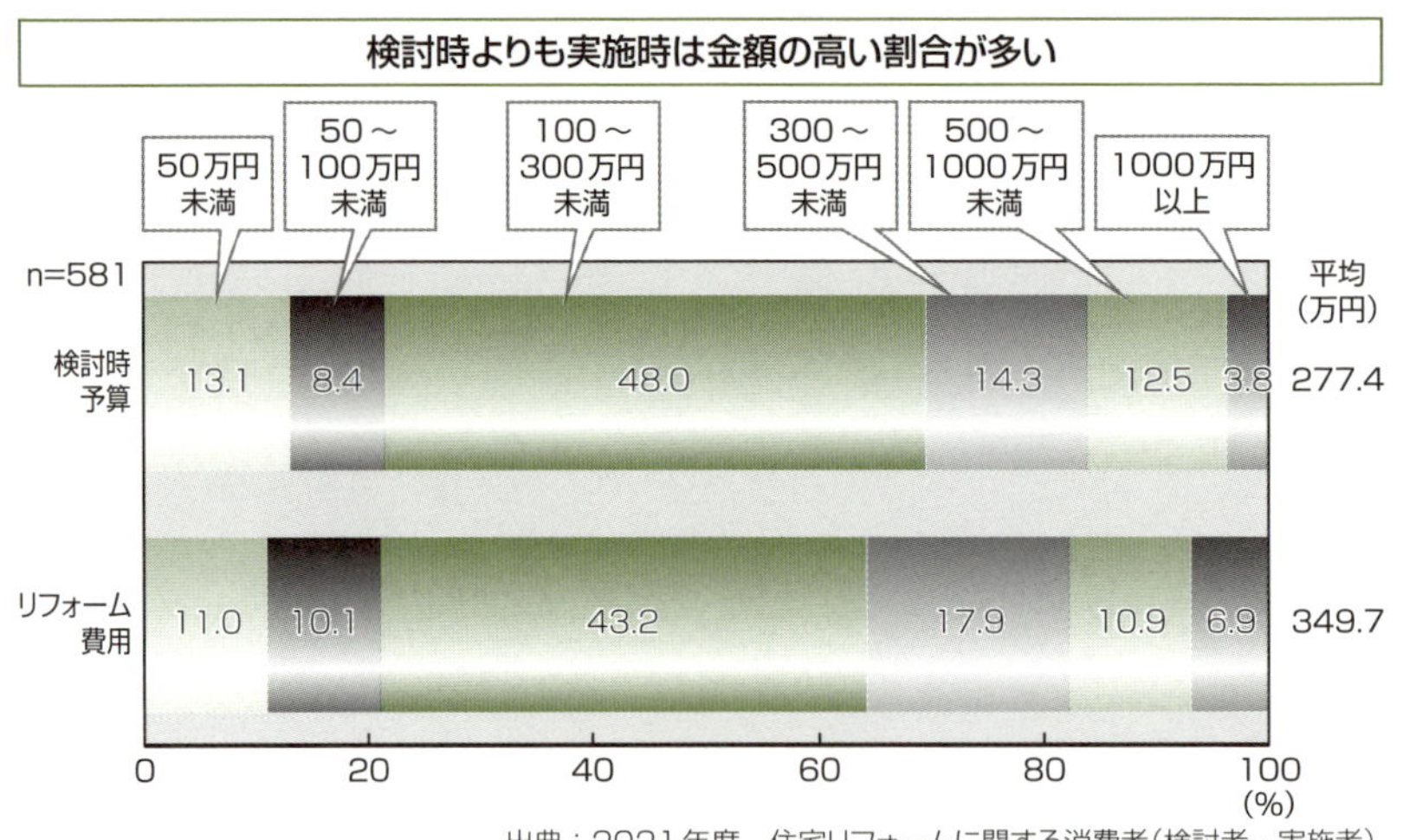

出典：2021 年度　住宅リフォームに関する消費者（検討者・実施者）実態調査結果報告書（（一社）住宅リフォーム推進協議会）

リフォーム住宅の建築年数（戸建＋マンション）

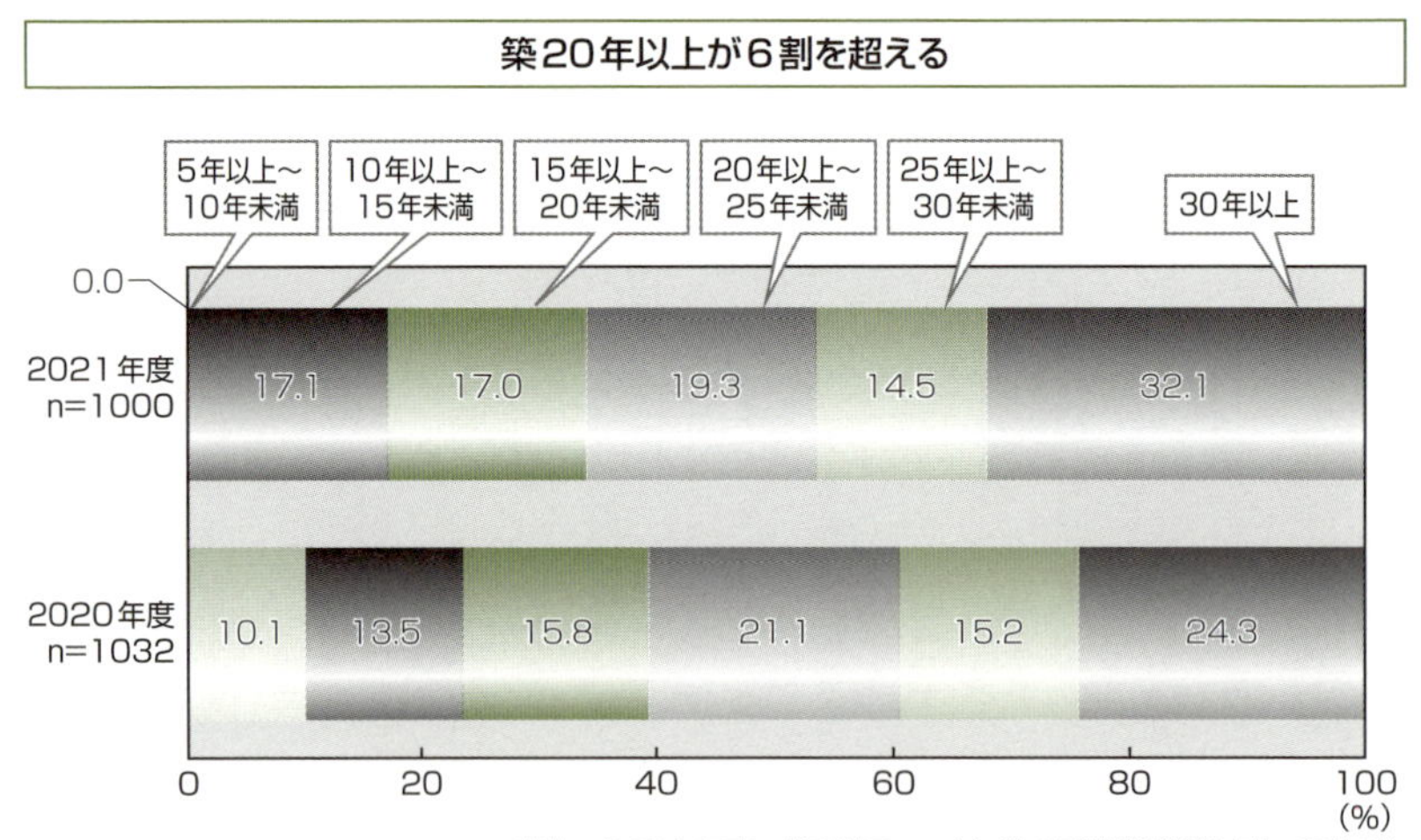

出典：2021 年度　住宅リフォームに関する消費者（検討者・実施者）実態調査結果報告書（（一社）住宅リフォーム推進協議会）

【増改築相談員】　大工などとして住宅建築の現場に10年以上携わっている者で、（財）住宅リフォーム・紛争処理支援センターの考査に合格し、登録している者。住宅リフォームの健全な普及を促進することを目的としている。

2-11 顧客の不安を解消するリフォーム営業

住宅リフォームの市場規模

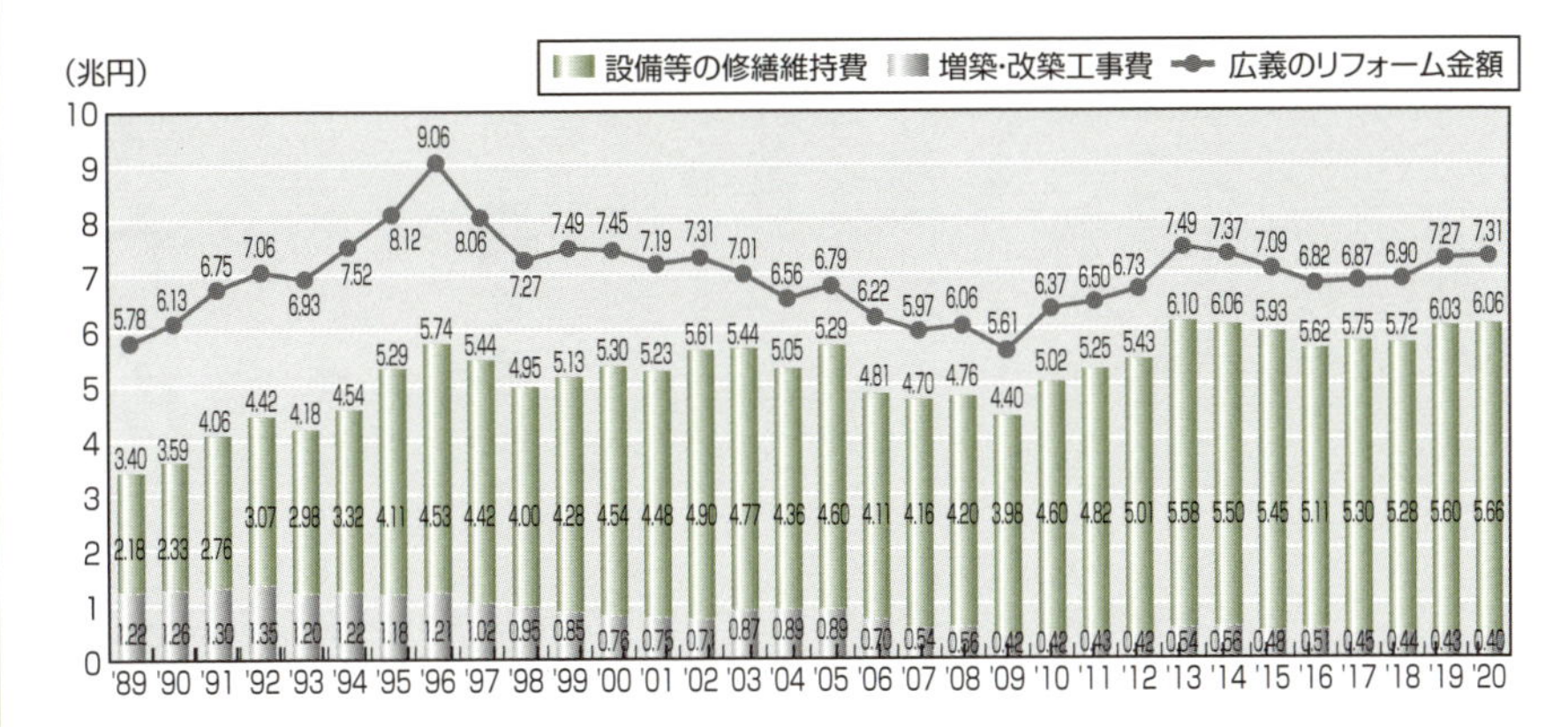

注）①「広義のリフォーム市場規模」とは、住宅着工統計上「新設住宅」に計上される増築・改築工事と、エアコンや家具等のリフォームに関連する耐久消費財、インテリア商品等の購入費を含めた金額をいう。
② 推計した市場規模には、分譲マンションの大規模修繕等、共用部分のリフォーム、賃貸住宅所有者による賃貸住宅のリフォーム、外構等のエクステリア工事は含まれていない。

出典：「住宅リフォームの市場規模」（公益財団法人 住宅リフォーム・紛争処理支援センター）

建築士試験の受験資格と免許登録要件

資格	受験資格要件（学歴（卒業学校））	免許登録要件（実務経験）
一級	大学	２年以上
	短期大学（３年）	３年以上
	短期大学（２年）・高等専門学校	４年以上
	二級建築士	二級建築士として４年以上
	国土交通大臣が同等と認める者	所定の年数以上
	建築設備士	建築設備士として４年以上
二級 木造	大学・短期大学・高等専門学校	なし
	高等学校・中等教育学校	２年以上３年から２年に短縮
	実務経験７年※	７年以上
	都道府県知事が同等と認める者	所定の年数以上

※実務経験のみで二級・木造建築士試験を受験する場合は、引き続き、受験資格要件として、実務経験が必要。
※建築に関する学歴については、入学年が「平成21年度以降の者」と「平成20年度以前の者」とでは要件が異なる。

出典：令和２年から建築士試験の受験要件が変わり新しい建築士制度がスタートします！（国土交通省「住宅局建築指導課」）より作成

【BLマーク】 機能性、耐久性、安全性、施工性に優れ、確実な供給と品質保証ができると認定された住宅部品に付けられるマークのこと。（財）ベターリビングが、優良住宅部品認定制度に基づき認定している。認定された部品には、製品や施工に起因する事故に備えて、損害賠償などの保険が付けられている。

12 資格が必要な住宅業界の仕事

住宅業界の仕事には、資格を持っていないとできない、設計や不動産取引の業務があります。

●資格が証明する最低限の知識

住宅業界の資格で、まず第一に挙げられる資格が**建築士**です。一級、二級、木造という区分があり、設計できる建物の制限がありますが、一般的な戸建住宅であれば、どの区分であっても設計できます。

資格があれば必要最小限の知識があることは証明されますが、実務能力も高い、とは一概にはいえません。二〇一九年四月で、一級建築士三七万三四九〇人、二級建築士七七万二四六人、木造建築士一万八一三三人が登録されています。一級建築士は五〇代以上が六五%以上を占めており、これから多くの建築士が引退すると見込まれています。

これまで、一級建築士の試験を受験するためには、建築に関する指定科目を修めて大学を卒業していても二年間の実務経験が必要でした。しかし、令和二年から建築士法が改正され、大学を卒業すれば受験できるようになり、実務経験は免許登録の要件となりました。二級建築士、木造建築士も同様です。実務経験の対象範囲も調査・評価業務や教育・研究・開発業務などが追加されました。

建築設計を行う人の中で、特に作家性を持つ設計者を、建築家といいますが、建築家の中には、建築士の資格を持っていない人もいるといわれています。自らは建物のコンセプトやデザインを手がけ、スタッフに有資格者を置くことで設計実務を任せることができるからです。

宅地建物取引士は、不動産の公正な取引を行うための資格です。宅地建物の取引業務を行う事務所に

【構造設計一級建築士】 平成20年に施行された新建築士法で、構造設計一級建築士制度が創設された。一定規模以上の建築物（木造または鉄骨造で高さ13m超または軒高9m超、組積造で階数4以上、RC造又はSRC造で高さ20m超、その他政令で定める建築物）の構造設計については、構造設計一級建築士が自ら設計を行うか若しくは構造設計一級建築士に構造関係規定への適合性の確認を受けることが義務付けられた。

は、五人に一人の割合で専任の宅地建物取引士を配置しなければなりません。取引対象となる不動産についての重要事項の説明と重要事項説明書、契約書への記名、押印は、「宅地建物取引士」でなければできない事務です。年齢、学歴などの受験資格はありません。

●業務の幅を広げるダブルライセンス

複数の資格を取得することで、業務の幅が広がります。建築士で、**インテリアコーディネーター**の資格があれば、設計時にインテリアの提案まで同時にできますし、ハードからソフトまで、施主の総合的な相談に応じることができます。アパート建築を行う住宅会社の営業マンに取得者が増えているのが**ファイナンシャルプランナー**です。金融商品、保険・年金、ローン、不動産、税金などの幅広い知識を持っており、顧客に対して資金面から生活設計のアドバイスを行います。

このような資格は、学校を卒業して仕事を始めてから取得する場合がほとんどです。積極的に資格を取得するように指導をしている住宅会社や不動産会社もありますが、多くは個人の努力に任されています。

建築士でなければ設計、工事監理のできない建築物

用途、または構造	1級建築士でなければできない	1級または2球建築士でなければできない	1級または2級または木造建築士でなければできない
学校、病院、劇場、映画館、観覧場、公会堂、集会場、百貨店	延べ面積が500㎡を超えるもの		
木造	高さが13mまたは軒の高さが9mを超えるもの	延べ面積が300㎡を超えるもの、または階数が3以上のもの	延べ面積が100㎡を超えるもの
鉄筋コンクリート造、鉄骨造、石造、れん瓦造、コンクリートブロック造もしくは無筋コンクリート造	延べ面積が300㎡を超えるもの、高さが13mまたは軒の高さが9mを超えるもの	延べ面積が30㎡を超えるもの、または階数が3以上のもの	
用途、構造を問わず	延べ面積が1,000㎡を超え、かつ、階数が2以上の建築物	延べ面積が30㎡（木造にあっては100㎡）を超え、または階数が3以上の建築物	

【設備設計一級建築士】　構造設計一級建築士制度と同時に設備設計一級建築士制度が創設された。一定規模以上の建築物（階数3以上かつ5000㎡超の建築物）の設備設計については、設備設計一級建築士が自ら設計を行うか若しくは設備設計一級建築士に設備関係規定への適合性の確認を受けることが義務付けられた。

13 変化する大工、棟梁の仕事

大工、棟梁は、鉋（かんな）、鑿（のみ）、鋸（のこぎり）、差金（さしがね）、などの道具を使って伝統的な技術で木造建築の工事を行ってきました。新建材や新工法の登場によって、その仕事は急速に変化しています。

●大工、棟梁の仕事を奪う現場の変化

住宅の現場には、**大工**のほか、とび職、左官、板金工、建具工、内装、電気、水道などの様々な仕事に関わる職人が出入りします。その中にあって、大工は木造住宅の構造組みと、内部の木造部材の組み立てや取り付け、仕上げなどを行います。従来は、一人前の大工になるまで約一〇年の修行が必要であり、徒弟制度によって親方からみっちりと仕事の基本を教わりました。経験を積んで**棟梁***になると、建物の設計から施工、現場のすべての職人への作業指示まで、工事が計画どおり進むよう取り仕切ります。しかし、最近では、設計は設計士、現場管理は現場監督という役割分担ができ、棟梁とは名ばかりで、大工職が行う工事だけを統括する場合が多くなっています。

また、住宅の工事もバリアフリーや耐震構造、新しい断熱方法、シックハウス対策など、ライフスタイルや環境の変化による影響を受けて大きく変わっています。それに伴い、新建材や新技術も使わなければなりません。新しい材料や技術は施工が合理化されているので、現場での腕が問われる複雑な加工は少なく、単純な組み立てが中心です。プレカットの普及も、手刻みなどの大工技術を発揮する機会を奪ってしまいました。このように、大工、棟梁の仕事の範囲は狭くなり、厳しい徒弟制度も崩れています。大工の地位が低下し、収入の面でも従来の尊厳を保てなくなっています。

***棟梁**　大工の親方のこと。棟と梁は家の上部にある重要な部材であるところから、一族の統率者や集団の親方を指すようになった。

●低下する大工の技能

技能教育のシステムが崩れているため、最近は基本的な技術を身に付けていない大工、新しい材料や新しい施工方法を熟知していない大工が少なくありません。指導をするべき現場監督の多くは、建築系の学校を卒業して入社し、現場管理の専門教育を十分に受けずに現場を担当することになります。このような現場監督が、きちんとした指示ができるわけがありません。万が一、問題があっても、表面化しないかもしれません。施工方法が単純化したため、それでも何とか仕事をこなすことができているのが現状なのです。

高い技術を持った大工は、このような現状に疑問を持ち、伝統的な在来工法で建てるこだわりの木造住宅に生き残りの道を探し出そうとしています。

国勢調査によると、大工の人数は、一九八〇年からの三五年間で、六割以上も減少し、二〇一五年度では三五万人となっています。六〇歳以上が四割、三〇歳未満が一割以下と、高齢化も進んでおり、二〇三〇年には二〇万人になるともいわれています。

大工就業者数の推移

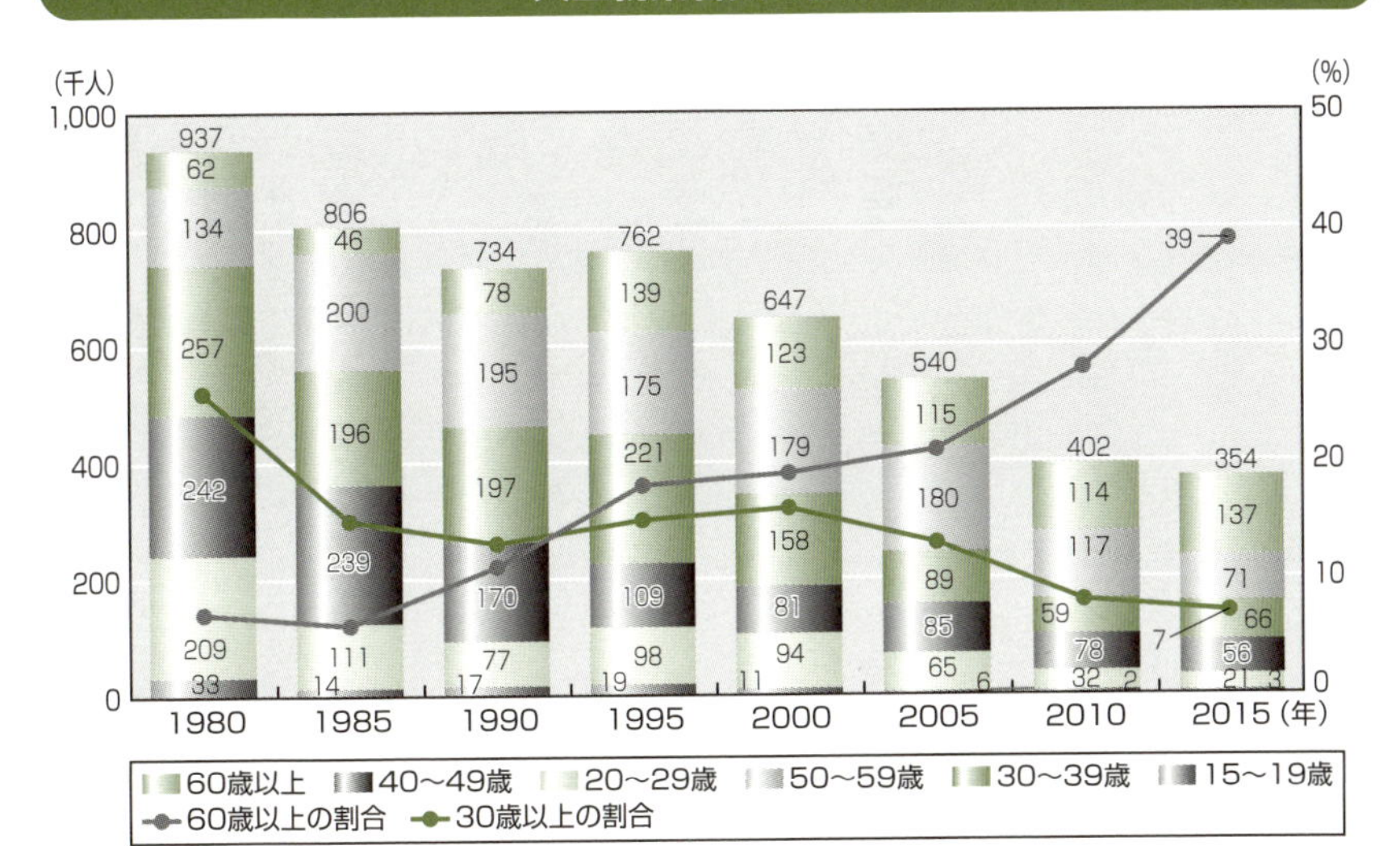

出典：国勢調査(総務省)

【宮大工】　神社、仏閣の建築を専門とする大工のこと。古い建物の修理や、伝統建築物の建設を行う専門技術を持っている。徒弟制度の厳しい修行のため、技術を受け継ぐ人も少なく、最近では50人前後にまで減少しているといわれている。伝統的な技術を後世に伝える重要な役割を担っている。

14 「住宅金融公庫」が決めていた建物の仕様

住宅金融公庫は、一九五〇年、国民に住宅ローンを提供することで、住宅難を解決するために設立されました。当初の目的を終え、二〇〇七年四月から「住宅金融支援機構」に生まれ変わりました。

●金融公庫の工事仕様書

住宅金融公庫では、政府からの借入金により長期、固定低利で住宅購入資金を融資していました。これまでに融資の対象となった住宅戸数は約二〇〇〇万戸です。低利でしかも固定金利であるため、利用者にとって非常に返済計画が立てやすく、利用しやすい融資でした。

住宅金融公庫では、設計の都度、設計者や工務店が仕様書を作成する手間と経費を削減し、施主にとっては、工事を安心して施工者に任せることができるように、公庫の標準仕様書を作成していました。この仕様書は、多くの学識経験者や建築業界人の知識と経験を活かし、融資基準の仕様だけでなく、住宅を建てるに当たっての細かな注意点を仕様として定めています。そのため、住宅建築の標準的な仕様書として使われてきました。また、省エネやバリアフリーに対応した住宅の普及を促進するため、誘導的な仕様も盛り込んでいました。そして、通常よりも優良な住宅を建てる場合には、優遇された基準金利や、割増融資という特典がありました。このように、公庫の仕様が住宅の性能向上に大きな役割を果たしてきたのです。

新しい住宅ローン「**フラット35**」でもその思想は引き継がれています。「フラット35S」は、当初五年間の金利が〇・二五％優遇されます。二〇二二年一〇月には〇・五％優遇の「フラット35S（ZEH）」が創設されます。

【リ・バース60】 住宅金融支援機構と提携している金融機関が提供する満60歳以上向けの住宅ローン。毎月の支払いは利息のみで亡くなったときに相続人からの一括返済または担保物件の売却で一括返済する。ノンリコース型を選択すると、担保物件の売却で返済した後に債務が残っても返済する必要がない。

フラット35とフラット35Sの技術基準

●フラット35

住宅金融支援機構が貸付債権を買い取ることを前提とした、民間金融機関の長期固定金利の住宅ローン

【フラット35】の技術基準の概要

新築一戸建て住宅

接道	原則として一般の道に2m以上接すること
住宅の規模	床面積70㎡以上
併用住宅の床面積	併用住宅の住宅部分の床面積は全体の2分の1以上
断熱構造	住宅の外壁、天井または屋根、床下等に所定の厚さ以上の断熱材を施工(※1)
住宅の構造	耐火構造、準耐火構造または耐久性基準(※2)に適合
配管設備の点検	点検口等の設置

※1 断熱等性能等級2レベル以上(2023年4月以降は断熱性能等級4以上かつ一次エネルギー消費量等級4以上)
※2 耐久性基準は、基礎高さ、床下換気口等に関する基準

【フラット35S】の技術基準の概要(2022年10月からの基準)

「フラット35S」は、「フラット35」の申込者が省エネルギー性、耐震性などに優れた住宅を取得する場合に、借入金利を一定期間引き下げる制度。

「フラット35」の技術基準に加えて表の①～④のいずれかの技術基準に適合することが必要。

	ZEH	金利Aプラン	金利Bプラン
引下げ金利と期間	当初5年間0.5%、6年目から10年目まで0.25%引き下げ	当初10年間0.25%引き下げ	当初5年間0.25%引き下げ
①省エネルギー性	「ZEH(※1)」等住宅	断熱等級5または一次エネルギー等級6(※2)	断熱等級4かつ一次エネルギー等級6、または断熱等級5かつ一次エネルギー等級4または5
②耐震性	設定なし	耐震等級(構造躯体の倒壊防止)3または免振建築物	耐震等級(構造躯体の倒壊防止)2
③バリアフリー性		高齢者配慮等級4以上	高齢者配慮等級3以上
④耐久性・可変性		長期優良住宅(※2)	劣化対策等級3かつ維持管理等級2以上

※1 ZEHはネット・ゼロ・エネルギー・ハウスの略語で「エネルギー収支をゼロ以下にする家」(第3章10節参照)
※2 各種等級は住宅性能表示制度における等級(第3章4節参照)
※3 金利Aプランで長期優良住宅とした場合は当初5年間の金利引下げ0.5%、金利Bプランでは当初10年間金利引下げ0.25%

【適合証明】 フラット35を利用する場合、対象物件が機構の定める技術基準に適合していることを証明する「適合証明書」の交付を受けなければならない。適合証明(物件調査)は、適合証明業務実施機関または適合証明技術者に申請して受ける必要がある。35は返済期間が最長35年であることからきている。

15

大手住宅メーカーと住宅モデル

大手住宅メーカーの多くは、高度成長期に市場参入しての住宅着工の拡大とともに成長してきました。

●日本一の建設会社大和ハウス

大和ハウス工業は、一九五五年に石橋信夫氏により創業されました。

創業時の商品である「パイプハウス」は、鋼管（パイプ）構造の規格型建築物でした。大型台風で多くの住宅が倒壊したとき、強風にも折れない稲や竹をヒントに開発されました。部品化された骨組みや壁を工場で生産し、現場で組み立てを行い、建築の工業化を実現しました。パイプハウスは当時の国鉄（現ＪＲ）や官公庁を中心に倉庫や事務所として全国で利用され、日本の高度経済成長期を支えました。

一九五九年には、プレハブ住宅の原点となる「ミゼットハウス」を発売しました。ベビーブームで家族が増え、手狭になってしまった住宅問題を解決するために、離れの勉強部屋として開発されました。当時の常識では考えられない三時間で建てられることと、一万円程度の価格設定で爆発的にヒットしました。この商品がその後の本格的なプレハブ住宅に発展していきました。

ミゼットハウスをきっかけに、異業種の企業がプレハブ建築に続々と参入し、乾式工法の建築部材を提供するメーカーも次々に生まれ、今日のプレハブ住宅産業の創出につながりました。

大和ハウスはその後、宅地開発や海外進出、リゾート開発などにも進出します。二〇〇〇年に入ってからはゼネコンの小田急建設やフジタを子会社化して大型建築分野も強化してきました。

二〇二二年三月期には戸建住宅と分譲住宅を合わ

【大和ハウス工業】 社名の「大和」は創業者である石橋信夫氏の出身地である奈良県の旧国名からとり、「大いなる和をもって経営に当たりたい」と考えダイワと読ませた。そして、建築物の工業化を目指して「ハウス工業」とした。

大和ハウスの事業部門別売上高

住宅ストックは、点検・診断、リフォーム、住み替えなど。事業施設は、物流センター、データセンター、介護施設など。その他は、物流、ホームセンター、フィットネスクラブなど。

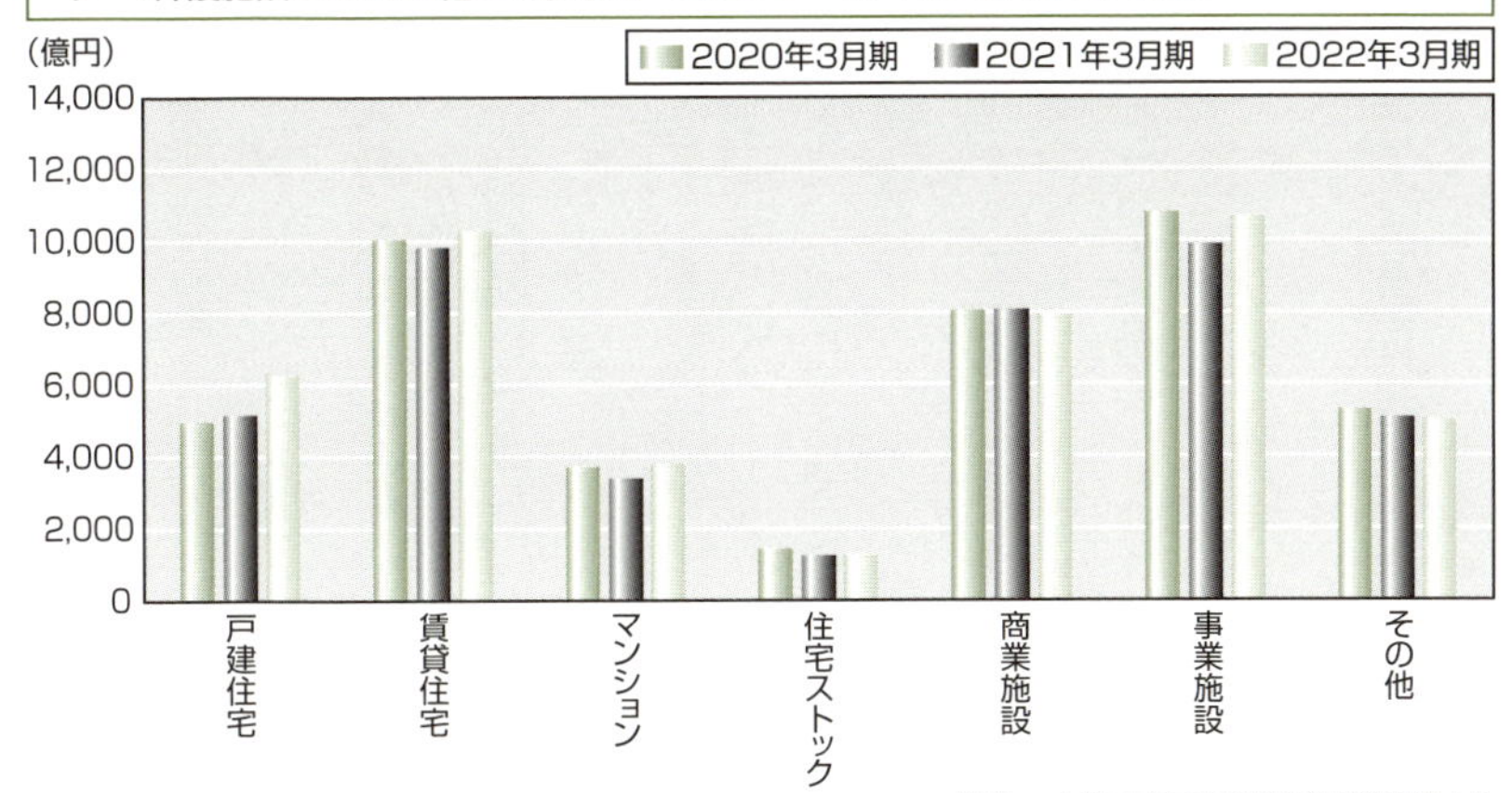

出典：大和ハウス工業(株)決算概要より

大和ハウスの海外売上高

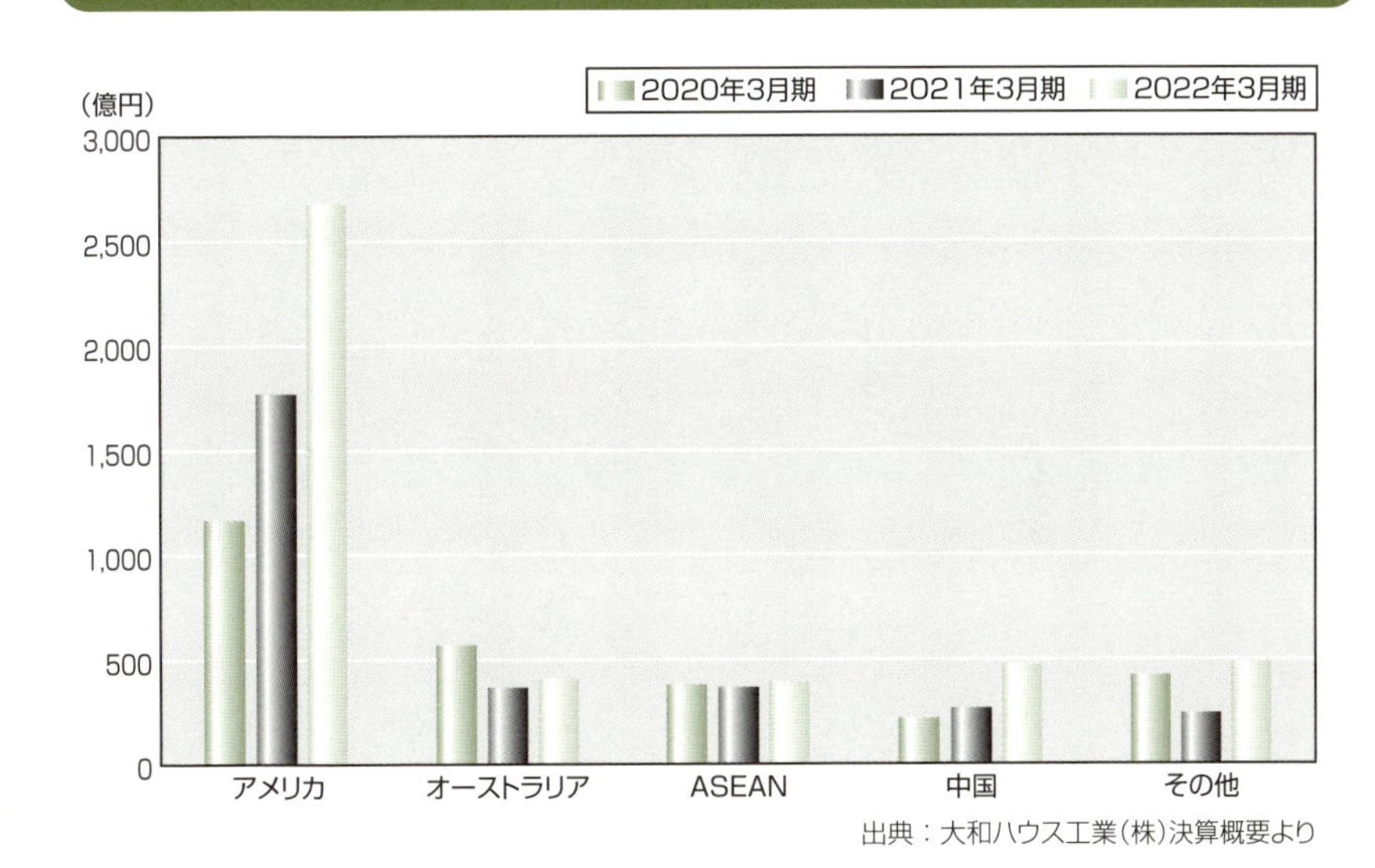

出典：大和ハウス工業(株)決算概要より

【xevo Σ（ジーヴォシグマ）】　xは耐力壁である「すじかい」の形であり、耐久性に優れた構造をイメージさせる。evoは、進化や発展を意味するEvolutionの略である。「住まいは技術で進化する」という、思いを表している。Σは地震エネルギーを吸収する同社のオリジナルであるΣ形デバイスを表す。

せて六七六〇戸、集合住宅三二〇二戸を販売しています。商業施設や事業施設の売上も大きく、事業施設の売上で一兆円を超えています。全体の売上は四兆六千億円で大手ゼネコンの倍以上の規模です。

●大和ハウスのxevoΣ

戸建住宅のメイン商品が軽量鉄骨造の「xevoΣ（ジーヴォシグマ）」です。エネルギー吸収型耐力壁「D-NΣQST（ディーネクスト）」で地震のエネルギーを吸収して揺れを早く収束させます。三重断熱で断熱性が高く、外壁は二五㎜の厚みです。一階の天井高さは二・七二mが標準です。平屋タイプや和風タイプもあり平均坪単価は一〇〇万円です。断熱性や耐震性、意匠性をさらに高めた「xevoΣ PREMIUM」（坪単価一二〇万円）や木造の「Gran Woodシリーズ」（坪単価一〇〇～一二〇万円）もラインアップしています。

●プラスチックが強みの積水化学工業

セキスイハイムの積水化学工業は一九四七年にプラスチックの総合的事業化を目指して積水産業株式会社として発足しました。一九五七年にはそれまでブリキ製であったバケツに対してポリバケツを発売したことでプラスチックが身近な商品となりました。セロハンテープも積水化学のロングセラー商品です。

プラスチックで住宅を建てることを目指して一九六〇年には、ハウス事業部で「セキスイハウスA型」の試作に成功しました。その後、ハウス事業部を積水ハウス産業株式会社として分社化し、それが現在の積水ハウスとなりました。

積水化学の住宅事業の本格的なスタートは、一九七〇年に「セキスイハイムM1」を開発したところから始まります。工場生産比率八〇%を超えるユニット工法が高品質、高性能、コストパフォーマンスの高さで脚光を浴びました。一九七四年には累積受注が一万棟を突破し、あっという間に大手住宅メーカーとなりました。一九八二年には、木質2×4ユニット工法の「セキスイツーユーホーム」を発売しています。

積水化学はユニットバスや給湯器などの水回り商品、床材、内装材、断熱材などの建材も販売しています。

ワンポイントコラム

【ユニット工法】　プレハブ工法の一種で、工場で住宅の一部分をユニットとして造り、施工現場に運んで積み上げる工法である。ユニットは、柱・梁をはじめ、外壁窓・断熱材・床・扉などほぼ完成に近い状態まで仕上げた箱状になっている。

●ユニット工法のセキスイハイム

セキスイハイムは、住宅をユニット単位にして工場でつくり込む独自の「ユニット工法」を採用しています。

これまでのメイン商品は「パルフェ」でしたが、最近は、SMART&RESILIENCE*シリーズとして、エネルギー自給自足型住宅「GREEN MODEL」やリモートワークなどの新しい時代に対応する「STAY&WORK モデルTS」をラインアップしています。2×6工法の「グランツーユーV」もあります。

●世界一の建築戸数を誇る積水ハウス

積水ハウスは、一九六〇年に積水化学の子会社積水ハウス産業株式会社として設立されました。そして、「家=木材」という従来の常識への挑戦として、鉄とアルミとプラスチックを使った鉄骨プレハブ住宅の販売を始めました。メーターモジュールを業界で初めて採用し、ゆったりとした空間を実現しました。

積水化学の事業部門別売上高

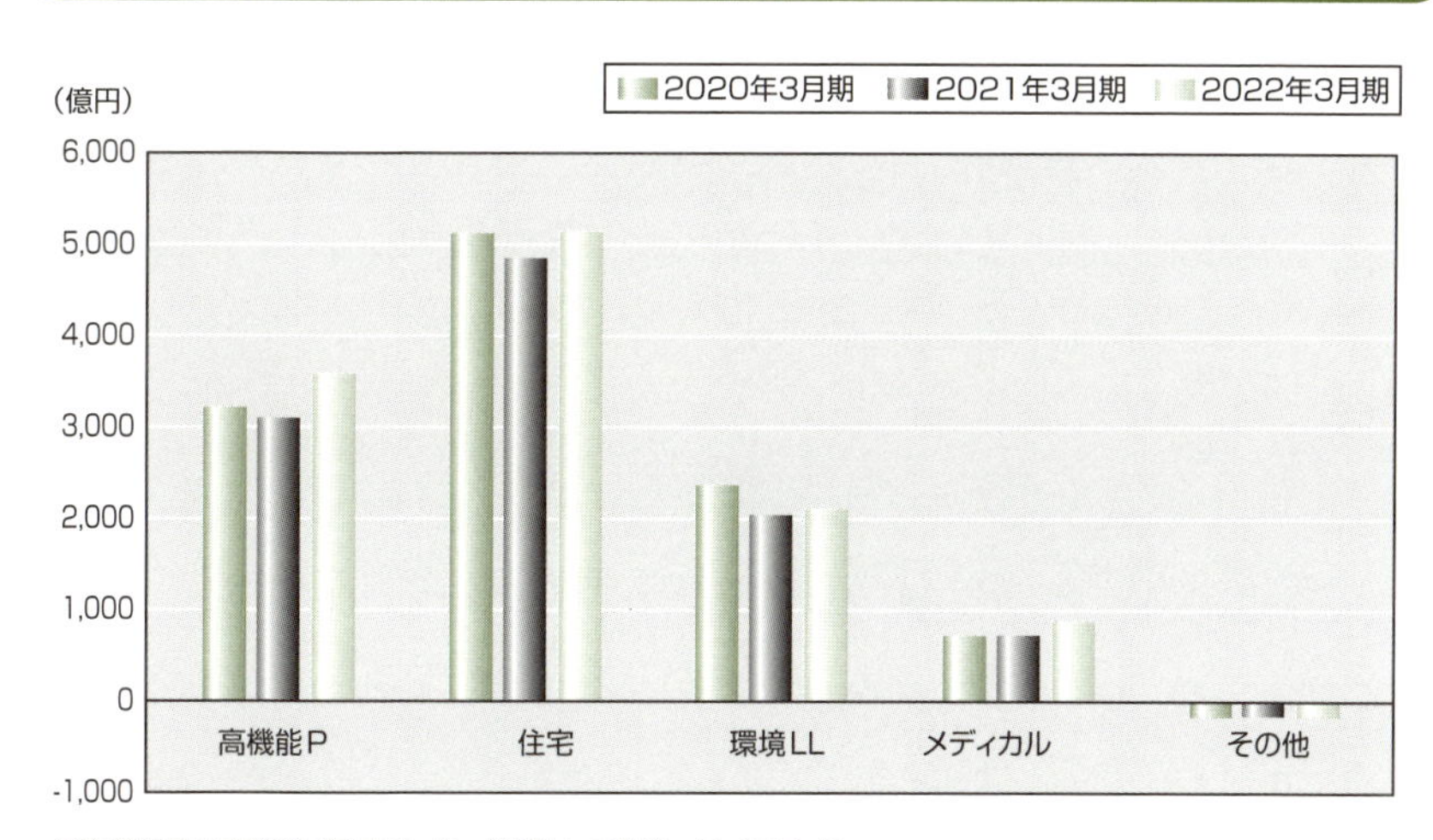

※高機能P：高機能プラスチック、環境LL：環境・ライフライン

出典：積水化学工業(株)決算説明会資料より

＊**RESILIENCE（レリジェンス）** 回復力やしなやかさの意味。頻発する災害に対しての対応力があるレリジェンス住宅への関心が高まっている。

一九七五年には累積建築戸数が一〇万戸を達成住宅業界のトップ企業となりました。一九八三年には工場バス見学会を初開催し、その後も商品に対する信頼度向上のため見学会を継続して開催しています。教育訓練センターも開講し、住宅施工に関する技能伝承や人材育成にも力を注いでいます。

一九九五年には根強い木造人気に対応するため、積水ハウス木造（株）を吸収合併し、木造住宅事業（シャーウッド住宅事業）始めました。現在は、木造と鉄骨の割合は半々になっています。

二〇二一年一月三一日には、世界一の累積建築戸数二五四万戸を達成しています。二〇二一年度には、積水ハウスの戸建住宅の九二%がZEH＊基準の住宅となっています。売上は二兆円を超えており、**不動産フィー事業**＊が大きな割合を占めています。

積水ハウスの木造住宅シャーウッド

鉄骨住宅の高級グレードが「イズ・ロイエ」と「イズ・ステージ」です。外壁には厚さ五五㎜もある積水ハウスオリジナルのダインコンクリートが使われます。そして地震には地震エネルギーを吸収する制震構造シーカスで対応しています。建物の揺れを二分の一に軽減します。

木造住宅シャーウッドのモデルは「グラヴィスベルサ」と「グラヴィスステージ」です。外壁は陶板外壁ベルバーンが使われます。焼き物であるため半永久的に色あせしません。木造骨組みの接合部は金物工法です。イズシリーズ、グラヴィスシリーズとも坪一〇〇万円です。

ヘーベルハウスの旭化成ホームズ

旭化成は、一九二三年に旭絹織株式会社として設立されました。その後、アンモニアやダイナマイト、合成樹脂の製造に進出しました。一九六〇年にはサランラップの販売を開始しています。そして、一九六七年にヨーロッパからの技術導入で軽量気泡コンクリート「ヘーベル」の製造を開始しました。ヘーベルは、建物の外壁、床、屋根、間仕切りなどに使われます。そして、一九七二年には旭化成ホームズ株式会社を設立して「ヘーベルハウス」の本格展開を始めました。

＊**ZEH**　ゼロ・エネルギー・ハウス（第３章10参照）
＊**不動産フィー事業**　不動産の転貸借、管理、運営および仲介等。

現在は、マテリアル（繊維・化学品・エレクトロニクス）、住宅・建材、ヘルスケアの領域で事業を行っています。ヘーベルハウスは旭化成ホームズが販売し、ヘーベルや断熱材（ネオマフォーム）は旭化成建材が販売しています。

木造住宅用のヘーベルには厚さ五〇㎜のヘーベルライトと三七㎜のヘーベルパワーボードがあります。パワーボードは一般の木造住宅の外壁としても用いられます。七三㎜のヘーベルは遮音の目的で床下地として使用されます。

●災害に強いヘーベルハウス

ヘーベルハウスの特徴はヘーベルを使うことにより、耐火性、断熱性、遮音性が高いことです。阪神淡路大震災での火災時にヘーベルハウスが防火壁となって延焼を止めた事例や、鬼怒川の堤防決壊時に自ら耐えるだけでなく、水害で流れてきた家を二軒も受け止めた事例があります。構造は、軽量鉄骨と重量鉄骨のタイプがあり、それぞれに適した耐震技術を使っています。三・四階建てや賃貸併用住宅も得意としてお

積水ハウスの事業部門別売上高（2021年度）

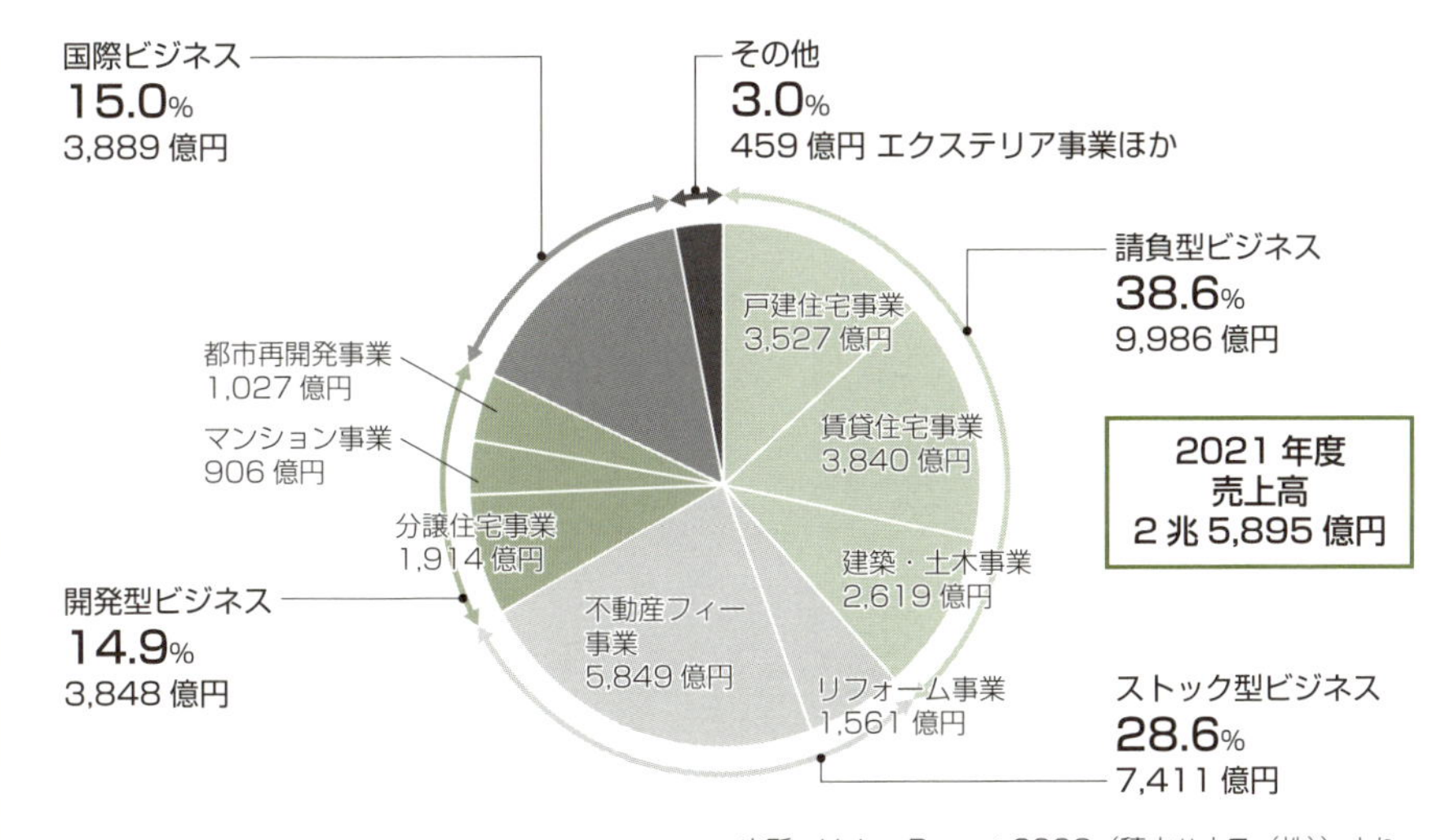

出所：Value Report 2022（積水ハウス（株））より

【積水化学・積水ハウス】「積水」とは、中国最古の兵法書『孫子』にある言葉「勝者の民を戦わしむるや、積水を千仞（せんじん）の谿（たに）に決するがごときは形なり」に由来している。事業活動をする上で、十分に分析・研究、準備をしてから、万全の状態で積水の勢いをもって勝者の戦いをすることが大切であるということからきている。

り、東京の都心部では建築数ナンバーワンといわれています。坪単価は九〇～九五万円です。

●海外事業が拡大する住友林業

住友林業の歴史は、現在から三三〇年前の一六九一年に住友家が別子銅山を開坑して**銅山備林***の経営を始めたのが起源です。一八九四年、当時の支配人が過度な伐採と煙害で荒廃した森林を再生する大造林計画を立てました。この森林経営が現在まで受け継がれています。

一九五〇年代の高度成長期には、住宅着工戸数の拡大に木材の供給が追い付かず、外国産材の輸入を始めました。一九七五年には住宅の質の向上に貢献するために、木造注文住宅事業に進出しました。そして、木造注文住宅のトップブランドに成長してきました。二〇〇三年からは海外でも住宅事業を始めています。

二〇二二年一二月期には海外住宅・不動産部門が売上の四六％、利益の七六％を占めるまでになっています。商業施設などの木造化でも実績を積み重ねています。

●住友林業のビッグフレーム工法

住友林業の住宅の特徴はビッグフレーム（ＢＦ）工法です。一般的な木造住宅の柱の断面が一〇五㎜×一〇五㎜であるのに対して、ＢＦ構法では幅五六〇㎜の大断面集成柱を主要構造材として使用します。これが耐力壁の役割も果たすため、高い耐震性を確保しながら、開放感のある大空間をつくることができます。住友林業は、都内での建築数はナンバーワンの実績といわれています。坪単価は九〇万円です。二〇二二年四月に新商品「MyForest BF」を発売しています。

●パナソニックグループの住宅会社パナソニックホームズ

一九六一年の「松下一号型住宅」完成がパナソニックホームズの起源です。パナソニックグループの創業者である松下幸之助は「住まいづくりほど大切な仕事はない」と語り、一九六三年に住宅会社としてナショナル住宅建材株式会社を設立しました。一九七七年には商品名を「パナホーム」とし、二〇一八年にパナソニッ

***銅山備林**　銅山の杭木や製錬のための燃料として使う木材を調達するために植林を行って林業経営を始めた。

クホームズ株式会社となりました。

パナソニックホームズの戸建住宅は坪単価八五万円の「フォルティナ」と九〇万円の「カサート」です。全館空調や光触媒タイル外壁のほかに、繰り返し連続して発生する地震に対しても耐震性の保証を行っていることが特徴です。座屈拘束技術を生かした独自の制震鉄骨軸組構造がその耐震性を実現しています。三階建てから九階建てまで対応できる重量鉄骨造の「ビューノ」もあります。

●グッドデザイン賞を続けるミサワホーム

ミサワホームは一九六七年設立で、木質パネル工法での住宅建築を行っています。デザインにこだわりがあり、三三年連続でグッドデザイン賞を受賞しています。また、半世紀にわたり南極昭和基地の建設にも携わっています。

二〇二〇年一月にパナソニックとトヨタにより設立されたプライム ライフ テクノロジーズがパナソニックホームズ、トヨタホーム、ミサワホームの持ち株会社となっています。

住友林業の事業部門別売上高（2021 年 12 月期）

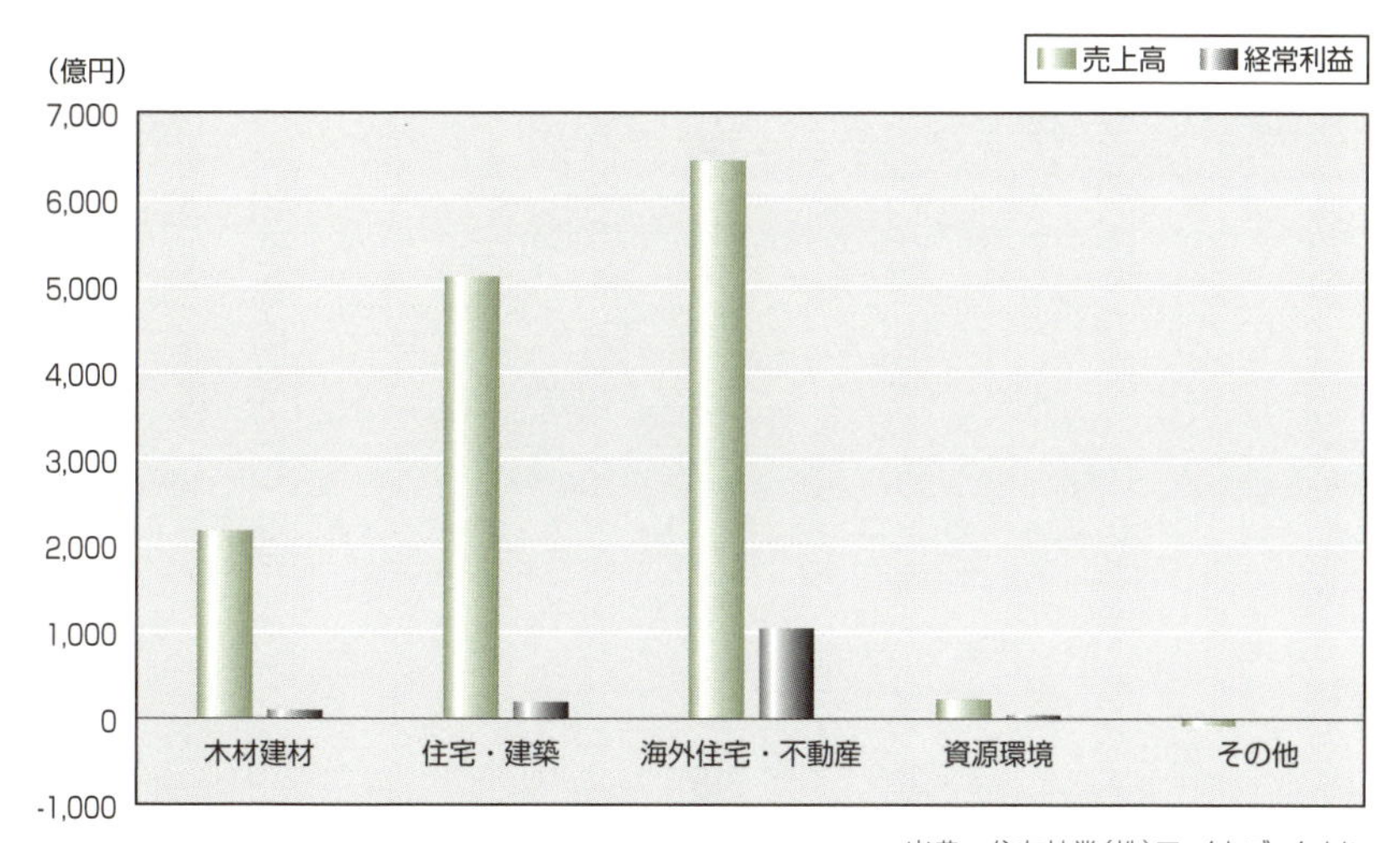

出典：住友林業（株）ファクトブックより

【ネオマフォーム】　旭化成建材が販売するフェノール樹脂断熱材の商品名。熱伝導率0.020W/m・Kと非常に高い断熱性能を持つ。プラスチック系断熱材は、樹脂を発泡させて樹脂の中に気泡を持たせることで断熱性を高めている。ネオマフォームは他のプラスチック系断熱材よりも気泡が小さいため断熱性が高い。

16

価格が魅力のパワービルダー

パワービルダーと呼ばれる住宅会社が急成長しています。小型の建売物件を得意とし、低価格で販売することが特徴です。

●マンションと比較させる低価格

パワービルダー*とは二〇～三〇代の住宅一次所得者向けに低価格の建売住宅を販売する住宅会社です。首都圏への人口集中と住宅取得税減税という背景を受け、郊外地域での団塊ジュニア層の住宅取得需要をうまく捉えて急成長してきました。急成長のポイントは、バブル崩壊で企業や個人が手放した土地をすばやく入手し、すばやく建て、すばやく売ってきたことです。そして、次々に支店を出店して販売エリアを拡大してきました。

住環境の良い郊外に、夫婦二人と子供二人の四人家族を想定し、土地三〇坪、建物平均二七坪の四LDKで約二五〇〇～三〇〇〇万円というのが標準的な価格設定です。低金利下では、住宅ローンの方が家賃より安いという現象もあり、そのような動機で購入する顧客を多く獲得してきました。

●パワービルダー急成長の理由と課題

このように、安価な住宅を提供できる理由は、①良質で安価な用地の取得、②スケールメリットを背景にした資材費と施工費などのコストダウンです。大量購入を武器に建材・住設メーカーに値下げを要求し、その結果、商社や問屋を通さない中抜き購入も拡大してきました。工事費についても、ボリュームを背景にコストダウンを要求しています。建材メーカーや下請工事会社を上手に競合させ、自社に有利な価格を引き出すのです。

そのため、二〇〇五年ごろから地価上昇が始まると

***ビルダー**　規模的に住宅メーカーと中小工務店の中間の存在であり、地域密着での営業を主体としている。その中には、首都圏を中心に分譲系で規模を拡大し、販売棟数では住宅メーカーに並ぶ規模の「パワービルダー」と呼ばれる会社がある。

成長が止まりました。そして、リーマンショックで地価が下落すると再び成長軌道に乗りました。

パワービルダーの中には、最も重要な土地の仕入れと商品の企画に経営資源を集中させ、設計から施工までをアウトソーシングする会社もあります。また、販売は提携先の不動産会社を通じて行うことも多くあります。住宅購入は景気動向、金利動向、地価動向などの影響を受けやすく、景気見通しの悪化が購入意欲の低下につながるため、土地を仕入れてから、いかに早く販売するかが大切です。

資金の回転を良くするため、五〜六棟規模の現場が多く、土地取得から半年以内での販売を基本としています。各社とも急成長してきたため、優秀な人材の確保と従業員教育が大きな課題となっています。下請工事会社任せの現場も多くあるといわれています。

首都圏では、パワービルダーの成長により、土地の仕入れや販売活動で競合が厳しくなっており、首都圏のパワービルダーも関西や中部地域へ進出しています。パワービルダーが成功してきたビジネスモデルを模倣する会社も多く登場しています。

二〇一三年一一月に一建設（旧飯田建設工業）、飯田産業、東栄住宅、タクトホーム、アーネストワン、アイディホームの六社が、経営統合し飯田グループホールディングス（株）となりました。六社は飯田建設工業から独立した会社で飯田グループと呼ばれていました。住宅市場の縮小に対して、スケールメリットを活かして競争力を強化することが統合の目的です。

統合した六社の売上を合計すると戸建分譲住宅の販売戸数は四・六万戸以上となり、全国計で約三〇％のシェアとなっています。

飯田グループの販売棟数(2021年 3月期)

一建設	12,289
飯田産業	7,383
東栄住宅	4,954
タクトホーム	5,115
アーネストワン	12,673
アイディホーム	4,195
その他	11
合計	46,620

※戸建分譲住宅のデータ

【建築条件付土地】　土地売買契約締結後一定期間（3ヵ月）内に売主と建物の建築請負契約を締結することを条件として販売される土地のこと。建物は土地とは別の契約として、普通の注文住宅同様に、設計・見積交渉後、建築請負契約を結ぶことになる。一定期間内に建築請負契約が成立しなければ、土地契約は白紙となる。建築条件付土地の場合、売主は土地を割安な価格で販売し、建物の建築で利益を得るケースが多い。

各社の平均販売価格

（万円）

	積水ハウス	ダイワハウス	ヘーベルハウス	住友林業	飯田グループ
	2021年 1月期	2021年 3月期	2022年 3月期	2021年 12月期	2022年 3月期
戸建住宅（注文）	4,139	3,960	3,739	4,021	−
分譲住宅	−	2,310	−	4,992	2,866

飯田グループの分譲住宅価格は「土地代を含む」
ヘーベルハウスは受注ベース
各社のIR情報より

住宅の購入資金

●住宅の価格が上昇している　●分譲戸建住宅購入時の自己資金比率は他に比べて低い

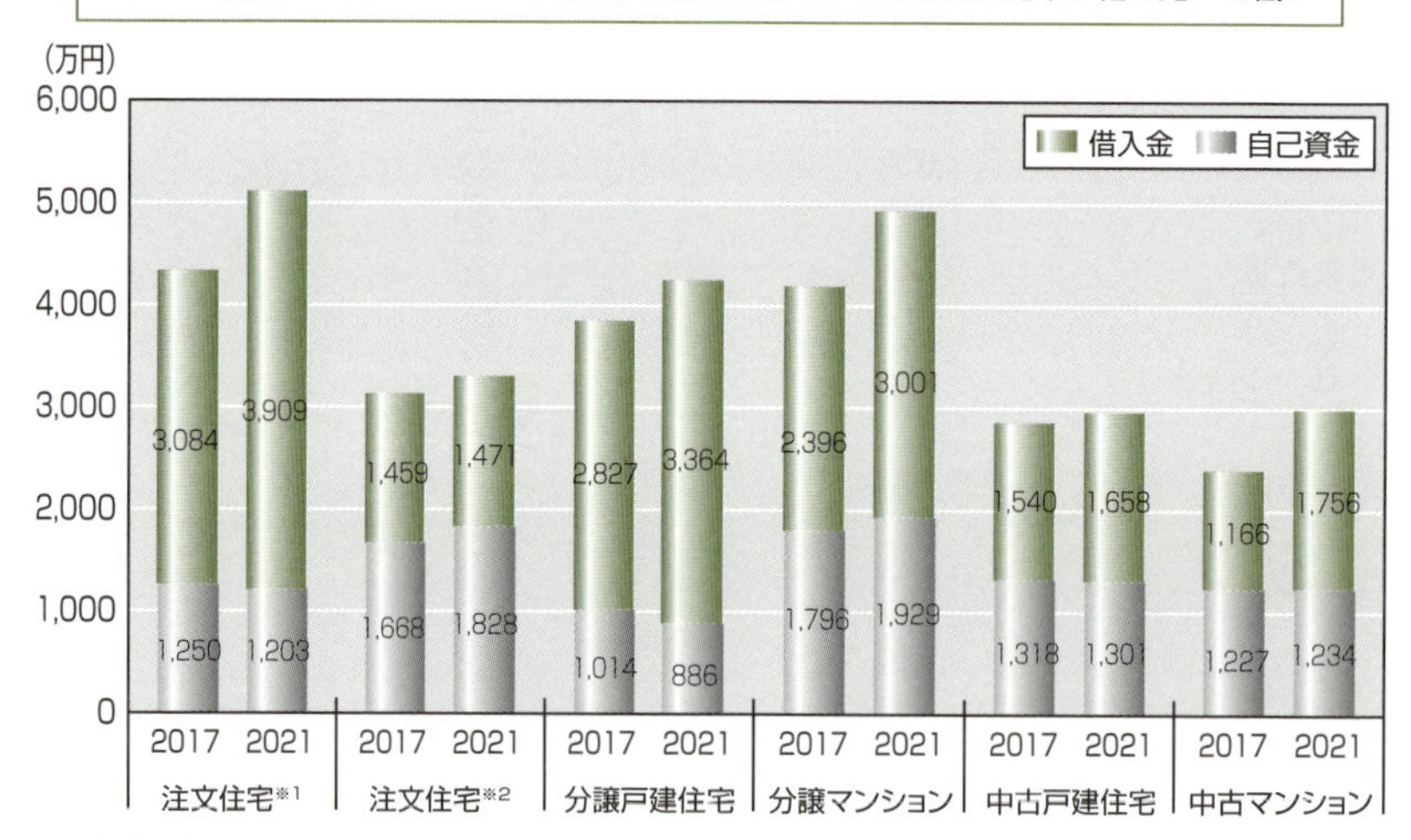

※1 土地を購入した新築　※2 建て替え

出典：住宅市場動向調査報告書（平成29年度、令和3年度）（国土交通省）

【表面探査法】　地盤に振動を与え、波長や波形を分析することにより、地耐力や沈下量、空洞などを解析する地盤調査の方法。

第3章

住宅業界の規制、法律

住宅は身近な存在であるにもかかわらず、それに関係する規制や法律はあまり知られていません。頻発する災害や、環境問題、ライフスタイルの変化など、世の中の変化に合わせて、住宅に関する規制や法律も大きく変わっています。

1 良好な居住環境を形成する「住生活基本法」

「住生活基本法」の具体策である新たな「住生活基本計画」が二〇二一年三月に閣議決定しました。

●住宅政策の転換

これまでの日本の住宅政策は、戦後の住宅不足を解消するため、「量」の確保を第一の目標とし、一九六六年に制定された**住宅建設計画法**に基づく「住宅建設五ヵ年計画」を八次計画（二〇〇五年終了）まで実施してきました。その結果、一九七三年には全都道府県で住宅数が世帯数を上回る状態になりましたが、居住水準の向上という課題は残されたままでした。

二〇〇六年六月に成立した**住生活基本法**は、「住宅」基本法ではなく「住生活」基本法であるところに大きな意味があります。住宅そのものに関することだけでなく、住宅市街地の良好な環境の形成、住宅取引の適正化と流通の円滑化、高齢者や子育て世代への質の高い住宅の供給など、住宅を取り巻く生活や環境へも対象を広げているのです。

具体的には、国が、**住生活基本計画（全国計画）**として五年ごとに耐震化やバリアフリー化、省エネルギー化、住宅性能表示の実施などに関する数値目標を定めます。そして、この計画に基づいて、都道府県がそれぞれの計画を立案し具体的な誘導策を行っています。

二〇二一年三月にはこれまでの「住生活基本計画（全国計画）」の見直しが行われ、二〇三〇年まで一〇年間の計画が定められました。改定のポイントは、①新たな日常に対応した二地域居住等の住まいの多様化・柔軟化と豪雨災害等に対応した安全な住宅・住宅地の確保、②長期優良住宅やZEHストックの拡充、LCCM住宅の普及、住宅の省エネ基準の義務付けなどです。

【最低居住面積水準】 世帯人数に応じて、健康で文化的な住生活の基礎として必要不可欠な住宅の面積に関する水準で、すべての世帯での達成を目指す。単身…25㎡、2人…30㎡、3人…40㎡、4人…50㎡。

【LCCM住宅】 ライフサイクルカーボンマイナス住宅（第3章10節参照）。

令和3年3月　新たな住生活基本計画（全国計画）の概要

①「社会環境の変化」の視点

目標1　「新たな日常」やDXの進展等に対応した新しい住まい方の実現

○住宅内テレワークスペースの確保等、職住一体・近接、非接触型の環境整備
○新技術を活用した住宅の「契約・取引」、「生産・管理」プロセスのDXの推進

指標：DX 推進計画を策定し、実行した大手住宅事業者の割合
0%(令和2)➡100%(令和7)

目標2　頻発・激甚化する災害新ステージにおける安全な住宅・住宅地の形成と被災者の住まいの確保

○自治体の地域防災計画等を踏まえ
・避難施設と連携した住宅改修や盛土等による浸水対策の推進
・災害の危険性の高いエリアでの住宅立地を抑制
・安全な立地に誘導。既存住宅の移転の誘導
○住宅の耐風性・耐震性、レジリエンス機能の向上

指標：耐震基準（昭和56年基準）が求める耐震性を有しない住宅ストック
13%(平成30)➡おおむね解消(令和12)

②「居住者・コミュニティ」の視点

目標3　子どもを産み育てやすい住まいの実現

○子育てしやすく家事負担の軽減に資するリフォームの促進
○若年・子育て世帯のニーズもかなえる住宅取得の促進
○良質で長期に使用できる民間賃貸ストックの形成

指標：民間賃貸住宅のうち、一定の断熱性能を有し遮音対策が講じられた住宅の割合
約1割(平成30➡2割(令和12)

目標4　多様な世代が支え合い、高齢者等が健康で安心して暮らせるコミュニティの形成とまちづくり

○バリアフリー性能・良好な温熱環境を備えた住宅整備

指標：高齢者の居住する住宅のうち、一定のバリアフリー性能及び断熱性能を有する住宅の割合
17%(平成30)➡25%(令和12)

目標5　住宅確保要配慮者が安心して暮らせるセーフティネット機能の整備

○公営住宅の建替え、長寿命化等のストック改善
○地方公共団体と民間団体が連携したセーフティネット登録住宅の活用

指標：居住支援協議会を設立した市区町村の全国カバー率
25%(令和2)➡50%(令和12)

「住宅ストック・産業」の視点

目標6　脱炭素社会に向けた住宅環境システムの構築と良質な住宅ストックの形成

○柔軟な住替えを可能とする既存住宅流通の活性化
・既存住宅の性能等の情報を購入者にわかりやすく提示
○適切な維持管理・修繕、老朽化マンションの再生の円滑化
○世代を超えて取引されるストックの形成
・CO_2排出量の少ない長期優良住宅、ZEHストックの拡充、LCCM住宅の普及、省エネ基準の義務づけ等

指標：住宅性能に関する情報が明示された住宅の既存住宅流通に占める割合
15%(令和元)➡50%(令和12)
認定長期優良住宅のストック数
113万戸(令和元)➡約250万戸(令和12)

目標7　空き家の状況に応じた適切な管理・除却・利活用の一体的推進

○自治体と地域団体等が連携し、空き家の発生抑制、除却等を推進

指標：居住目的のない空き家数
349万戸(平成30)
➡400万戸程度におさえる(令和12)

目標8　居住者の利便性や豊かさを向上させる住生活産業の発展

○大工等の担い手の確保・育成、和の住まいの推進

指標：既存住宅流通及びリフォームの市場規模
12兆円(平成30)➡14兆円(令和12)
➡20兆円(長期的目標)

出典：新たな住生活基本計画(全国計画)の概要　(国土交通省)より作成

【誘導居住面積水準】　世帯人数に応じて、豊かな住生活の実現の前提として、多様なライフスタイルを想定した場合に必要と考えられる住宅の面積に関する水準。郊外の戸建て住宅の場合は、単身…55㎡、2人…75㎡、3人…100㎡、4人…125㎡。

2 災害をきっかけに改正される「建築基準法」

阪神淡路大震災では、倒壊した住宅の映像が数多く放映され、住宅の耐震化の重要性が広く認識されました。熊本地震では二〇〇〇年基準の住宅にも大きな被害が発生しました。

●建築基準法の構成

建築基準法は、集団規定と単体規定から構成されています。**集団規定**では、都市の環境を保護するために、①建築物間における日照や、採光、通風などの環境上の争いが生じないように、建築物や敷地と道路との関係を定め、②都市全体の環境や機能を望ましい水準にするため、建築物の用途や建て込み具合、形態や規模を定めています。**単体規定**では、建築物を利用する者の生命や健康を保護するために、①敷地の基準、②安全の基準、③防火の基準、④避難施設の基準、⑤衛生上の基準など、建築物自体の基準を定めています。

二〇〇〇年の改正では、阪神淡路大震災での被害を受け、建築物の安全性を高めるための改正と、民間機関への建築確認、検査業務の開放が行われました。

木造住宅に関しては、以下のような点が改正されています。①地盤の強さに応じて基礎の仕様を決めることになり、地盤調査が事実上義務化されました。②地震で柱や筋交いが外れないように、構造材の種類とその位置に応じて継手、仕口の仕様を決め、金物などで固定することになりました。③建物が地震の力でねじれて倒れないように、耐力壁の配置にバランス計算が必要となりました。

●建築基準法が目標とする耐震性能

建築基準法が最低限の目標としている耐震性能は①建物の耐用年限中に二～三回遭遇する地震に対し

【ホールダウン金物】 地震の揺れによって基礎から柱が抜けないように緊結するための特別な金物のこと。建物の四隅など、特に重要な部分に使われる。1階と2階の柱をつなぐために使われることもある。建築基準法では、壁倍率の高い壁の端部など、構造上重要な部分に、ホールダウン金物やアンカーボルトをはじめとする金物を使うことを義務付けている。

て、ヒビが入るなど多少の損傷は受けても、直して住み続けられること、②建物の耐用年限中に遭遇するかどうかの極めて希な大地震に対しては逃げる間もないような壊れ方をしないこと、を想定しています。極めて希な大地震とは、関東大震災規模の地震といわれています。

また、一九九八年の改正では、それまでの**仕様規定**ではなく、一定の性能を満たせば多様な材料、設備、構造方法を採用できる**性能規定**の導入が行われました。表向きの目的は、技術開発の促進、海外資材・部品の導入などによって建築コストの低減や国際規格との調和を図ることでしたが、海外からの圧力があったともいわれています。二〇〇二年の改正では、シックハウス症候群に対する規制が加えられました。

二〇〇七年には構造計算書偽装問題の対策として、建築確認の厳格化、構造設計一級建築士による構造計算書のチェックなどが加えられました。二〇一六年の熊本地震では、二〇〇〇年基準の住宅でも七棟の倒壊が発生しました。二〇一九年の房総半島台風を教訓に、二〇二二年から瓦の緊結が義務化されました。

建築基準法の体系

建築基準法

- **集団規定：都市の環境を保護（主に都市計画区域に適用）**
  - ・敷地と道路の関係
  - ・建築物の用途制限
  - ・建築物の形態制限
  - ・防火地域・準防火地域内の制限
  - ・地区計画など
- **単体規定：建築物の安全を確保（全国に適用）**
  - ・構造
  - ・防火
  - ・避難
  - ・設備
- **手続規定：計画の審査と工事の検査**
  - ・確認申請、完了検査
- **罰則規定：違反を正す**

【耐力壁のバランス】　地震力は建物の平面形状の中心である重心に作用し、建物は強さの中心である剛心を中心に抵抗する。このため、建築物は地震の横揺れに対して水平方向に変形する他、剛心周りに回転することになる。重心と剛心との距離の大きい（偏心の大きい）建築物では、建物にねじれが発生し、部分的に変形が集中、そこから建物が倒壊する。重心と剛心の距離が大きくならないように、耐力壁をバランス良く配置することが大切である。

建築基準法の変遷

年	建築基準法等の変遷	木造住宅の構造に関する規定 基礎	 壁の量・配置バランス	 筋交い・接合部	省エネ性能に関する規定
	1948福井地震			●筋交いは柱等に釘で固定する	
1950(S25)	1950 建築基準法制定 ＊初めて必要壁量が規定される 1959 建築基準法改正 ＊必要耐力壁の導入 ＊土台と基礎、柱・梁の太さなどの規定	●底盤のない基礎でも良かった	●必要壁量が制定 ●必要壁量が改正される	●筋交いは釘・その他の金物を使用しなければならないと規定される	
1960(S35)	1964新潟地震 1968十勝沖地震			●平金物が使用され始める	
1970(S45)	1971 建築基準法改正 ＊布基礎の義務化 1978宮城沖地震 1979 省エネ法制定	●コンクリート造または鉄筋コンクリート造の布基礎とすることが規定された		●1979年頃から旧・住宅金融公庫等で平金物などの金物が推奨され始める	●70年代頃から断熱材の使用が一般化していく
1980(S55)	1981 建築基準法改正 ＊鉄筋コンクリート造基礎を原則義務化 ＊必要耐力壁量の強化	新耐震基準の制定 ●鉄筋入りの基礎が徐々に広まる	●必要壁量が改正され、壁の配置バランスに関して初めて規定された	●筋交いプレートが使用され始める ●通し柱にホールダウン金具が使用され始める	●省エネ法制定を受け、1980年に「(旧)省エネ基準」が制定【等級2相当】
1990(H2)	1995 阪神・淡路大震災				●1992「新省エネ基準」制定【等級3相当】 ●1999「次世代省エネ基準」制定【等級4相当】
2000(H12)	2000 建築基準法改正 2007 新潟県中越沖地震 2008 省エネ法改正	●地耐力に応じた基礎構造が規定された	●耐力壁の配置に偏心率等のバランス計算を行うことが規定された	●継手・仕口の仕様が特定された	●2009「改正次世代省エネ基準」制定
2010(H22)	2011 東日本大震災 2016 熊本地震				●2013「改正省エネ法」(平成25基準)施行 ●2016「改正省エネ法」(平成28基準)施行

出典：「長寿命化リフォームの提案　Ⅷ」（(一社)　住宅リフォーム推進協議会）

【地震の震度とマグニチュード】　福井地震（震度6　M7.1）、新潟地震（震度5　M7.5）、十勝沖地震（震度5　M7.9）、宮城沖地震（震度5　M7.4）、阪神・淡路大震災（震度7　M7.3）、新潟県中越沖地震（震度6強　M6.8）、東日本大震災（震度7　M9）、熊本地震（震度7　M7.3）

建築法体系の概要

設計段階 → 工事段階 → 使用・維持管理段階

建築物(もの)

質の向上

<住宅関連法>
住生活基本法、住宅品質確保法、長期優良住宅普及促進法、住宅瑕疵担保履行法 等

バリアフリー法・省エネルギー法

耐震改修促進法

最低基準

建築基準法

(ひと)

建築士法

建築分野

他分野(土木等)

都市計画関連法
・都市計画法
・景観法
・再開発法等

建築確認対象法令
・消防法
・各種事業法 等

建設業法

宅建業法

出典:建築関係法の概要(国土交通省)

住宅紛争処理の体制

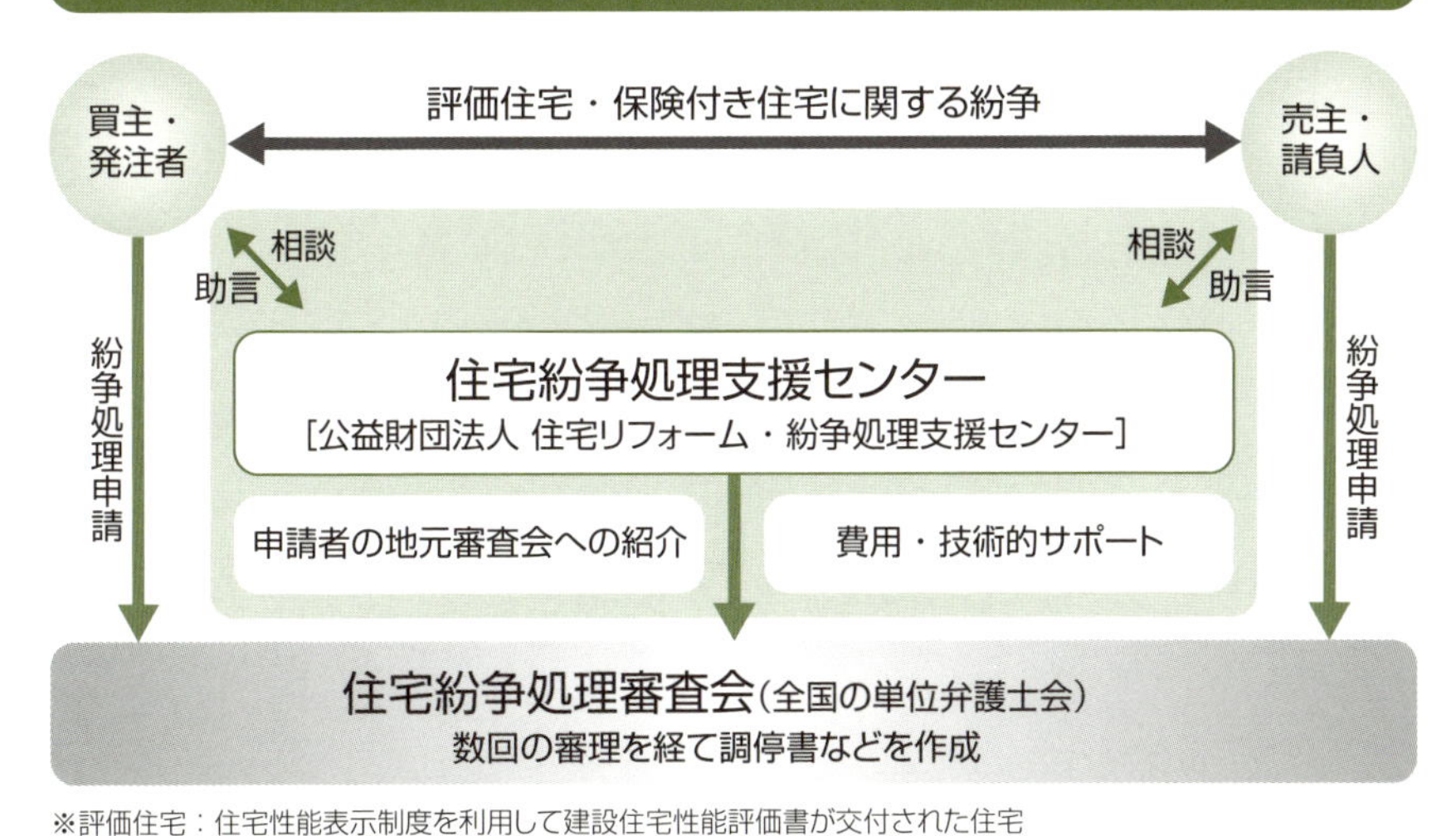

※評価住宅:住宅性能表示制度を利用して建設住宅性能評価書が交付された住宅
※保険付き住宅:住宅瑕疵担保責任保険が付された新築住宅
出典:(公財)住宅リフォーム・紛争処理支援センター業務概要 2021

【住宅紛争処理】 処理の内容には、①当事者双方の主張の要点を確かめ当事者間の歩みよりを勧め解決を図る「あっせん」、②当事者双方の主張を聴き争点を整理し調停案を作成してその受諾を勧告し解決を図る「調停」、③当事者双方の主張を聴き必要に応じ証拠調べや現地調査をして仲裁委員が仲裁判断を行う「仲裁」がある。2000年度から2020年度までに1,809件の申請が行われているが、大半が「調停」である。

3 欠陥防ぐ「住宅の品質確保の促進に関する法律」

住宅は一生の買い物です。そのため、住宅に関するトラブルを防ぎ、万一のトラブルも迅速に処理できる法律が制定されています。この「住宅の品質確保の促進に関する法律」は、二〇〇〇年四月から施行され「品確法」と呼ばれています。

●三つのポイント

住宅の品質確保の促進に関する法律の最大のポイントは、新築住宅の取得契約において、基本構造部分について一〇年間の**瑕疵担保責任**＊を建設業者、販売業者に義務付けたことです。

住宅は長期にわたって使われるものであるにもかかわらず、それまでは瑕疵担保期間を短く定めることが民法で認められていました。そのため、木造注文住宅で一年、それ以外の構造では二年、建売住宅やマンションでは二年と契約されているものがほとんどでした。

第二のポイントは、住宅性能表示制度が新設されたことです。この制度を利用することで、住宅の性能を契約の事前に比較できるようになりました。性能の評価は第三者機関が客観的に行います。

第三のポイントは、住宅に関する紛争処理体制が新設されたことです。紛争発生時に住宅紛争処理機関にあっせんや調停、仲裁を頼むと、弁護士などが法的処理の対応をしてくれます。費用は一件一万円と安価になっています。住宅性能表示制度の**建設住宅性能評価**を受けた住宅のみが対象でしたが、その後、住宅瑕疵担保責任保険が付された新築住宅も対象となりました。

●「品確法」施行以前の問題点

品確法ができるまでは、建築基準法が住宅に関する

＊**瑕疵担保責任**　瑕疵（かし）とは、ある物に対し一般的に備わっていて当然の品質や性能が欠如していることで、欠陥のこと。瑕疵担保責任とは、売買の目的物に瑕疵があり、それが取引上要求される通常の注意をしても気付かないものである場合に、売主が買主に対して負う責任をいう。2020年の民法改正により契約不適合責任となった。

唯一の法律でした。しかし、この法律だけでは防げない欠陥住宅などの多くの問題が発生していました。

①設計どおりにきちんと工事をされたかは、業者を信用するしかありませんでした。

本来は、建築確認の完了検査時に、建築主事や民間の確認・検査機関が確認すべき事柄ですが、その気になれば、建設業者が施工の段階で検査員をごまかす手だてはいくらでもあるため、欠陥住宅があとを絶ちませんでした。

②建築基準法は住宅の最低基準を示したものであるため、最低水準以上の設計、施工であることはわかっても、どの程度良い性能なのかは、素人にはよくわかりませんでした。例えば、耐震性を売りにしている住宅でも、どの程度「地震に強い」のかはわかりませんでした。

③瑕疵を見付けても、それを認めさせることや、損害賠償を求めることは大変な負担でした。たとえ欠陥住宅であったとしても、欠陥住宅であることを証明するために、専門家に見てもらう費用や裁判費用を捻出することは大きな負担です。手抜き工事が原因とわかっていながら、解決できないことも多くありました。

その他にも、シックハウス問題や遮音性能などの問題が発生しても、「建築基準法どおり」と言われると、素人では何も言えませんでした。

このような問題を事前に防ぎ、問題が起きても迅速に解決できるように**住宅の品質確保の促進に関する法律**が制定されたのです。

●住宅業界のビックバン

この法律の施行は工務店や住宅メーカーに大きなインパクトを与え、当時、住宅業界の「ビッグバン」と呼ばれました。住宅会社は、大工、その他の職人の教育や現場管理を強化したり、工法の再検討を行いました。消費者への説明も、それまでに比べるとずいぶんとわかりやすいものになっています。

木造住宅では、狂いの少ない乾燥材や集成材の使用が一気に拡大しました。ここから、住宅業界は本格的な性能競争の時代に入ったのです。

ワンポイントコラム

【住宅の基本構造部分】　品確法では、①「構造耐力上主要な部分」である、基礎、壁、柱、小屋組、土台、斜材、床版、屋根版、横架材と、②「雨水の浸入を防止する部分」である、屋根、外壁、開口部を、「住宅の基本構造部分」の対象としている。

住宅の瑕疵担保責任の対象となる基本構造部分

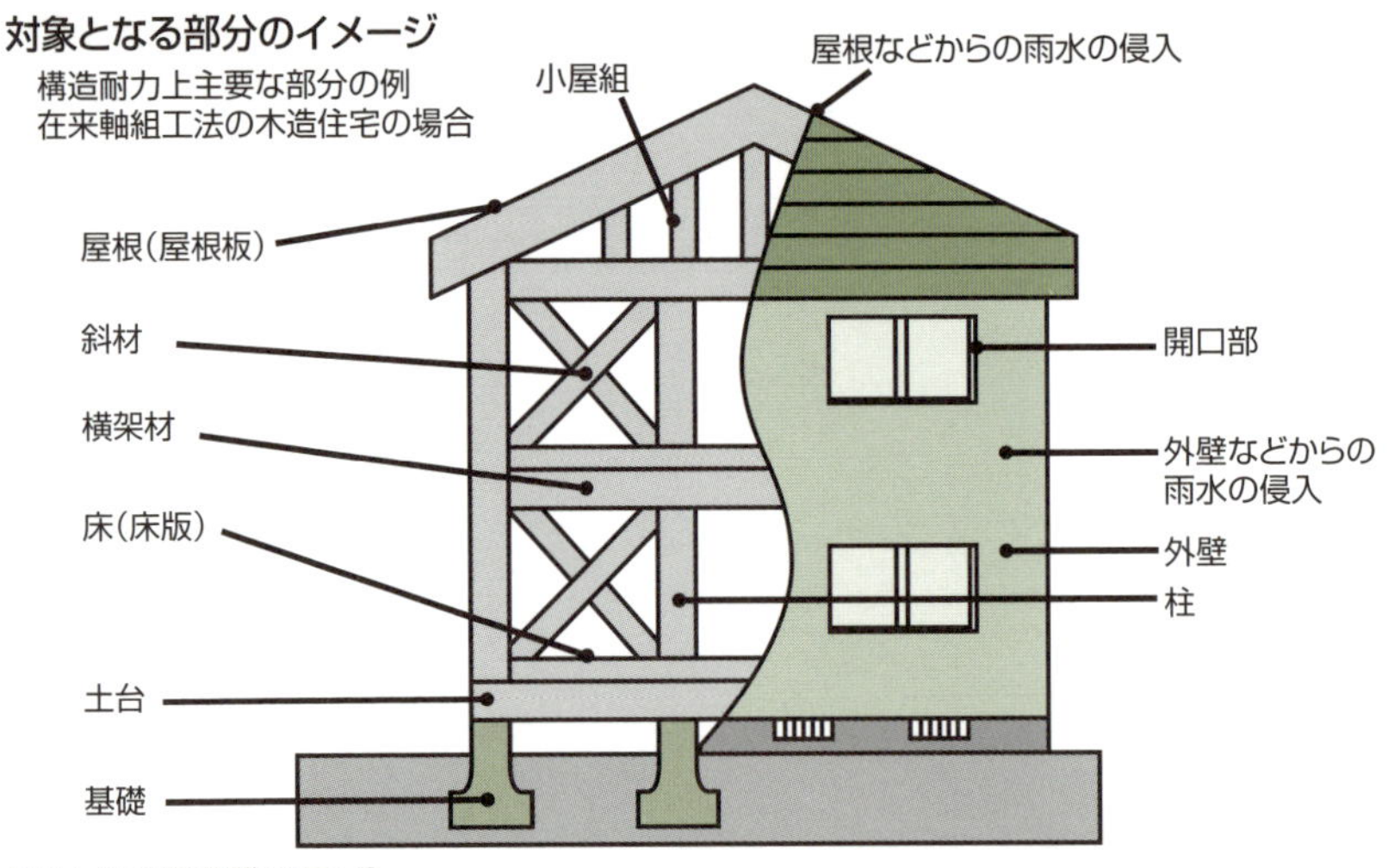

出典：住宅保証機構のHPから

性能表示制度の流れ

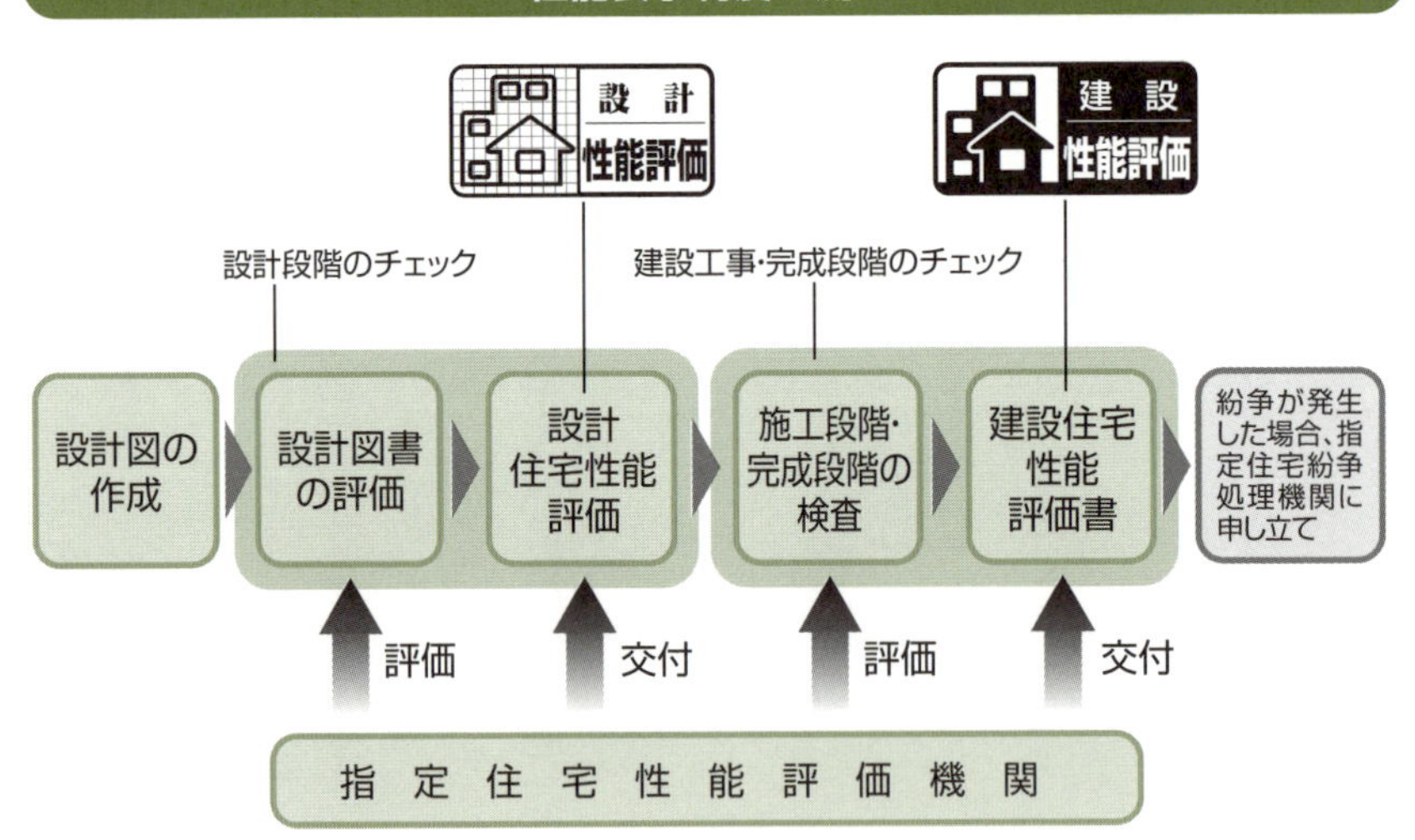

出典：国土交通省住まいの情報発信局「住宅性能表示制度」

【敷居、鴨居】　敷居とは、建具の枠の下の部分に設置される部材のこと。引き戸の場合には溝を掘り、スライドできるように加工されている。上部に設置される、敷居と対になるものを鴨居と呼ぶ。

住宅性能表示制度

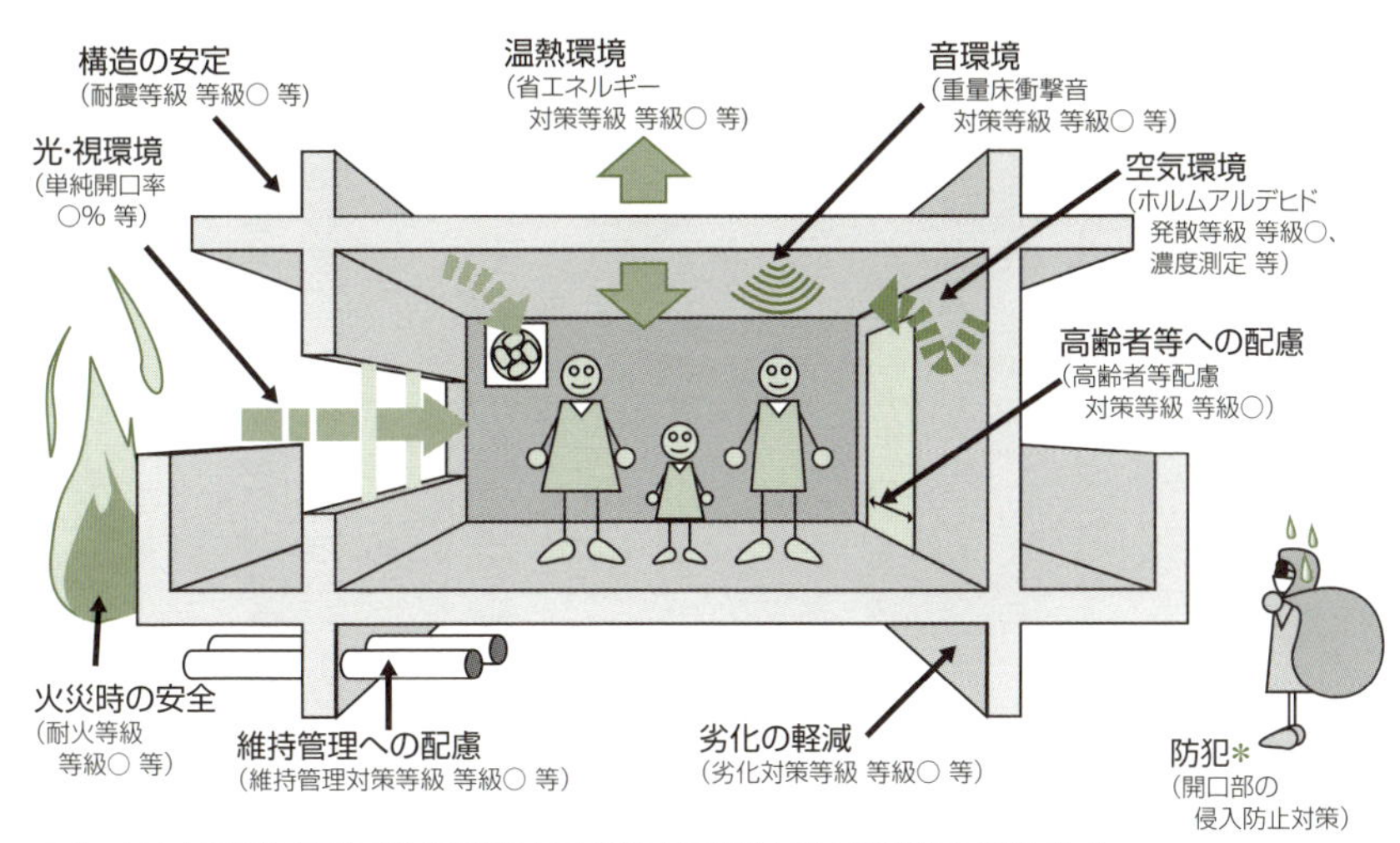

出典：国土交通省住宅局住宅生産課「住宅の品質確保の促進に関する法律」を参考に作成

住宅性能表示制度普及率の推移（年度別）

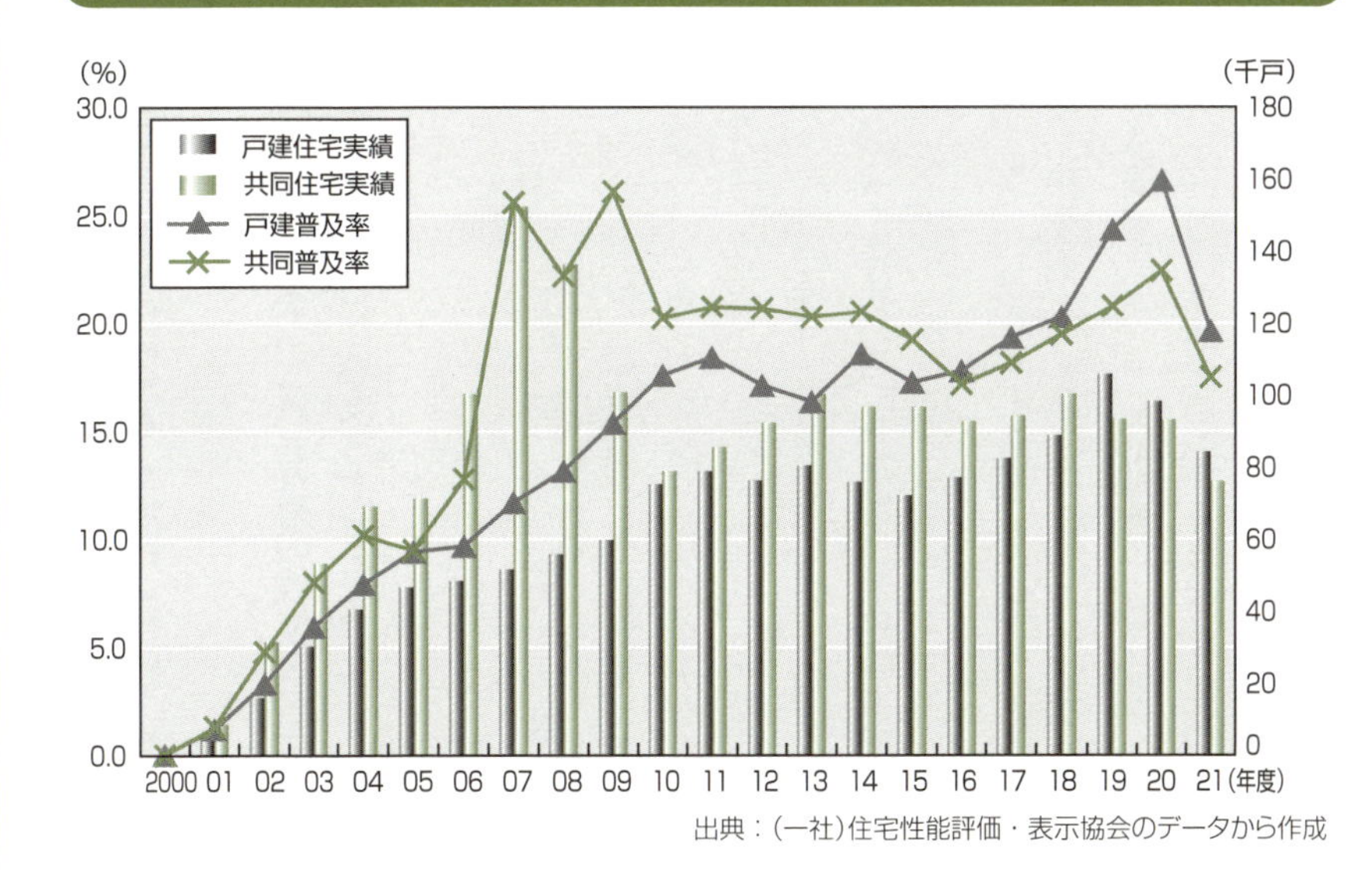

出典：（一社）住宅性能評価・表示協会のデータから作成

【廻り縁】　天井と壁の境に取り付けられる細長い見切り材のこと。天井と壁の境目にわずかな隙間が生じるため、廻り縁でこの隙間を隠し、きれいに仕上げる。壁と床が接する部分に帯状に取り付けられる見切り材を幅木と呼ぶ。

4 住宅の通知表「住宅性能表示制度」

住宅性能表示制度では、「地震に対する強さ」や「火災時の安全性」など、住宅の一〇分野の性能項目について、等級で表示します。これまでわかりにくかった性能の違いが、ひと目でわかるようになりました。

●どの工法でも統一の基準で性能を比較

自動車や家電製品などでは、統一された基準で性能値が表示されており、比較検討するのが簡単です。しかし、住宅の場合は、「地震に強い」「耐久性に優れる」といっても、かつては、住宅メーカーや住宅会社によって評価の基準が異なっていたため、本当にどちらが優れているのか、よくわかりませんでした。そこで、住宅の性能の基準を設定して、契約前に比較できるよう、**住宅性能表示制度**が二〇〇〇年に創設されました。

建築確認申請などとは異なり、希望者が利用する仕組みです。評価は、国土交通大臣の指定した住宅性能評価機関が設計段階での評価を行い、さらに設計評価書どおりに工事がされているか、建設工事中、完成段階にチェックをします。設計時の性能を評価する**設計評価書**と建設時の性能を評価する**建設評価書**の二つがあり、建設評価書まで取得した建物のみが性能表示制度の等級認定を受けたことになりますから注意が必要です。建設住宅性能評価を受けていれば、万一、施工後のトラブルが起きても**指定住宅紛争処理機関**が迅速、公正に対応してくれます。さらに、建設住宅性能評価書の交付を受けた住宅は、民間金融機関や公共団体の住宅ローンの優遇や、地震に対する強さの程度に応じた地震保険料の割引などがあります。

評価項目は、①構造の安定、②火災時の安全、③劣化の軽減、④維持管理への配慮、⑤温熱環境、⑥空気環境（シックハウス対策）、⑦光・視環境、⑧音環境、

【性能項目の重視度】 住宅購入者の関心の高い項目は①構造の安定、②温熱環境、③劣化対策、④火災安全性、⑤維持管理への配慮となっている。

⑨高齢者などへの配慮、⑩防犯対策、の一〇項目で、それぞれが、さらに細目に分かれています。

各性能項目とも「等級一」が建築基準法レベルで最低のランクです。例えば「構造の安定」のうち、耐震性の基準については、最も低い「等級一」は、関東大震災規模の地震が起きても建物が倒れないレベルで、「等級二」ではその一・二五倍の地震、「等級三」では、その一・五倍の地震にも耐えられるという強さが基準となっています。利用者は、耐震性については「等級三」、温熱環境は「等級二」、防犯対策は「等級三」など、重視する性能にメリハリをつけて、住宅会社に要望することができます。このような仕組みを持ったため、住宅性能表示制度は、「住宅の通知表」といわれています。二〇一五年に必須項目の見直しが行われ、①構造の安定、②劣化の軽減、③維持管理への配慮、④温熱環境の四項目が必須となりました。

●まだ低い普及率

住宅性能表示制度を利用すると、建築確認・検査以外に、設計段階と建設工事・完成段階で合計四～五回の検査がありますから、特に高い性能を求めない場合でも、欠陥住宅を予防する手段として利用することができます。評価料金は二〇万円程度です。

当初は住宅性能表示制度を利用するための書類作成などが大工、中小工務店には難しいところもありましたが、徐々に普及が進みました。二〇〇七～二〇〇九年度で共同住宅で普及率が高かったのはマンションの建築が多かった影響です。同じ形態の住戸が並んでいるため、戸建て住宅に比較して手続きが簡単だからです。

二〇二二年二月までの累計では、設計住宅性能評価書の交付戸数が四一〇万戸、施工段階と完成段階の検査を経て評価結果を記載する建設住宅性能評価書の交付戸数が三一八万戸となっています。戸建住宅の建設住宅性能評価の実施率は二〇二〇年度には二六％を越えましたが二〇二一年度には低下しました。コロナ禍の影響と考えられます。住宅性能評価を得た住宅は中古時の評価も高くなります。

二〇〇二年八月には、既存住宅（中古住宅）を対象とした性能表示制度も施行されています。

ワンポイントコラム

【居住支援協議会】　住宅確保要配慮者（高齢者、障害者、子育て世帯など住宅の確保に特に配慮を要する者）の民間賃貸住宅への円滑な入居の促進を図るため、地方公共団体や不動産関係団体、居住支援団体が連携し、住宅確保要配慮者及び民間賃貸住宅の賃貸人の双方に対し、住宅情報の提供等の支援を実施するもの。2022（令和4）年3月31日時点で全都道府県と72市区町に114協議会が設立されている。

5 建主を守る「住宅瑕疵担保履行法」

「住宅瑕疵担保履行法」は構造計算書偽装事件の被害をきっかけに施行されました。新築住宅の供給者に「瑕疵保険への加入」か「保証金の供託」を義務付けています。

●実行されなかった瑕疵担保責任

住宅瑕疵（かし）担保履行法は、新築住宅を建築・購入する消費者を保護する法律です。

二〇〇〇年に施行された「住宅の品質確保の促進に関する法律」により、新築住宅の供給者に対して一〇年間の瑕疵担保責任が義務付けられました。

しかし、二〇〇五年に発生した構造計算書偽装事件では、耐震性の不十分なマンションの保証をするべき供給者に十分な資力がなく、被害者は建替えのために二重のローンを抱えることになりました。瑕疵担保責任が実行されないことが大きな問題になり、住宅瑕疵担保履行法による資力確保が義務付けられました。

資力確保の方法には、指定保険法人が販売する瑕疵保険に加入するか、保証金の供託を行います。住宅に瑕疵があった場合、補修費用は保険金から支払われます。売主が倒産した場合は、建て主が保険金の請求を行うことができます。

保険の対象となるのは、住宅のなかでも特に重要な部分である、構造耐力上主要な部分と雨水の浸入を防止する部分です。保険加入の場合は、工事中に保険会社による現場検査が行われます。

保証金を供託する場合は、過去一〇年間の住宅供給数に応じて供託金額が定められています。過去一〇年間の供給戸数が一〇戸以下の企業は二〇〇〇〜三八〇〇万円を供託しなければなりません。五〇〇一〜一万戸以下の場合は約四億円です。中小の工務店のほと

【戸建住宅の耐震強度不足】 2006年6月、耐震強度偽装問題を受け、都内の分譲戸建て住宅販売会社が、2000年の建築基準法改正以降に建築確認を取得した約2万棟の全戸建て分譲住宅について、設計図書のチェックを実施したところ、木造二階建住宅のうち、681棟が耐震強度不足であったことがわかり、公表した。

んどは保険に加入し、大手住宅メーカーは供託を選択しています。供託した保証金は、瑕疵担保責任のある一〇年間は出し入れすることはできません。

●既存住宅とリフォームの瑕疵保険

既存住宅売買瑕疵保険は、中古住宅の検査と保証がセットになった保険制度です。

中古住宅の売主が個人の場合、瑕疵の責任を負わないとする特約（瑕疵担保免責）も法律上有効です。宅地建物取引業者が売主の場合でも、宅建業法に定められた最低期間である二年間に限定されることが多く、中古不動産の購入者にとっての不安材料となっていました。既存住宅売買瑕疵保険に加入すれば、購入した中古住宅の瑕疵に対する補修費用を受け取ることができます。保険期間は売主が個人の場合と宅建業者の場合で異なりますが、最大五年間です。

保険の対象となる住宅は新耐震基準への適合など、一定の要件を満たしていなければなりません。

リフォーム瑕疵保険は、リフォーム時の検査と保証がセットになった保険制度です。

保険の仕組み

建設業者
宅建業者
保険料
保険金請求
保険金支払
保険法人
（大臣指定）
補修等請求
補修等
瑕疵
倒産等
業者が倒産などにより
瑕疵担保責任を
履行できない場合
保険金請求
住宅
購入者等
保険金支払

出典：「住宅瑕疵担保履行法パンフレット」（国土交通省住宅局）

【瑕疵保険の保険料】　保険料は、10年間の保険契約期間に対し、保険契約前に10年分を一括で支払う。掛け捨てのものであり、保険法人により料金が異なるが、戸建住宅で概ね7～8万円である。

6 気密化に対応する「シックハウス対策の法律」

国土交通省が二〇〇〇年に行った調査では、全国四五〇〇ヵ所のうち約三割の住宅でホルムアルデヒドの室内濃度指針値を超えていました。このために、シックハウス対策の規制が二〇〇三年七月に導入されました。

●健康被害の増加

新築・改築後の住宅やビルにおいて、建築材料などから発散する化学物質による室内空気汚染などにより、めまい、吐き気、頭痛、目、鼻、のどの痛みなど、居住者に様々な健康影響が生じることを**シックハウス症候群**と呼んでいます。

かつての日本の住宅は、閉め切っていても、すきま風が入るような状態でした。しかし、その後アルミサッシの普及などにより、気密性が高まり、さらに省エネのため、高気密化も進みました。一方、柱や土台には、シロアリ駆除剤や防腐剤が使われますし、その他の建材や家具などにも、品質維持や耐久性確保のため、化学物質を含んだ材料や接着剤が使われることが多くなりました。また、生活スタイルも、エアコンを使用し、部屋を閉め切った状態で過ごすことが増えたため、住宅自体がシックハウス症候群になりやすい環境になったのです。

そこで、建築基準法の改正により、シックハウスの主要な原因物質であるクロルピリホスとホルムアルデヒドについて、次のような対策が定められました。

①シロアリ駆除剤のクロルピリホスは使用禁止となりました。

②内装仕上げについて、ホルムアルデヒド発散建材の使用が制限されました。改正によって、合板、木質フローリング、集成材、MDF*、パーティクルボード*、壁紙、接着剤、断熱材、塗料、その他について、ホルム

*MDF　Medium Density Fiberboardの略で、木材などの植物繊維を原料とし、合成樹脂接着剤を加えて成型加工したもの。構造が均一で木目がない。断面は繊維がぎっしりつまり平滑で、反りなどもなく、加工性に優れている。水分、湿気や衝撃には弱いが、家具の心材、ドア、窓枠などに広く使われている。

アルデヒドの発散速度に応じて、発散が少ない順に、F☆☆☆☆、F☆☆☆、F☆☆、無等級、のランク分けがされました。ランクに応じて使用できる面積が定められたのです。

③ホルムアルデヒドを発散する建材を使用しない場合でも、家具などからの発散があるため、二四時間換気システムの設置が義務付けられました。

大工や外壁工事業者にとっては、換気設備を設置するため、外壁に穴を開けたり、防水処理をする工事箇所が増え、手間がかかるようになりました。

シックハウス対策の効果により二〇〇三年度には五〇〇件を越えていた住宅リフォーム紛争処理支援センターへのシックハウスに関するする相談も二〇一三年度には一〇〇件を下回るレベルになりました。しかし、二〇一五年度から再び増加し、一〇〇件を越えるレベルになっています。規制外の新たな代替物質使用の可能性が指摘されており、厚生労働省は二〇一九年に室内濃度指針値を改定しています。化学物質による健康への影響は個人差も大きく、法律で規制されていない化学物質も多くありますから、楽観視はできません。

シックハウス対策

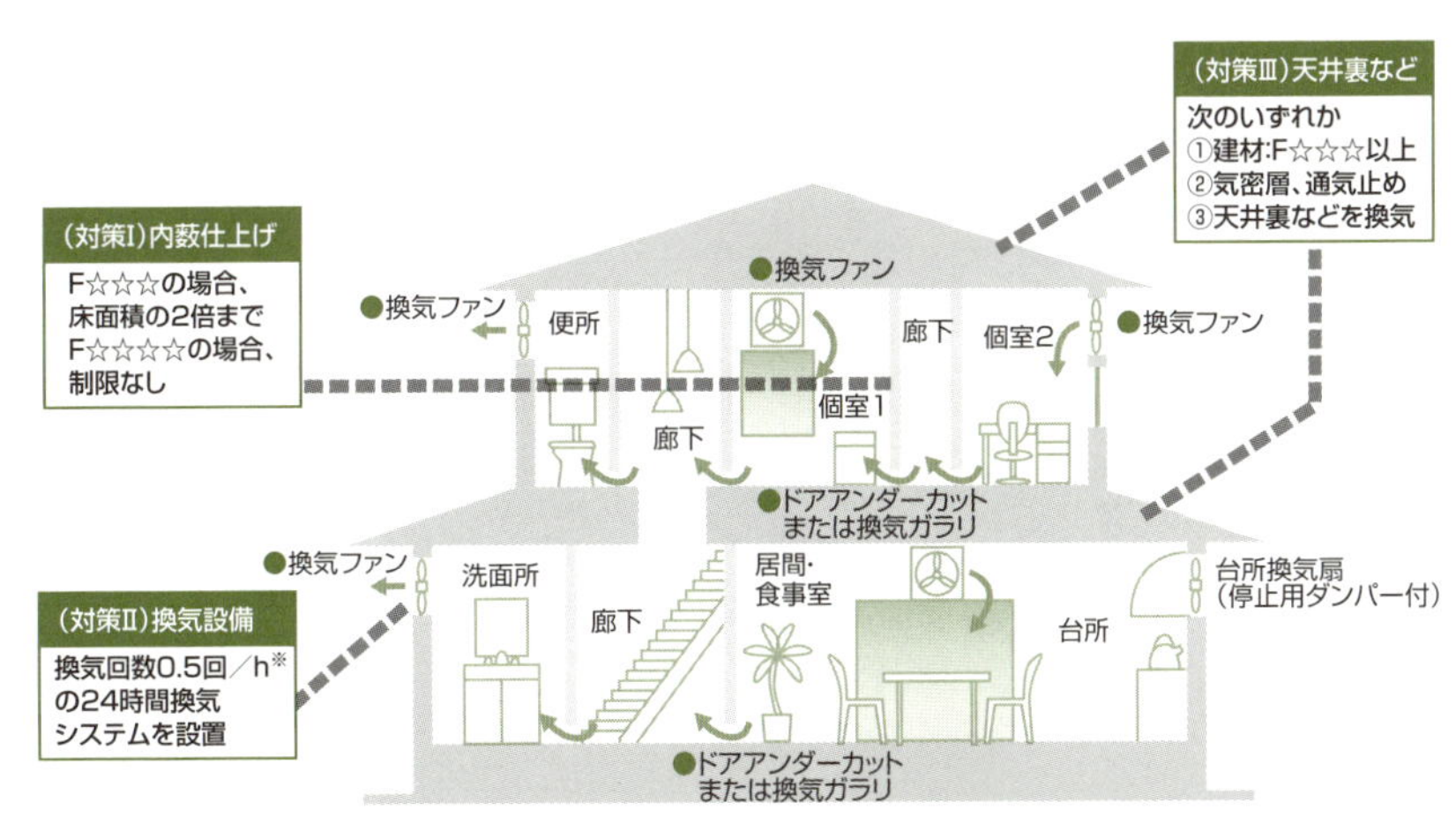

※換気回数0.5回／hとは、1時間当たりに部屋の空気の半分が入れ替わることをいいます。

出典:国土交通省住宅局「シックハウス対策パンフレット」

＊**パーティクルボード**　木材を小片に砕いて接着剤で高温圧縮成型したもの。木材の廃材、建築解体材、小径木などを原料としている。MDFよりも断熱性、遮音性に優れており、内装下地、家具材などに使用される。MDFやパーティクルボードは、製材や合板製造時の廃材を利用して製造されるようになった。木材よりもコストが安く、加工性に優れていることから、家具などをはじめ、建築資材に利用されるようになった。

7 住環境に影響を与える「用途地域」

都市計画法では、生活や事業の活動に適した街づくりを行うために、中心街とその周辺地域に住宅地、商業地、工業地などの用途地域を定めています。

●地域により制限される建物の用途

用途地域では、地域ごとに建築物の用途や容積率、建物の高さなど、建築物の建て方のルールが定められています。これによって、目的に応じた環境の確保が図られるようになっています。

八区分であった用途地域は、環境の変化に合わせて、一九九二年の都市計画法改正で、一二区分に細分化されました。第一種住居専用地域から準住居地域の七地域が住居系、近隣商業地域と商業地域の二地域が商業系、準工業地域から工業専用地域の三地域が工業系と分類されました。さらに二〇一八年の改正では新たに田園住居地域が追加され一三区分になりました。二〇二二年に生産緑地法の期限が切れるため、宅地として一気に売却される心配がありました。そこで、都市農地と市街地の共存を図る目的で追加されました。農地以外への用途変更には市町村長の許可が必要で、三〇〇㎡以上の開発は原則不許可となります。二〇二二年三月時点では、まだ田園住居地域は指定されていません。

●用途の混在による問題

用途地域は、用途の混在を防ぐことを目的としているのですが、現在の用途地域の区分では、この目的が十分には達せられていません。

例えば、第二種住居地域では店舗、事務所、ホテルの他、マージャン店やパチンコ店、場外馬券売場やカ

【都市計画区域】 都心の市街地から郊外の農地や山林まで、地形や人・物の動き、都市の将来の発展を考えて、一体の都市として捉える必要がある区域を、都市計画区域として指定し、都市計画を定める。

ラオケボックスなどが建てられるため、良好な住宅環境が守られていない場合があります。種類の異なる用途が混じっていると、生活や業務の効率が悪くなります。また、道路を挟んで土地の用途地域が違うことも、当然起こり得ます。そのため、このような地域では一部の用途を条例で禁止している場合もあります。用途地域は、市町村の都市計画課などで調べることができます。

最近では、準工業地域であっても工場が移転や廃業した跡地に、マンションなどの住宅が建設され、住宅地化している場合があります。工場の利便を図るための、工業系地域での住宅の建設は、逆に工場の生産環境を悪化させることになり、また工場と住宅入居者との間で操業をめぐる紛争が生じやすくなります。

商業地域では、高層ビルを建てられるようにするため、容積率の最高限度が高く定められ、日影規制も適用されていません。そこにマンションや住宅を建設すると、日当たりが悪いというようなことが起こります。

全国の用途地域の指定状況

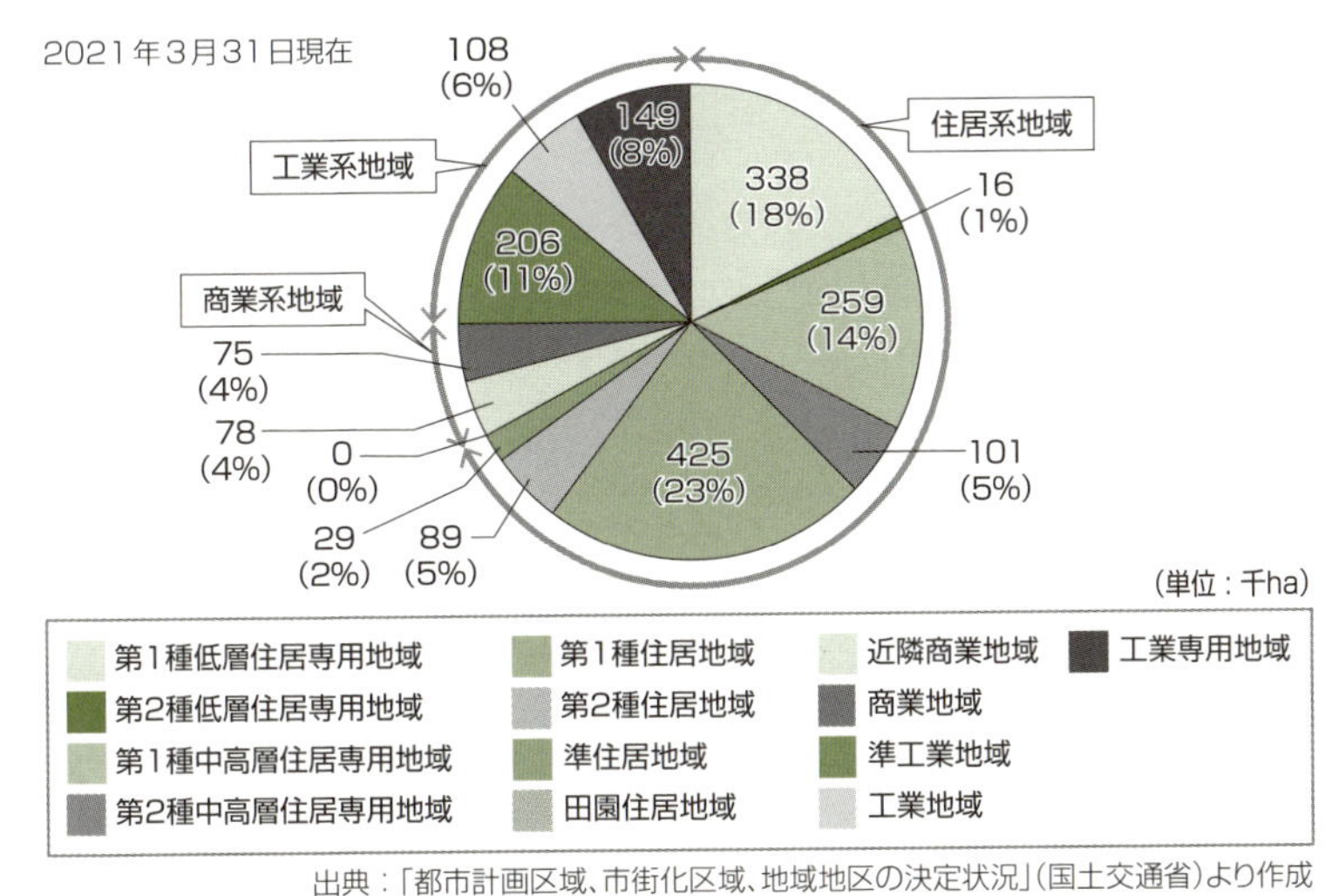

出典：「都市計画区域、市街化区域、地域地区の決定状況」（国土交通省）より作成

【市街化調整区域】　都市計画では、無秩序に街が広がらないように、一定のルールに基づいて建物の建築などを制限する。具体的には、都市計画区域を2つに区分して、すでに市街地になっている区域や計画的に市街地にしていく区域（市街化区域）と、市街化を抑える区域（市街化調整区域）を定める。

用途地域による建築物の用途制限

第一種低層住居専用地域（一低） 低層住宅の良好な環境保護のための地域
第二種低層住居専用地域（二低） 低層住宅の良好な環境保護を図りつつ、小規模な店舗の立地は認められる地域
第一種中高層住居専用地域（一中） 中高層住宅の良好な環境保護のための地域
第二種中高層住居専用地域（二中） 中高層住宅の良好な環境保護を図りつつ、一定の利便施設の立地は認められる地域
第一種住居地域（一住） 住宅の環境保護を図り、大規模な店舗、事務所の立地が制限される地域

第二種住居地域（二住） 住宅の環境保護を図りつつ、大規模な店舗、授無所の立地も認められる地域
準住居地域（準住） 道路沿道の業務の利便を図りつつ、これと調和した住宅の環境を保護する地域
田園住居地域 農業と調和した低層住宅の環境を守るための地域

近隣商業地域（近商） 近隣の住宅地の住民のための店舗、事務所等の利便の増進を図る地域
商業地域（商業） 店舗、事務所等の利便の増進を図る地域

準工業地域（準工） 環境の悪化をもたらすおそれのない工業の利便の増進を図る地域
工業地域（工業） 工業の利便の増進を図る地域
工業専用地域（工専） 専ら工業の利便の増進を図るための地域

用途地域内の建築物の用途制限 □建てられる用途　■建てられない用途 ①、②、③、④、▲、■：面積、階数等の制限あり		一低	二低	一中高	二中高	一住	二住	準住	田住	近商	商業	準工	工業	工専	備考
住宅、共同住宅、寄宿舎、下宿		○	○	○	○	○	○	○	○	○	○	○	○		
兼用住宅で、非住宅部分の床面積が、50m²以下かつ建築物の延べ面積の2分の1以下のもの		○	○	○	○	○	○	○	○	○	○	○	○		非住宅部分の用途制限あり。
店舗等	店舗等の床面積が150m²以下のもの		①	②	③	○	○	○	①	○	○	○	○	④	①日用品販売店舗、喫茶店、理髪店、建具屋等のサービス業用店舗のみ。2階以下 ②①に加えて、物品販売店舗、飲食店、損保代理店・銀行の支店・宅地建物取引業者等のサービス業用店舗のみ。2階以下 ③2階以下 ④物品販売店舗及び飲食店を除く ■農産物直売所、農家レストラン等のみ。2階以下
	店舗等の床面積が150m²を超え、500m²以下のもの			②	③	○	○	○	■	○	○	○	○	④	
	店舗等の床面積が500m²を超え、1,500m²以下のもの				③	○	○	○		○	○	○	○	④	
	店舗等の床面積が1,500m²を超え、3,000m²以下のもの					○	○	○		○	○	○	○	④	
	店舗等の床面積が3,000m²を超え、10,000m²以下のもの						○	○		○	○	○	○	④	
	店舗等の床面積が10,000m²を超えるもの									○	○	○			
事務所等	事務所等の床面積が150m²以下のもの				▲	○	○	○		○	○	○	○	○	▲2階以下
	事務所等の床面積が150m²を超え、500m²以下のもの				▲	○	○	○		○	○	○	○	○	
	事務所等の床面積が500m²を超え、1,500m²以下のもの				▲	○	○	○		○	○	○	○	○	
	事務所等の床面積が1,500m²を超え、3,000m²以下のもの					○	○	○		○	○	○	○	○	
	事務所等の床面積が3,000m²を超えるもの						○	○		○	○	○	○	○	
ホテル、旅館						▲	○	○		○	○	○			▲3,000m²以下
遊戯施設・風俗施設	ボーリング場、スケート場、水泳場、ゴルフ練習場等					▲	○	○		○	○	○	○		▲3,000m²以下
	カラオケボックス等						▲	▲		○	○	○	▲	▲	▲10,000m²以下
	麻雀屋、パチンコ屋、射的場、馬券・車券発売所等						▲	▲		○	○	○	▲		▲10,000m²以下
	劇場、映画館、演芸場、観覧場、ナイトクラブ等							▲		○	○	○			▲客席及びナイトクラブ等の用途に供する部分の床面積200m²未満
	キャバレー、個室付浴場等										○	▲			▲個室付浴場等を除く。

【特別用途地区】　用途地域を補完する地域地区で、地区の特性にふさわしい土地利用の増進、環境の保護など、特別の目的の実現を図るために指定される。1998年の法改正で、地方公共団体が種類を自由に定められるようになった。文教地区、娯楽・レクリエーション地区、伝統産業を保護・育成するための特別工業地区、国際文化交流促進・歴史的環境保全地区などが定められている。

用途地域内の建築物の用途制限 □建てられる用途　▒建てられない用途 ①、②、③、④、▲、■：面積、階数等の制限あり		一低	二低	一中高	二中高	一住	二住	準住	田住	近商	商業	準工	工業	工専	備考
公共施設・病院・学校等	幼稚園、小学校、中学校、高等学校	○	○	○	○	○	○	○	○	○	○	○			
	大学、高等専門学校、専修学校等			○	○	○	○	○		○	○	○			
	図書館等	○	○	○	○	○	○	○	○	○	○	○	○		
	巡査派出所、一定規模以下の郵便局等	○	○	○	○	○	○	○	○	○	○	○	○	○	
	神社、寺院、教会等	○	○	○	○	○	○	○	○	○	○	○	○	○	
	病院			○	○	○	○	○		○	○	○			
	公衆浴場、診療所、保育所等	○	○	○	○	○	○	○	○	○	○	○	○	○	
	老人ホーム、身体障害者福祉ホーム等	○	○	○	○	○	○	○	○	○	○	○	○		
	老人福祉センター、児童厚生施設等	▲	▲	○	○	○	○	○	▲	○	○	○	○	○	▲600m²以下
	自動車教習所					▲	○	○		○	○	○	○	○	▲3,000m²以下
工場・倉庫等	単独車庫（附属車庫を除く）			▲	▲	▲	▲	○		○	○	○	○	○	▲300m²以下　2階以下
	建築物附属自動車車庫 ①②③については、建築物の延べ面積の1/2以下かつ備考欄に記載の制限	① ※一団地の敷地内について別に制限あり。	①	②	②	③	③	○	①	○	○	○	○	○	①600m²以下1階以下 ②3,000m²以下2階以下 ③2階以下
	倉庫業倉庫							○		○	○	○	○	○	
	自家用倉庫				①	②	○	○	■	○	○	○	○	○	①2階以下かつ1,500m²以下 ②3,000m²以下 ■農産物及び農業の生産資材を貯蔵するものに限る。
	畜舎（15m²を超えるもの）					▲	○	○		○	○	○	○	○	▲3,000m²以下
	パン屋、米屋、豆腐屋、菓子屋、洋服店、畳屋、建具屋、自転車店等で作業場の床面積が50m²以下		▲	▲	▲	○	○	○	▲	○	○	○	○	○	原動機の制限あり。 ▲2階以下
	危険性や環境を悪化させるおそれが非常に少ない工場					①	①	①	■	②	②	○	○	○	原動機・作業内容の制限あり。 作業場の床面積 ①50m²以下 ②150m²以下 ■農産物を生産、集荷、処理及び貯蔵するものに限る。
	危険性や環境を悪化させるおそれが少ない工場									②	②	○	○	○	
	危険性や環境を悪化させるおそれがやや多い工場											○	○	○	
	危険性が大きいか又は著しく環境を悪化させるおそれがある工場												○	○	
	自動車修理工場					①	①	②		③	③	○	○	○	原動機の制限あり。作業場の床面積 ①50m²以下　②150m²以下 ③300m²以下
	火薬、石油類、ガスなどの危険物の貯蔵・処理の量　量が非常に少ない施設				①	②	○	○		○	○	○	○	○	①1,500m²以下 2階以下 ②3,000m²以下
	量が少ない施設									○	○	○	○	○	
	量がやや多い施設											○	○	○	
	量が多い施設												○	○	

注1：本表は、改正後の建築基準法別表第二の概要であり、全ての制限について掲載したものではない。

注2：卸売市場、火葬場、と畜場、汚物処理場、ごみ焼却場等は、都市計画区域内においては都市計画決定が必要など、別に規定あり。

出典：東京都都市整備局「用途地域による建築物の用途制限の概要」

【白地地域】 都市計画区域は、全国土の約4分の1に当たる1,024万ヘクタールの面積が指定されている。都市計画区域の中で、用途地域の指定のない区域が白地地域と呼ばれる。白地地域は、容積率が400%まで認められるなど、商業地域並みの規制が適用されていたため、開発が進行していたが、2000年の建築基準法の改正で、容積率などの制限を地方自治体が定めることができるようになった。

8 用途地域で決まる住宅の大きさ

自分の土地だからといって、敷地いっぱいに広げて建物を建てたり、高い建物を建てたりすることはできません。用途地域によって住宅の大きさや高さは制限されています。

●防空から始まった容積率の制限

敷地面積に占める建築面積の割合を**建ぺい率**といい、敷地面積に占める延べ床面積の割合を**容積率**＊といいます。建物の大きさを制限し、日照や採光、通風などを良くするために、用途地域により建ぺい率や容積率が規定されています。その結果、ゆとりある空間が生まれ、良好な居住空間を生み出すことができます。また、火災時の延焼を防ぎ、災害時の避難や救助活動の効率を高めることにもつながります。日本で容積率の規制ができたのは、戦前のことで、当時から都市部の防空や延焼の防止を目的としていました。

建物の大きさを制限するのは、建ぺい率、容積率だけではありません。その土地に建てられる建物の高さは、用途地域や高度地区＊の種別、都市計画などによって、上限が決められています。例えば、第一種・第二種低層住居専用地域の場合、高さの上限は都市計画で定められた一〇メートルまたは一二メートルとなっています。高さ一〇～一二メートルというのは、木造住宅なら三階、コンクリート造なら四階に相当する建物になります。

●建物を変形させる斜線制限

その他にも、近隣の環境を保つために、建物の高さを規制する各種の**斜線制限**が用途地域ごとに定められています。斜線制限には①道路斜線制限、②隣地斜線制限、③北側斜線制限、④日影規制の四種類があり

＊**容積率**　敷地に対する延べ床面積の割合のこと。都市計画によって決められた数値と、前面道路の幅員によって定められる数値との、いずれか小さい方の数値が容積率の上限として適用される。天井が地盤から1メートル以下の地下室は、住宅の床面積の3分の1を限度として容積率に含めなくてよいことになっている。

ます。建物の形が、ある階から斜めに折れたようになっているのは、この制限によるものです。

①**道路斜線制限**…道路やその両側の建物の日照、採光、通風を確保するための制限です。敷地が接する道路の反対側の境界線から、住居系の用途地域では一メートルにつき一・二五メートル、商業系および工業系の用途地域では一メートルにつき一・五メートル上がる勾配の内側に建物の高さを収めなければなりません。なお、建物を前面道路から**セットバック**させ、敷地の道路側に空地を設けた場合は、その後退した距離だけ、前面道路の反対側の境界線が向かい側に移動したものとして適用することができます。セットバックとは、道路に面した敷地に建物を建てるとき、道路から少し後退させて建物を建てることをいいます。

②**隣地斜線制限**…隣地の日照、採光、通風を確保するために、隣地境界線からの制限が設けられています。第一種・第二種中高層住居専用地域、第一種・第二種住居地域、準住居地域内は隣地境界線上の二〇メートルの高さから内側に一対一・二五の角度で、その他の地域は、隣地境界線上の三一メートルの高さから内側に一対二・五の角度で伸ばした斜線の内側に建物の高さを収めなければなりません。

③**北側斜線制限**…北側隣地の日照を確保するための制限です。第一種・第二種低層住居専用地域内は、隣地境界線上の五メートルの高さ、第一種・第二種中高層住居専用地域内は隣地境界線上の一〇メートルの高さから内側に一対一・二五の角度で伸ばした斜線の内側に建物の高さを収めます。

④**日影規制**…近隣の建築物などに一定時間以上の日影を与えないように、その建築物の高さや配置などについて配慮しなければなりません。商業、工業および工業専用地域を除く地域において、中高層建築物（第一種・第二種低層住居専用地域においては軒高七メートルを超えるもの、または地上階数三以上のもの、その他の地域では、高さ一〇メートルを超えるもの）が一定時間以上の日影を一定距離の範囲に生じさせないように、建築物の形態を制限します。建物の大きさは、このように制限されています。

用語解説

＊**高度地区**　用途地域内で市街地の環境を維持したり、土地利用の増進を図ったりするため、建築物の高さの最高限度や最低限度を定めた地区のこと。

建ぺい率と容積率

A=敷地面積　　B=建築面積（1階部分の床面積）
B+C=延べ床面積（各階の床面積の合計）

建ぺい率＝ 建築面積（B） / 敷地面積（A）

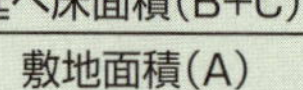

容積率＝ 延べ床面積（B+C） / 敷地面積（A）

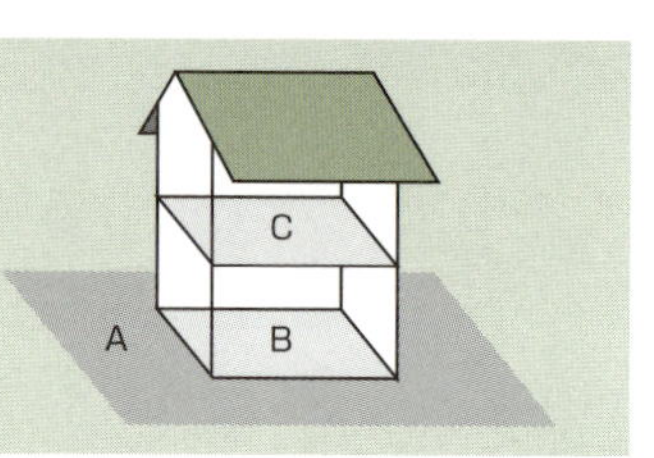

建ぺい率	イメージ
40%	敷地内に駐車スペースを確保しても十分な植栽スペースが確保できる。空地は、災害時などにオープンスペースとして活用できる。
50%	敷地内にある程度の植栽スペースが確保できるが、余裕空間は少なくなる。災害時などの避難路は確保できる。
60%	敷地の一部に植栽が可能である。工夫すれば駐車スペースがとれるが、余裕空間はほとんどなくなる。
70%	敷地いっぱいに建物が建つ状態である。余裕空間はほとんどない。災害時の避難路についてあらかじめ検討しておく必要がある。

用途地域による建ぺい率・容積率の制限

地域	建ぺい率	容積率
第一種低層住居専用地域 第二種低層住居専用地域 田園住居地域	30、40、50、60%のうち都市計画で定める割合	50、60、80、100、150、200%のうち都市計画で定める割合
第一種中高層住居専用地域 第二種中高層住居専用地域		100、150、200、300、400、500%のうち都市計画で定める割合
第一種住居地域 第二種住居地域 準住居地域	50、60、80%のうち都市計画で定める割合	
近隣商業地域	60、80%のうち都市計画で定める割合	
商業地域	80%	200、300、400、500、600、700、800、900、1000、1100、1200、1300%のうち都市計画で定める割合
準工業地域	50、60、80%のうち都市計画で定める割合	100、150、200、300、400、500%のうち都市計画で定める割合
工業地域	50、60%のうち都市計画で定める割合	100、150、200、300、400%のうち都市計画で定める割合
工業専用地域	30、40、50、60%のうち都市計画で定める割合	
用途地域の指定のない区域	30、40、50、60、70%のうち特定行政庁が指定する割合	50、80、100、200、300、400%のうち特定行政庁が指定する割合

1）建ぺい率が80%の地域でかつ防火地域内に耐火建築物を建てる場合は、建ぺい率の制限がない。
2）建ぺい率が80%以外の地域でかつ防火地域内に耐火建築物を建てる場合および角地は、建ぺい率が10%緩和される。
3）敷地の前面道路の幅員が12m未満の場合は、次の（1）、（2）のいずれか少ない方が実際の容積率になる。
（1）指定容積率　（2）前面道路の幅員×0.6（住居系用途地域の場合は0.4）

【接面道路による制限】　建築基準法では、敷地が幅4メートル以上の道路に最低限2メートル以上接していなければ、住宅を建てられないことになっている。前面道路の幅が4メートル未満の場合は、敷地境界線を道の中心線から2メートルの位置までセットバックすれば、建築が可能になる。この場合、セットバック部分は敷地面積とは見なされず、建ぺい率や容積率の計算からも除外される。

斜線制限

道路斜線の例

住居系の地域

1.0
1.25
道路斜線
建物を建てられる範囲
道路
敷地

その他の地域

1.0
1.5
道路斜線
建物を建てられる範囲
道路
敷地

隣地斜線の例

第一種中高層住居専用地域
第二種中高層住居専用地域
第一種住居地域
第二種住居地域
準住居地域

1.0
1.25
隣地斜線
基準の高さ
20m
建物を建てられる範囲
敷地境界線

その他の地域（第一種・第二種低層住居専用地域、田園住居地域を除く）

1.0
2.5
隣地斜線
基準の高さ
31m
建物を建てられる範囲
敷地境界線

北側斜線の例

第一種・第二種低層住居専用地域

北
1.0
1.25
北側斜線
絶対高さ
10m（または12m）
5m
建物を建てられる範囲
敷地境界線

第一種・第二種中高層住居専用地域

北
1.0
1.25
北側斜線
10m
建物を建てられる範囲
敷地境界線

【総合設計制度】　都市計画で定められた制限に対して、建築基準法で特例的に緩和を認める制度。建物の周囲に一定の市街地環境の整備につながる公開空地を確保することにより、容積率、高さ制限、斜線制限などを緩和する。公開空地として確保したはずの場所が駐車場に転用されてしまうなどの問題が起きないよう、「総合設計制度により設けられた公開空地です」といった旨の標識設置を義務付けている。

子育て世帯の負担軽減を図る こども未来住宅

こども未来住宅支援事業は、子育て世帯又は若者夫婦世帯の住宅取得に伴う負担軽減を図るとともに、省エネ性能を有する住宅ストックの形成を図るものです。子育て支援と2050年カーボンニュートラルの実現を目的として高い省エネ性能を有する新築住宅の取得や、住宅の省エネ改修等に対して補助を行います。

●対象者と補助の内容

対象は2021年4月1日時点で18歳未満の子がいる世帯、または夫婦いずれかが39歳以下の世帯です。

注文住宅の新築や新築分譲住宅の購入においては、住宅の省エネ性能等に応じて60万円から100万円が補助されます。リフォームについては、太陽熱利用システムや節水型トイレなどのエコ住宅設備、食洗器や浴室乾燥機などの子育て対応改修も対象になっています。リフォームの補助額は5万円から60万円です。交付申請期限は2023年3月31日までです。

このような補助金により、省エネ設備の認知を高めるとともに住宅ストックの省エネ化を推進する狙いです。

●息の長い補助制度を

2021年10月31日までの契約が条件であったグリーン住宅ポイント制度は、高い省エネ性能を有する住宅（新築・既存）を取得する場合に、商品や追加工事と交換できるポイントを発行するものでした。

いろいろな補助制度が出ては消えを繰り返すと住宅購入者も工務店も制度を理解するのが大変です。住宅の省エネ性を高めることは必要ですから、息の長い補助制度の創設をしてほしいものだと思います。

【シーリング】 気密性や防水性を高めるために建物や部品の継ぎ目を充填すること。これに用いる材料をシーリング材またはコーキング材という。

高くなる住宅の天井

ハウスメーカーによる戸建住宅の天井高競争が激しさを増し、天井高3mを超えるような提案も出てきています。

かつての天井高は、220cmが平均的でしたが、洋室の多い現代の住宅では240cm前後が平均となっています。和室の天井が低いのは畳に座っての生活が中心であり目線が低いためです。建築基準法では居室の天井高は、210cm以上と定められています。

●天井を高くすることで開放的な空間を実現

天井を高くするメリットは主に、明るく広々とした開放的な住まいになることです。標準的な天井高の240cmと、天井を上げた280cmでは、感じる広さ感覚が全く異なります。より広く開口を開けることで、外からの光をより室内に取り込むことができます。さらに、高窓を設けると光をより内部にまで差し込ませることも可能です。

●高い天井のデメリット

天井が高いことには、デメリットもあります。部屋が大きくなることで冷暖房の効率が悪くなったり、階段数が増えることで上り下りが大変となります。規格外の材料が必要となって建設コストが高くなることもあります。また、天井が高いと落ち着かないという方もおられるようです。

●ハウスメーカーの狙い

住友林業、大和ハウスは280cm、三井ホームは3mの天井高をPRしています。高い天井高で実現する大空間や大開口で高価格帯層を開拓することも狙いとしています。

【レリジェンス住宅】 レリジェンス住宅とは、災害に対して優れた防災力や耐久力、災害後の対応力を持つ住宅のこと。近年の猛暑や豪雨、土砂災害などの多発によりレリジェンス住宅が注目されており、ハウスメーカーもレリジェンスを切り口にPRを行っている。総合住宅展示場来場者アンケート 2021によれば、レリジェンス住宅についての認知度は2割程度であるが、地震・台風・豪雨などの自然災害への関心は9割以上である。(一社)日本サスティナブル建築協会では、レリジェンス住宅チェックリストを公開している。

9 義務化が近づく省エネルギー基準

二〇一六年に「建築物省エネ法」が施行され二〇一九年に改正されました。二〇二五年にはすべての住宅について省エネ基準の適合が義務化されます。

●省エネルギー基準の歴史

わが国の省エネルギー基準は一九八〇年に制定された後、一九九二年の新省エネ基準、一九九八年の次世代省エネ基準と改定されてきました。次世代省エネ基準への適合率を高めるため、住宅エコポイント制度やフラット35Sなどでの適合を条件とし、二〇一一年には新築住宅の約五割が次世代省エネ基準をクリアするようになりました。しかし、それまでの省エネ基準は断熱性能を高めることで冷暖房エネルギーを削減することが目的でした。

そこで、二〇一三年には建物の断熱性に加えて建物内設備の省エネ効果を考慮する改正省エネ基準が施行されました。住宅内で使用する設備機器が増え、断熱性能の向上だけでは、省エネを進めることの限界が見えたためです。このときから断熱性能の評価指標が熱損失係数（Q値）から外皮平均熱貫流率（UA値）に変わりました。

●改正建築物省エネ法と義務化

脱炭素社会の実現に向けて二〇一九年五月に建築物省エネ法が改正され、順次施行されました。それまで二〇〇〇㎡以上の建築物（住宅以外）が対象であった省エネ基準の適合義務が三〇〇㎡以上に拡大されました。三〇〇㎡未満の住宅については、省エネ基準への適合が努力義務となり、設計時に建築士から建築主に対して基準への適否の説明が義務付けられまし

＊**一次エネルギー消費量**　一次エネルギーとは、石油や天然ガスなど、自然界からとれるエネルギーのことである。住宅については、暖冷房、換気、照明、給湯などの諸設備のエネルギー消費量と太陽光発電等によるエネルギー創出量の合計となる。

た。そして、これまで分譲戸建て住宅の大量供給者に適用されていた住宅トップランナー制度が、注文戸建住宅年間三〇〇戸以上、賃貸アパート年間一〇〇〇戸以上の事業者にも拡大されました。二〇一九年度では、三〇〇㎡未満の新築住宅の省エネ基準適合率は八七%にまで高まっています。

二〇二五年には小規模建築物とすべての住宅について省エネ基準の適合が義務化される予定です。さらに、二〇三〇年には省エネ基準がZEHレベルに引き上げられます。カーボンニュートラル実現に向けての動きが加速していきます。

二〇二五年までに建築する住宅は省エネ基準に適合する義務はありませんが、現状の基準で住宅を建てたりリフォームをすると将来的に建物の価値が大きく低下する可能性がありますので注意が必要です。

●省エネ基準義務化の課題

実は、二〇一五年には二〇二〇年からの省エネ基準適合義務化が検討されていましたが、多くの中小工務店が省エネ性能の計算に対応できないため見送りと

住宅の省エネルギー性能の評価

出典：IBEC建設省エネルギー機構

＊**外皮の熱性能基準**　外壁や窓の外皮平均熱還流率（単位外皮面積・単位温度当たりの熱損失量）および、冷房期の平均日射熱取得率（単位外皮面積当たりの単位日射取得強度に対する日射熱取得量の割合）であり、地域区分に応じて定められる。

なっていました。省エネの光熱費の削減によって断熱材や設備機器の追加投資を回収するために長期間かかることや市場の混乱を懸念する声もありました。

現在、省エネ性能を評価するためには四つの評価方法があります。最も作業量の少ないのは、仕様基準を用いた方法ですが、採用できる建材・設備に制約があります。標準計算は商品を自由に選択することができますが、作業量が多くなります。

二〇一八年の調査によると、省エネ基準における外皮断熱性能や一次エネルギー消費量の計算を行うことができるのは、中小工務店、建築士とも約五割でした。仕様基準を用いて確認できる、を含めても六割程度にとどまっており四割は確認できないレベルでした。

国土交通省では設計者向けのオンライン講座を公開して計算方法の浸透と習熟度の向上をはかっています。建材・設備メーカーやエネルギー企業も省エネ計算のサポートを行っています。

住宅会社、工務店の設計者は早急な準備が必要です。

省エネ性能の評価方法

評価方法		仕様基準	モデル住宅法	簡易計算	標準計算
		決められた仕様の建材と設備を使用する	カタログ値を転記するなど簡単な方法	面積を算出しないで性能値を計算	面積を算出して性能値を計算
計算結果		計算しない	概算 ⟷		正確
作業負荷		小さい ⟷			大きい
外皮断熱性能	計算ツール	−	簡易計算シート	Excel 等	
	各部位の面積	計算しない	固定値を使用	固定値を使用	計算する
	各部位の性能	仕様基準の適合を確認	断熱材と窓の性能値をカタログから転記	熱伝導率等から性能を計算	
一次エネルギー消費量	計算ツール	−	簡易計算シート	エネルギー消費性能計算プログラム	
	設備の性能	仕様基準の適合を確認	設備を選択	設備の種類、仕様・性能を入力	
	太陽光発電等	−	考慮しない	仕様・性能を入力	

出典：省エネルギー基準（LIXIL ビジネス情報）を参考に作成

【光熱費削減効果】　東京の場合、これまでに一般的な住宅の年間光熱費28万円に対して、省エネ基準の住宅であれば22万円（▲6万円）、ZEH基準では16万円（▲12万円）と試算されている。札幌の場合は、39万円➡33万円（▲6万円）➡21万円（▲18万円）となっている。

住宅の一次エネルギー消費量の算定

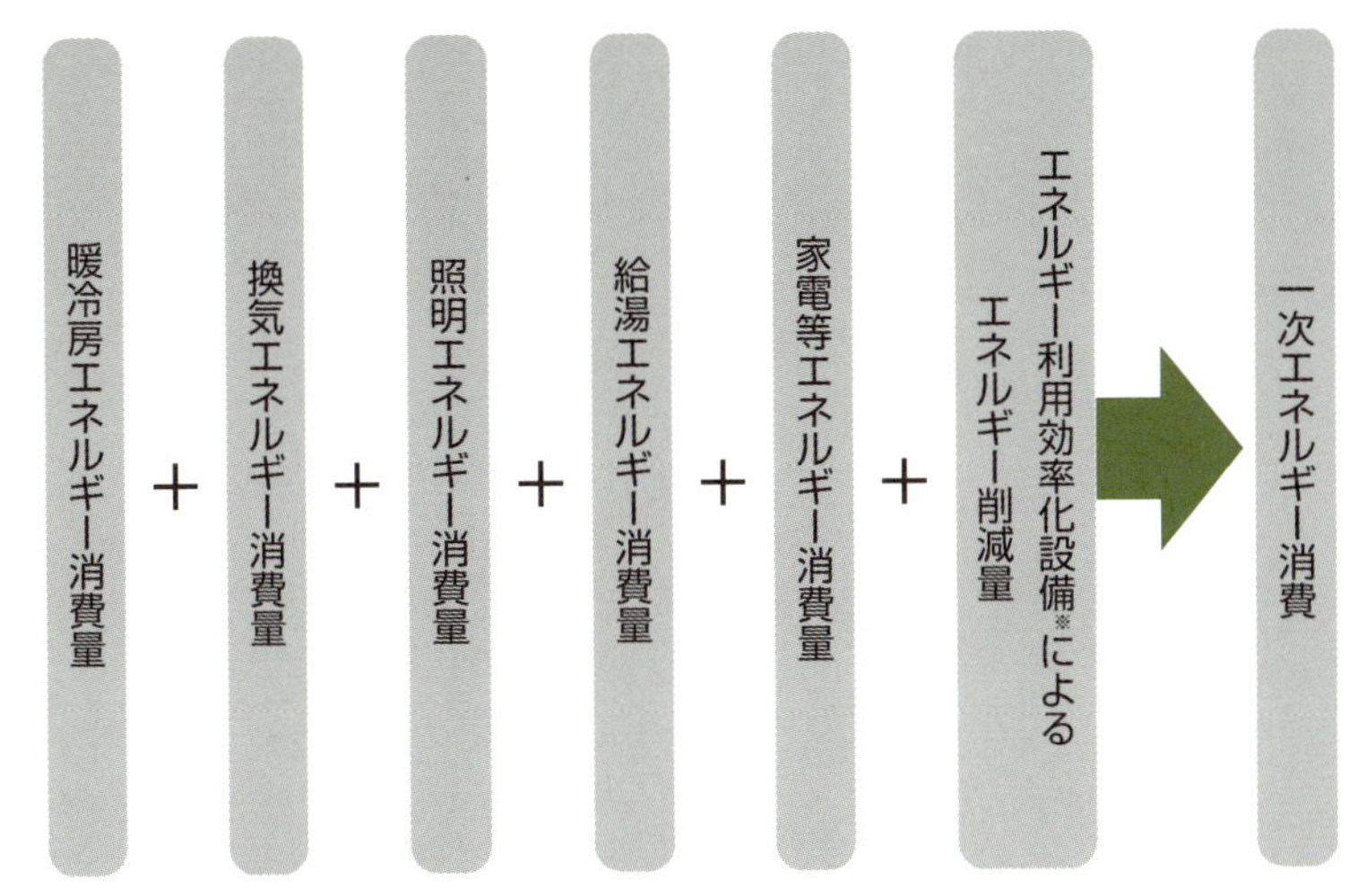

※太陽光発電設備等の自家消費分

住環境で重視する点（新たに土地を購入した顧客）

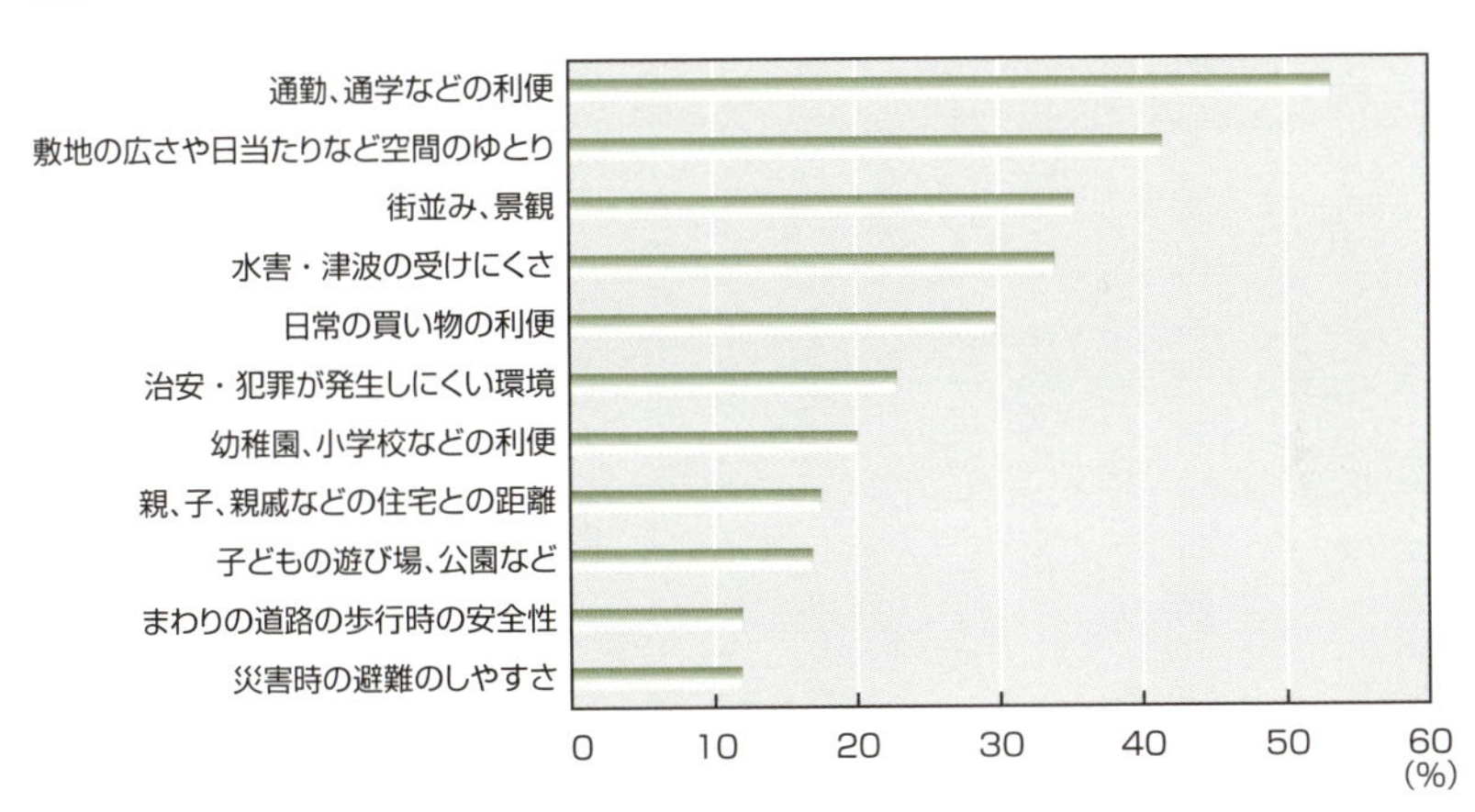

出典：2020年度戸建注文住宅の顧客実態調査報告書（(一社)住宅生産団体連合会）より作成

【カーボンニュートラル】 温室効果ガスの排出をゼロにすることであり、我が国は2050年の実現を目指している。排出量をゼロにすることは難しいため、できるだけ排出を少なくし、排出した分は植林などによるCO_2吸収や地中への貯留を行ってトータルでゼロを目指す。住宅の省エネ化もCO_2削減に大きく貢献する。

10 さらにハイレベルな省エネの基準ZEH

わが国のエネルギー消費量は、産業や運輸部門が減少傾向にあるのに対して、業務・家庭部門は著しく増加しています。二〇五〇年のカーボンニュートラル実現に向けて、住宅の省エネ化が大きな課題です。

●日本の住宅と省エネ化の推進

日本の住宅は、兼好法師の時代から「夏を旨とすべし」といわれ、風通しの良い開放的なデザインに特徴がありました。そのため、冬の寒さ対策は手薄で、家中に隙間がある状態でした。暖房器具が普及しても暖気がすぐに逃げてしまう状態であり、住宅の断熱化が求められていました。

一九八〇年に省エネ基準が定められた後も、改正が続き、断熱性能や気密性能の向上、エネルギー消費の削減が進んできました。二〇一九年度では、戸建住宅の八七%が省エネ基準に適合し、注文戸建住宅の二〇%がZEH（ゼロ・エネルギー・ハウス）基準を満たしています。二〇二〇年にはハウスメーカーの注文戸建住宅の五六%がZEHになりました。二〇二五年からは住宅の省エネ基準の適合も義務化されます。

しかし、二〇五〇年のカーボンニュートラル実現に向けては、全体の底上げと省エネ性能の格段の向上が必要になっています。二〇二一年に決定されたエネルギー基本計画では二〇三〇年にはZEH水準（再生可能エネルギーを除く性能）への適合が義務化される予定です。さらにその時点で新築戸建住宅の六割への太陽光発電の設置が目標とされており、将来の設置義務化も検討されています。

経済産業省のZEH実証事業では、ZEH化率の向上を目指すハウスメーカーや工務店の登録を進めており、ZEHビルダーとしてWEBサイトでの検索が

【トップランナー制度①】 住宅の省エネルギー性能の向上を誘導するための制度である。トップランナー基準は、外皮断熱性能は省エネ基準と同じであるが、一次エネルギー消費量は省エネ基準より高く設定されている。注文戸建住宅は▲25%、建売住宅は▲15%、賃貸アパートは▲10%である。対象となる事業者に対して国土交通大臣は省エネ性能の向上を勧告することができる。

可能です。二〇二二年三月時点で四七二二社が登録されています。登録者には、年度ごとのZEHシリーズ供給実績の報告が義務付けられています。

●様々な省エネレベル

認定低炭素住宅は「都市の低炭素化の促進に関する法律」で導入された制度です。省エネ基準と同等の断熱性能を有し、省エネ基準の一次エネルギー消費量△一〇%の性能であり、さらに節水機器や太陽光発電、HEMS（ホームエネルギーマネジメントシステム）などの低炭素化に資する措置を二項目以上行っていることが認定の条件になります。認定を受けると所得税、融資、容積率での優遇措置を受けることができます。

ZEHは、断熱性能を大幅に向上させ、高効率な設備の導入で省エネを実現した上で、再生可能エネルギーを導入して、年間の一次エネルギー消費量がゼロとなる住宅です。ZEHには、太陽光発電等の再生可能エネルギーを活用しにくい地域のためのZEH Oriented や Nealy ZEH の基準が設定されています。

ZEHのイメージ

太陽光発電
夏期
日射遮蔽
冬期
高効率照明設備（LED等）
高効率空調設備
省エネ換気設備
植栽
高断熱窓
HEMS
排出
涼風
補助対象
高効率給湯設備
高断熱外皮
蓄電システム
パッシブ
アクティブ

出典：「ネットゼロ・エネルギー・ハウス支援事業調査発表会 2017」（経済産業省　資源エネルギー庁）

【トップランナー制度②】　これまで、分譲住宅を年間150戸以上供給する事業者が対象であった。2016年の調査で、分譲戸建住宅の45%が年間150戸以上を供給する事業者により供給されており、建築費のコストダウンにより省エネ性能を軽視しないようにするための措置とされた。2019年11月からは、注文戸建住宅を年間300戸以上供給する事業者、賃貸アパートを年間1,000戸以上供給する事業者も対象となった。

都市部狭小地や多雪地域、寒冷地、低日射の土地は、太陽光発電の効果を十分に得ることができないためです。

ZEH+や次世代ZEHは、高度エネルギーマネジメントシステム（HEMS）やV2H設備、蓄電システムなどの導入が条件となっています。これにより今後の目指すべき方向を示しています。このような省エネ性能の高い住宅の普及を促進するために、優遇措置やレベルに応じた補助金が設定されています。

LCCM住宅（ライフサイクル・カーボン・マイナス）は、建設時から廃棄時までの住宅の生涯でのCO_2収支をマイナスにする住宅です。

●省エネ性能の上位等級

ハイレベルな省エネ性能に合わせて性能表示制度の上位等級が創設されます。二〇二二年四月から断熱等性能等級に等級五が、一次エネルギー消費量等級に等級六が創設されました。

二〇二二年一〇月からは断熱等性能等級に等級六、等級七が創設されます。そして、性能表示制度においては断熱等性能等級または一次エネルギー消費量等級のいずれかが必須評価項目でしたが、一〇月からは両方が必須になります。

このような方策によって、日本の住宅の断熱性能とエネルギー消費量が大きく改善されていきます。二〇五〇年には、ストック住宅の平均でZEH基準の省エネ性能が確保され、太陽光発電設備等の再生可能エネルギーの導入が一般的となることが目標となっています。

省エネに関するレベル

省エネ基準	認定低炭素住宅	トップランナー基準	ZEHシリーズ	LCCM住宅

【ZEH-M（Net Zero Energy House Mansion）】　ZEHのマンション版である。パッシブ技術の採用による自然エネルギーの活用、高効率な設備の導入により大幅な省エネを実現した上で、再生可能エネルギーの導入によって年間一次エネルギー消費がゼロになる集合住宅。

省エネ性能に係る上位等級の創設

□2022年4月から ■2022年10月から

●断熱性能等級

等級7	戸建住宅のみ	▲40%
等級6	戸建住宅のみ	▲30%
等級5	ZEH基準相当	▲10%
等級4	H25年基準相当※	基準0
等級3	H4年基準相当	
等級2	S55年基準相当	
等級1		

※現在の省エネ基準

●一次エネルギー消費量等級

等級6	ZEH基準相当	▲20%
等級5	低炭素基準相当	▲10%
等級4	H25年基準相当※	基準0
等級3	既存住宅のみ	
−		
等級1		

※現在の省エネ基準

ZEH等の種類と省エネレベル

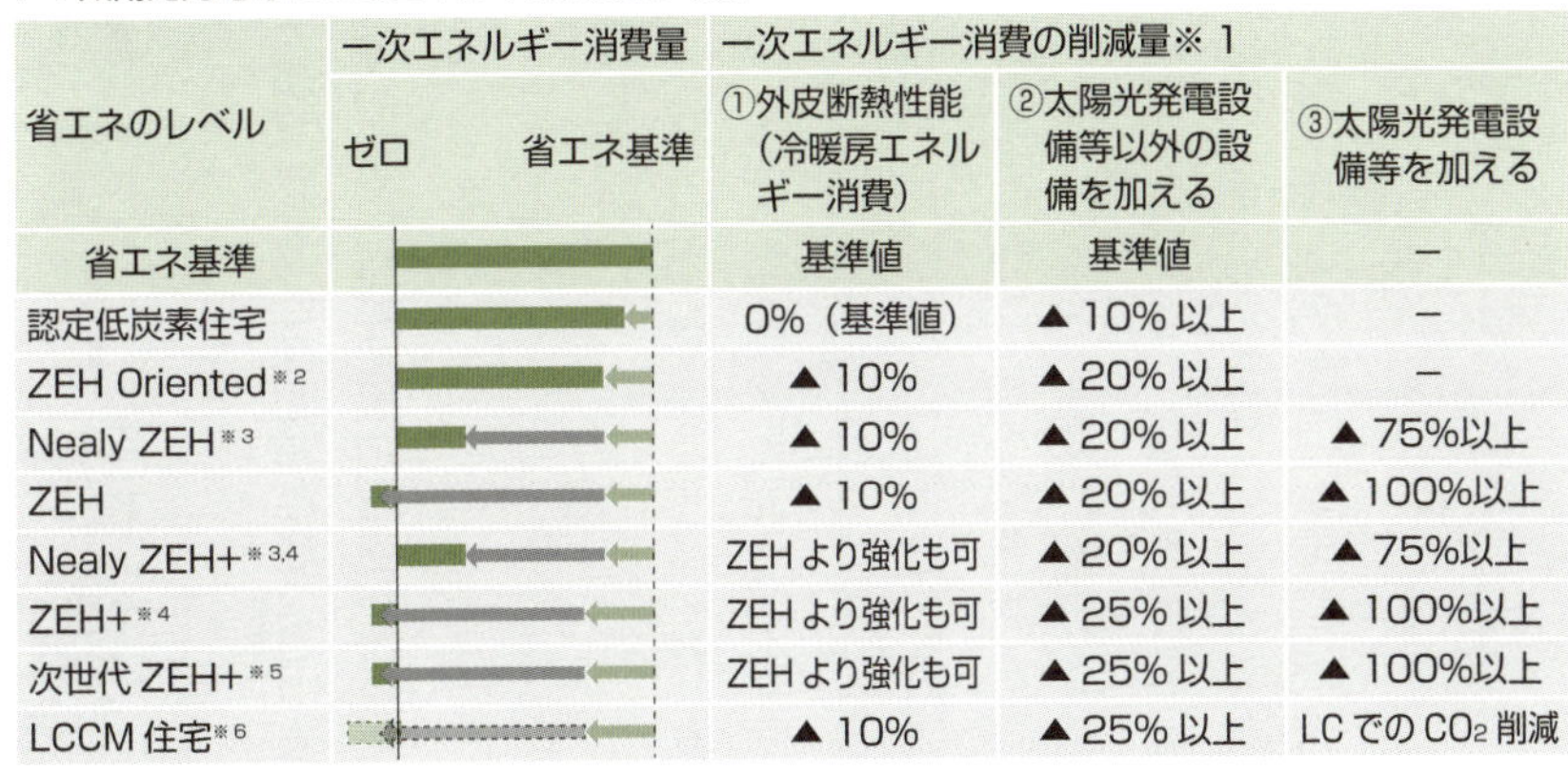

⇐：外皮断熱性能向上と設備によるエネルギー消費の削減（①＋②）
⇐：太陽光発電等によるエネルギ消費削減（③）

省エネのレベル	一次エネルギー消費量（ゼロ　省エネ基準）	一次エネルギー消費の削減量※1 ①外皮断熱性能（冷暖房エネルギー消費）	②太陽光発電設備等以外の設備を加える	③太陽光発電設備等を加える
省エネ基準		基準値	基準値	−
認定低炭素住宅		0%（基準値）	▲10%以上	−
ZEH Oriented※2		▲10%	▲20%以上	−
Nealy ZEH※3		▲10%	▲20%以上	▲75%以上
ZEH		▲10%	▲20%以上	▲100%以上
Nealy ZEH+※3,4		ZEHより強化も可	▲20%以上	▲75%以上
ZEH+※4		ZEHより強化も可	▲25%以上	▲100%以上
次世代ZEH+※5		ZEHより強化も可	▲25%以上	▲100%以上
LCCM住宅※6		▲10%	▲25%以上	LCでのCO_2削減

※1　改正省エネ基準（2013年）、建築物省エネ法（2016年）と比較しての削減量を示す。
※2　ZEH Orientedは、都市部狭小地、多雪地域では再生可能エネルギーを加味しないで申請できる
※3　Nealy ZEHは、寒冷地、低日射地、多雪地域において申請できる
※4　＋（プラス）は、①断熱性能等級5超、②高度エネルギーマネジメントシステム（HEMS）、③電気自動車への充電のうち2つ以上を備える
※5　ZEH+に加えて、①V2H設備、②蓄電システム、③燃料電池、④太陽熱利用温水システムのいずれかを導入、自家消費の拡大
※6　ライフサイクル全体を通じたCO_2排出量がマイナス（一次エネルギー消費量のグラフはイメージ）

【誘導基準】　現在の誘導基準は省エネ基準に対して外皮断熱性能は同等、一次消費エネルギーは▲10%のレベルである。認定低炭素と同じである。

11 住宅解体時のアスベスト調査義務化

石綿による肺がんや中皮腫などの健康障害の発生は、社会的にも大きな問題となっています。二〇二二年四月から建築物等の解体または改修工事時の、石綿使用有無の事前調査結果の報告が義務化されました。

●危険を知らせずに販売

石綿（アスベスト）＊は、安価で耐久性が高く、耐火性に優れるため、多くの建材に含有されて使われてきました。一九七〇年から九〇年にかけて、ピーク時には年間約三〇万トンという大量の石綿が輸入され、累計輸入量は一〇〇〇万トンに及びます。石綿自体の危険性は以前から認識されており、一九七五年には石綿含有量五％を越える吹き付け材の規制が行われました。しかし、その後も石綿の含有量が五％未満の建材は石綿を含有している旨の表示をする義務がなかったため、石綿含有建材が広く一般の住宅向けに使われ続けました。中小工務店では、身近な建材に危険物が含まれていることもよく知らずに使用していたのが実態です。

（社）日本石綿協会では、一九八九年から石綿を五％以上含有する建材に「a」マークを表示する自主規制を行い、一九九五年からは表示基準を一％以上含有と厳しくしました。しかし、多くの建材メーカー各社は表示をしなくて済むぎりぎりの含有量で製造を続けてきました。それほど石綿は安価で、建材に適した材料だったのです。石綿問題が社会問題化した二〇〇四年に、ようやく石綿含有量一％を超える建材の製造、販売が禁止となり、二〇〇六年以降は、石綿含有量〇・一％を超えるすべての物の製造が禁止されました。建材メーカー各社では、ホームページなどで、石綿を使用して製造した商品と製造時期を公開してい

＊**石綿（アスベスト）**　非常に細い繊維のため、飛散すると空気中に浮遊しやすく、吸入されてヒトの肺胞に沈着しやすい特徴を持つ。吸い込んだ石綿の一部は異物として痰に混ざり、体外へ排出されるが、石綿繊維は丈夫で変化しにくい性質のため、肺の組織内に長く留まり、肺がん、中皮腫などの病気を引き起こす要因となる。

ます。大手住宅メーカーでは、石綿含有建材を使用した住宅のモデルや販売時期を公開しています。大和ハウスのホームページでは、引渡し時期とモデル名を選択すると、石綿含有建材の使用がわかるようになっています。

●住宅解体工事のピーク

一九七〇年から九〇年にかけて大量に建てられた建築物の解体ピークが、二〇二〇年から二〇四〇年頃に来ると予想されており、建築物の解体作業における石綿暴露防止対策の徹底が大きな課題となっています。建築物の解体などの作業における対策強化のために、二〇〇五年七月に**石綿障害予防規則**が施行されました。主なポイントは、①建築物等の解体等における石綿使用の事前調査、②建築物等の解体等の作業における作業計画の作成、③解体等の作業の届出と隔離・立入り禁止措置などです。

このような規則が制定されても現場では、石綿の存在を十分に把握しないまま解体する事例が頻発していました。

●石綿調査の義務化

そこで、二〇二〇年七月に石綿障害予防規則が改正されました。そして二〇二二年四月から、建築物解体前の石綿有無の事前調査を行い、その結果を労働基準監督署と自治体へ報告することが義務化されました。事前調査は、設計図書等の調査と、目視による調査の両方を行う必要があります。事前調査はすべての工事が対象で、報告は延床面積八〇㎡以上の解体工事、一〇〇万円以上の改修工事などです。

調査・報告は施工業者の義務ですが、発注者は解体・改修工事を行う建築物等の石綿の使用状況（設計図書など）を施工業者に伝えるよう努める必要があります。二〇二三年一〇月からは、調査を建築物石綿含有建材調査者または日本アスベスト調査診断協会の登録者が行う必要があります。施工業者の資格取得講習の受講が増えています。調査の信頼性の確保が大切です。

厚生労働省は施工業者に対して、建設現場の見やすい箇所に石綿含有の有無や飛散防止措置などを掲示

【欠陥住宅問題】　欠陥住宅問題の特徴は、他の消費者問題と比較して、①被害者に落ち度が少ない、②被害金額が莫大である、③精神的苦痛が大きいという特徴がある。

するように指導しています。解体・改修工事の発注者に対しては、見積書に事前調査費用が計上されていること、調査資格者がいることを確認するよう指導していますが、一般の住宅所有者には十分に伝わっていません。

このような対策によって石綿の危険は減少しますが、それでも災害時は、石綿の飛散を防ぐことができません。阪神淡路大震災では、被災地域の環境中の石綿濃度が長期にわたり高いレベルであったといわれています。

●解体廃棄物の再資源化

建設廃棄物の再資源化、再利用を促進するため、二〇〇〇年五月に**建設リサイクル法**が制定されました。一定規模以上の建築物の解体・新築工事を請け負う事業者に、建設廃棄物の分別、リサイクルなどを義務付けています。

分別解体等および再資源化等の実施義務の対象となる建設工事の基準は、①建築物の解体工事では床面積八〇平方メートル以上、②建築物の新築または増築の工事では床面積五〇〇平方メートル以上、③建築物の修繕、模様替えなどの工事では請負代金が一億円以上、④建築物以外の工作物の解体工事または新築工事などでは請負代金が五〇〇万円以上です。対象建設工事の実施に当たっては、工事着手の七日前までに発注者から都道府県知事に対して分別解体等の計画などを届け出ることなどが義務付けられています。

国の推計によると、二〇二三年に五・五万棟であった解体棟数は、二〇二八年に一〇万棟に達する見通しです。

石綿含有建材解体作業時の措置

- ●発生源対策
  - 湿潤化
- ●ばく露防止対策
  - 呼吸用保護具・保護衣
- ●隔離
- ●立入禁止
- ●管理
  - 石綿作業主任者
  - 特別教育
  - 掲示
  - 作業の記録
  - 保護具の管理等

出典：石綿の有無の事前調査結果の報告が施工業者の義務になります！（厚生労働省）

【建築物石綿含有建材調査者】　講習の内容は、石綿の種類や健康への影響、どこに使われているかの情報取集や図面の読み方、現地調査方法、試料採取や分析、報告書の作成方法などとなっている。

アスベスト建材の使用例

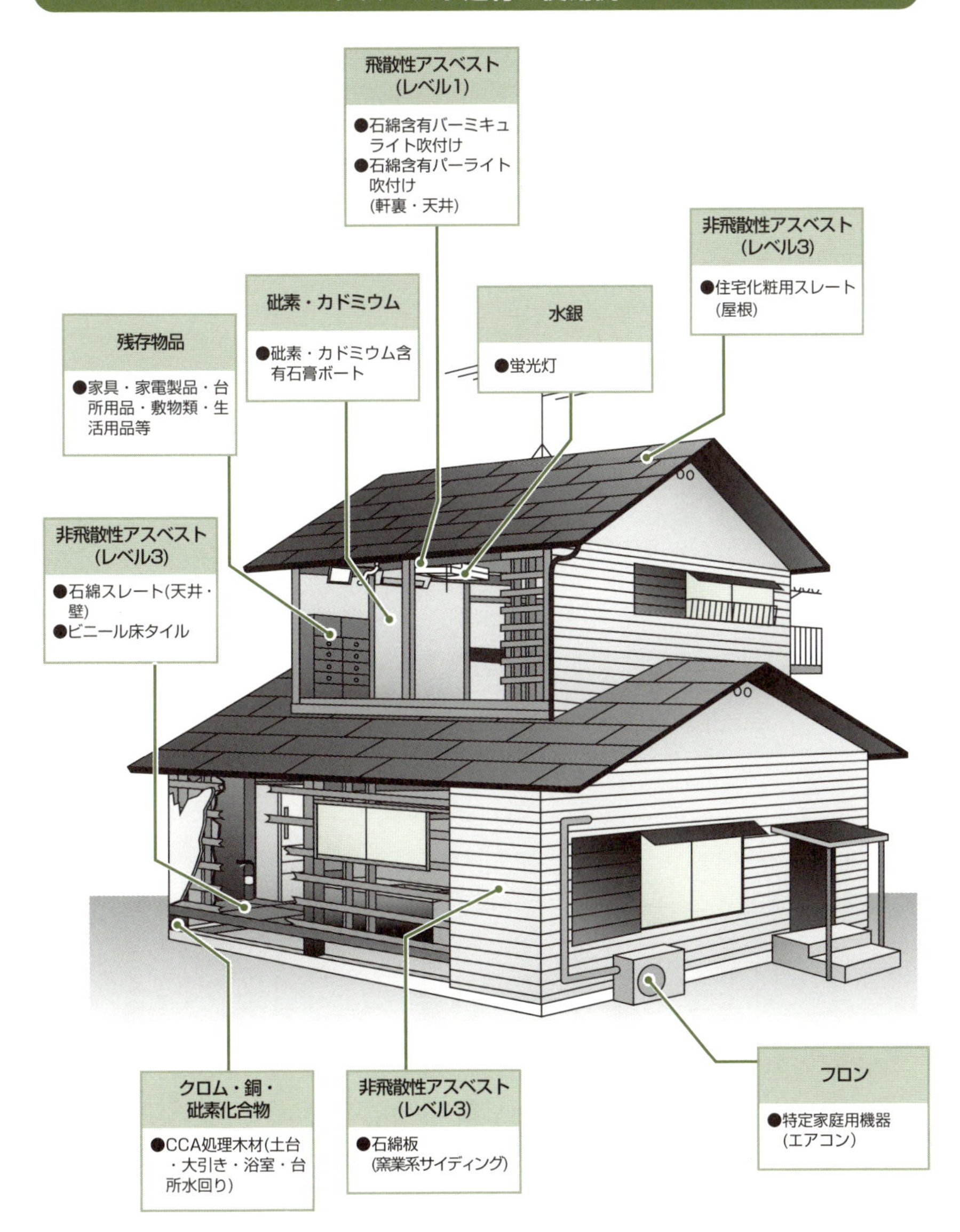

【アスベストの飛散性】　アスベストは、利用されている形状や密度によって、解体工事の際に飛散するリスクが異なる。建設業労働災害防止協会では、アスベストの飛散性によって、アスベスト含有建材別に作業レベルを区分している。アスベスト含有吹付け材は、レベル１で飛散性が著しく高い。石綿含有保温材や耐火被覆材、断熱材は、レベル２で飛散性が高い。アスベスト含有建材（成形板等）は、レベル３で飛散性が比較的低い。

事前調査結果の報告の対象となる工事・規模基準

以下に該当する工事は報告が必要です（石綿がない場合も報告が必要です）。

工事の対象	工事の種類	報告対象となる範囲
全ての建築物 （建築物に設ける建築設備を含む）	解体	解体部分の床面積の合計が 80m² 以上
	改修※1	請負金額が税込 100 万円以上
特定の工作物※3	解体・改修※2	請負金額が税込 100 万円以上

※1　建築物の改修工事とは、建築物に現存する材料に何らかの変更を加える工事であって、建築物の解体工事以外のものをいい、リフォーム、修繕、各種設備工事、塗装や外壁補修等であって既存の躯体の一部の除去・切断・破砕・研磨・穿孔（穴開け）等を伴うものを含みます。

※2　定期改修や、法令等に基づく開放検査等を行う際に補修や部品交換等を行う場合を含みます。

・反応槽、加熱炉、ボイラー、圧力容器、煙突（建築物に設ける排煙設備等の建築設備を除く）
・配管設備（建築物に設ける給水・排水・換気・暖房・冷房・排煙設備等の建築設備を除く）
・焼却設備、貯蔵設備（穀物を貯蔵するための設備を除く）
・発電設備（太陽光発電設備・風力発電設備を除く）、変電設備、配電設備、送電設備（ケーブルを含む）
・トンネルの天井板、遮音壁、軽量盛土保護パネル
・プラットホームの上家、鉄道の駅の地下式構造部分の壁・天井板

出典：石綿の有無の事前調査結果の報告が施工業者の義務になります！（厚生労働省）

低下するプレハブ住宅工場の稼働率

新設住宅着戸数の減少に伴って、プレハブ住宅工場の稼働率が低下しています。

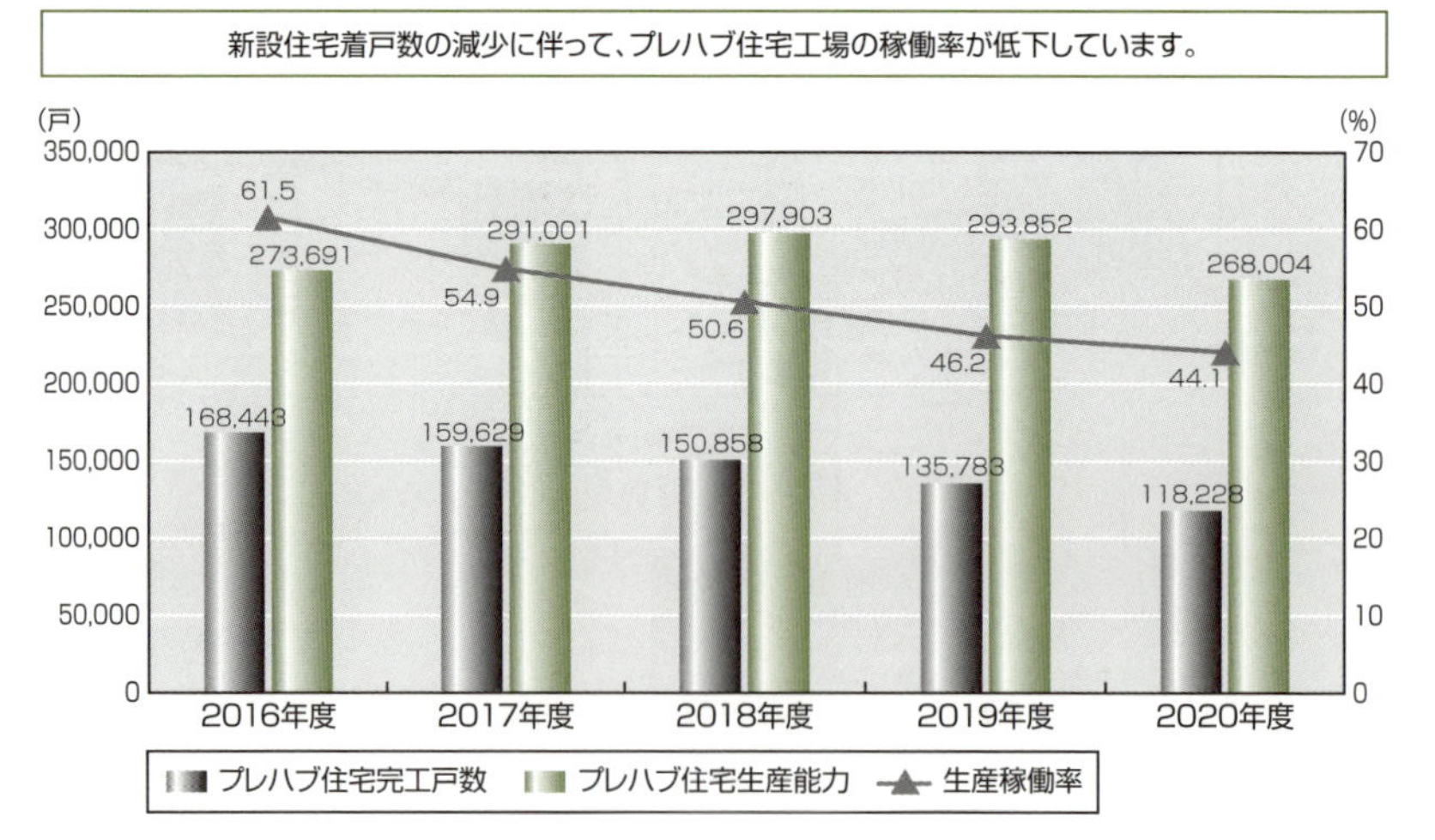

出典：「2020年度プレハブ住宅完工戸数実績調査及び生産能力調査報告書」（(一社)プレハブ建築協会）より作成

【IH（Inductional Heating）】　電磁誘導加熱のこと。IHクッキングヒーターは、鍋やフライパンとの間に電流を生じさせて鍋やフライパンを直接発熱させるため、加熱効率が高い。

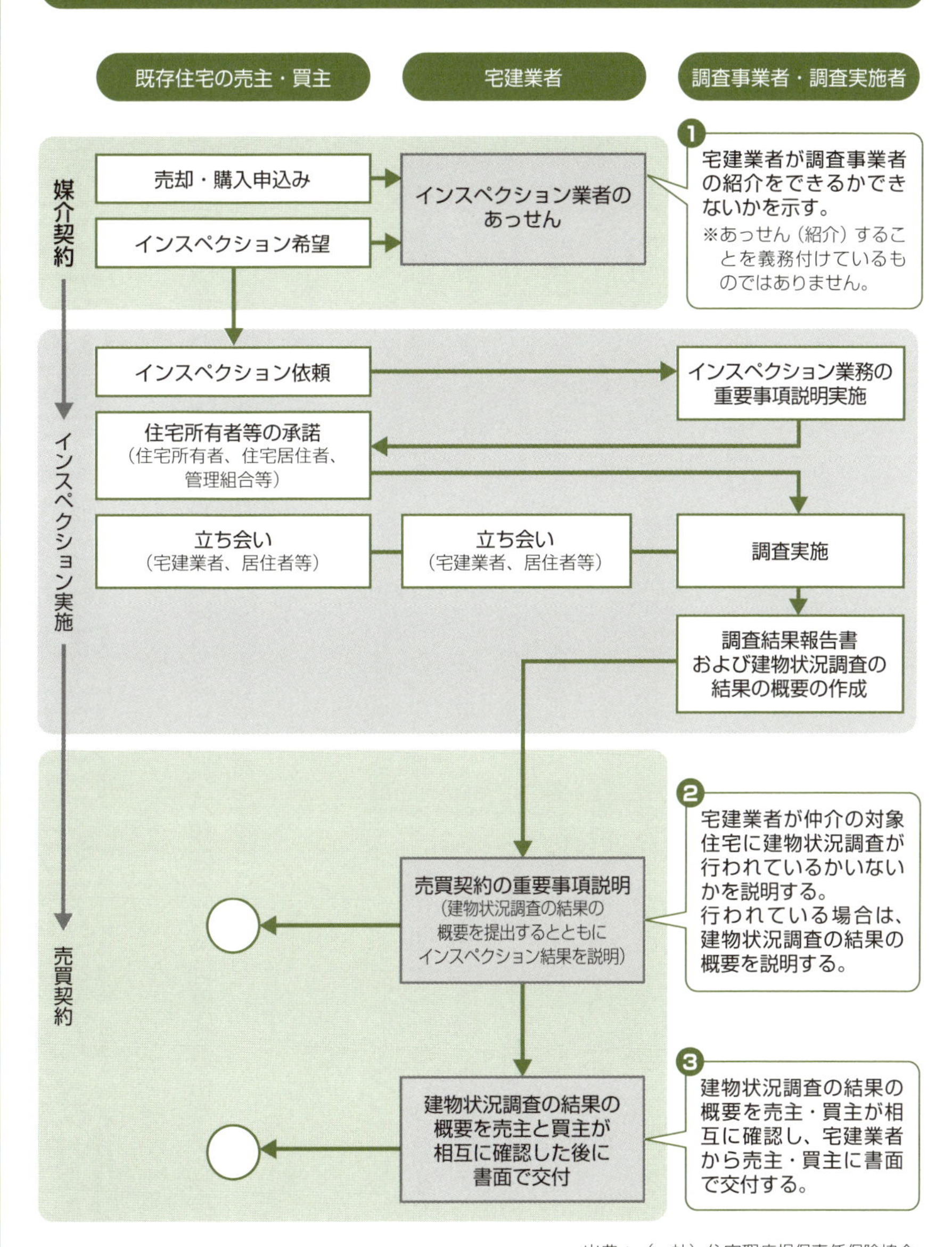

出典：（一社）住宅瑕疵担保責任保険協会

【無締り】　玄関や窓の鍵を閉め忘れること。ピッキングによる施錠開けの痕跡が見つからず、無締りと判断されることもある。ピッキングとは、正しい鍵を使わずに中の部品も壊さず錠を開ける手口のこと。

「宅建業法」改正による中古住宅流通の活性化 12

二〇一八年の既存住宅流通量（一戸建等）は八・一万戸です。二〇一八年四月の宅地建物取引業法改正により、既存建物取引時における建物の情報提供の充実に関する規程が定められました。

●情報提供の充実

既存住宅の取引時に、購入者は住宅の質を判断することができないため不安を抱えています。一方、既存住宅は個人間で売買されることが多いため、一般消費者である売主に情報提供や瑕疵担保の責任を負わせることが困難でした。そこで、不動産取引のプロである宅建業者が、専門家によるインスペクション（建物状況調査）の活用を促し、売主と買主の両方が安心して取引を行うことができる市場環境を目指して宅建業法の改正が行われました。

宅建業者はまず、媒介契約締結時にインスペクション業者のあっせんの可否を示し、媒介依頼者の意向に応じてあっせんしなければなりません。さらに、買い主に対する重要事項説明時には、インスペクションを行っていればその結果を説明しなければなりません。建築基準法令や新耐震基準への適合性、新築時・増改築時の設計図書や新築以降に行われた調査点検の報告書などの書類の有無も示さなければなりません。

そして、売買契約締結時には、売り主と買い主が相互に基礎や外壁などの建物の現況を確認し、その内容をそれぞれ書面で交付します。建物の状態が明らかになり、売り主と買い主の双方が安心して交渉し、購入判断ができる住宅市場になることが期待されています。住宅市場動向調査報告書によると中古戸建住宅購入時のインスペクション実施率は二〇一六年度の一二％から二〇二二年度は一七％になっています。

【不動産会社が行う住宅建築】 不動産会社が行う住宅建築は、土地情報に強いという特徴がある。そのため、建売や中古にも興味があり、立地が最優先という顧客が集まりやすい。それに対して住宅会社の顧客は、家に対するこだわりが強く、間取りや仕様などの細かい話が多くなる。

宅建業法改正の内容

段階	取引の流れ	新たな措置内容
申し込み	売却、購入申し込み	
申し込み	①媒介契約締結	宅建業者が建物状況調査（インスペクション）事業者のあっせんの可否を示し、媒介依頼者の意向に応じてあっせん

依頼者の意向に応じて
建物状況調査（インスペクション）を実施

段階	取引の流れ	新たな措置内容
契約手続き	②重要事項説明	建物状況調査（インスペクション）がなされていれば、宅建業者がその結果を買い主に対して説明
契約手続き	③売買契約締結	基礎、外壁などの現況を売り主、買い主が相互に確認し、その内容を宅建業者から売り主、買い主に書面で交付
契約手続き	物件の引き渡し	

出典：「既存住宅流通・リフォームで求められるインスペクション」（（一社）住宅リフォーム推進協議会）

【住宅の建築工期】 住友林業のホームページによると同社の戸建注文住宅の工期は、打ち合わせまでが4ヵ月、さらに工事～引き渡しまで4～6ヵ月となっている。

火事を防ぐ防火、耐火の法律

火災の発生や延焼の危険から建物を守り、災害に強い街にするため、都市計画法によって、防火地域と準防火地域が定められています。

●都心の中心部ほど厳しい防火の規制

防火地域は、主に駅周辺の商業系の用途地域など、市街地の中心部で、建物の密集度が特に高く、火災が発生すると危険度が高い地域や、避難に重要な幹線道路沿いに定められます。火災の延焼拡大を抑制し、安全なまちづくりを行うためです。この地域内では、地階を含む階数が三以上か、または延べ面積が一〇〇平方メートルを超える建物は耐火建築物とし、それ以外の建物も耐火建築物または準耐火建築物としなければなりません。したがって、防火地域内では、鉄筋コンクリート造、鉄骨鉄筋コンクリート造、鉄骨造などの建物が中心となります。

準防火地域は、商業地域、および近隣商業地域などで木造建築物が密集した市街地が指定されます。主に防火地域の外側の地域です。準防火地域内で建築可能な一般の木造建築物は、延べ面積が五〇〇㎡までで、かつ三階建て以下となっていますが、この場合も延焼の恐れのある部分などについては、防火構造にするなどの基準が定められています。木造建築物の耐火性能の向上により2×4工法や在来木造でも耐火建築物を建てることが可能になっています。

準防火地域の外側にある地域には、屋根からの火の粉による延焼を防止するために、**法二二条区域**が設けられています。都市計画上の区域ではなく建築基準法第二二条に基づくため、このように呼ばれます。

東京や大阪などの都市部では条例で新たな防火規

【延焼の恐れのある部分】 隣接する建築物などが火災になった場合に、延焼する可能性が高いため、道路中心線または隣地境界線から2階以上の階では5メートル以内、1階では3メートル以内の範囲を延焼の恐れのある部分として定めている。

制区域が指定されています。木造密集地域の災害時の安全性を確保するためです。

●住宅の屋根、外壁の防火

防火地域、準防火地域、法二二条区域では、屋根は飛び火に対して燃え広がらないように不燃材料とします。

準防火地域内の木造建築物などは、外壁および軒裏で延焼のおそれのある部分を防火構造としなければなりませんし、法二二条区域内の木造建築物などは、同じく準防火構造としなければなりません。防火構造は、通常の火災時に三〇分程度、準防火構造は、二〇分間程度延焼を抑える性能を持っています。

このような防火の規制があるため、木造住宅の外壁にはモルタルを塗ったり、防火性能に優れる窯業系サイディングを用いるのです。防火処理を施した木材が使われる場合もあります。

窓ガラスは火災の熱で割れて炎が侵入する可能性があるため、延焼の恐れのある部分では網入りガラスや耐熱強化ガラスを用います。

防火のための地域と建築制限

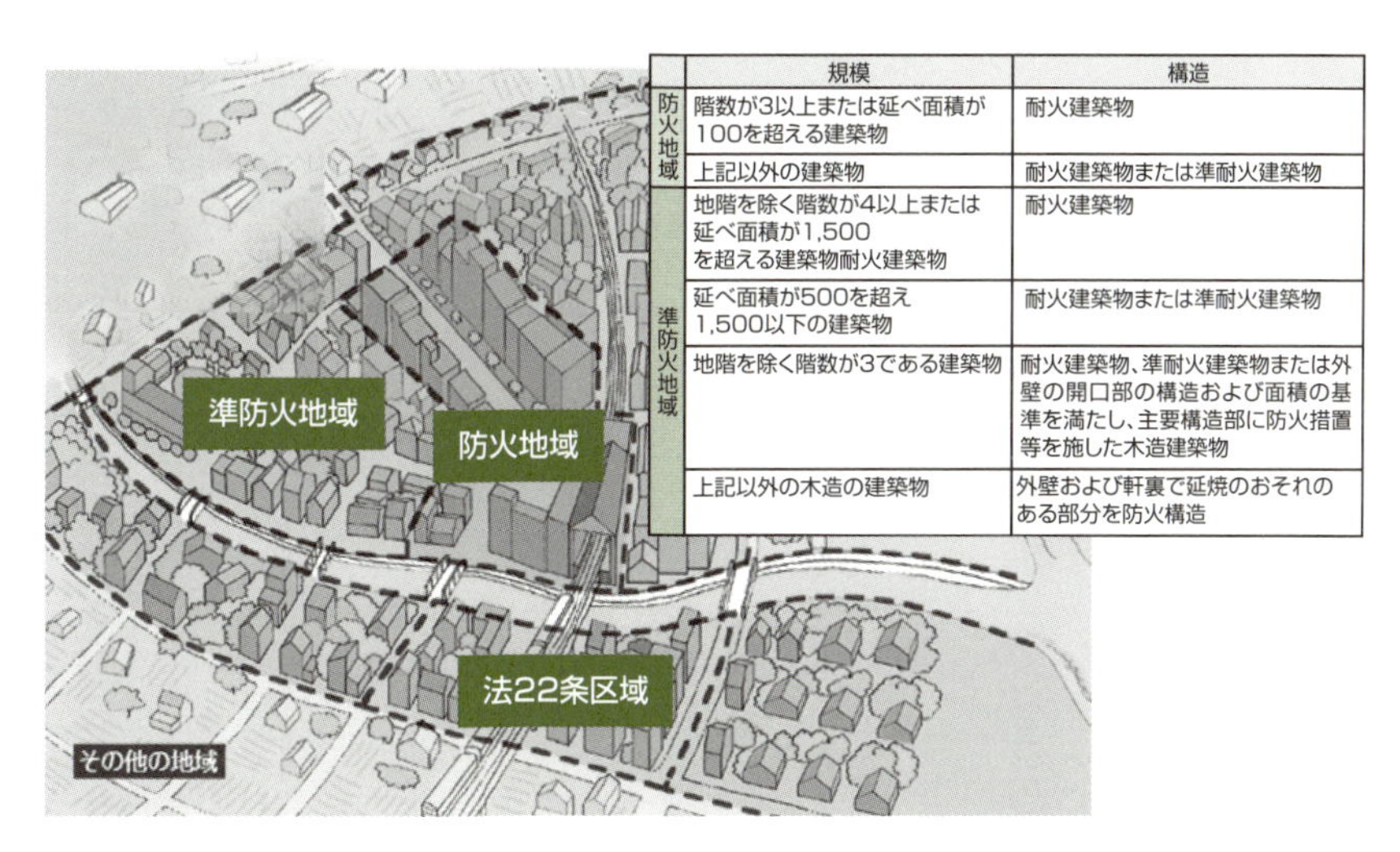

	規模	構造
防火地域	階数が3以上または延べ面積が100を超える建築物	耐火建築物
防火地域	上記以外の建築物	耐火建築物または準耐火建築物
準防火地域	地階を除く階数が4以上または延べ面積が1,500を超える建築物耐火建築物	耐火建築物
準防火地域	延べ面積が500を超え1,500以下の建築物	耐火建築物または準耐火建築物
準防火地域	地階を除く階数が3である建築物	耐火建築物、準耐火建築物または外壁の開口部の構造および面積の基準を満たし、主要構造部に防火措置等を施した木造建築物
準防火地域	上記以外の木造の建築物	外壁および軒裏で延焼のおそれのある部分を防火構造

出典：（財）日本住宅・木材技術センターウェブサイト

【耐火建築物と準耐火建築物】　耐火建築物は、火災発生時に建物が倒壊しないうちに安全に屋外に避難できるように、壁、柱、梁、床、屋根、階段といった主要構造部分が、建物の規模に応じて30分から3時間の火災に耐えられるようにできている建物であり、準耐火建築物とは、通常の火災による延焼を抑えるため、30分から1時間の間、火災に耐えられるようにできている建物である。

逃げ遅れを防ぐ火災報知器の設置

14

消防法改正により、二〇〇六年から新築住宅への住宅用火災警報器の設置が義務付けられました。二〇二〇年七月一日時点の全国での設置率は八二・六％となっています。

●死者の大半が逃げ遅れ

二〇二〇年の住宅火災の件数は、九八四〇件で建物火災の五五％を占めています。一方、住宅火災による死亡者数は、八九九名となっており、建物火災の死者の九割を占めています。死者の五〇％は、火災発見が遅れたことなどによる逃げ遅れが原因です。

二〇〇四年の**火災警報機**の設置義務化以降、住宅火災の件数、死亡者数とも減少傾向にあります。住宅火災の発生件数は、二〇〇六年の約六割、死亡者数は七五％になっていますが、年齢別に見ると死亡者数の七二％が六五歳以上の高齢者となっており、高水準で推移しています。今後も高齢化の進展が確実ですから、火災や逃げ遅れの対策に取り組むことが必要です。

発火源別に見ると、たばこによるものが一六％で最も多く、次いで電気器具一三％、ストーブ九％、コンロ三％となっています。時間帯別に見ると、就寝時間帯である〇時から翌朝六時までと夕方の時間帯が多く、特に二時から六時の間が多くを占めています。

●煙式と熱式

火災報知器には、煙を感知する「煙式」と熱を感知する「熱式」があります。火災を感知すると音や音声で警報を発します。室内での燃え広がりを防ぐためには、内装に燃えにくい材料を用いる必要があります。防災処理を施したカーテンや不燃処理を施した内装木材などがあります。

【火災警報器の設置基準】 就寝中の火災発生による逃げ遅れが火災の死者を増やしていることから、寝室および、寝室が２階にある場合には階段上部への取り付けが義務付けられている。火災発生率の高い台所については努力義務となっているが、条例により義務付けている市町村が多くなっている。

住宅火災の件数および死者数の推移

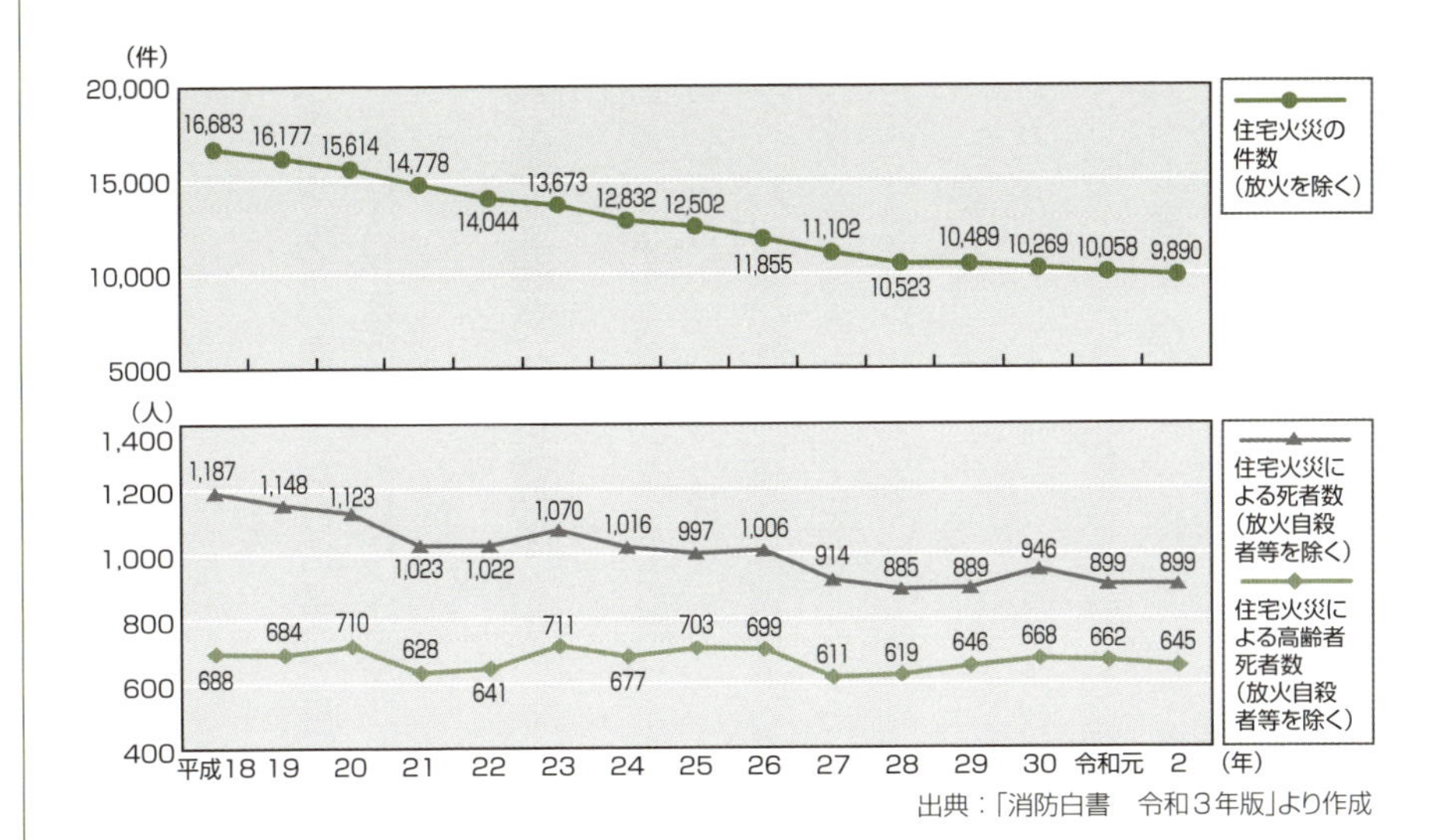

出典：「消防白書　令和３年版」より作成

住宅火災の死に至った経過別死者発生状況

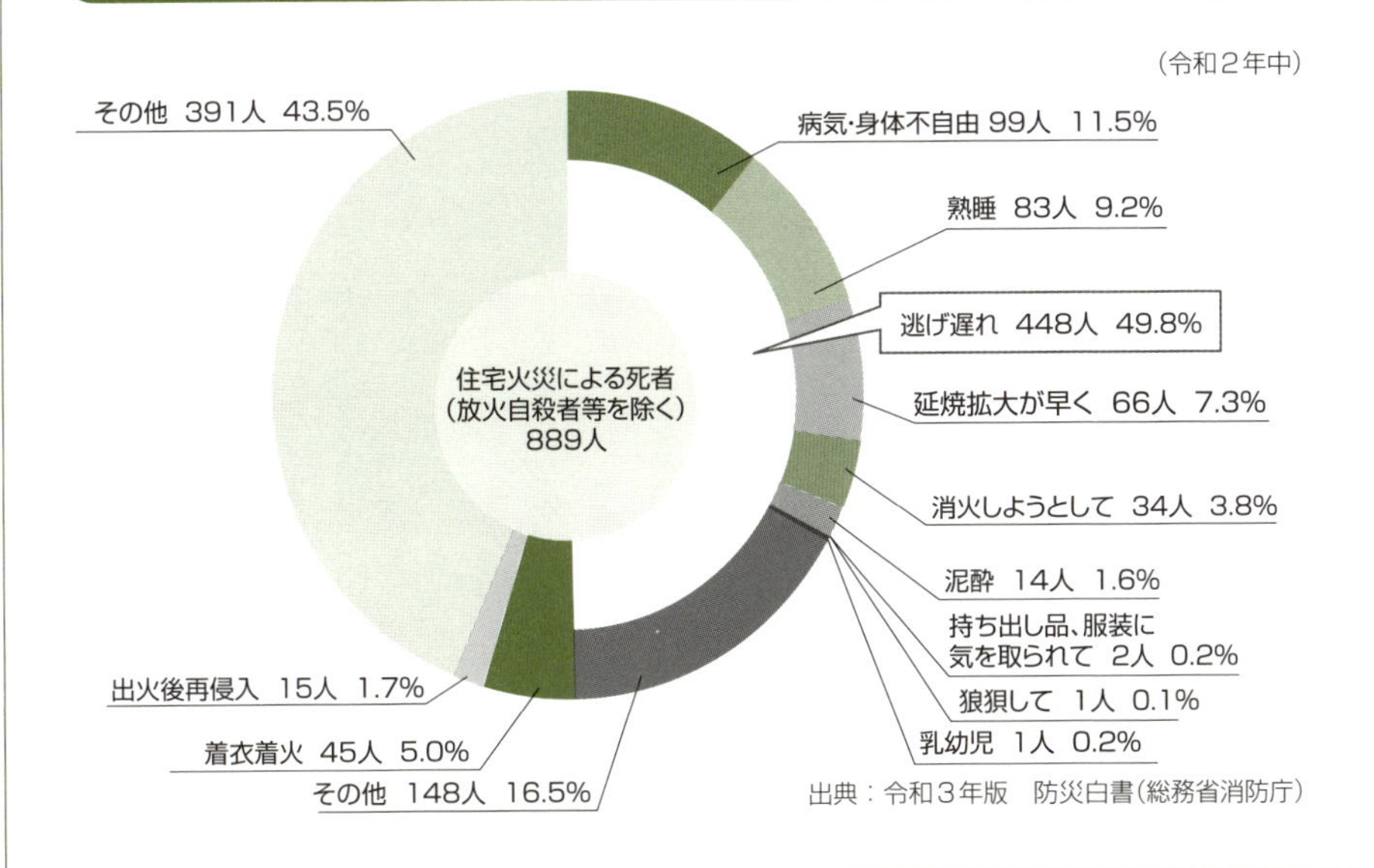

出典：令和３年版　防災白書（総務省消防庁）

【火災警報機の課題】　現在の住宅用火災警報器等の大半は、音による警報を発するものとなっている。一方、全国の聴覚障がい者数は約３４万人といわれている。ストロボライトや高輝度LEDを使用したもの、また、振動を用いた警報機器など、聴覚障がい者向けに認知されやすい火災警報機がある。

15

日本の街並みを変える「景観法」

都市化の進展や地方の過疎化などによって日本の美しい景観がこれ以上失われることを防ぐため、二〇〇五年六月に景観法が施行されました。住宅地の景観維持についても大きな効果が期待されています。

●景観の基本理念を明確化

大正末期から昭和初期にかけて、東京や大阪などでは、景観的にも優れた並木道が出現し、郊外では風致地区*を指定した緑豊かな区画整理も行われました。

しかし、敗戦後の復興と戦後の高度成長の中で経済性重視の都市開発が行われてきました。建物自体も多様な構造、工法、材料、形状、色彩が入り乱れ、雑然とした街並みになってしまいました。近隣の風景との調和を考えておらず、統一感に欠けていますし、電線、電柱も風景を邪魔しています。各種の斜線制限のため、屋根を途中で切り離したような形の住宅が多くあります。六〇坪程度の敷地が相続されると、二〇坪ずつのミニ開発にすることも多く行われ、狭い土地に無理やり住宅を建てた印象を各地で与えています。

このような状況を打破するために、**風致地区***、**美観地区**などの地区指定や、**建築協定***の活用によるルール作りなどが行われてきました。しかし、業者の利益追求を求める開発に対して、行政は待ったをかける権利がなく、住民の反対運動など自発的な運動に頼らざるを得ない状況でした。

そこで、景観の基本理念を明確化する法律が制定されました。国、地方公共団体、事業者、住民それぞれの責務を定め、景観形成のための規制や、自治体に一定の強制力を持たせる仕組みが整備されています。

景観法の制定を受けて、各自治体では、建物の配置基準や屋根・外壁のデザイン、色彩基準などを盛り込

*風致地区　良好な自然的景観を形成している地域について、その風致を維持し、環境保全を図るため、建築などの規制を適切に行うことができるよう、相当規模の区域を対象として定めるもの。

んだ景観計画を策定しています。全国の自治体の三五%である六三〇団体で景観計画が策定されています。

●総合的な計画の重要性

市街地の環境向上のため、バリアフリー、省エネルギー、ヒートアイランド対策、防災、防犯、景観整備など様々な観点で住宅市街地の整備が進められています。しかし、これらは相互の連携がなく、別々に整備が進められているのが実態です。

例えば、防犯の観点からは、見通しの良さが求められるため、死角が生じるような高木は排除されますが、省エネルギー、ヒートアイランド対策の観点からは積極的な植栽が求められます。また、歴史的景観地区では木造建築物の保存が求められるのに対して、防災上重要な地区では、鉄筋コンクリート建築が求められるという矛盾もあります。このように、計画を別々に実施すると、部分最適になり、ある観点では有効なのに、別の観点ではマイナスとなることがあります。総合的な計画を推進することが重要となっています。

景観法の活用状況の概要(令和3年3月31日時点)

景観行政団体	787団体	(40都道府県、747市区町村)
景観計画	630団体	(22都道府県、608市区町村)
景観重要建造物	669件	(2都道府県、 103市区町村)
景観重要樹木	263件	(62市区町村)
景観協定	138件	(3都道府県、 60市区町村)
景観協議会	延べ95組織	(1都道府県、 57市区町村)
景観整備機構	延べ117法人	(19都道府県、 60市区町村)
景観地区	54地区	(33市区町村)
準景観地区	6地区	(4市区町村)
地区計画等形態意匠条例	116地区	(25市区町村)

出典:「景観法の施行状況」(国土交通省)

*建築協定 建築基準法やその他の法律では満たされない地域の特殊な住宅環境について、建築協定区域内の所有者全員の同意により、建築物の敷地、位置、構造、用途、形態、意匠などについて規制を定めるもの。

借りた方が強い「借家法」のなぞ

2000年3月に定期借家制度が施行されました。借地借家に関する法律は、1921（大正10）年に借地法、借家法が独立した形で制定されたのが始まりです。当時は住宅が不足し、貸し手が非常に有利な立場だったため、いずれも借り手側の保護に重点が置かれていました。

その後、借家法は、太平洋戦争が勃発した1941（昭和16）年に改正され、借り手の保護が強化されました。家主側に特別な事情がない限り、入居者からの賃貸借契約更新を拒めないようにし、契約期間が決まっていても、いったん借りたら入居者は事実上いつまでもそこに住み続ける権利を持つことができるようになったのです。それは、夫が出征した後に残された家族に、何があっても住まいだけは確保できる、という安心感を与えるためでした。

その仕組みが現在まで続いてきたため、過度に借り手が守られることになり、戸建て借家などでは俗に「貸したら取られたも同然」という状態になってしまいました。土地や建物をいったん貸してしまうと、更新時期になっても、「貸主が自ら使用する必要性」などの正当事由が認められないと返してもらえませんでした。そのため、立ち退いてもらうには多額の立ち退き料を支払うなど、家主にとっては著しく不利な状態になっており、それが、優良な賃貸物件が流通しない原因となっていました。

そこで、1992年に旧制度を1つにまとめた「借地借家法」が誕生し、同時に「定期借地制度」が盛り込まれました。定期借地権とは、土地を貸し出す期間を「定期」とし、一定期間が経過すれば必ず戻ってくることを条件とした借地契約です。「貸しても返ってこない」心配がなくなることで貸し手は所有不動産を賃貸しやすくなりました。しかし、「借家」に関しては規定されていませんでした。そこで「定期借地権」の「借家版」として2000年に定期借家制度が施行されたのです。

現在では、新しく借家契約を締結する場合、貸し主と借り主との話し合いにより、「従来からある借家契約」と「定期借家契約」のいずれかを選択できるようになりました。優良な一戸建て賃貸の供給増や既存持ち家の賃貸化が望まれています。

第4章

住宅業界の技術開発

住宅業界では、伝統的な木造住宅の技術を活かしながら、プレハブ工法やプレカット工法など、施工の合理化を中心に技術開発が行われてきました。近年では、安全、快適、環境が技術開発のキーワードになっています。

住宅の基本は地盤と基礎

集中豪雨、台風、地震などでは、斜面崩壊や液状化などの地盤災害が発生します。そのような災害が起きなくても地盤が弱いと、不同沈下による家の傾きなどの危険があります。このような地盤事故を防ぐため、地耐力に応じて基礎の構造を決めなければなりません。

●地盤によって異なる基礎の形式

一般的な木造二階建て住宅の重さは三〇～四〇トンといわれています。その重さを地盤に伝えるのが基礎であり、その基礎をしっかり受け止めているのが地盤です。住宅の構造をどんなに頑丈に作っても、肝心の地盤や基礎に問題が生じては意味がありません。

これまで、山を削ったり、田畑や海岸を埋め立てたりして、住宅地が造成されてきました。谷を埋めた土は軟らかく、地震や大雨などで地滑りを起こすことがあります。また、高度成長期に埋め立てた土地にはゴミが埋まっていることも多いといわれています。かつては家を建てられなかった環境に、人工的に手を加えるなどして宅地化した土地には、不同沈下などの地盤事故が起こる危険性が高くなります。

このような地盤事故を防ぐため、地盤の支持力を示す「地耐力」に応じて基礎の形式を選定します。①地耐力二〇kN未満…杭基礎、②二〇～三〇kN…杭基礎またはベタ基礎、③三〇kN以上…布基礎も可能、となっています。

布基礎とは、土台の下だけに基礎がある形式で、建物の重さを線で支えることになります。**ベタ基礎**は鉄筋コンクリートの底盤で建物の重さを支える構造で、建物の重さを地盤に均一に伝えます。重さが集中しない点は良いのですが、敷地の中に、強い地盤と弱い地

【スクリューウエイト貫入試験】 地盤強度を調べるのに、最も一般的な方法。大きなドリルの形状のスクリューポイントを取り付けたロッドの頭部に、250Nずつ1kNまで荷重を加えて、ロッドがどれだけ地中に貫入するかを測る。貫入が止まった後、ハンドルに回転を加えてさらに地中にねじ込み、25cmねじ込むのに必要な回転数を測定、その結果を基に地盤の強度を判断する。戸建住宅では建物四隅と中央部計5カ所調査をする。

盤が混在するようなバランスの悪い地盤では、テコの作用でベタ基礎が傾いてしまいます。**杭基礎**は、支持層まで力をしっかり伝えることができるので、地盤が弱い場合や、敷地内で地盤の強さにばらつきがある場合に有効です。最近では地耐力が三〇kN以上でもベタ基礎が採用されています。耐震性に優れ床下の湿気対策にも有効なためです。

軟弱地盤自体を改良する工法には、①軟弱な地盤とセメント系固化材を混合撹拌して固化することで、地盤の耐力を増し、不同沈下を防ぐ**表層改良工法**、②セメント系固化材を地盤に注入しながら機械で混合撹拌し、地盤中にコンクリート柱を作ることで地盤強化を図る**柱状改良工法**、③鋼管を支持層まで貫入して支持力を得る**鋼管杭工法**などがあります。

地盤調査、地盤改良などを行う会社の中には、建物引渡しから二〇年間の保証を約束し、万が一、地盤の不同沈下により建物が傾いた場合は、復旧費用を保障する地盤総合保証制度を用意しているところがあります。

●液状化の危険性

東日本大震災では、地震や津波被害だけでなく、埋立地を中心に**液状化**の被害が発生しました。家屋が傾くだけでなく、地盤から砂や水が噴き出して街中が砂で埋まったような状態になりました。

地震時に液状化しやすい地盤は、地下水位が高く、かつ緩く堆積した砂質地盤です。埋め立て地などの人工地盤や比較的最近に堆積した沖積層も液状化の危険性があります。通常は砂の粒子の間に水がある状態で地盤を形成していますが、地震の揺れが加わると地盤を構成している砂の粒子が水に浮いた状態になります。そのため建物が傾いたり、浮力によって砂が噴き出したりするのです。液状化による被害を防ぐためには、①地盤を改良する、②ベタ基礎にする、③地中の非液状化層まで杭を打つ、などの方法があります。

液状化の被害を受けると、工事のために生活再建に多くの時間がかかります。液状化で傾いた住宅を水平に戻すための工事費は、一般的な住宅でおよそ六〇〇万円以上といわれています。

【不同沈下】　建物を建てたときは、その重さにより、沈下が起こる。建物の下の地盤の強さが均一でない場合は、沈下量に大きな差が生じ、建物自体が水平でなくなる。この現象が不同沈下である。不同沈下が発生すると、ドアや窓の開閉が不自由になったり、壁に亀裂が発生する、床が傾斜するなどの問題が発生する。ひどい場合には、亀裂から雨水が浸入し、建物が腐る原因になる、基礎が折れるなどの問題にまで発展する。

地耐力と基礎形式の選定

地盤の強さ	基礎の形式
地耐力が30kN/㎡以上 布基礎	建物重量 根入れ
地耐力が20kN/㎡以上 ベタ基礎	建物重量 根入れ
地耐力が20kN/㎡未満 杭基礎	建物重量 軟弱層 摩擦 摩擦 支持地盤

液状化現象

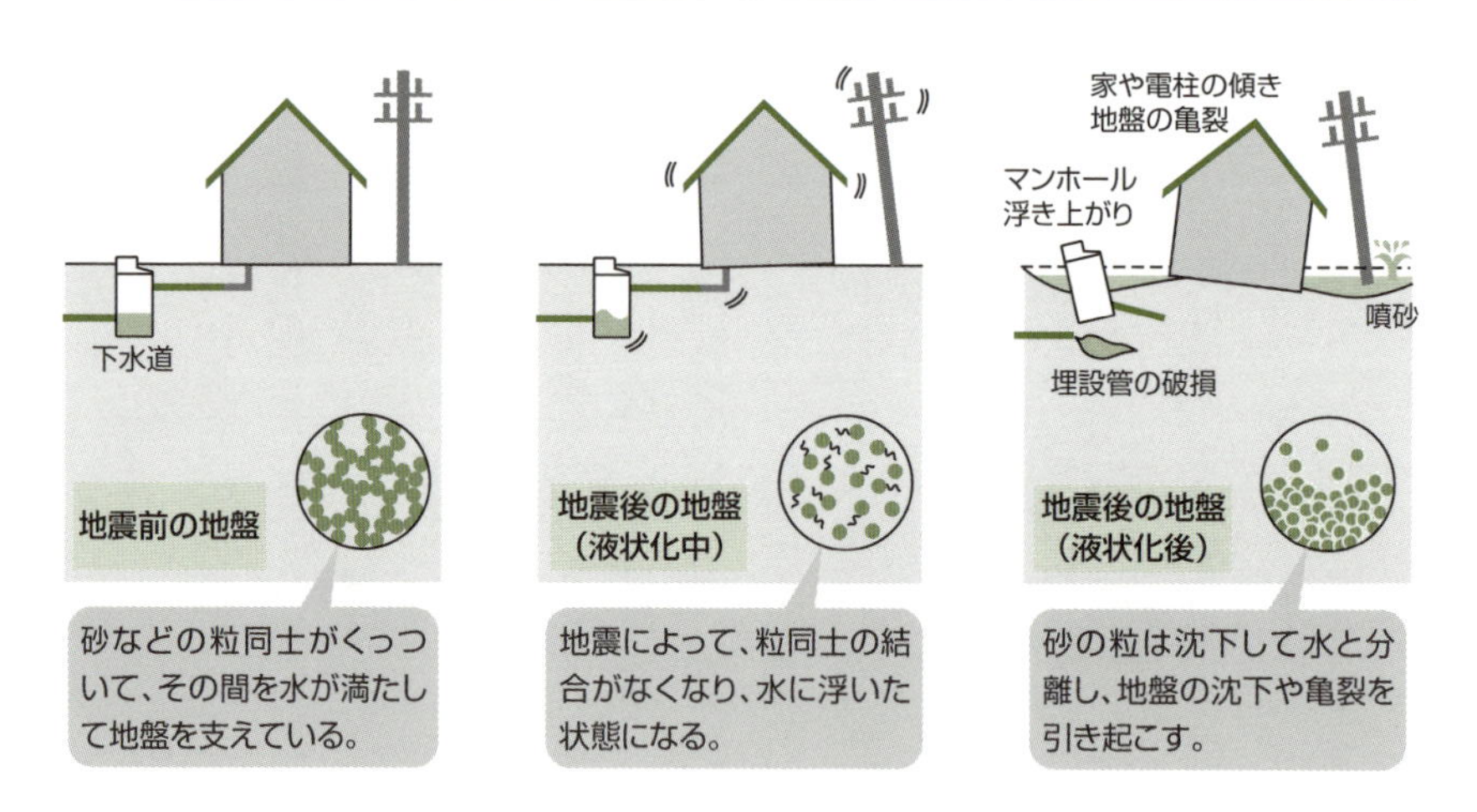

出典：「建物における液状化対策ポータルサイト」（東京都）

【LVL(Laminated Veneer Lumber)】 単板の繊維方向を揃えて積層接着した木質材料。頭文字を取ってLVLと呼ばれる。合板は、単板の繊維方向を互いに直角となるよう貼り合わせることで、板面に平均的に強度を持たせたものであるが、LVLは、繊維方向を揃えることにより、縦方向の強度を重視したものである。柱や梁として構造用に使われるものもある。

合板の構成（5 プライ合板の場合）

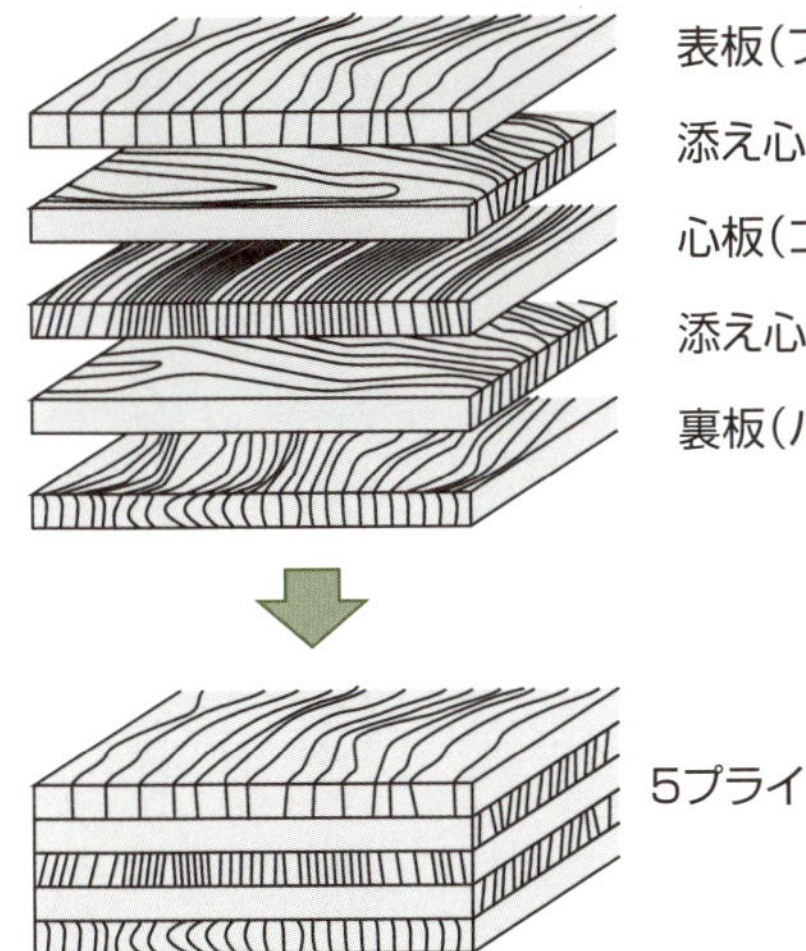

製材、集成材、LVL の比較図

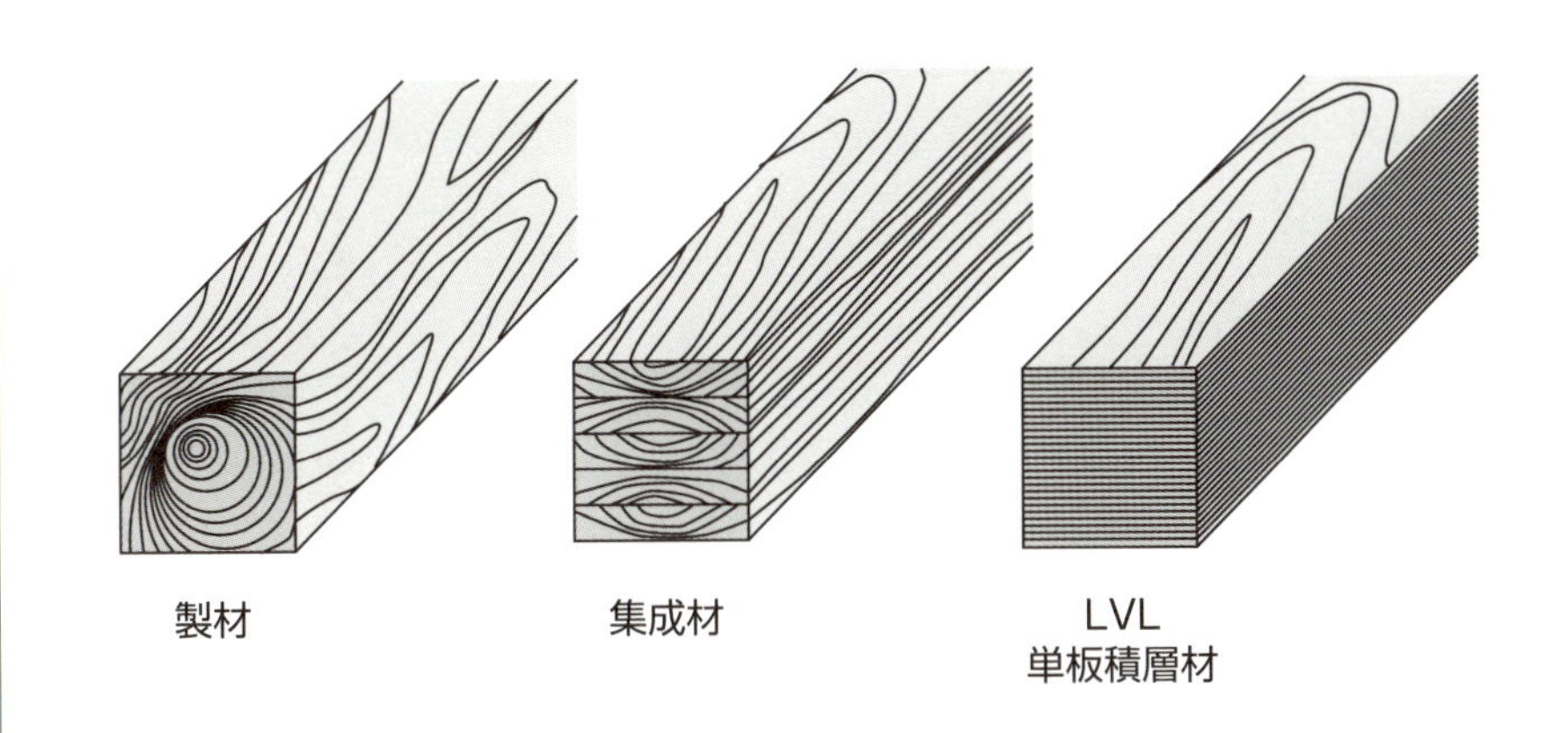

【SPF】　スプルース・パイン・ファー（Spruce-Pine-Fir）といわれる樹種群のことで、カナダの代表的な木材。同じような場所に混生し、区別されずに伐採、製材される。淡色で材質や強度にバラツキが少なく、加工性に優れるため、集成材としても多く使われる。

2 木造住宅を支える合板と集成材

合板や集成材は、木材を接着することで、木の特徴を活かしつつ欠点を補う材料です。構造用合板は住宅の壁、床、屋根の下地として利用されています。

●住宅の耐震性を高める構造用合板

合板は、木材を薄くカツラむきした単板を木目が直交するように重ね、接着剤で貼り合わせて作ったものです。貼り合わせる単板の枚数を**プライ数**と呼び、三プライ、五プライ、七プライなどの奇数が標準です。貼り合わせをしていない製材の板と比べて強度の異方性*が小さく、強くて割れにくいことが特徴です。

一九八一年に、合板を張った耐力壁の壁倍率が二・五倍と制定され、一九八三年には、住宅金融公庫の木造住宅工事共通仕様書にも耐力壁、床下地、屋根下地として構造用合板を使う仕様が明記されました。筋交いを使った耐力壁では、筋交いが圧縮方向の力を受ける場合には抵抗力を発揮しますが、引っ張られる場合には抵抗力を発揮できないため、一対で配置するか、筋交いを交差して取り付けることが必要でした。合板を使った耐力壁であれば、方向による差がなく、また力を面全体で受けるために、施工精度に左右されにくいという点も評価され、耐力壁としての位置付けが確立しました。阪神淡路大震災では、地震の揺れで、筋交いが土台から抜けた住宅が数多く見られ、そのことも耐力壁として合板の使用を後押しすることにつながりました。合板の分類の中で、構造用として用いられるものを**構造用合板**と呼びます。構造用合板を壁、床、屋根に張ると、建物全体が箱のように一体化して強固な構造になります。

合板は、単板を接着剤で貼り合わせて作るため、接

＊**異方性**　強度など、材料の物理的性質が方向によって異なること。木材は木目方向と木目直交方向で強度が異なるが、合板は木目が直交するように重ねて貼り合わせてあるため、方向による強度の差が少なくなる。性質が方向に依存しないことを等方性という。

着強度が命です。接着部分の耐久性によって特類、一類、二類に分かれており、構造用合板は特類、一類のいずれかとなります。合板の接着剤から放散されるホルムアルデヒドが室内空気汚染の原因物質として大きく取り上げられたため、接着力や耐水性などの性能を維持しながらホルムアルデヒドの放散が少ない接着剤への改良が行われました。JAS規格に従って放散量の等級をF☆記号で表示しています。

合板の材料となる原木は以前は、熱帯雨林産の広葉樹であるラワン材がほとんどでしたが、熱帯雨林の減少による地球温暖化現象が問題となり、針葉樹への転換が進んでいます。針葉樹林は人の手による再生が可能なためです。二〇一九年以降は九六%以上が針葉樹合板になっています。原木は、ロシア産カラマツ、ニュージーランド産ラジアータパインといった針葉樹材が増えていましたが、最近では、国内産合板の八割が国産材を使用しています。二〇二二年の合板の国内生産量は三二二万五〇〇〇㎥、輸入量は一八六万五〇〇〇㎥と国内生産が多くなっています。海外にもJAS認定工場が数多くあります

木材を有効に活用する集成材

集成材とは、大きな節や割れなど木の欠点を取り除いた挽き板（ひきいた）を木目に沿って集成接着した建築材料です。人工乾燥して含水率も調整しているため、狂いや割れ、ねじれ、曲がりなどが起こりにくいことが特徴です。

昭和三〇年代から装飾的に使われる柱、長押（なげし）などの造作用集成材の生産が盛んになりました。その後、製造技術や接着剤の進歩によって、構造用の集成材が生産されるようになりました。集成材は、普通の木材に比べて構造的にも強く、木材の有効利用ができるため、活用が増えています。

構造用集成材は、寸法、断面積によって大断面、中断面、小断面に分類されています。住宅だけでなく、スパンの大きな工場、学校、体育館、公民館などの公共施設など、使用される分野も広がっています。

ビルや店舗、倉庫、工場などの木造化を実現するために開発された直交集成板（CLT）が戸建住宅にも使用されはじめています。

【CLT（Cross Laminated Timber直交集成板）】　厚さ30mm程度の板を各層で互いに直交するように積層接着した厚型パネルのことである。厚さ90～210mm程度が一般的で、断熱性に優れ高い耐震性もある。ヨーロッパでは、戸建住宅や中高層の集合住宅で利用されている。2013年12月に日本農林規格（JAS）として制定された。

3

金物工法で進化する木造住宅

金物工法とは、木造軸組工法の継手・仕口を接合金物で構成する工法です。伝統的な木造軸組工法の特長を活かしながら、接合の確実性を高めることができます。

●断面欠損の小さい金物工法

木造軸組工法では、柱や梁などの構造材は、継手や仕口で接合されています。しかし、大工の手加工のため、加工精度や施工技術のばらつきが問題となっていました。CADや加工機の性能向上、大工の技能低下により、近年では、九割以上の木造軸組住宅で、継手・仕口の加工が機械プレカットになり、加工精度の問題は解決されました。ただし構造材を直接切り欠くため、どうしても断面欠損が大きくなります。

金物工法は、それらの接合部に特殊な金物を使うことで、加工や施工のばらつきをなくすものです。構造材への切り欠きを極力少なくしているので、接合部が弱点になることもありません。高い強度を確保するため、構造材は狂いや割れが生じない集成材が主に使われます。金物工法用のスリット加工やボルト穴加工も機械プレカットで行われます。

従来の継手・仕口の場合は、工場で加工が行われますから、現場ですぐ建て方作業を始めることができましたが、金物工法では、現場でボルトとナットを使って金物を取り付なければならず、手間がかかります。すぐに建て方作業を開始するためには、工場で金具を取り付けてから現場に搬入することが必要です。しかし、金具を取り付けての輸送は、金具部分が出っ張り、トラックへの積載効率が低下する、という問題を抱えていました。最近ではコンパクトな形状の金物も登場し、金物工法の比率は三割程度になっています。

【補強金物】 金物工法の金物と木造軸組工法の補強金物とは、名前は似ているが、まったく異なるので注意が必要。補強金物は、継手と仕口で接合した後、外れないように補強する金物。一方、金物工法の金物は、継手と仕口そのものを代替するもので、補強は必要ない。

プレカットによる代表的な継手、仕口の例

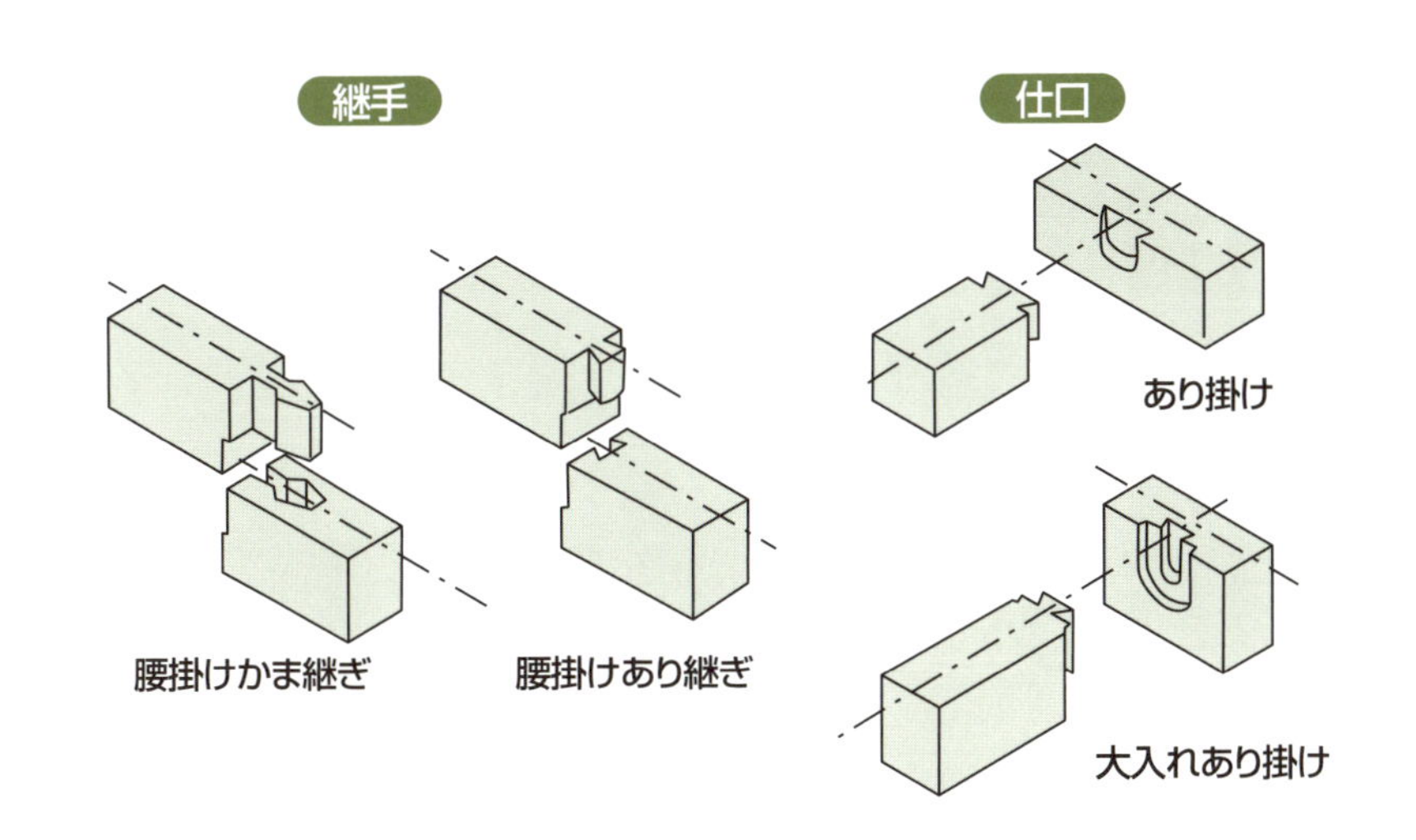

軸組工法と金物工法の断面欠損の比較

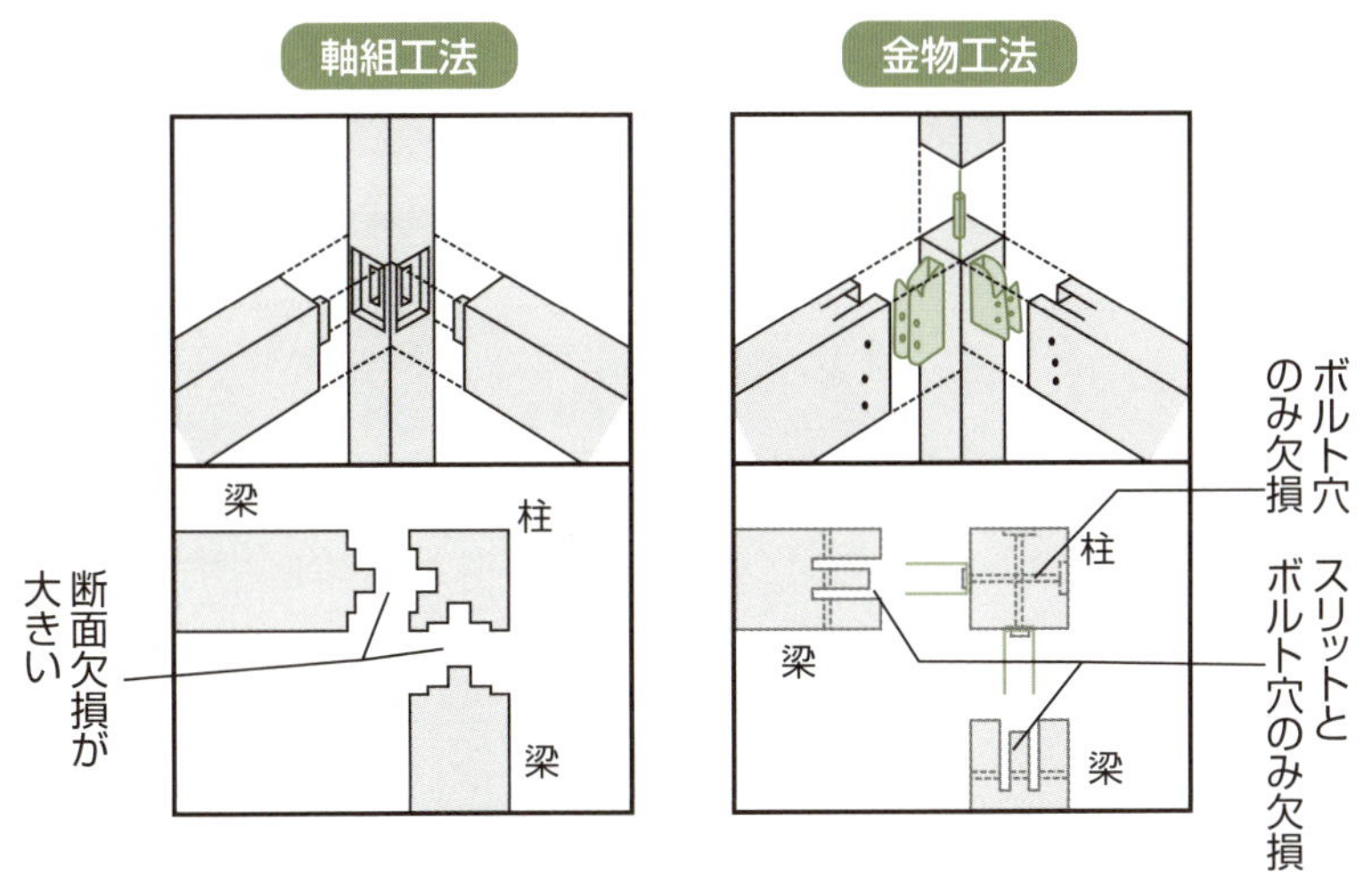

出典：(株)アイフルホームテクノロジーウェブサイトを参考に作成

【継手・仕口(つぎて・しぐち)】 木造建築の柱や梁などに用いられる部材と部材との継ぎ目、または継ぐ方法のこと。部材を長さ方向に結合する場合に継手という、蟻継ぎ、そぎ継ぎなど様々な形状がある。一方、柱と梁など、直角に接合するものを仕口といい、それぞれにほぞとほぞ穴を作り、組み合わせる。従来は職人が手作業で継手や仕口を刻んでいたが、最近は工場でプレカットされた部材を建築現場に持ち込むことがほとんどである。

全国のプレカット工場数とプレカットのシェア

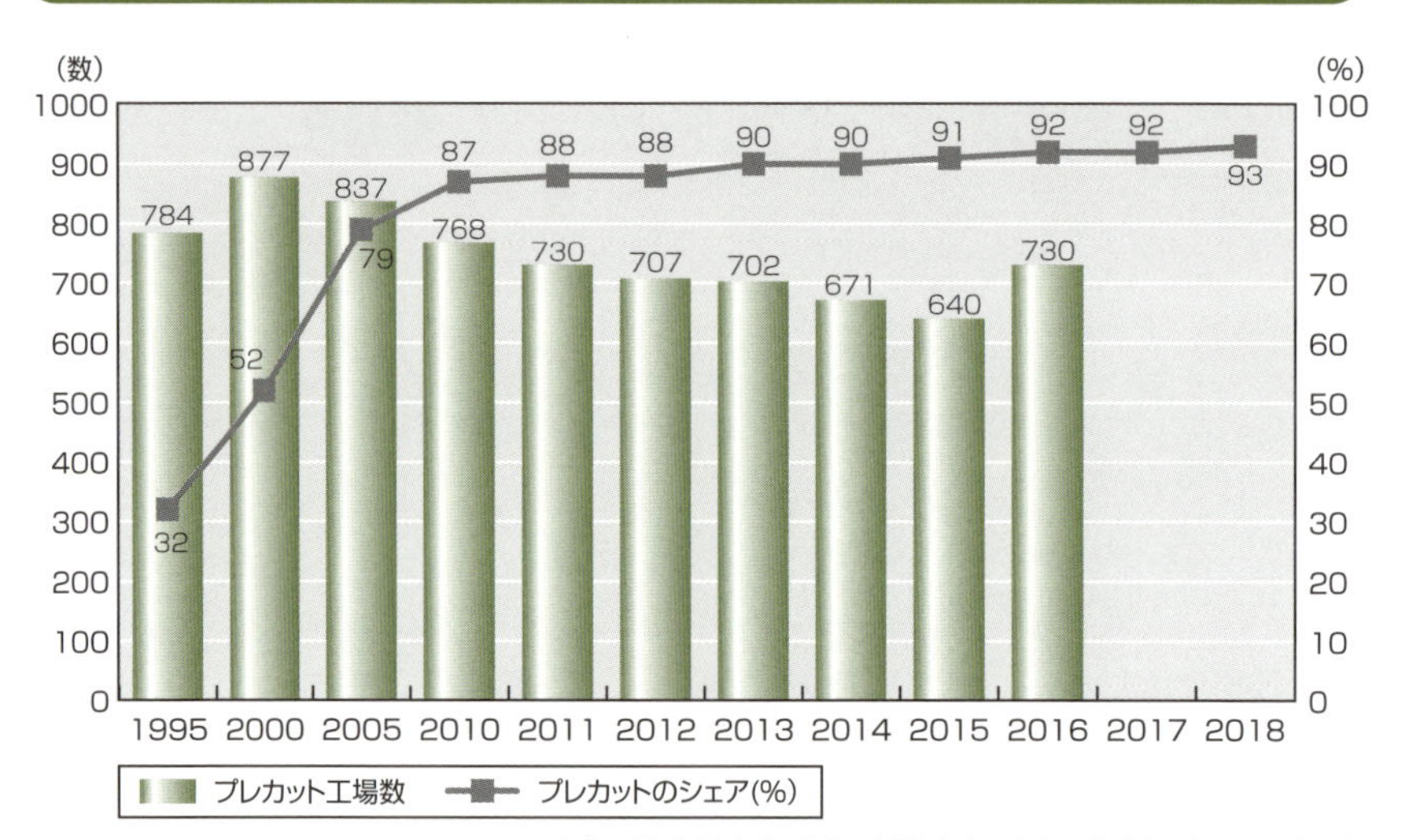

出典：平成28年版 森林・林業白書／令和元年度版 森林・林業白書

外壁材のシェア

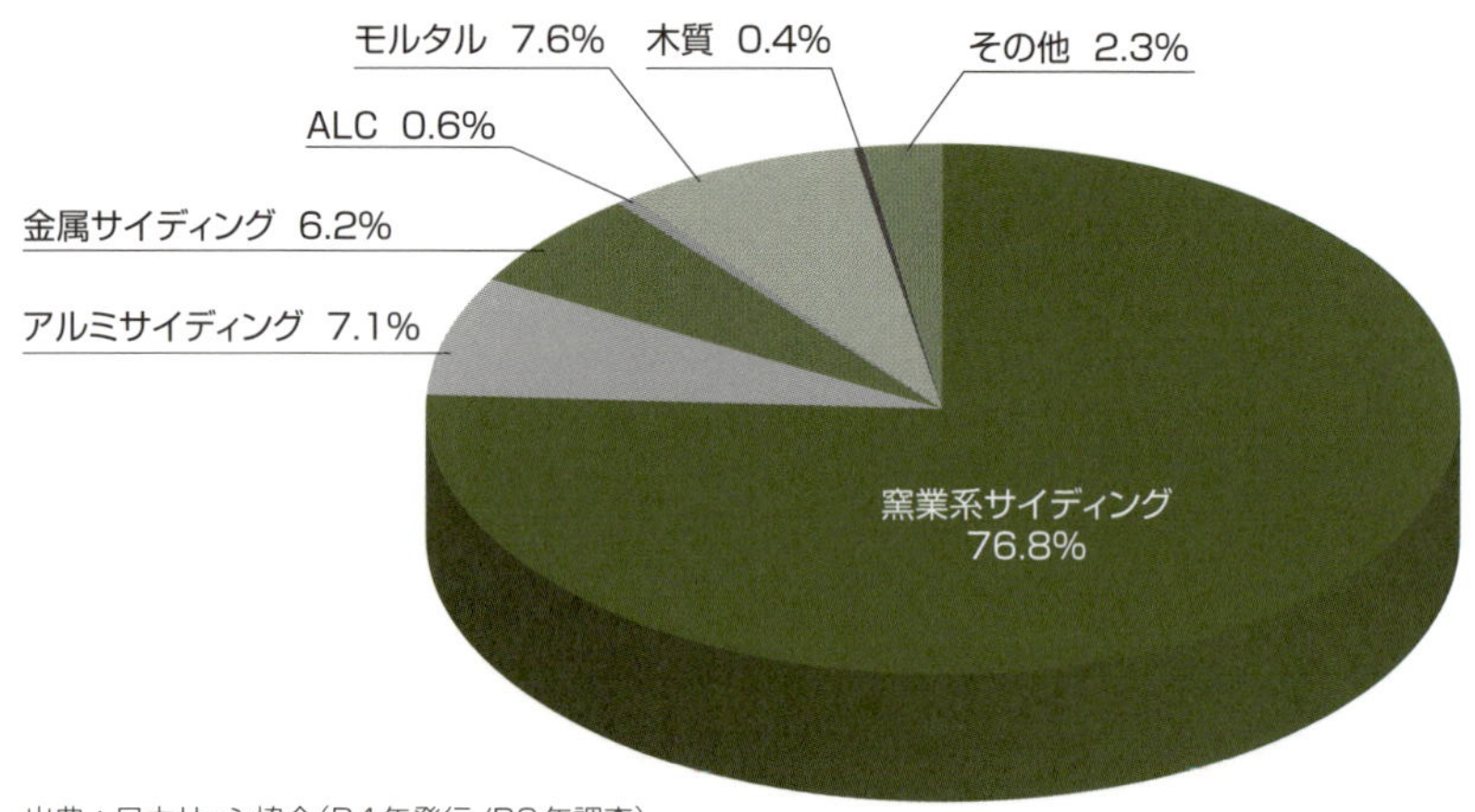

出典：日本サッシ協会(R4年発行/R3年調査)
出典：日本窯業外装材協会の資料より

【真壁】　構造躯体として使われた木造軸組が、そのまま化粧材として表面に露出する壁のこと。日本の伝統的な和風建築で用いられ、現代でも、和室などの納まりによく見られる。柱や梁が露出して直接空気に触れるため、温度、湿度が調整しやすく、傷んだり、反ったりしてもすぐに発見できるので、家の耐久性が高いといわれている。

戸建住宅建築の大半を担う大工と中小工務店

日本の戸建住宅は、大工、工務店、ビルダー、ハウスメーカーなどによって建てられています。工法としては、軸組工法、2×4工法、プレハブ工法、RC造（鉄筋コンクリート造）などがあります。

その中で最も多く建てられているのが、日本の在来の工法である軸組工法の住宅です。そして、この建築の大半を担っているのが、年間の建築戸数50戸未満の大工・中小工務店です。

軸組工法建築の2割を担っている1～4戸規模の事業者は個人の大工さんや小規模な工務店ですが、この層は、大工の高齢化と就業者数の減少によって、大きく減少しています。ここ数年の間に、戸建住宅建築の担い手構成が大きく変わっていくと考えられます。国土交通省では木造住宅の生産体制の整備を図るため、民間団体が行う大工技能者等の確保・育成の取組に対して支援を行っています。

戸建住宅の工法別年間受注戸数シェア（請負のみ）

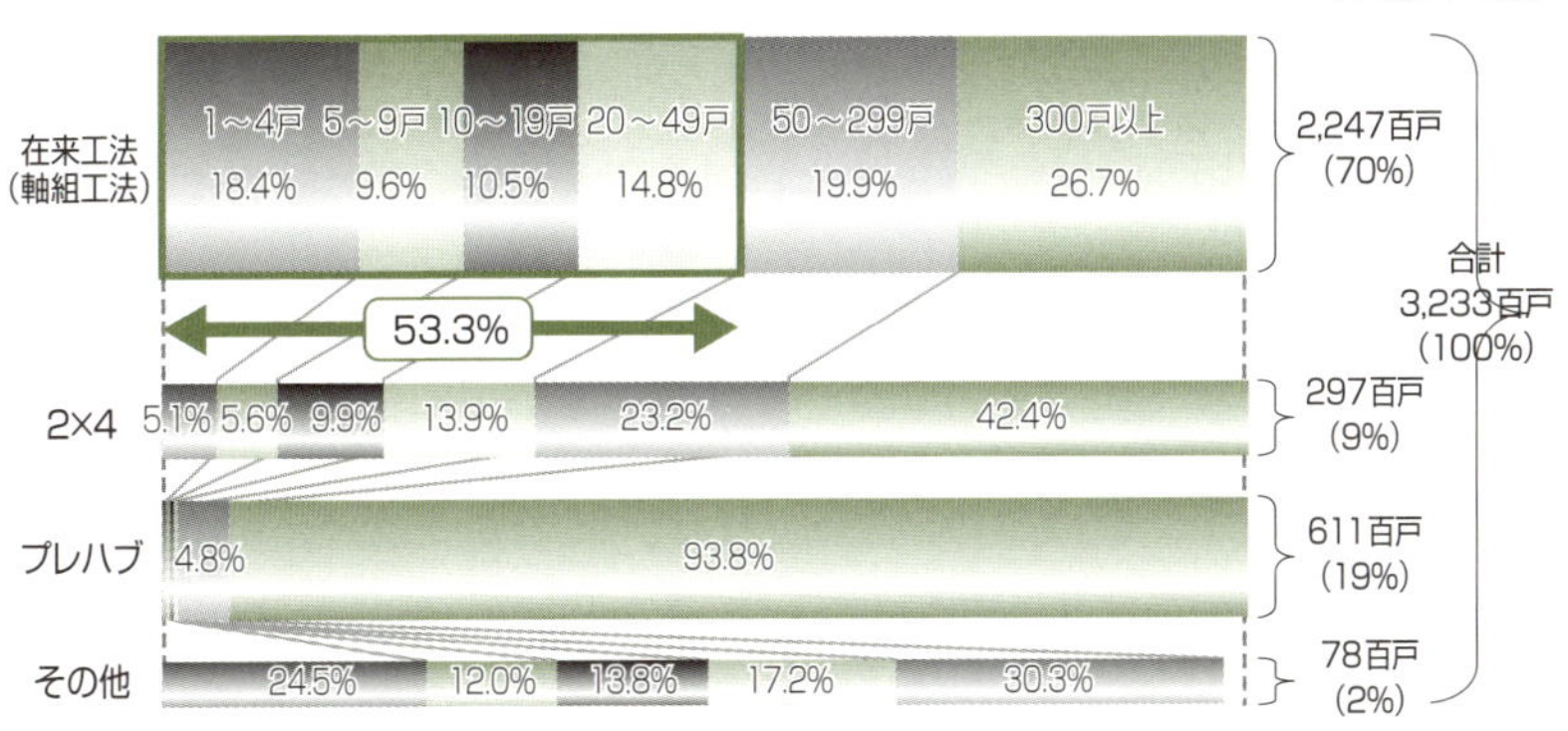

注：年間受注戸数のシェアは、平成25年度の瑕疵担保履行法に基づく届出、住宅瑕疵担保責任保険の加入実績および各社の公表資料等による（一部推計を含む）。

出典：「木造住宅の担い手の現状」（国土交通省）

4 住宅のデザインをリードする外壁材

戸建て住宅の外壁材に使われる素材は、窯業サイディングが七割、モルタルと金属サイディングがそれぞれ一割のシェアとなっています。窯業サイディングは、これまでレンガ、タイルや石柄、塗り壁などの本物感を追求してきましたが、最近では窯業サイディング独自の素材感を表現した商品が増えています。

●住宅外壁の主流 窯業サイディング

窯業サイディングは、セメントを基材にしたボード状の製品で、約五〇年前に登場しました。乾式工法のため、工期が短い、手間が掛からないなどの理由で、多くの工務店が採用しました。また、工業化を目指す住宅メーカーの標準仕様にもなり、一気にシェアを拡大しました。当初は大工が施工を行っていましたが、現在では窯業サイディング専門の職人が工事を行っています。モルタル外壁が減ったことで、左官職人が大幅に減ったといわれています。

窯業サイディングは、型にセメントや補強繊維を流し込んで製造します。当初は一二㎜厚の商品が主流で

●モルタル外壁の問題点

かつての日本では、住宅外壁といえば板張りの壁がほとんどでした。しかし、戦後、法的な整備が進み、防火性能のある**モルタル**が普及しました。モルタルは、長い間住宅の外壁としてなじみ深い工法でしたが、湿式工法なので乾燥するまで工期が長くかかる、左官の手作業であるため手間が掛かる、仕上がりの善し悪しが職人の腕に左右される、クラックが入りやすいなどの問題がありました。下塗り、中塗り、上塗りのように回数を分けて施工しなければならないのですが、本来必要な厚みを確保しないで薄いままで終わらせているケースも多いといわれていました。

＊**光触媒**　太陽や蛍光灯などの光が当たると触媒作用（化学反応の速度を変えること）を発揮する材料である。酸化チタン光触媒に紫外線を当てると「分解力」と「親水性」の作用を発揮する。分解力で汚れを分解し、親水性で洗い流す効果を発揮する。ただし、光が当たりにくい場所では効果が少ない。

したが、最近は一六㎜厚が主流です。厚みが厚いほど、柄の深みを表現することができますし、耐久性・防火性などの性能も高くなるからです。厚さ二〇〜三〇㎜以上の商品もあります。

登場した当初は施工性が評価されて普及しましたが、性能はあまり高くなく、基材の収縮によるクラックや反り、シーリング切れ、寒冷地での凍害の問題が多く発生しました。しかし、自然石やレンガ、タイルなどの柄を再現することが比較的簡単なため、各社から多くの商品が発売され、住宅の洋風、高級志向にもマッチして急速に普及していきました。この頃から、住宅のイメージを決定する要素として、外壁の色・柄が重視されるようになってきたのです。現在では、各社の製品共に性能が格段に向上しています。

●窯業サイディングの技術

窯業サイディングの塗装は各社の競争によって性能が向上し塗膜の変色・褪色について一五年保証や三〇年保証の商品も登場しています。このような商品では、塗り替えは保証期間プラス五年が目安になります。ニチハは、業界で初めて塗膜三〇年保証の商品を販売し、消費者から好評を得ています。光触媒*や親水性*技術を用いて、汚れが付着しない、付着してもすぐ落ちるように表面処理した商品も登場しています。

施工方法は、かつては釘止めが主流でしたが最近は、金具止め方式が主流です。釘穴から損傷が広がる心配が無いので安心です。また、ボードの四辺全ての継目をあいじゃくり*で接合する商品もあります。サイディングは、現場で寸法を合わせて切断加工することが必要なため、通常は二辺をあいじゃくりで接合し、残る二辺はシーリングすることが必要です。しかし、シーリングは樹脂成分のため、セメント基材ほどの耐久性がありません。一〇年程度でやせたり、切れたりするので、再びシーリングをしなければなりません。そこで、できるだけシーリングする箇所を減らそうとしているのです。窓周りのシーリングレス化を実現した商品も発売されています。旭トステム外装は高耐久シーリングの二〇年保証も行っています。保証期間が長いとメンテナンスコストが安くなります。

*親水性　物質の表面が、水を弾くことなく、表面になじんだ状態になりやすい性質のこと。撥水の逆の状態。親水性が高いと、物質の表面に付いた汚れの下に水が入り込み、汚れを浮かして流すセルフクリーニング効果を発揮する。

窯業サイディングの施工は、**外壁通気工法**が基本です。外壁と構造体の間に通気層を設け、建物内部から発生する水蒸気を通気層を通して屋外に逃がします。また、万一、外壁の隙間から雨水が侵入した場合は、通気層を通じて排出することができます。建物の耐久性を高めるためにも重要な構法です。

最近は、左官のコテ仕上げの温もりのある表現が見直され、モルタルも根強く使われていますモルタルの場合でも外壁通気工法が一般的になっています。

●リフォームに適した金属サイディング

金属サイディングは金属の表面材と裏面材の間に断熱材を挟み込むサンドイッチ構造になっており、窯業サイディングなどに比べて高い断熱性があります。

また、窯業サイディングの約三分の一と軽量ですから、建物にも負担をかけません。外壁のリフォームで、金属サイディングを使うと、簡単に重ね張りをすることができます。既存壁の撤去の手間が不要ですし、壁が二倍になることによる遮音・断熱の向上、といったメリットがあります。

住宅着工戸数と窯業系サイディング販売出荷量

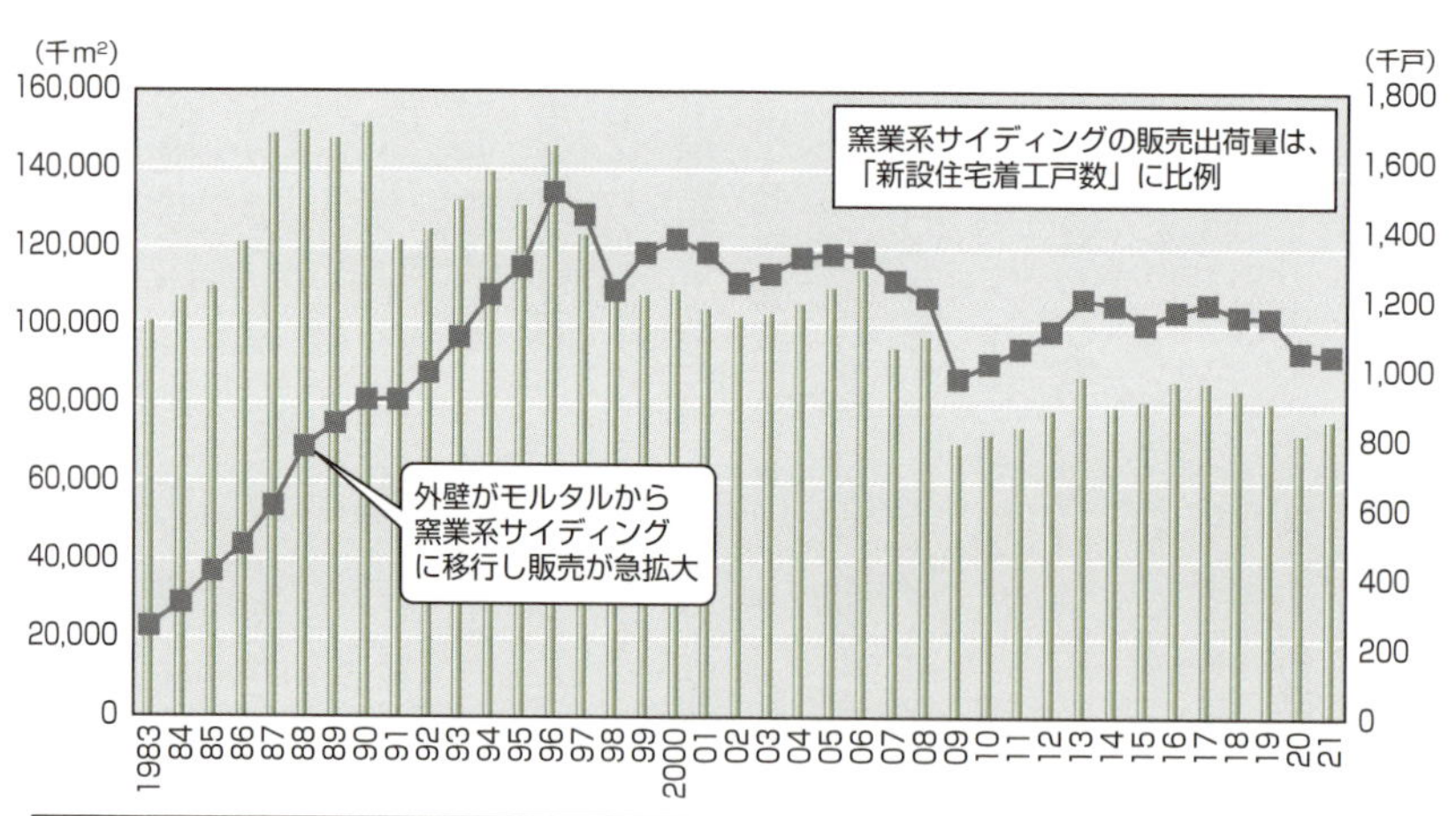

出典：日本窯業外装協会の資料より作成

＊**あいじゃくり**　決り（しゃくり）とは、2つの部材を接合しやすくし、接合を確実にするために突起を作ったり、溝を作ったりすること。あいじゃくりとは、お互いの板材の厚さを半分ずつ削って接合することをいう。板の接合部の断面が凸凹になっていて、ぴったりはまる場合を考えるとイメージしやすい。サイディングを横張りする場合は、横長の板を下から順番に、あいじゃくりを咬ませながら積み上げるように取り付ける。

外壁通気構法

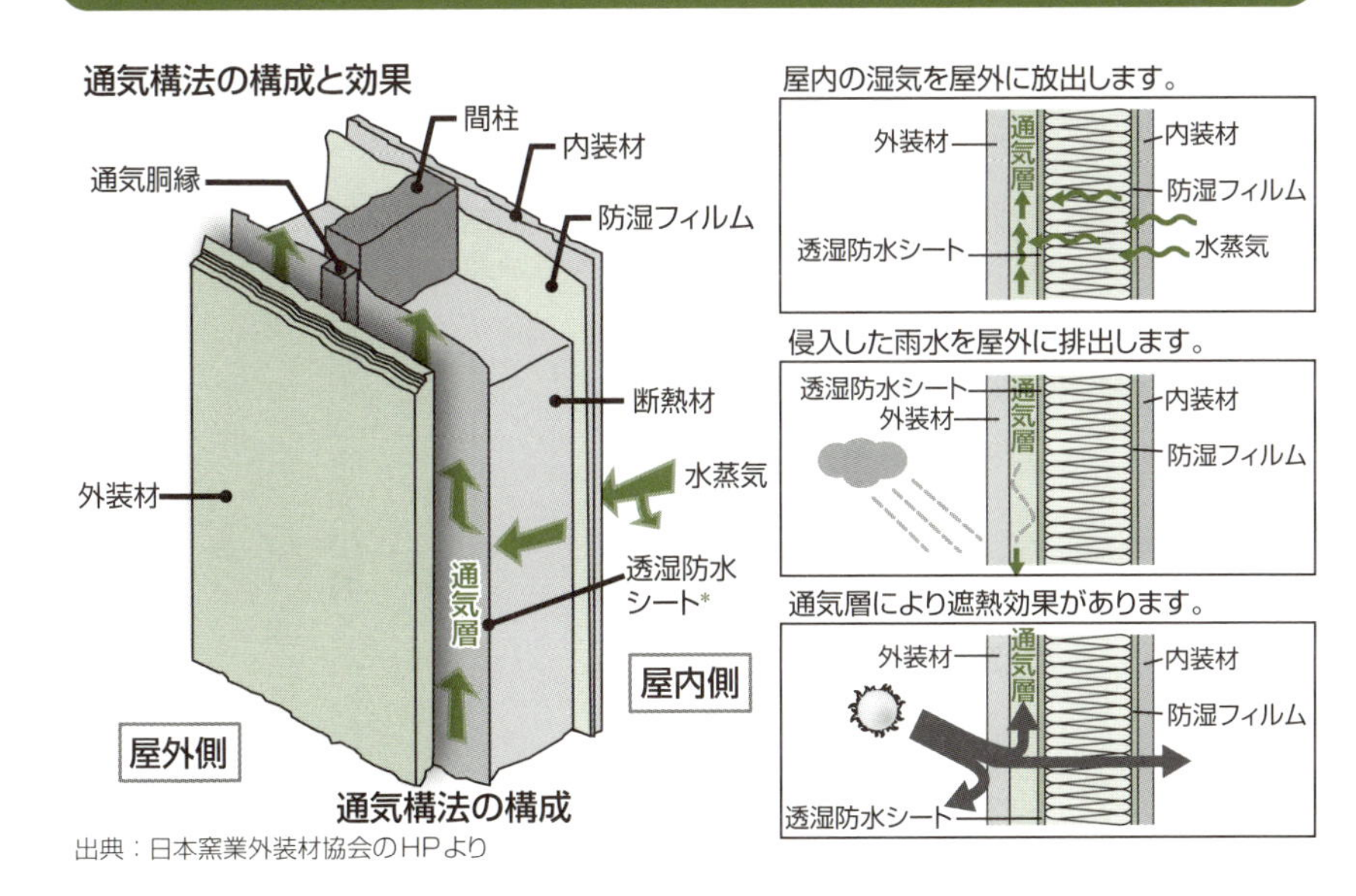

出典：日本窯業外装材協会のHPより

外壁のセルフクリーニング機能

親水機能により、雨などの水滴が外壁に付くと汚れと外壁表面の間に水が入り込んで、汚れを自然に洗い流す。

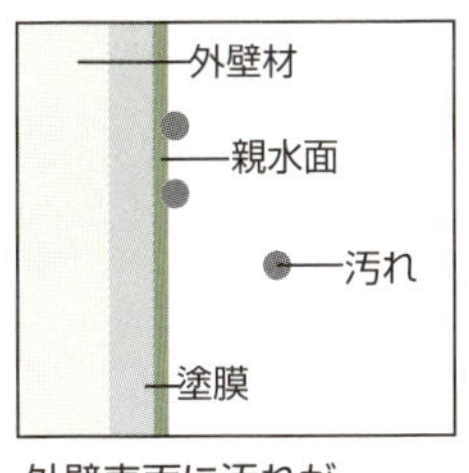

外壁表面に汚れが付着する。

雨が降り、外装壁面に水滴が付着する。

親水機能のため、塗膜と汚れの間に雨の水滴が入り込み汚れが流れ落ちる。

出典：旭トステム外装（株）ウェブサイトを参考に作成

*透湿防水シート　水は通さず湿気（水蒸気）は通すシートであり、日本工業規格JIS A 6111で規定されている。外壁通気構法が普及し、建物外部からの雨水の浸入を防止する防水性と室内で発生する水蒸気を外部に逃がす透湿性を兼ね備える透湿防水シートが使用されるようになった。

5

軽くなった日本の屋根

屋根は日頃は目立たない存在ですが、強烈な日射や強風、雨を防ぐ住宅の重要な部分です。阪神淡路大震災の教訓から、軽い屋根を使う住宅が増えました。

●屋根材の種類

阪神淡路大震災で、粘土瓦の住宅が多く倒壊し、粘土瓦の屋根は重くて危険というイメージが定着しました。同じ揺れであっても、屋根が重いと、建物に加わる衝撃が大きくなるからです。

しかし、日本伝統の屋根はこの**粘土瓦**です。一〇〇〇℃以上の高温で焼成しているため、瓦自体が非常に頑丈で、すぐれた耐久性を発揮します。しかも重量があるため台風などの強風にも耐えられます。関西では、地震よりも台風の対策が重視されていたこともあり粘土瓦が多く使われていました。かつては全国で生産されていましたが、現在では、三州瓦（愛知県）、淡路瓦（兵庫県）、石州瓦（島根県）が三大産地として有名です。それぞれの産地では、伝統のある屋根の風景を生み出しています。粘土瓦のシェアは約二割です。

スレート瓦とは、セメントに繊維を混ぜ合わせた材質で作った屋根のことです。薄くて軽いのが特徴ですが、塗装で耐候性を持たせているため、一〇年ほどで色褪せするという弱点があります。そうなると、耐水機能が落ちますから、塗り替えが必要です。スレート瓦のシェアは約三割です。

寒冷地では**金属屋根**が多く使われます。雪の重みが加わるため、軽い屋根でなければならないためです。また、つららが付着しても屋根に損傷が起こりにくい材料である必要があります。金属板は、加工しやすく、施工性が良いのですが、サビやすいという欠点

【〇寸勾配】 屋根の勾配を示す表現。屋根の底辺を10として、その高さを「〇寸」で示す。例えば、四寸勾配というと、底辺が10に対して、高さが4で作られる勾配の屋根のことを表す。

があります。一般の住宅では、アルミニウム・亜鉛合金めっき鋼板であるガルバリウム鋼板がよく使われます。金属屋根のシェアは約四割です。最近では全国的に金属屋根が増えています。

●これからの屋根材

屋根は、魚の鱗のように重ね合わせて施工し、この重ね合わせで防水をします。スレート瓦などでは、表面に出るのは三分の一程度です。屋根の種類によって、可能となる屋根の勾配が決まっています。例えば、金属屋根では、重ね合わせ部分を折り曲げて、防水を強化することができるので、一〇分の一といった緩い勾配が可能です。寒冷地の屋根は雪がすべり落ちないように勾配を緩くします。これも寒冷地で金属屋根が多く使われる理由です。粘土瓦の屋根では、一〇分の四以上の勾配の屋根しか造ることができません。緩い勾配を作ると、瓦と瓦の間から雨が吹き込みます。

最近、増えているのが北米の住宅で約八〇%のシェアを持つ、**アスファルトシングル屋根**です。柔らかくてスレート瓦よりも軽い基材なので、曲面や複雑な形状の屋根にも施工しやすく、地震に強いのが特徴です。首都圏の住宅会社などでの採用が増えています。

屋根は風雨や直射日光から住宅を守る部分です。住宅の寿命は屋根によって左右されると言っても過言ではありません。早め早めのメンテナンスが重要です。屋根の形状には、主に寄棟屋根と切妻屋根があります。また、この二つの屋根形状が併用して使われる場合も多く存在しています。最近では、太陽光発電パネルの設置に適した切妻屋根や片流れ屋根が増えています。

屋根材の坪面積あたりの価格は粘土瓦が最も高く、ついでスレート瓦、金属屋根、アスファルトシングルとなります。

防水技術の向上や、人工軽量土壌の開発によって、屋上を庭として使うこともできるようになりました。屋上は、日当たり、風通し、眺望と快適な庭の条件が揃っています。限られた敷地や建物の密集などの制約がある、都市型の住宅で、屋上庭園として使われる例もあります。屋上に土を入れ、庭として使うことで、断熱効果も得られます。

【アスファルトシングル屋根】　無機質繊維の基材をアスファルトで覆い、表面に細かい砂利を付着させて着色した板状の屋根材。彩色石が微妙で自然な風合いを醸し出している。また、防水性、耐久性、耐風性能についても高い性能を持っている。

屋根の形状と名称

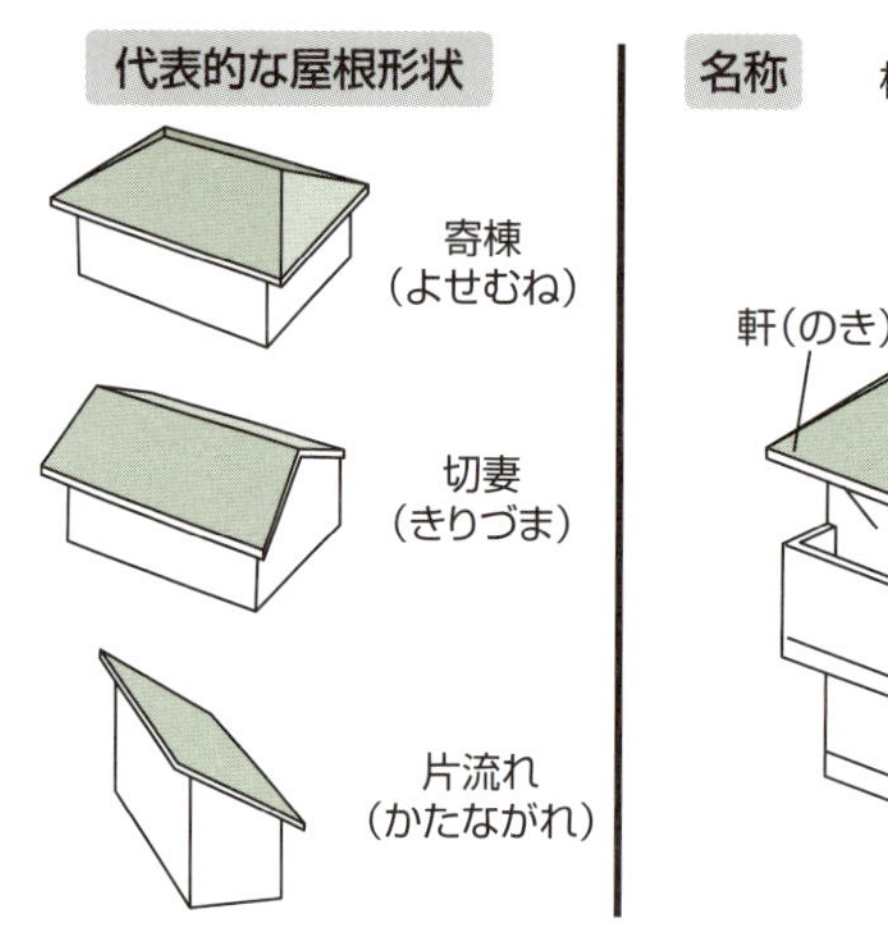

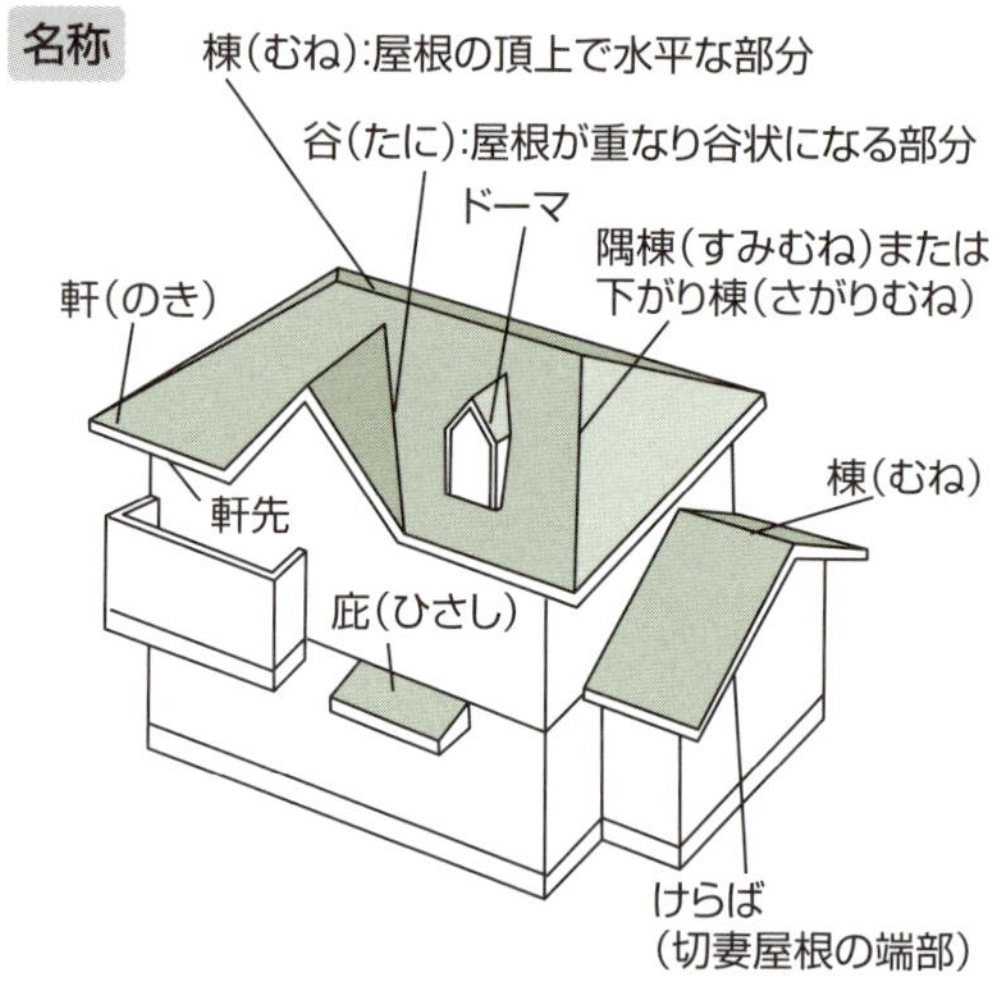

屋根材料の比率（木造軸組工法の新築一戸建て住宅）

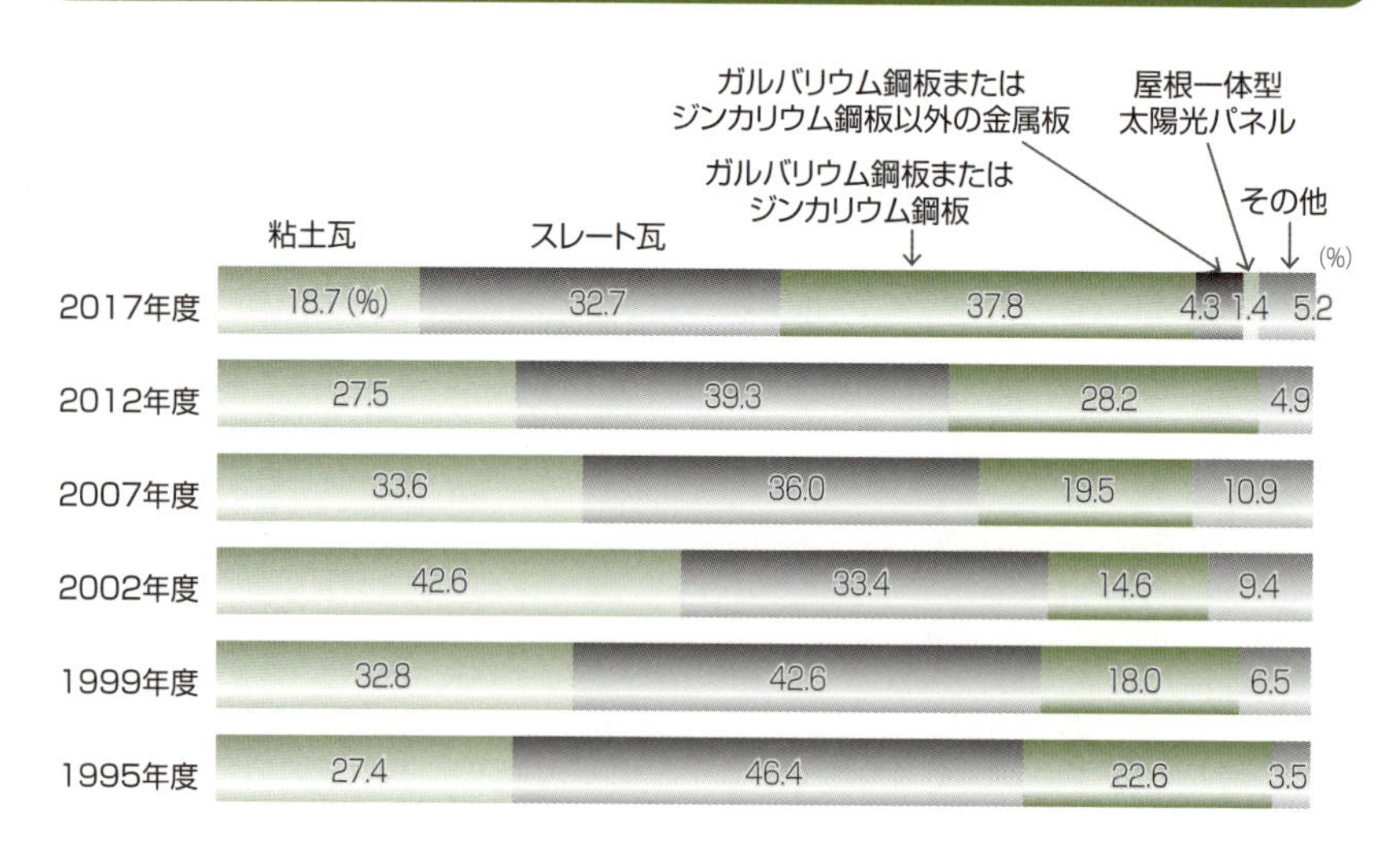

出典：「フラット35住宅仕様実態調査報告」（住宅金融支援機構）

【陸屋根（りくやね・ろくやね）】 ほとんど勾配のない平らな屋根であるため、屋上を有効活用できる。しかし、水はけが悪く雨漏りの危険性が高くなるため、木造住宅の屋根にはほとんど用いられない。

屋根形状の比率（木造軸組工法の新築一戸建て住宅）

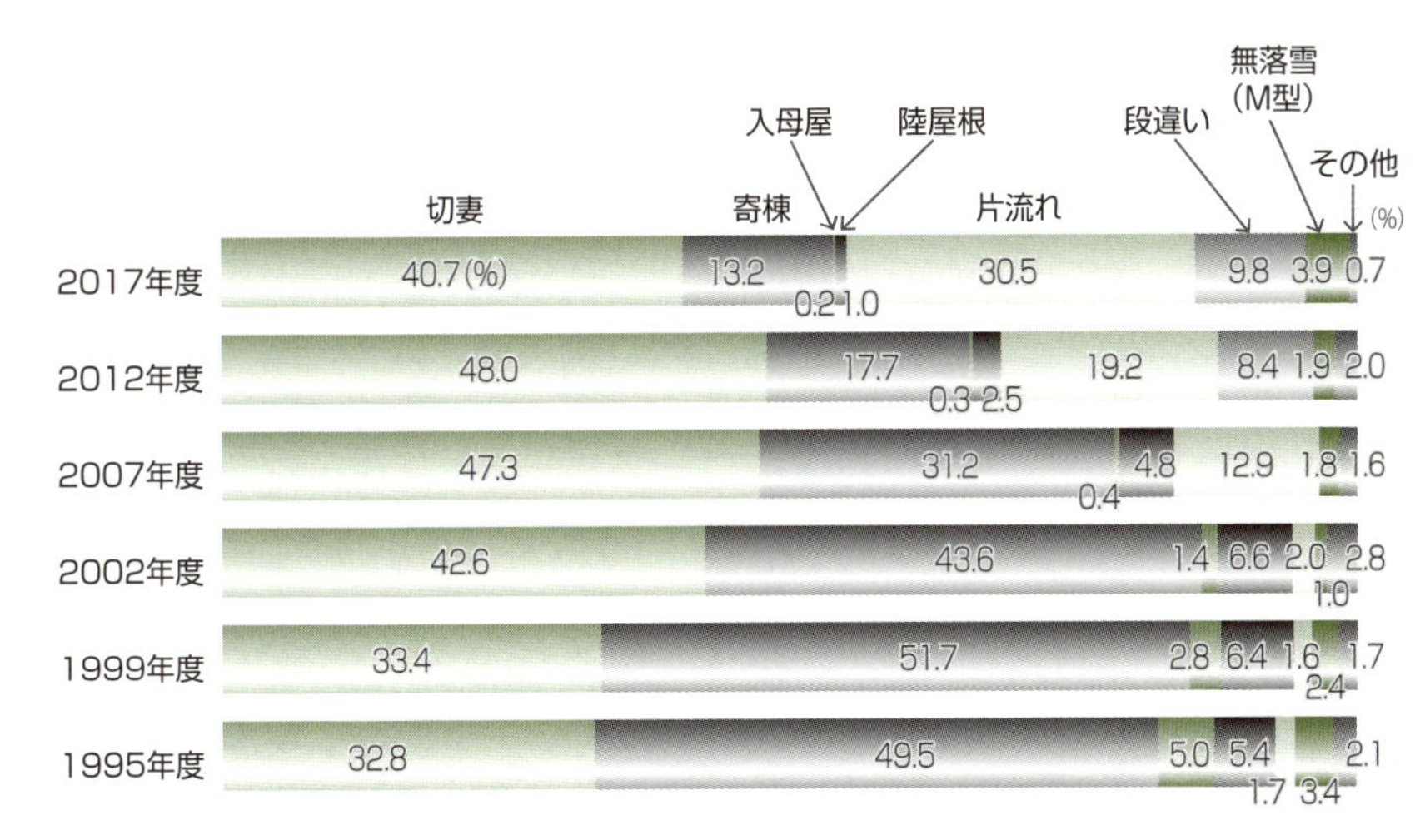

出典：「フラット35住宅仕様実態調査報告」（住宅金融支援機構）

複層ガラス／Low- E複層ガラス普及率の推移

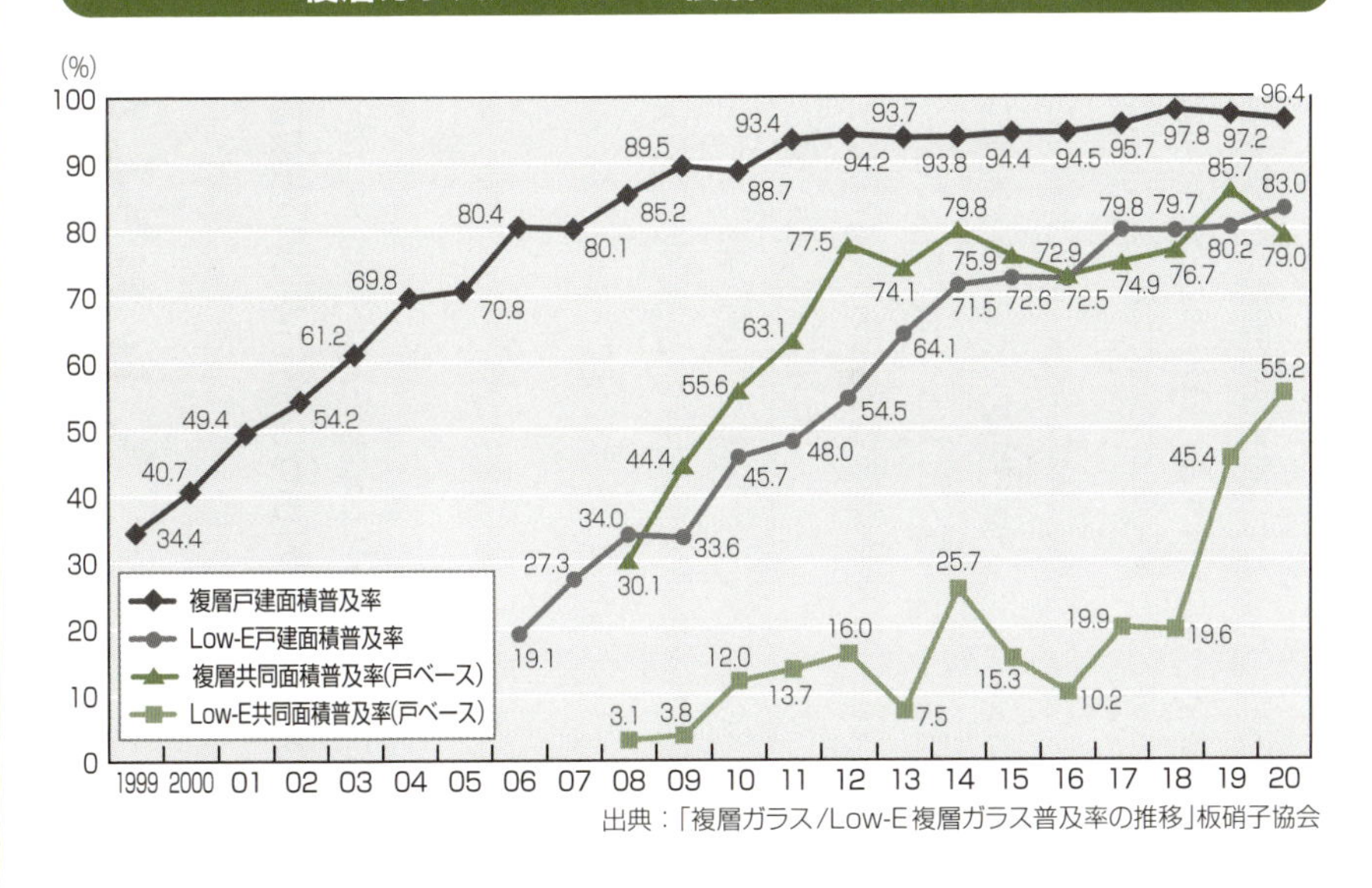

出典：「複層ガラス/Low-E複層ガラス普及率の推移」板硝子協会

【屋根からの雨漏り】 棟や谷が多い複雑な屋根形状、トップライト（天窓）やドーマーのついた屋根、1階の屋根と2階の壁が取り合う部分などがある場合は、雨漏りのリスクが高くなる。

断熱化が進むサッシとガラス

6

外壁と比べて、窓の断熱性能は大きく劣ります。単板ガラス窓の住宅では、冬に室内から逃げ出す熱量の四八％が窓から外に出て、夏に屋内に入ってくる熱量の七一％が窓から入り込んでいます。そこで、窓の断熱化が急速に進展しています。

●ガラスとサッシの組合せで決まる窓の性能

窓の断熱性能は、壁に比べて、五分の一～一〇分の一であるため、冬季には、ガラスの表面に結露の発生が見られます。

複層ガラスは、二枚のガラスの間に空気を閉じ込めて断熱性能を高めたガラスです。単板ガラスの約二倍の断熱性能を持ち、窓から出入りする熱のロスを防ぎます。また、ガラスの表面結露の発生も防ぎます。夏に室内に入り込む熱の大半は、日射によるものですから、すだれやブラインドを活用して、日射を調整する必要があります。複層ガラスには、日射熱を防ぐために金属膜を表面にコーティングしたLow-E複層ガラスと呼ばれるタイプもあります。複層ガラスは欧米ではほぼ一〇〇％の普及率となっています。日本でもここ一〇年で使用が急増し、新築の戸建住宅では九割以上の普及率となっています。

ガラスの間に空気より断熱性能が高いアルゴンガスを閉じ込めたアルゴンガス封入複層ガラスや二枚のガラスの間を真空にした真空ガラス、ガラスを三枚にしたトリプルガラスなども登場しています。

日本でアルミサッシが普及したのは、一九六〇年代から七〇年代にかけてです。軽くて加工しやすいため、ガラスを嵌める断面構造が作りやすく、気密性を高めるのに適していたからです。しかし、アルミサッ

【ガラス大国　日本】 国内にはAGC（旧 旭硝子）、日本板硝子、セントラル硝子の３社のガラスメーカーがあり、国内ではAGCが半分程度のシェアを持っている。旭硝子は世界一の板ガラスメーカーである。日本板硝子は2006年にピルキントン社を買収し、世界第2の板ガラスメーカーになった。世界第1と第2のガラスメーカーが存在する日本は、隠れたガラス大国である。

シは熱を伝えやすいため、最近では、熱を伝えにくい素材や構造を使った**断熱サッシ**が急速に普及しています。樹脂で断熱性を高めたアルミ樹脂複合サッシや、内部に樹脂を挟み込んだアルミ断熱サッシなどです。

断熱性の高い樹脂サッシの普及率は、これまで一〇%程度でしたが二〇二一年には戸建住宅で二五%まで拡大しています。防火対策が普及の壁となっていましたが、サッシメーカーは鉄の部材で補強しています。寒冷地ではアルミサッシの割合は一〇%以下になっています。

●窓としての断熱性能を表示

二〇〇八年にガラスやサッシの断熱性能を四つの星印による等級表示を行う制度が施行されました。しかし、サッシとガラスが別では、消費者にわかりにくいとして、二〇一一年に窓としての表示に一本化されました。そして、表示を行った会社が性能を担保することになりました。窓に求められるその他の性能としては、耐風圧性、水密性、機密性、遮音性、防火性、防犯性などがあります。

従来はサッシメーカーで作られたサッシとガラスメーカーで作られたガラスをガラス工事店が組み立てて住宅の工事現場に運んでいましたが、制度の改正によって流通も変化しました。現在では、サッシメーカーがガラスも組み込んだ窓としてガラス工事店に供給する体制になっています。

二〇二二年一月に窓の性能表示の見直しが行われました。断熱性能の上位等級が認定され、一～八の等級で評価されます。日射熱取得率についても表示を行うことになりました。

●窓のリフォーム

リフォームの場合に、窓全体を取り替えると、外壁や内装まで工事の範囲が広がり、大がかりになります。そこで、ガラスだけを複層ガラスに取り替える方法や、室内側に窓を追加して二重窓にする方法で断熱性を高めることができます。ただし、内窓の気密性が低いと、外側の窓に結露が発生するので注意が必要です。単板ガラスを複層ガラスにすると重さが二倍になります。

【結露】　結露は、空気中の水分が、温度の低いものの表面で水滴となって付着するものである。空気は、温度が高いほど多くの水分を含むことができ、温度が低いと少なくなる。その差が結露となって現れる。結露が発生するとカビやダニが発生したり、木材を腐らせたりする原因になる。

窓からの熱の出入りの割合

冬の暖房時の熱が
開口部から流失する割合　48%

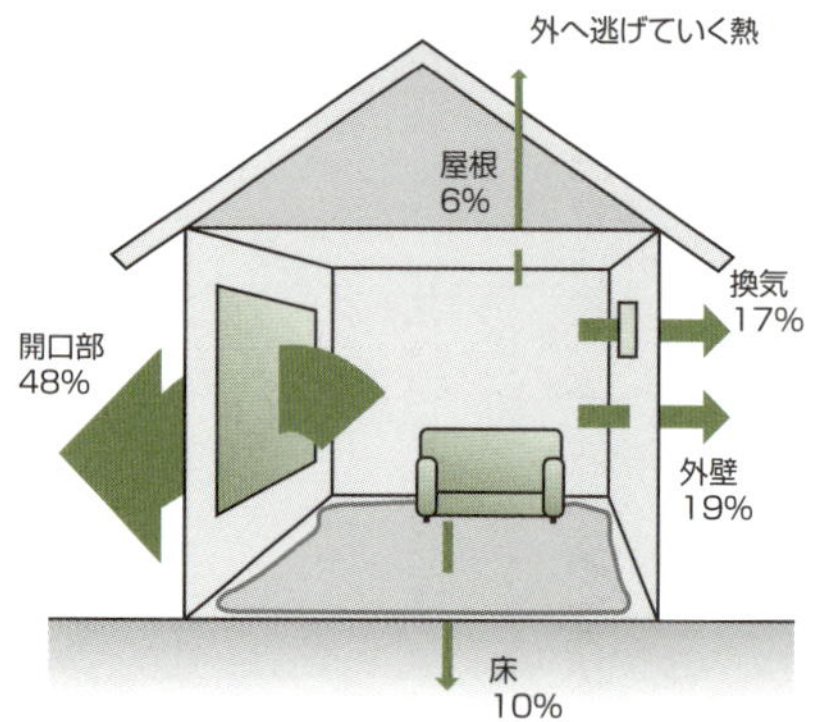

夏の冷房時(昼)に
開口部から熱が入る割合　71%

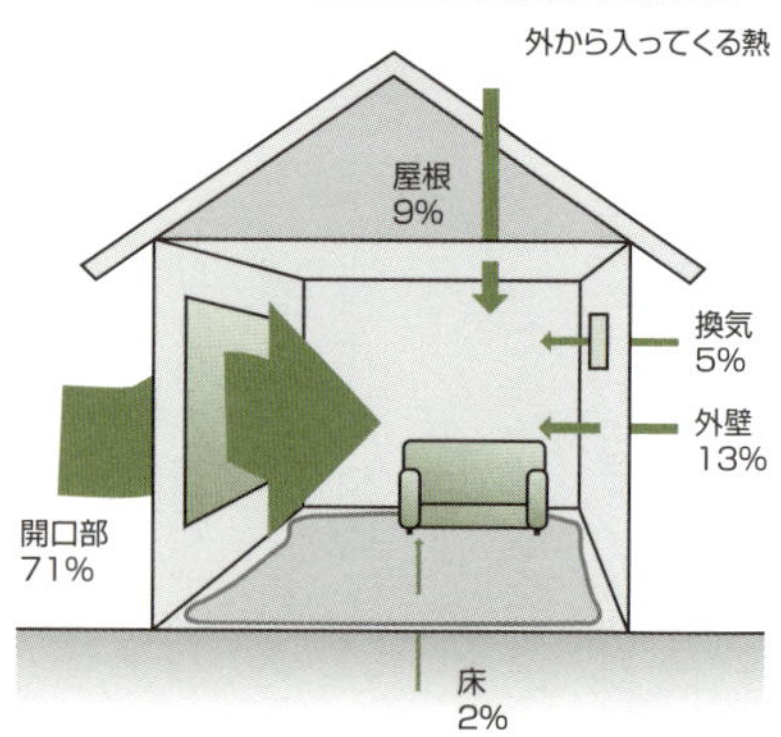

出典：環境省『省エネルギー住宅ファクトシート』

ガラスとサッシの種類による断熱性能

断熱性能：高い↑ 低い↓

熱が逃げる度合い	構造
35.7	樹脂サッシ+高断熱複層ガラス
35.7	木製サッシ+高断熱複層ガラス
35.7	二重サッシ構造 （アルミサッシと単板ガラス+樹脂内窓と複層ガラス）
53.5	アルミ熱遮断構造サッシ+複層ガラス
53.5	アルミ樹脂複合サッシ+複層ガラス
71.4	アルミサッシ+複層ガラス
100	アルミサッシ+単板ガラス

出所:日本建材･住宅設備産業協会　※アルミサッシ+単板ガラスを100とした場合の比較

出典：環境省『省エネルギー住宅ファクトシート』

【熱伝導率と熱貫流率】　熱伝導率は材料自体の熱の伝わりやすさ評価した数値であり、熱貫流率は、その材料の厚さも評価した数値である。熱貫流率は、空気の温度差が1℃のとき、1時間に壁1㎡を通過する熱量として求められる。数値が小さいほど断熱性能が良い。

木造住宅での断熱サッシ普及状況

高断熱サッシ（アルミ樹脂複合サッシ+樹脂サッシ+木製サッシ）が90.0%と増加している。そのうち、樹脂サッシも22.3%まで増加している。

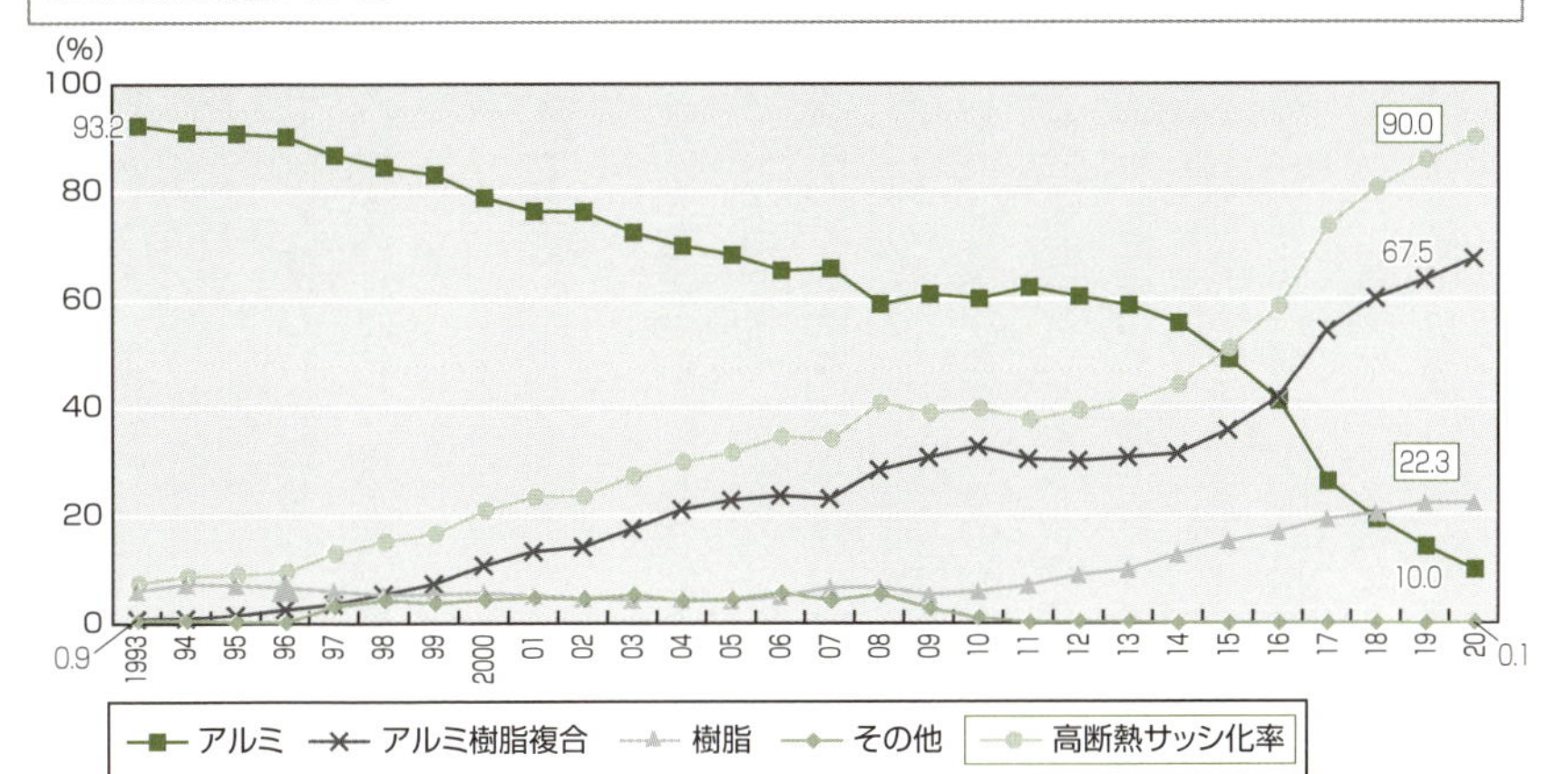

出典：第10回 建築材料等判断基準WG（日本サッシ協会）

窓の性能表示制度

■断熱性

等級	熱貫流率 [W/m²・K]	評価区分
ー	4.7 を超えるもの	☆☆☆☆☆☆
H-1	4.7	★☆☆☆☆☆
H-2	4.1	
H-3	3.5	★★☆☆☆☆
H-4	2.9	
H-5	2.3	★★★☆☆☆
H-6	1.9	★★★★☆☆
H-7	1.5	★★★★★☆
H-8	1.1	★★★★★★

■日射熱取得性

等級	日射熱取得率
N-1	1.00
N-2	0.50
N-3	0.35

▲窓の性能表示のデザイン（縦表示）

出典：窓の性能表示制度に関するとりまとめ（概要）（経済産業省）

【標準貫入試験】　地盤にボーリング穴を掘り、土の硬軟や締まり具合、土の種類や地層構成を調べる試験。試験深度まで掘削した後、試験用サンプラーをロッド先端に接続し、孔底に降ろす。予備打ちによりサンプラーを15cm貫入させた後、75cmの高さから、ハンマー（63.5kg）の自由落下による本打ちを行う。サンプラーが30cm貫入するのに要した打撃回数が、N値として記録される。N値が大きいほど硬い地盤である。

高級感を醸し出す汚れないタイル

7

住宅の外壁で最も多く使われる窯業サイディングでは、手軽に「本物のような」外観を得ることができることが評価されています。しかし、本物の質感、耐久性に優れるタイルの人気は根強いものがあります。

●手軽な乾式工法

タイルは粘土や陶石などを粉砕し、これを成型して高温で焼いた焼き物です。石や土と同様に、火や熱に強く、高い硬度を持っています。キズが付きにくいため、美しさを長く持続します。タイルの表面に釉薬を塗った施釉タイルは、釉薬が色やムラ、光沢などを表現します。ガラス質で表面がコーティングされます。

住宅のタイル張りには**湿式工法**と**乾式工法**があります。湿式工法は、下地とタイルをモルタルや接着剤で張り付けていく工法です。タイルにモルタルを塗ってから下地に押しつけて張っていく方法と、モルタルを下地に塗って硬化しないうちにタイルを張り付ける方法が基本です。また、モザイクタイルや小口タイルなどの小さなタイルを張るときは、三〇㎝角のシートにあらかじめタイルを張っておき、このシートの裏側にモルタルを塗ってから張っていきます。

シート単位で張るため、広い面積を手軽に張ることができ、工期も早いので、最近は、多くの建物で採用されています。ただし、湿式工法は、張り付けたものですから、はがれ落ちる心配があります。

乾式工法は、特殊な溝を付けたサイディングなどの下地を壁に張り、タイルを引っかけて取り付ける工法です。木造、鉄骨造住宅ではモルタル下地を造るのに、手間が掛かるため乾式工法が広く採用されています。タイルの溝に接着剤を併用してはめ込む方法や、金具に引っかけていく方法などもあります。

【酸化分解と親水化】　酸化チタンなどの光触媒に光を当てると、その表面に活性酸素が発生し、この活性酸素が有機物を分解する酸化分解機能を発揮する。また、光触媒材料をコーティングした部材に光を当てると、表面に付着した水が水滴にならず一様に広がる親水化作用を持っている。TOTOは、光触媒の技術を世界各国で特許出願している。

●光のエネルギーで、汚れを防ぐ

光触媒技術を使った「ハイドロテクトタイル」は、TOTOが生み出した画期的なタイルです。光触媒は、①親水性により、雨水で汚れが落ちる「セルフクリーニング効果」、②窒素酸化物（NOx）などを分解・浄化する「大気浄化効果」、③カビが生えるのを抑える「抗菌効果」、④イヤな臭いを抑える「防臭効果」を発揮します。ハイドロテクトタイルは、光触媒をタイル表面に高温で焼きつけているため、効果が半永久的に持続します。屋外では紫外線を浴びるため、これらの特性がより強く発揮されます。外装のほか、キッチンやバスルーム、トイレなどの水まわりにも使われます。清潔な空間を作ることができる素材として評価されています。

超親水性は、表面に汚れなどが付着しても水をかけるだけで汚れの下に水が染み込んで汚れを浮かし、簡単に水で洗い流せるセルフクリーニング効果を発揮するものです。この技術は住宅だけでなく、ビルの外装材やガラスにも応用されています。

光触媒による有機物分解の仕組み

「活性酸素」が、表面に付いた有害物質や汚れを分解して空気をきれいにすると共に汚れを落としやすくします。そして、「親水性」で汚れを洗い流します。

①光触媒であるTiO_2（酸化チタン）に光が当たると…
②e^-（電子）とh^+（正孔）が生じます。
③空気中のO_2（酸素）とe^-が、H_2O（水）がh^+とそれぞれ反応を起こします。
④酸化チタン表面にO_2^-（スーパーオキサイドイオン）、・OH（水酸ラジカル）という活性酸素を発生させます。

①光触媒であるTiO_2（（酸化チタン）に光が当たると…
②酸化チタンを構成しているTi（チタン）と、空気中のH_2O（水）が反応を起こします。
③TiとH_2Oが反応した結果、酸化チタン表面に、水とのなじみが非常によい-OH（親水基）ができます。

出典：「光触媒作用について」（TOTO（株）のHPより）

【二丁掛け】　外装タイルの大きさは、レンガ造の外部に見える部分の大きさを基本にしている。レンガの小口面と同じ断面形状のタイルを小口平、長手の面と同じ断面形状のタイルを二丁掛けという。小口の二枚ぶんに、目地幅を加えた寸法と同じなので二丁という。

8 快適になったキッチンとユニットバス

住まいの設備の中でも特に消費者のこだわりが強いのが、キッチンとユニットバスです。メーカーのショールームでは、いろいろな機能を確認することができます。

●多くの機能が組み入れられる最新のキッチン

キッチンメーカーのショールームに行くと、いろいろな空間に合わせたキッチンプランが提案されています。最近では、熱効率の高い調理機器、食器洗浄乾燥機、浄水器、吸気機能付き換気設備が標準的な設備になり、生ゴミ処理機などが組み入れられることもあります。オープンタイプやセミオープンタイプのキッチンの増加を反映して、汚れが付きにくい、付いても落としやすい壁材や鏡面仕上げの扉材、掃除のしやすい換気扇などが採用されています。大容量で開け閉めしやすい収納やハンズフリー水栓も一般的です。

ＩＨクッキングヒーターは直火がなく燃え移りの必要がないため、高齢者や子供でも安心です。キッチンが暑くなりにくく、掃除もしやすいことから人気となっています。既存の戸建住宅では三割の普及率となっています。台所での立ち仕事がつらいという声を受けて、座ったままで炊事ができるシステムキッチンも発売されています。ＬＩＸＩＬ、ＴＯＴＯ、パナソニック、タカラスタンダード、クリナップが、キッチンメーカーの上位です。

●癒しの空間を実現するユニットバス

ユニットバスは、工場で作った部品を工事現場に運び込んで組み立てるお風呂です。最近では、戸建て住宅の二階や三階に浴室を設けることも多くなりましたが、これもユニットバスの防水性や保温性によっ

【キッチンスペシャリスト】 キッチンに設置される各種の設備機器類に関する専門知識を持ち、消費者により良いキッチン空間を提案する仕事。設備機器だけでなく、ガス、電気、水道などの防災安全対策や建築構造などについての知識と経験も必要とされる。公益社団法人インテリア産業協会に登録される公的な資格である。

て、安心して実現できるようになりました。

最近では、バスルームを癒しの場として考えるようになり、照明による演出やTV／AV機器、ミストサウナ、ジェット噴流、肩湯・打たせ湯機能、マイクロバブルなどが提案されています。魔法びん浴槽と呼ばれる、裏側に保温材を付けた高断熱浴槽も一般的になっています。五時間後の温度低下が二・五℃以内です。

ユニバーサルデザインの視点から、段差をなくし、入口を広くしたもの、引戸タイプを取り入れた商品もあります。手すりや浴槽の縁が握りやすい形状となっているもの、浴槽への移動が楽なようにベンチが付いているものもあります。

TOTOが開発した「ほっカラリ床」は、床一面に形成された細かな溝が水滴を誘引して、確実な排水を行います。さらに床下の二重断熱構造でやわらかさと暖かさを実現しました。「足が滑って危ない」「足が濡れて冷たい」という不満を解消しています。浴槽内を自動的に洗浄する「おそうじ浴槽」もあります。TOTO、LIXIL、パナソニックがユニットバスの上位メーカーです。

高断熱浴槽（魔法びん浴槽）の性能

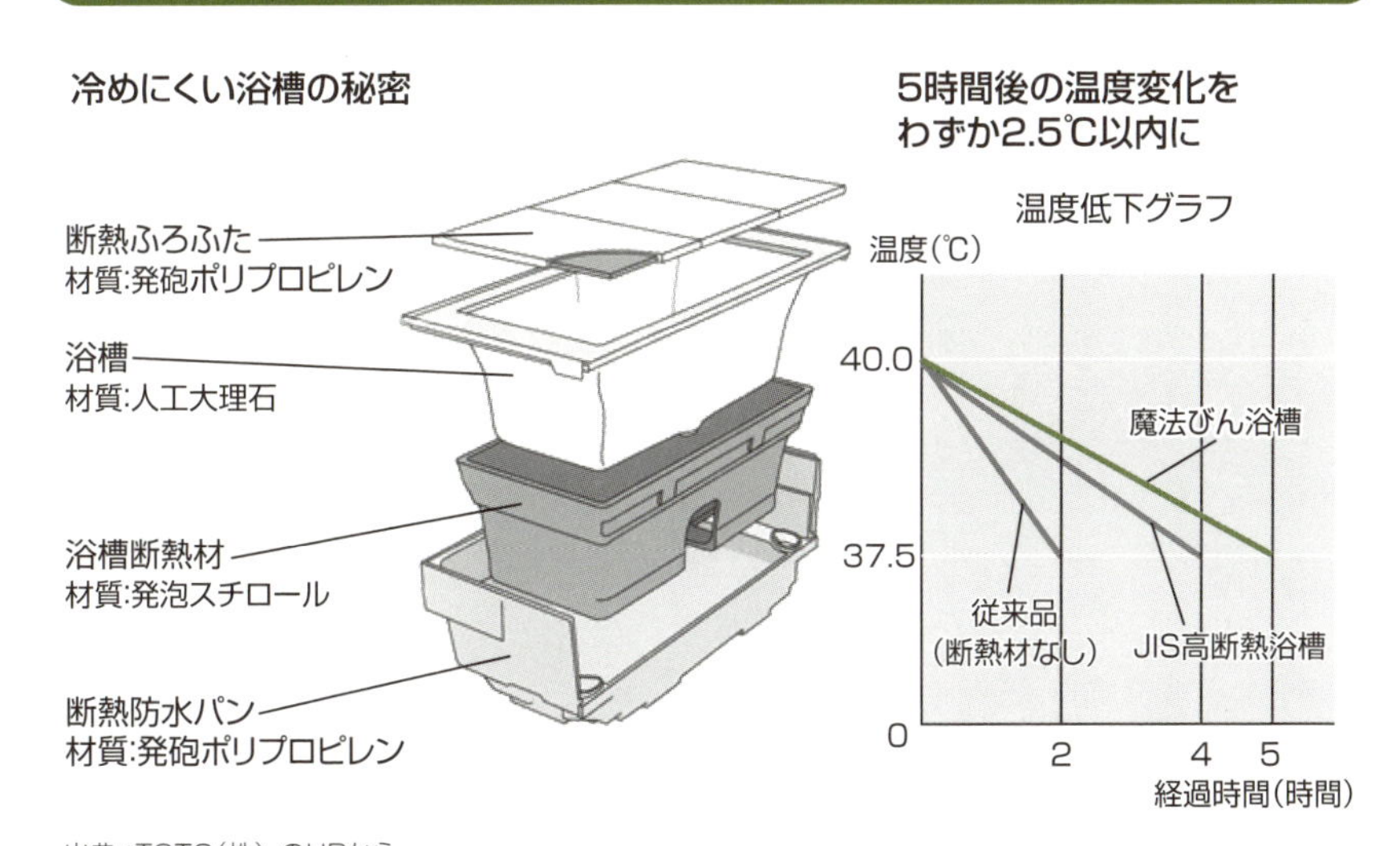

出典：TOTO(株) のHPから

【節水型トイレ】　東京都水道局の調査によると、家庭で使われる水のうち28%は、トイレでの使用と大きな割合を占めていた。最近では、節水型トイレが登場している。従来は、13ℓ/回の使用であったものが、4.8ℓや3.8ℓの製品が登場している。それだけでなく、洗浄力が高く汚れも落ちやすくなっている。

9 省エネ性能を高める断熱材の種類

断熱材は空気を固定することで、熱を伝わりにくくしている材料です。住宅全体を断熱材で包むことで、快適な室内空間を実現することができます。

●工法に応じた断熱材の選定

住宅用断熱材には、繊維の間に空気を固定する**繊維系断熱材**と、独立した気泡に空気やガスを閉じこめる**発泡プラスチック系断熱材**の二種類があります。無機質繊維系の断熱材は主に充填断熱工法、吹込み工法に用いられ、発泡プラスチック系断熱材は充填断熱工法と外張断熱工法に用いられています。

繊維系の中で主に使われるのが、グラスウールやロックウールなどの**無機質繊維系断熱材**です。これらは、圧縮梱包して運べるので、ボード状の発泡プラスチック系断熱材に比べてかさばらない、柔らかいために、壁の中に筋交いなどがあっても施工しやすいという利点があります。火やシロアリにも強く、吸音性にも優れるという特徴があります。逆に、施工時にチクチクする、雨などの水分を含むと水が抜けにくく断熱性能が低下する、という欠点があります。

住宅の屋根・天井や壁に使用される断熱材のシェアは、グラスウールが四割、ロックウールが一割と繊維系が五割を占めています。一方、床に使用される断熱材は、ポリスチレンフォームやポリエチレンなどの発泡プラスチック系が約七割、繊維系が約二割と逆転しています。床下に施工する場合は、垂れ下がりが心配されるので、ボード状の発泡プラスチック系断熱材の利用が多くなっています。かつては壁の九割、床の五割を繊維系断熱材が占めていましたが、外張り断熱工法の普及などの断熱工法の変化により発泡プラスチッ

【熱伝導率】 材料の両面に1℃の温度差があるとき、1m厚の材料の中を1時間当たりどのぐらいの熱量が通過するかを表す。単位はW/(m・K)で表される。

ク系が全体で約三割までシェアを伸ばしています。

●建材のトップランナー制度

断熱材の性能は、**熱伝導率**と**熱抵抗値**で表されます。熱伝導率は、「熱の伝わりやすさ」を表す値で、その値が小さいほど断熱性能が高い材料です。熱伝導率は、材料の厚みに関係なく、その材質によって決まります。グラスウールのような繊維系断熱材の場合は、密度や繊維径によって決まります。熱抵抗値は、ある厚みの材料の「熱の伝わりにくさ」を表す値です。具体的には「厚み÷熱伝導率」で求められ、その値が大きいほど断熱性能が良いということになります。したがって断熱性能を高めるには断熱材の厚みを厚くする、または熱伝導率の小さな材料を選びます。

トップランナー制度は、すでに商品化されている中で、最も省エネ性に優れている製品の性能を超えるように基準を設定し、目標年度までに基準をクリアすることを製造事業者に求めるものです。目標基準値を達成できない場合は勧告を受けます。建材では断熱材と窓（サッシ・複層ガラス）が対象となっています。

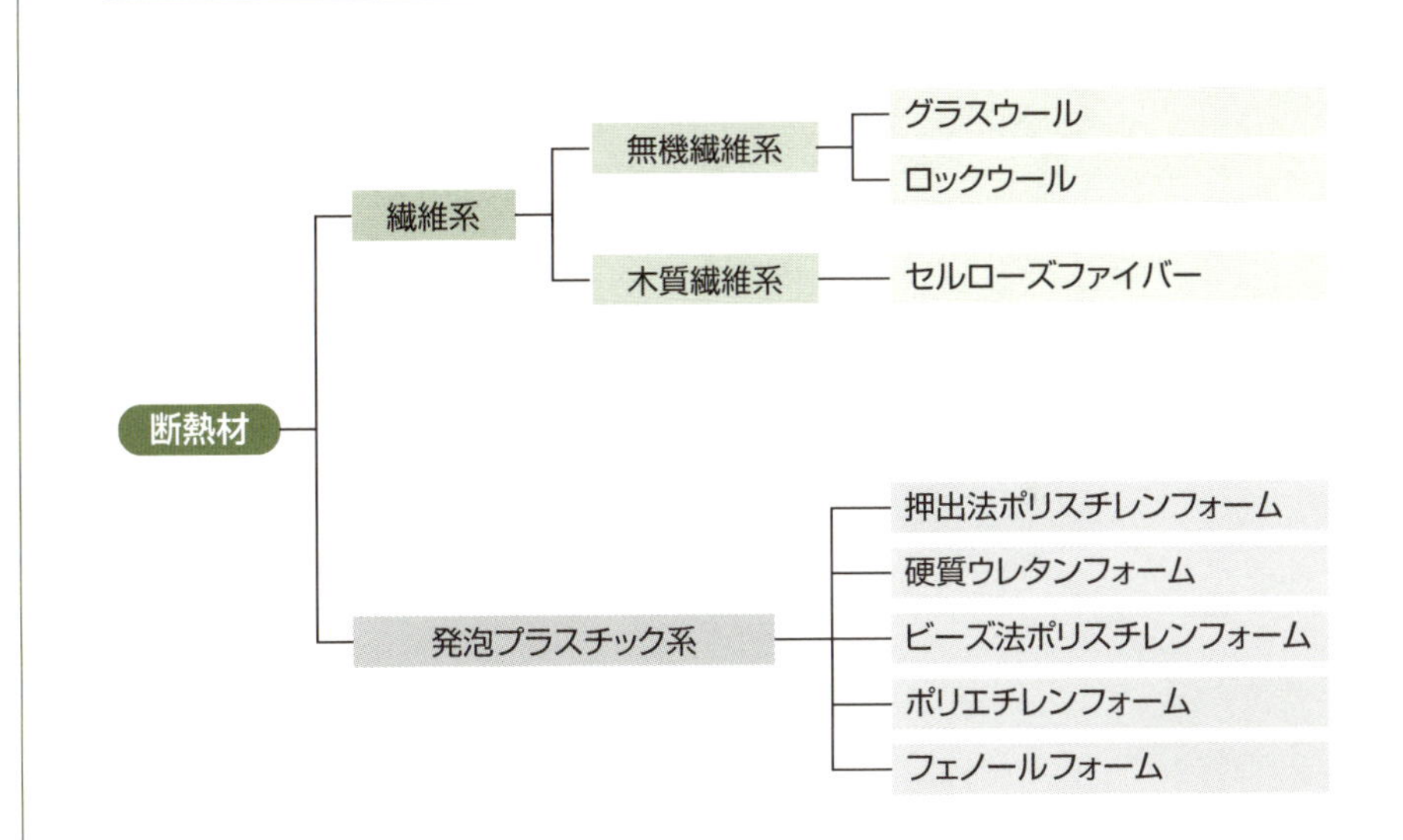

【内部結露】　ガラスや壁の表面に発生する結露を表面結露といい、壁の中で発生する結露を内部結露という。内部結露は外から見えないため、知らないうちにカビやダニが発生したり、木材を腐らせたりするので、注意が必要。断熱材の施工が適切でないと、内部結露が発生する。

断熱材の施工方法

①充填断熱工法	②吹込み工法	③外張断熱工法
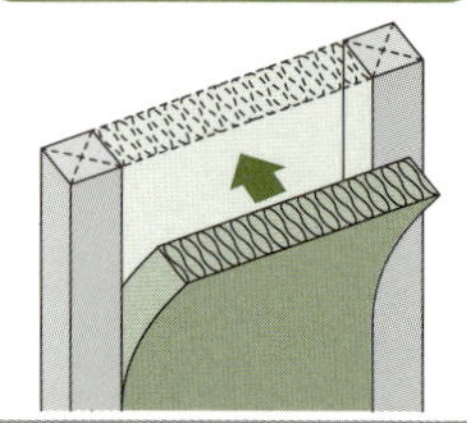	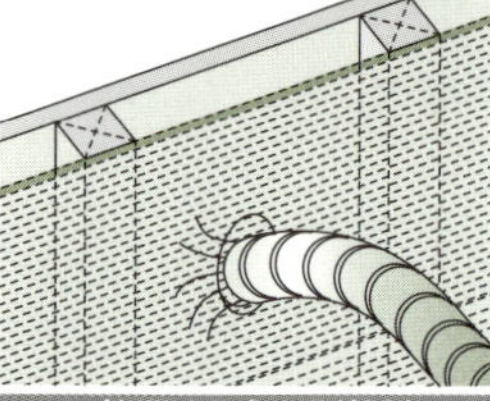	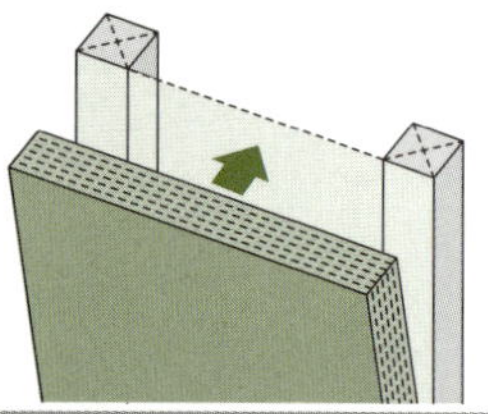
使用する主な断熱材	使用する主な断熱材	使用する主な断熱材
グラスウール	グラスウール	高密度グラスウール
ロックウール	ロックウール	ロックウールボード
ポリエチレンフォーム	セルローズファイバー	ビーズ法ポリスチレンフォーム
		押出法ポリスチレンフォーム
		硬質ウレタンフォーム
		フェノールフォーム

出典：環境省『省エネルギー住宅ファクトシート』

三位一体で快適性を実現する高断熱・高気密住宅

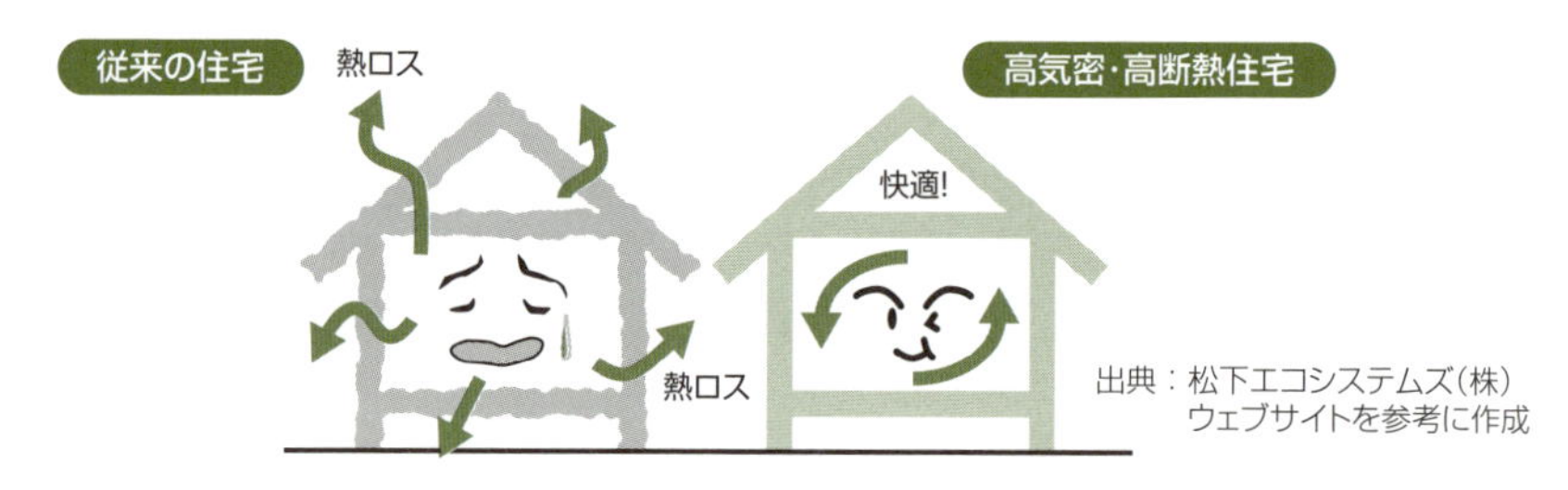

出典：松下エコシステムズ（株）
ウェブサイトを参考に作成

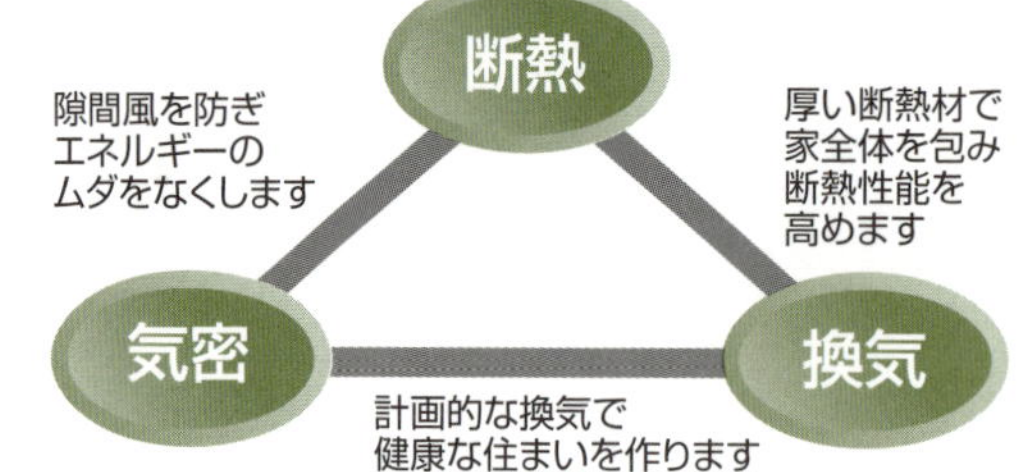

高断熱・高気密住宅

断熱性と気密性をあわせて高めることにより、省エネルギー性と快適性を向上させた住宅のことです。もともとは寒冷地で生まれた住宅ですが、最近では全国で一般化したため高断熱・高気密住宅ということばも聞かなくなってきました。

【優良断熱材認証制度】　（一社）日本建材・住宅設備産業協会が優良な断熱材を「推奨できる断熱材」として認証する制度。製品の認証マークには断熱材の性能が表示されているため、現場のチェックもマークの確認のみで行うことができる。

住宅における外皮性能

住宅の外皮性能は、UA値とηAC値により構成され、いずれも、地域分別に規定されている基準値以下となることが必要。
※全国を北から南まで8つの地域に分けて規定

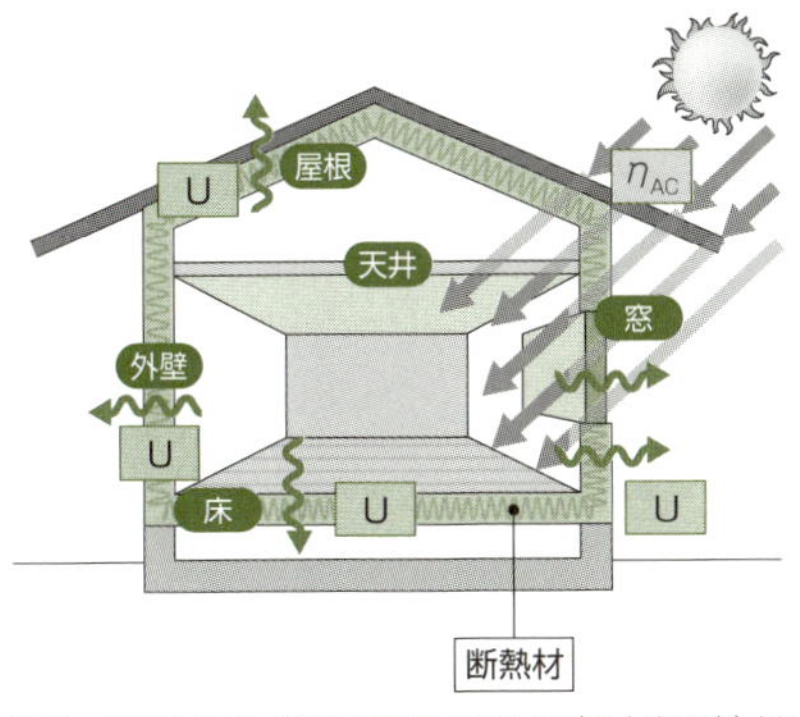

出典：住宅性能表示制度の見直しについて（国土交通省）より

●外皮平均熱貫流率（U_A〈ユーエー〉）
- 室内と外気の熱の出入りのしやすさの指標
- 建物内外温度差を1度としたときに、建物内部から外界へ逃げる単位時間あたりの熱量※を、外皮面積で除したもの。
  ※換気による熱損失は除く
- 値が小さいほど熱が出入りしにくく、断熱性能が高い

$$U_A = \frac{\text{単位温度差当たりの外皮総熱損失量}}{\text{外皮総面積}}$$
（W/m²·K）

※沖縄等を除く地域で規定

●冷房期の平均日射熱取得率（η_{AC}〈イータ·エー·シー〉）
- 太陽日射の室内への入りやすさの指標
- 単位日射強度当たりの日射により建物内部で取得する熱量を冷房期間で平均し、外皮面積で除したもの。
- 値が小さいほど日射が入りにくく、遮蔽性能が高い

$$\eta_{AC} = \frac{\text{単位日射強度当たりの総日射取得量}}{\text{外皮総面積}} \times 100$$

※関東から沖縄の地域で規定

基準を満たすために必要な外皮の U_A 値（地域別）

外皮の断熱性能を高くすると壁が厚くなります。

HEAT20　G3 の寒冷地域の基準 UA 値 0.20 をクリアするためには、例えばグラスウール 20K 210mm+ フェノールフォーム（発泡系断熱材）100mm が必要です。外壁や内装も含めると壁の厚さは 35cm 以上になります。

<table>
<tr><th rowspan="2">性能基準</th><th rowspan="2">性能表示※1</th><th>1地域</th><th>2地域</th><th>3地域</th><th>4地域</th><th>5地域</th><th>6地域</th><th>7地域</th><th>8地域</th></tr>
<tr><th>夕張等</th><th>札幌等</th><th>盛岡等</th><th>会津若松等</th><th>水戸等</th><th>東京等</th><th>熊本等</th><th>沖縄等</th></tr>
<tr><td>HEAT20　G3</td><td>≒等級7※2</td><td colspan="3">0.20</td><td colspan="2">0.23</td><td colspan="2">0.26</td><td>−</td></tr>
<tr><td>HEAT20　G2</td><td>≒等級6※2</td><td colspan="3">0.28</td><td colspan="2">0.34</td><td colspan="2">0.46</td><td>−</td></tr>
<tr><td>ZEH+</td><td>−</td><td colspan="2" rowspan="2">0.30</td><td colspan="3" rowspan="2">0.40</td><td colspan="2" rowspan="2">0.50</td><td rowspan="2">−</td></tr>
<tr><td>Nearly　ZEH+</td><td>−</td></tr>
<tr><td>HEAT20　G1</td><td>−</td><td colspan="2">0.34</td><td>0.38</td><td>0.46</td><td>0.48</td><td colspan="2">0.56</td><td>−</td></tr>
<tr><td>ZEH</td><td rowspan="3">等級5</td><td colspan="2" rowspan="3">0.40</td><td rowspan="3">0.50</td><td colspan="4" rowspan="3">0.60</td><td rowspan="3">−</td></tr>
<tr><td>Nearly　ZEH</td></tr>
<tr><td>ZEH　Oriented</td></tr>
<tr><td>省エネ基準</td><td>等級4</td><td colspan="2">0.46</td><td>0.56</td><td>0.75</td><td colspan="3">0.87</td><td>−</td></tr>
</table>

※1　性能表示の断熱性能等級における外皮の UA 値のみの比較である。
※2　ほぼ等級 7、等級6と同等であるが、5 地域において等級 7 は 0.26、等級 6 は 0.46 となっている。

【HEAT20】「一般社団法人20年先を見据えた日本の高断熱住宅研究会」のことである。住宅断熱・省エネの専門家や学識経験者が中心となり、断熱材やサッシ、ガラスの協会、住宅会社などが会員となっている。住宅の外皮（屋根、壁、床、窓）について今後の目指すべき基準をHEAT20　G1～G3として提案している。

10 晴れるとうれしい太陽光発電

二〇〇九年に始まった余剰電力買取制度をきっかけに太陽光発電の普及が拡大しました。

●余剰電力買取制度

住宅用の太陽光発電システムは、太陽電池が発電した直流電力を、パワーコンディショナで交流電力に変換し、家庭内に電気を供給します。電力会社の配電線とつながっているので、発電電力が消費電力を上回った場合は、電力会社へ送電して電気を買い取ってもらうことができます。曇りや雨の日など発電した電力では足りないときや夜間などは、電力会社の電気を使います。

二〇〇九年に始まった**余剰電力買取制度**をきっかけに太陽光発電の普及が拡大しました。さらに、二〇一二年からは固定価格買取制度がスタートしました。買取価格は、二〇一二年度までは四二円／kWhでしたが、二〇一三年度は三八円／kWh、二〇一四年度は三七円／kWhとなりました。二〇二一年度は一九円（出力制御ありは二六円）にまで低下し、二〇二三年度には一七円、二〇二三年度は一六円となります。普及により太陽光発電システムの価格も低下しています。

二〇一九年には、一〇年間の固定価格買取制度の認定を受けた住宅用太陽光発電が買取機関の終了を迎えました。期間終了後の買取価格は地域や事業者により差がありますが七～九円のようです。買取価格の低下により、売電よりも自家消費が中心になっています。

自家消費を増やすには、昼間に発電した電気を家庭用蓄電池や電気自動車に蓄えて夜に使うことが有効です。自動車に蓄えた電気を家庭で使用するにはV2H機器が必要です。

【太陽光発電の普及状況】 2018年の住宅・土地統計調査によると戸建て住宅における太陽光発電の設置率は7.0%である。都道府県別では、佐賀県12.8%、熊本県11.2%、宮崎県11.2%、長野県11.1%、大分県10.7%となっている。一方で、秋田県2.2%、北海道2.2%、新潟県2.3%、青森県2.7%である。日射量の多い地域と少ない地域で大きな差がある。

V2H（Vehicle to Home）は、電気自動車やハイブリッド車のバッテリーに蓄えられている電力を流用し自宅の家庭で使用することができるシステムです。自宅で発電した電気を電力会社に預かってもらい、発電が少ない月に充当する方法もあります。

●メーカーによって異なる保証期間

太陽光発電を導入する場合は、屋根の方向や形状・面積によって発電量が異なるので注意が必要です。真南の傾斜角三〇度の場合に発電率が高いといわれています。工事を行う前には電力会社への申込みも行います。多くの自治体では太陽光発電設置時に利用できる補助金があります。電力を買い取ってもらう場合は、経済産業省への申請も必要です。

太陽光発電パネルのメーカーは、機器や出力の保証をしていますが、出力保証についてはメーカーによって期間が異なります。二〇年や二五年の長期保証をしている会社もあります。かつては国内メーカーが主流でしたが、現在は海外メーカーのシェアが高くなっています。

太陽光発電のシステム

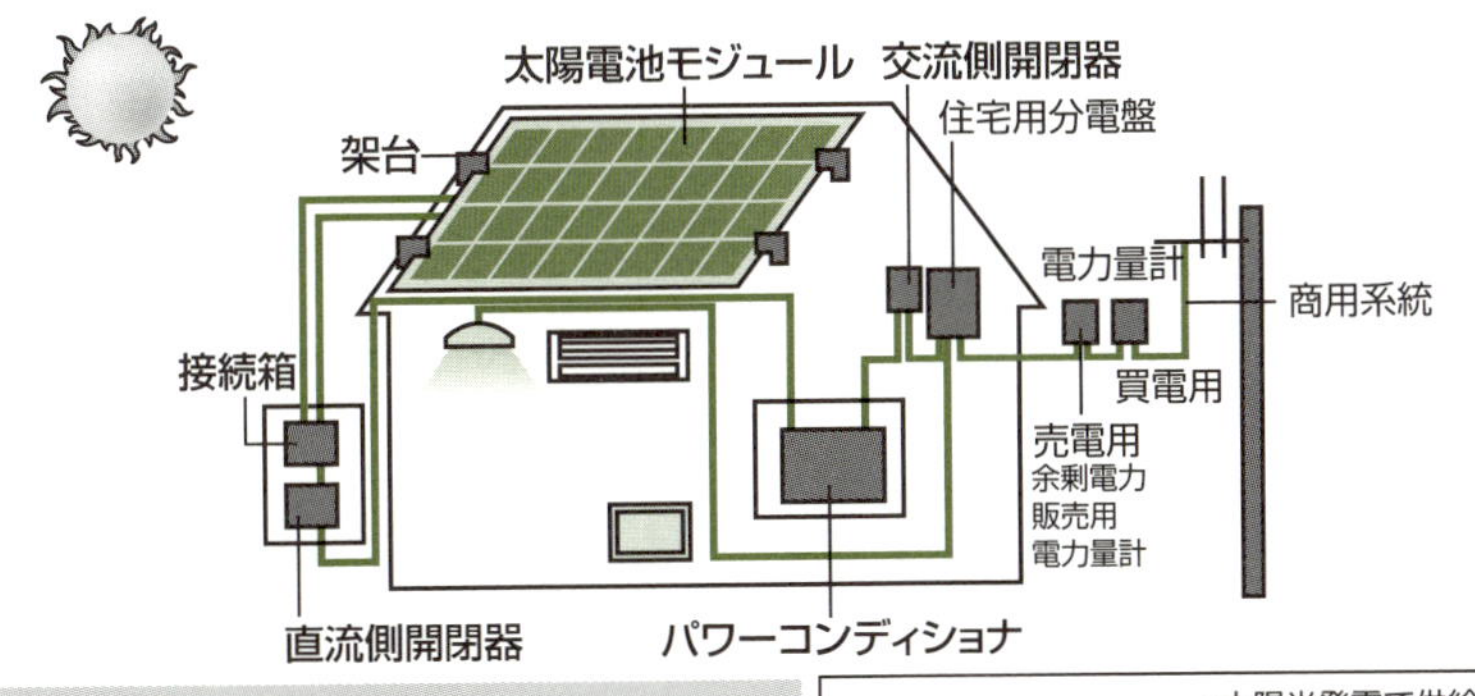

- 一世帯当たりの年間総消費電力量は5,650kWh/年
- 太陽電池容量1kWシステム当たりの年間発電量は約1,000kWhなので、4kWシステムを設置すれば、70％程度を賄える

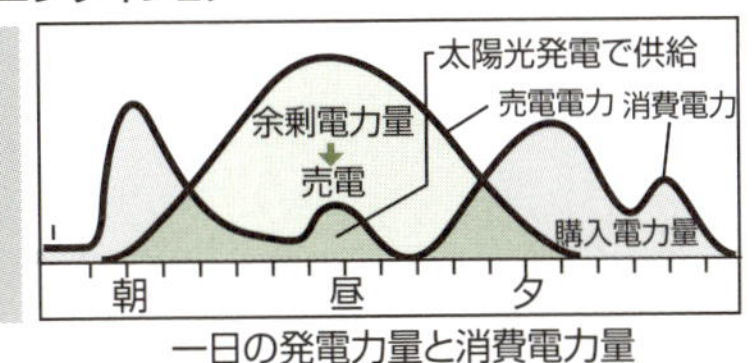

一日の発電力量と消費電力量

【屋根置き型と屋根材一体型】 太陽光パネルには屋根置き型と屋根材一体型がある。屋根材一体型は、屋根自体が太陽光パネルなので、違和感が少ない、建物への負担が小さい、雨漏りの危険性が少ないというメリットがある。ただし、故障などのトラブルが生じても簡単に取り外しができない場合がある。

太陽光パネルを屋根に載せたことで雨漏りが発生したなどのトラブルも発生しています。屋根の上に重量物を載せるため、特に既存住宅に設置する場合は、屋根の状態確認が大切です。補強が必要になる場合もあります。工事のトラブルを防ぐために、太陽光発電協会ではPVマスター技術者制度、保守・点検技術者制度を運営しています。太陽光発電システムに関する知識だけでなく、電気工事や屋根工事に関する研修や実習を受講し、試験に合格することで認定されます。

太陽光発電普及協会のサイトには、最適なシステムの選び方や信頼できる販売・施工業者の選び方などが掲載されています。

●太陽光発電の設置義務化

東京都では、都内の建物がそれぞれどの程度太陽光発電などの設置に適しているかが一目でわかるWebマップ「東京ソーラー屋根台帳」を公開しています。航空測量データを用いて実際の建物を三次元で解析し、日射量、屋根の傾斜、近隣の建物などによる日陰の影響を考慮して、建物ごとの設置可能システム容量と予測発電量を表示しています。

東京都は二〇二二年五月、中小の新築建物への太陽光発電の設置を努力義務とする方針を明らかにしました。個人ではなく事業者に対する義務化であり、大手住宅メーカーなど約五〇社が対象となる見込みです。都内新築戸建の約半数がカバーされます。建築主の意向を配慮し、日照不足の建物は対象から除外されます。また、建築主の負担を軽減するための助成も行います。現在、都内の戸建て住宅の太陽光発電設置率は約四%です。大手住宅メーカーの中には、すでに特別の理由がない限り太陽光発電を標準にしている会社もあります。太陽光発電パネルの寿命は三〇年程度といわれており、将来の大量廃棄・リサイクルに向けた対策も必要になっています。

●注目を浴びる太陽熱利用

太陽光発電システムのエネルギー変換効率は、二〇%弱ですが、太陽熱利用システムは太陽熱をそのまま利用するため、変換効率が四〇〜六〇%と高く、またシステムの価格も安いことから注目されています。

【床暖房】 床面からの輻射と熱伝導で暖房する方式。温風式の暖房と異なり、床面から天井付近まで均一な温度分布となる。足元から暖かくなるため、比較的室温を低く抑えても快適になる。

住宅用太陽光発電システムの導入件数

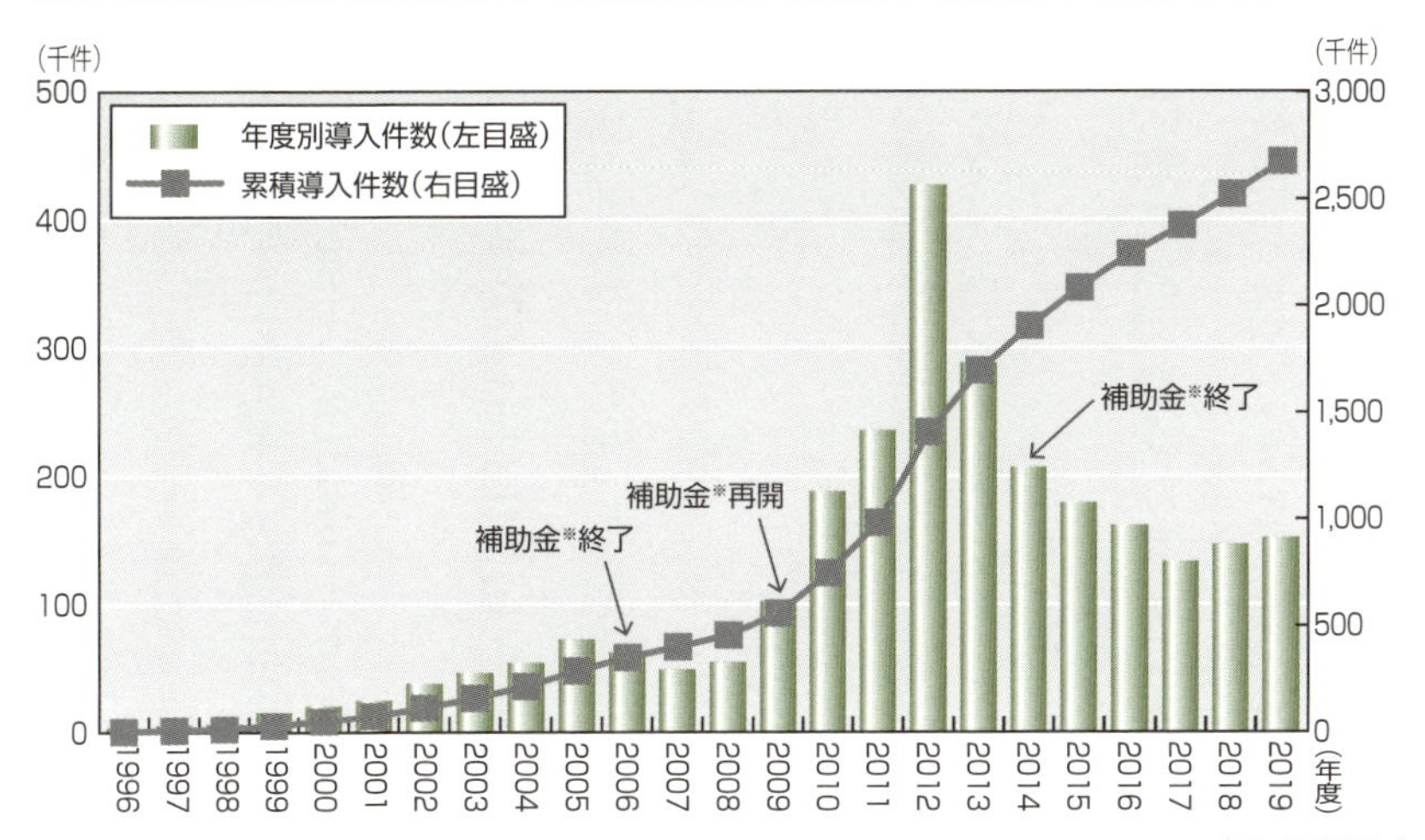

※国による補助金

出典：太陽光発電の状況(一般社団法人 太陽光発電協会)

太陽光パネルの施工

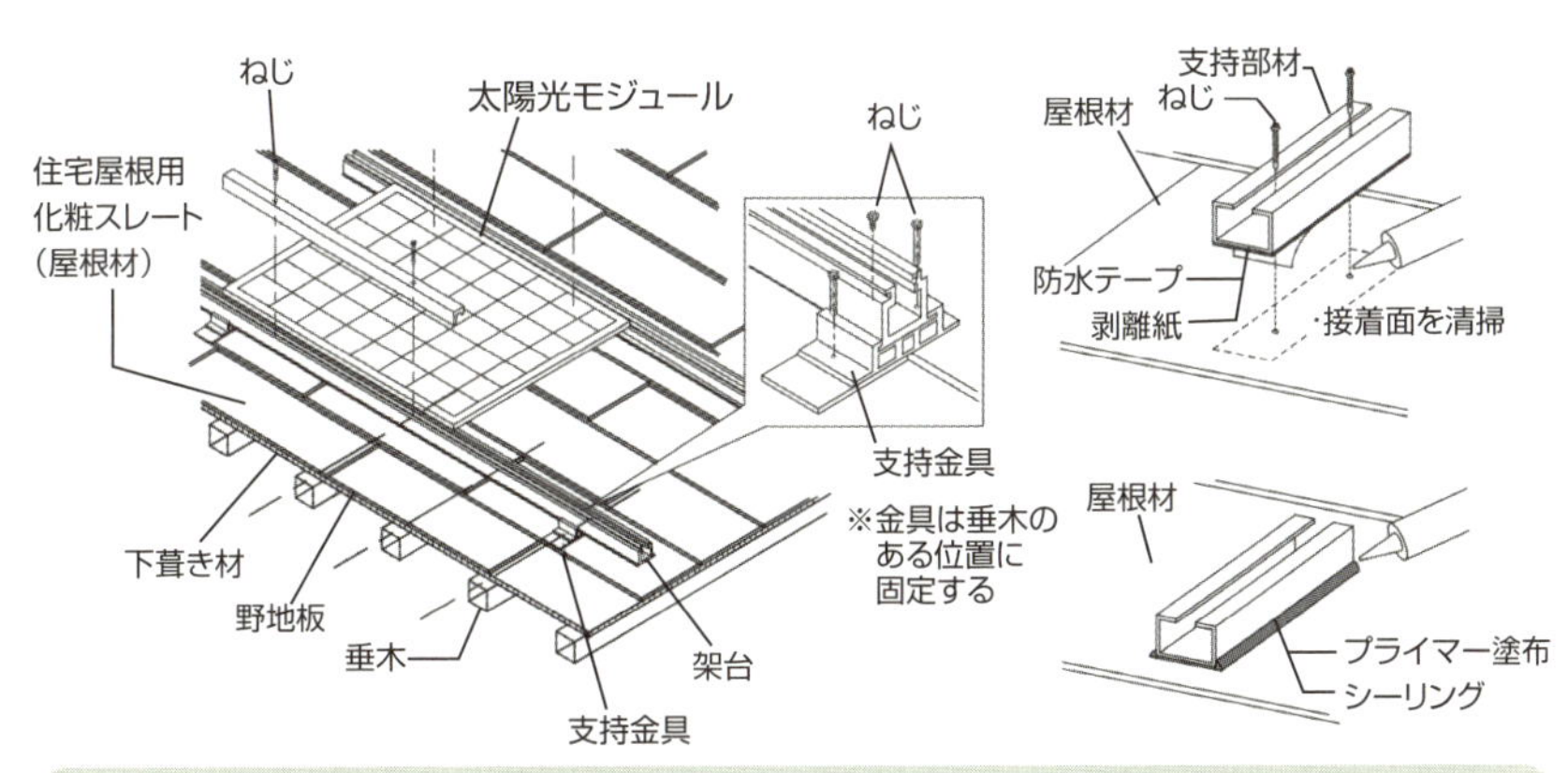

- 勾配屋根への屋寝置き型太陽電池モジュールの設置・施工方法は、屋根の主要な構造を構成する垂木、母屋等に支持部材を取り付け、この支持部材に架台を固定する
- 支持部材の周辺およびねじ等の貫通部は、接着面の清掃およびプライマー処理等を行った上でパッキンやシーリング材等を用いて止水処理を行う等、適正に防水措置を施す

出典：住宅瑕疵担保責任保険(現場検査)講習テキスト(国土交通省　住宅局)

【瞬間式と貯湯式】 給湯器には、瞬間式と貯湯式がある。瞬間式は、給水口から取り込んだ水道水を必要量だけ必要温度に加熱する仕組みのため、無駄な加熱を行わず、小型なので設置場所の制約が少ない。貯湯式は、水を貯湯槽に貯めてあらかじめ加熱して使用する方式である。一定温度での給湯が可能になるが、消費量が多いと湯切れを生じたり、使用量が少ないと無駄な加熱が行われる。災害時には、飲料水として使用できる。

11 効率良く湯を沸かすエコジョーズとエコキュート

家庭で消費されるエネルギーの約三分の一は給湯で使用されています。給湯省エネを進めるために開発されたのがエコジョーズとエコキュートです。

●潜熱回収を行うエコジョーズ

従来のガス給湯器は、使用したガスの約二〇%が放熱や排気ガスとして無駄になっていました。**エコジョーズ**は、放熱や排気ガスのうち、約一五%を二次熱交換器で回収して再利用します。その結果、給湯熱効率が九五%に高まりました。CO_2の削減、ガス使用量の低減、ガス代節約などのメリットが生まれ、累計普及台数は二〇二〇年に一〇〇〇万台を超えました。

●空気の熱でお湯を湧かすエコキュート

電力会社が売り込んでいるヒートポンプ式給湯システム**エコキュート**は、空気の持っている熱でお湯を沸かす給湯器です。空気の熱を吸収したCO_2冷媒をさらにコンプレッサーで圧縮することで九〇℃程度の高温にし、熱交換器を通して水に熱を伝えます。マイナス二〇℃の空気からでもお湯を沸かすことができ、投入した電気エネルギーの三倍以上の熱エネルギーを得ることができます。

割安な夜間の電力を利用してお湯を沸かすことで、光熱費をさらに安くすることができますが、貯湯槽と室外機が必要なため、設置に場所を取ることとエアコンと同様の音がすることに注意が必要です。

このような省エネ設備の性能は、APF（年間給湯効率）で確認します。二〇二〇年の調査では戸建住宅におけるエコキュートの普及率二四%、エコジョーズの普及率四七%となっています。

【AFP】 AFP（Annual Perfomance Factor of hot water supply：年間給湯効率）は、一年を通して、ある一定の条件のもとに、ヒートポンプ給湯器を運転したときの消費電力量あたりの給湯熱量を表したものである。エアコンのAPF（通年エネルギー消費効率）は冷房期と暖房期を合わせた通年で評価する。

エコジョーズの仕組み

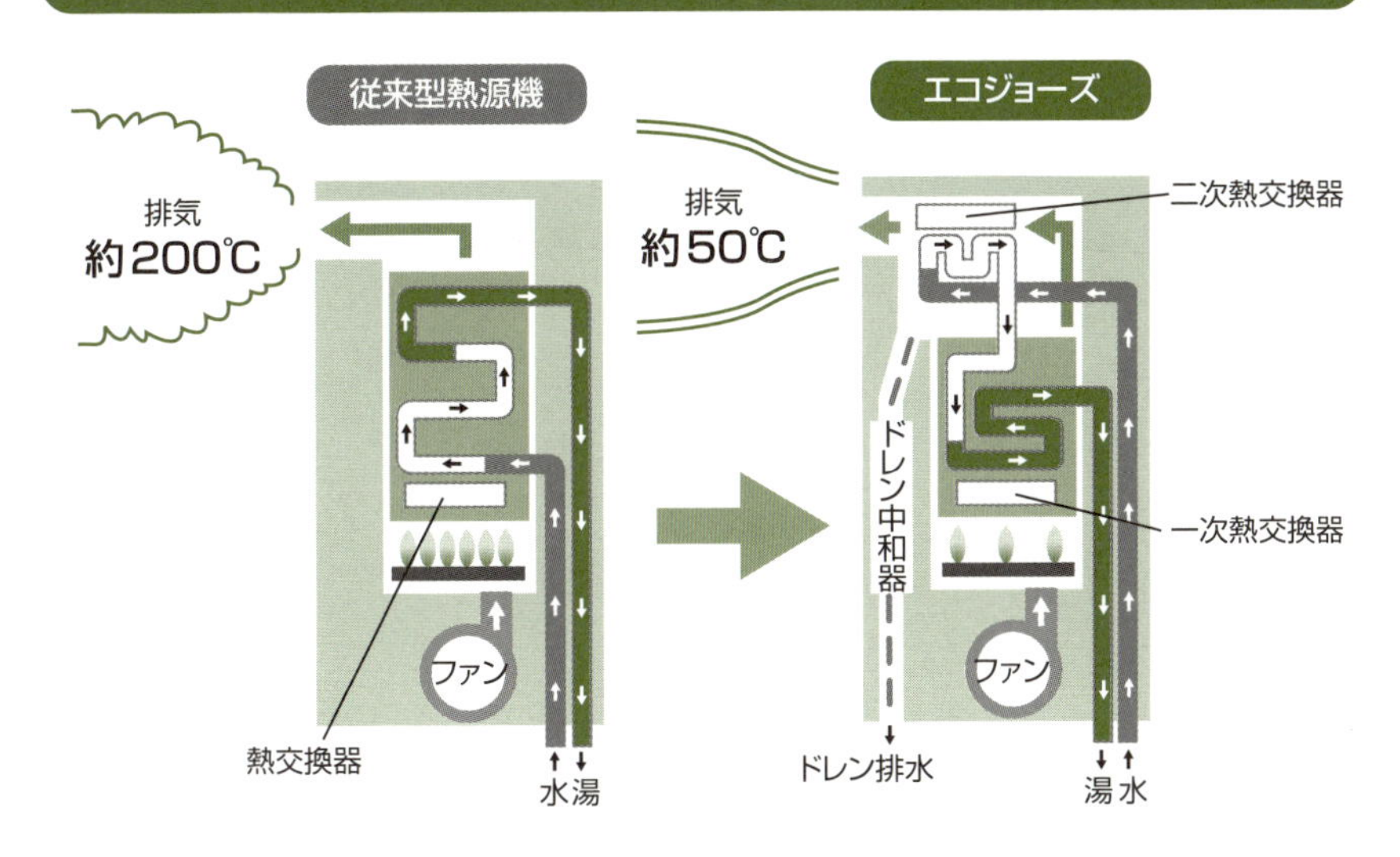

エコキュート（CO_2冷媒とヒートポンプ給湯器）の仕組み

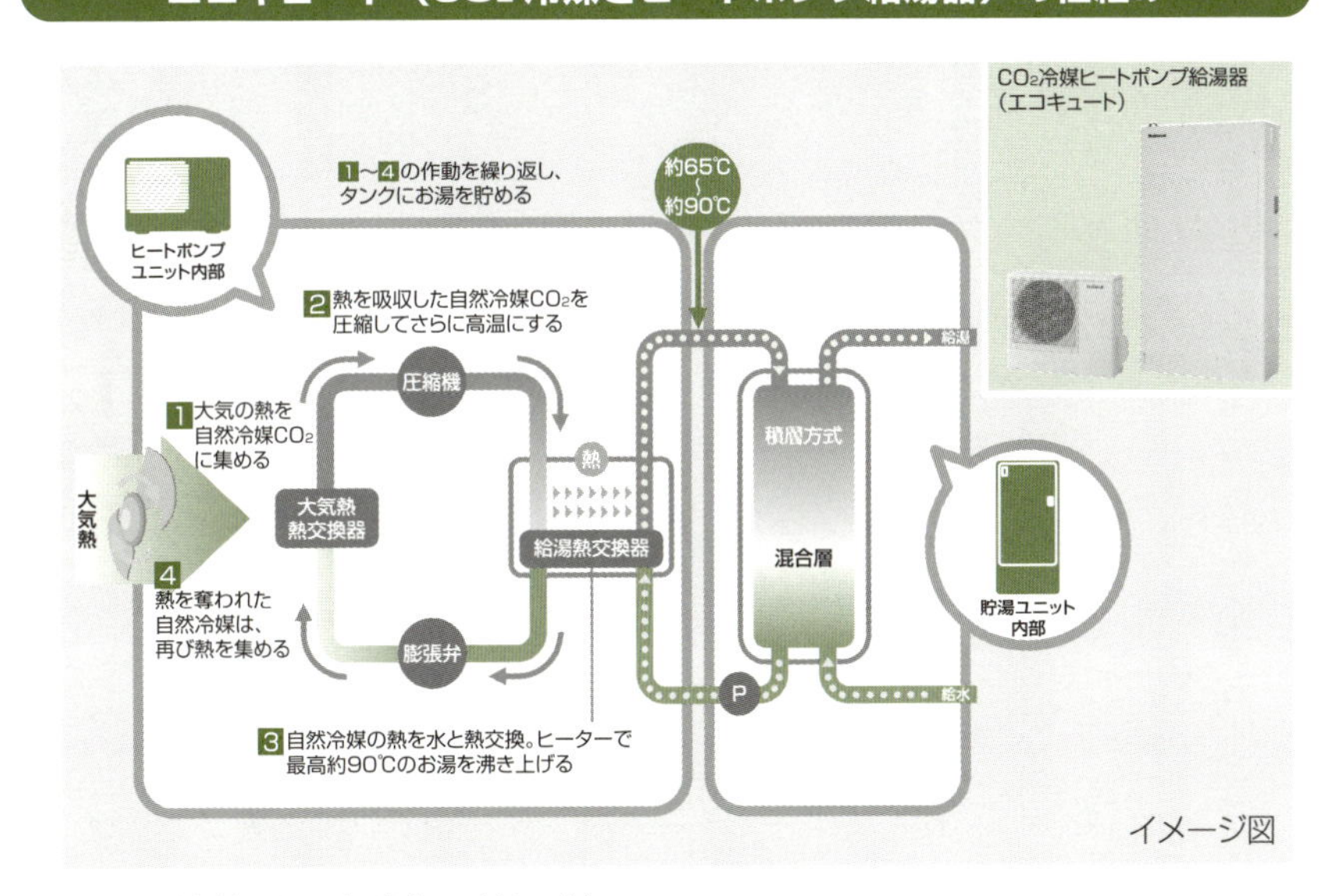

出典：環境省『省エネルギー住宅ファクトシート』

【給湯器の給湯能力】　給湯器の給湯能力は「16号、20号、24号…」というように「号数」で表わす。1号とは、「1リットルの水の温度を1分間に25℃上昇させる能力」のことであり、24号なら24リットルの水を1分間に25℃上昇させることができる。号数が大きければ、湯量が不足せずに余裕を持って使用することができる。

12 万一でも安心な災害対策住宅

近年、我が国では豪雨災害が激甚化・頻発化しています。二〇二〇年七月豪雨でも大規模な浸水被害・土砂災害が発生しました。氾濫危険水位を超過した河川数も増加傾向です。

●増える大雨の発生回数

我が国の一時間降水量五〇㎜以上の年間回数は、近年では三〇〇回に達しています。そして二〇一〇年から二〇一九年までの水害被害棟数は年平均四万棟を超えるほど、水害は身近な災害になっています。

二〇一九年一〇月の東日本台風では、荒川の水位が七・一七mまで上昇し氾濫危険水位に近づきました。もし荒川が氾濫すると近くの区だけでなく東京駅までもが浸水し、死者数約四一〇〇人、浸水戸数五一万戸の被害が想定されています。地震被害については認識が高まっていますが、水害被害への認識はまだ高まっていません。床上浸水すると、畳が浮き上がったり家具が転倒して避難が難しくなることもあります。

●災害対策住宅

このような災害を避けるには、自治体が公開している**ハザードマップ***を確認して危険地域の立地を避けることが大切です。その他に、停電時でも電気を確保できる太陽光発電や蓄電池の設置も重要な対策です。

一条工務店は、万一の水害に備えた「耐水害住宅」を開発しています。床下換気口のフロート弁や排水管の**逆流防止弁***で水が建物に浸入しないようにしています。もちろん、窓やドアも高い水圧に耐える水密性を持っています。エアコン室外機や外部コンセントは高所に設置して水から守ります。そして建物自体が浮き上がって流されないように係留装置でつなぎます。

【浸水被害防止区域】 水害発生リスクの高い地域を浸水被害防止区域と位置づけ、住宅や高齢者施設の建築を許可制にした。危険エリアからの移転も促進している。

【蓄電池の出荷量】 蓄電池の出荷は2017年の5万台から2021年には13万台以上と急増している。

近年の主な豪雨災害による被害

	平成30年7月豪雨	令和元年東日本台風	令和2年7月豪雨
発生日	2018年6月28日～7月8日	2019年10月6日～10月13日	2020年7月3日～7月31日
降水量観測史上1位の更新箇所数	122地点（72時間） 124地点（48時間） 76地点（24時間）	72地点（48時間） 103地点（24時間） 120地点（12時間）	40地点（72時間） 40地点（48時間） 30地点（24時間）
死者・行方不明者	271名	108名	86名
建物全壊	6,783棟	3,229棟	1,620棟
建物半壊	11,346棟	28,107棟	4,509棟
被害額	1兆2,150億円	1兆8,800億円	未集計

出典：「国土交通白書2021」

氾濫危険水位を超過した河川数

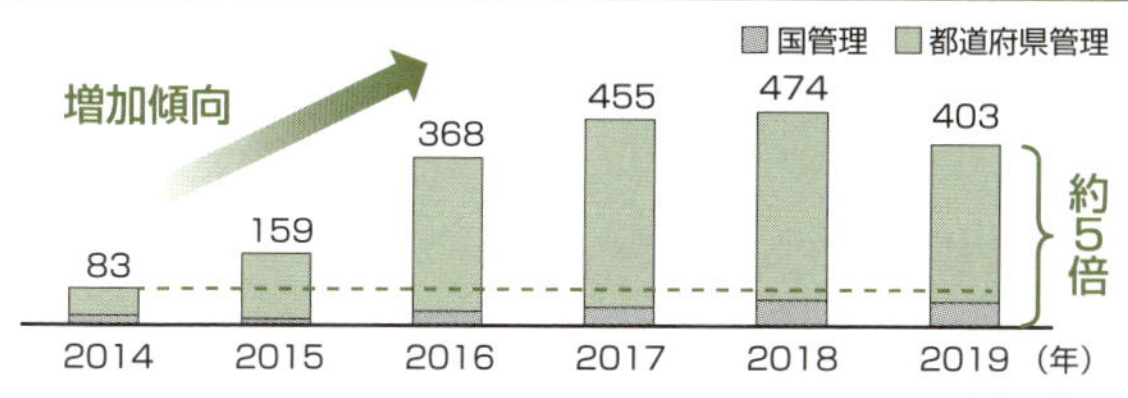

出典：「国土交通白書2021」

水害による被災家屋棟数

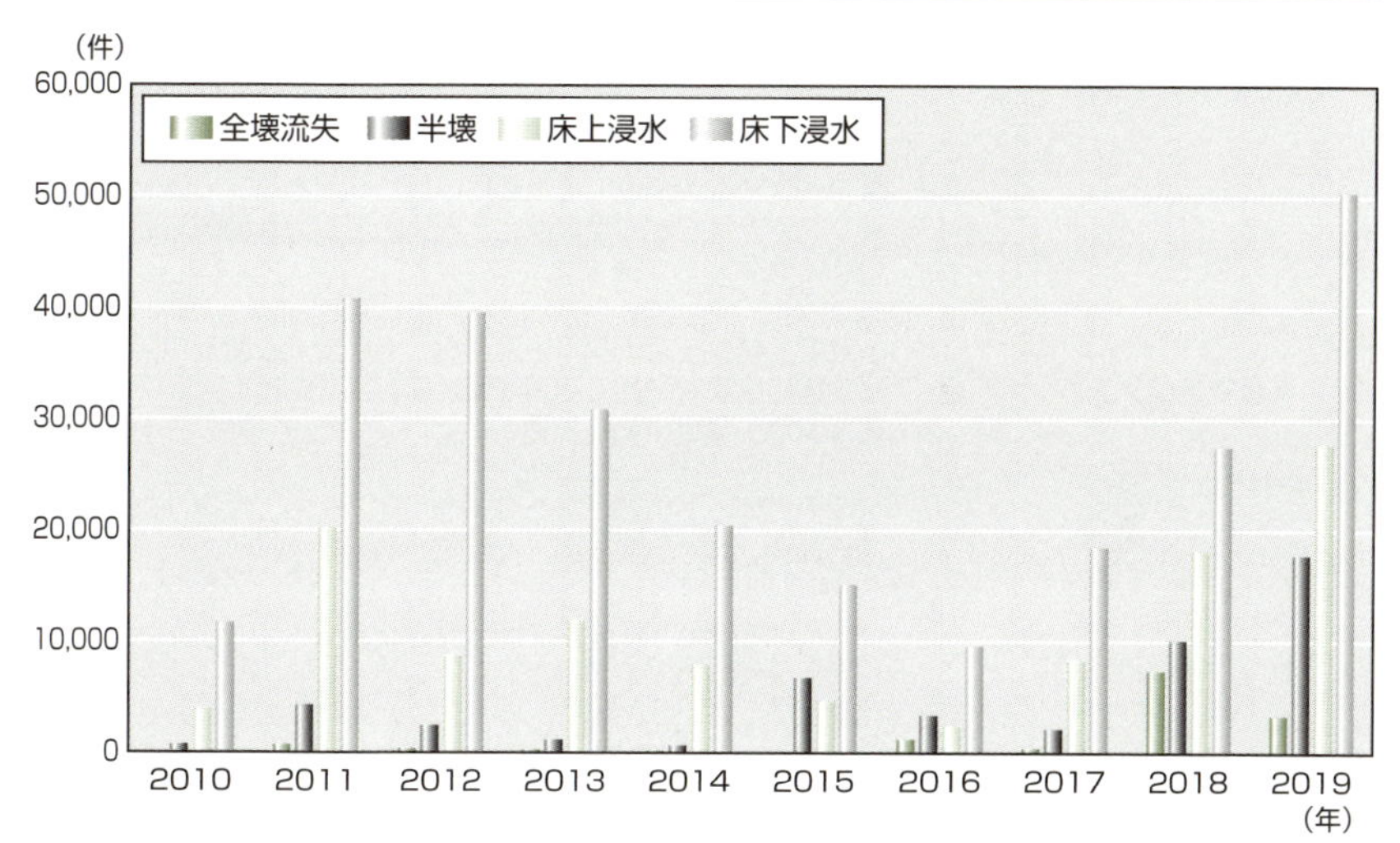

出典：水害統計調査（国土交通省）

＊**ハザードマップ**　自然災害による被害の軽減や防災対策を目的とし、被災想定区域や避難場所・避難経路、防災関係施設の位置などを表示した地図。

＊**逆流防止弁**　通常は弁が開いた状態で排水するが、水害で汚水が逆流しようとすると、自動で弁が閉じて逆流を防ぐ。

関心の高い設備と技術

生活を快適にするための設備や技術が、次々に開発されています。広く採用されているものがある一方で、関心は高くても予算面から採用に至らないものもあります。

(一社) 住宅生産団体連合会の調査によれば、顧客の関心が高い設備・建材・技術では、太陽光発電パネル、メンテナンスフリー外壁、蓄電池、全館空調システム、燃料電池 (エネファームなど)、構造システム (免震・制震など) の順となっています。顧客が採用したものでは、HEMS (ヘムス) やエコキュートも高くなっています。

蓄電池や全館空調システム、燃料電池 (エネファームなど) は、予算的に厳しかったという回答が多くなっています。

関心の高い設備・建材・技術①

燃料電池 (エネファーム等)	水素を燃料として供給し、酸素と電気化学反応をさせて電気を取り出す。発電の時には水だけが発生し、二酸化炭素が発生しない。騒音・振動などもなく、クリーンな発電である。
エコワン (ハイブリッド給湯器)	エコキュートのように電気を用いてヒートポンプで温水をつくりタンクに貯水する機能と、ガス給湯器の瞬間的にお湯をつくる機能の2つを備えている。
全館空調システム	1台で「換気・空気清浄・冷暖房」といった役割をなして、家全体の空調を一括で管理する。24時間体制で家全体を快適な室温・湿度に調整する。
HEMS（ヘムス）	住宅内で使っているエネルギーを見える化し、設備や家電を遠隔操作、自動制御することができる。
スマートハウス	HEMS（ホーム・エネルギー・マネジメント・システム）を用いて住宅の設備や家電をコントロールし、消費エネを最適化する。
V2H (ヴィークル・トゥ・ホーム)	クルマ（Vehicle）から家（Home）へという意味で、電気自動車に蓄えられた電力を、家庭用に有効活用する。
ユニバーサルデザイン	障がいの有無だけでなく、言語や国籍、年齢や性別にかかわらずすべての人が使いやすいように考慮されたデザインのこと。

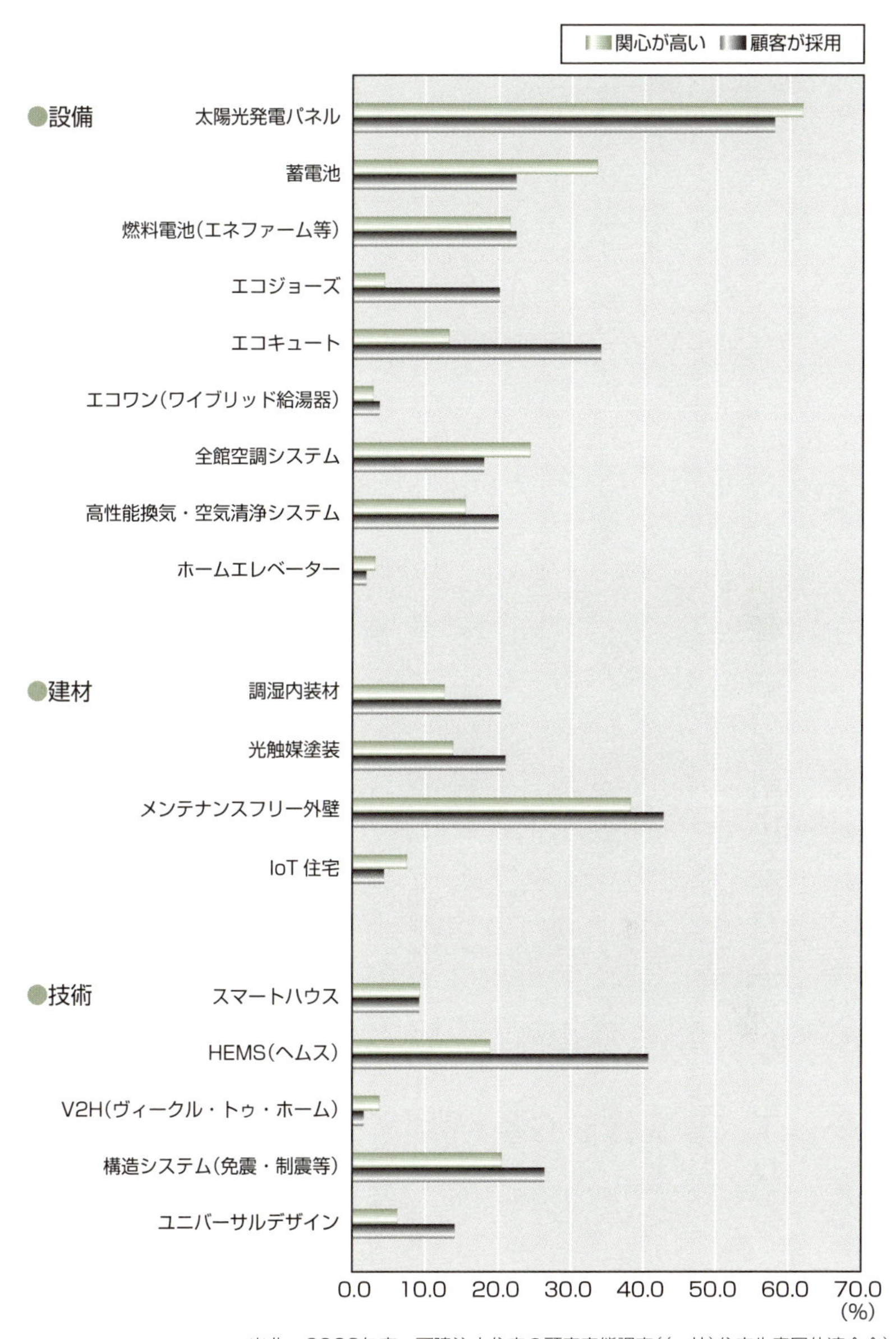

出典：2020年度　戸建注文住宅の顧客実態調査（（一社）住宅生産団体連合会）

13

室内の雰囲気を決める内装材

床、壁、天井といった内装材は、室内の雰囲気を決める大切な要素です。二〇〇三年七月に施行されたシックハウス対策で、内装材が規制の対象になりました。

●いろいろな機能を持つようになった内装材

内装材のビニールクロスには、単に色を着けただけでなく、表面に凸凹のあるエンボス加工や発泡させたもの、プリントを施したものなど様々な種類があります。手軽に使えるのが魅力です。一方、織物のクロスは、温かみや高級感が魅力です。ただしホコリを吸着しやすいので、掃除が大切です。

クロスには、いろいろな機能を持たせたものがあります。①汚れが付きにくく、また付いても落としやすいもの、②菌の増殖を抑え清潔に保つもの、③湿気に強いもの、④臭いが付きにくいもの、⑤ペットの引っかき傷などに強いものなどです。

内装壁材の常識を変えた、呼吸する壁としてヒット商品となった「エコカラット」は、LIXILのタイル商品です。調湿機能で湿度をコントロールするだけでなく、優れた脱臭効果でトイレ、タバコ、ペット、生ゴミの臭いの原因となる物質を取り込み、悪臭を抑えます。床や壁、家具などから揮発されるホルムアルデヒドなどの有害物質もキャッチして壁内に閉じ込めるので、シックハウス対策にも有効です。スギ花粉やダニなどのアレルゲンの働きを抑制する商品もあります。

●住宅の洋風化で需要が増えたフローリング

フローリング材は、住宅の床材として最も一般的な材料です。**複合フローリング**は、合板の表面に薄い単板のシートを張り、その上から光沢や強度を持たせる

【塗壁】 塗壁は、自然由来の素材で左官屋さんが手作業で施工するもの。多彩な仕上げパターンを表現することができるが、よく触る部分は黒ずんでしまうこともある。消石灰が原料の漆喰、植物性プランクトンが石化した土を使う珪藻土などがある。

ための塗装をしたものです。反りや伸び縮みが少なく施工が容易という特徴があります。表面の単板は、薄いものから厚いものまであり、厚単板なら**単層フローリング**と同様に木の質感を得ることができます。一方、単層フローリングは木そのものです。天然木本来の美しさや質感を十分に味わえるのが特徴です。最近では、高級感自然志向、健康志向などから単層フローリングが増える傾向にあります。

フローリングの新しい機能としては、①水漏れや水はねへの耐水性を持つもの、②日差しなどによる塗膜の変質や色の変化がおこりにくいもの、③表面が磨り減りにくくキズになりにくいもの、④汚れにくく、シミになりにくいもの、⑤湿気や熱の影響によるひび割れがしにくいもの、⑥細菌の繁殖を抑えるもの、⑦滑りにくいものなどがあります。床暖房と組み合わせて使う場合は、熱に強い商品を選ぶことが大切です。

また、フローリングは、遮音性能も重要な要素です。特殊な制振マットや緩衝材などを用いて遮音性を高めている商品があります。遮音性能は、L値（遮音等級）の数字が小さいほど遮音性能が良いことを示します。例えば、「LL‐四〇では、気配を感じる程度」「LL‐四五では、スプーンなどを落とすとわずかに聞こえる程度」「LL‐五〇では、椅子を引きずる音が聞こえる程度」となっています。

一戸建ての上階やマンションなどでは、遮音性能を持つ床材が選択されます。

●引渡前のチェックが欠かせない内装仕上げ

同じ内装工事でも、使用する材料によって、施工する職人が違います。クロスはクロス職人、塗壁は左官、タイルはタイル職人、木やフローリングは大工が工事を行います。内装の施工後には、他の工事が完了するまで、養生シートを張って保護をしますが、どうしても工事中に工具やその他の材料で傷を付けてしまいます。引渡前に必ず、チェックと補修を行うことが必要な部分です。

これらの内装材は、シックハウス対策規制の対象となっています。ホルムアルデヒドの放出量を☆印の数で示し、放出量の一番少ないF☆☆☆☆からF☆までグレード分けされています。

【VOC（Volatile Organic Compounds）】　揮発性有機化合物のこと。主なもので約200種類あるが、シックハウス症候群の原因として、特に有害なものが規制されている。

内装仕上げの制限

(1)建築材料の区分

内装仕上げに使用するホルムアルデヒドを発散する建材には、次のような制限が行われる。

建築材料の区分	ホルムアルデヒドの発散	JIS、JASなどの表示記号	内装仕上げの制限
建築基準法の規制対象外	少ない　5μg/h以下	F☆☆☆☆	制限なしに使える
第3種ホルムアルデヒド発散建築材料	5μg/h ～20μg/h	F☆☆☆	使用面積が制限される
第2種ホルムアルデヒド発散建築材料	20μg/h ～120μg/h	F☆☆	
第1種ホルムアルデヒド発散建築材料	多い　120μg/h超	旧E_2、Fc_2または表示なし	使用禁止

※1　μg(マイクログラム)：100万分の1gの重さ。放散速度1μg/hは、建材1につき1時間当たり1μgの化学物質が放散される
※2　建築物の部分に使用して5年経過したものについては、制限なし
※3　JASでは、F☆☆☆☆のほかに「非ホルムアルデヒド系接着剤使用」などの表示記号もある

規制対象となる建材は次のとおりで、これらには、原則としてJIS、JASまたは国土交通大臣認定による等級付けが必要となる。

木質建材(合板、木質フローリング、パーティクルボード、MDFなど)、壁紙、ホルムアルデヒドを含む断熱材、接着剤、塗料、仕上塗材など

(2)第2種、第3種ホルムアルデヒド発散建築材料の使用面積の制限

第2種ホルムアルデヒド発散建築材料および第3種ホルムアルデヒド発散建築材料については、次の式を満たすように、居室の内装の仕上げの使用面積を制限する。

$$N_2S_2 + N_3S_3 \leqq A$$

第2種分　第3種分

S_2：第2種ホルムアルデヒド発散建築材料の使用面積、
S_3：第3種ホルムアルデヒド発散建築材料の使用面積、
A：居室の床面積

居室の種類	換気回数	N_2	N_3
住宅等の居室(※)	0.7回/h以上	1.2	0.20
	0.5回/h以上0.7回/h未満	2.8	0.50
上記以外の居室(※)	0.7回/h以上	0.88	0.15
	0.5回/h以上0.7回/h未満	1.4	0.25
	0.3回/h以上0.5回/h未満	3.0	0.50

※住宅等の居室とは、住宅の居室、下宿の宿泊室、寄宿舎の寝室、家具その他これに類する物品の販売業を含む店舗の売り場をいう。上記以外の居室には、学校、オフィス、病院など他の用途の居室がすべて含まれる。

出典：国土交通省「シックハウス対策パンフレット」

【MSDSの提供義務】　2001年に施行されたPRTR法(化学物質管理促進法)で、指定化学物質等を他の事業者に譲渡・提供するときは、その相手方に対してMSDS*を提供することが義務付けられた。住宅生産者や購入者は、このシートの提出をメーカーに対して求めることができる。ただし、現状では、含有量1%未満の物質についてはMSDSに記載する必要がない。(特定第一種指定化学物質は0.1%)

狙われやすく侵入されやすい住宅

- 単板ガラスや網入りガラス
- 補助錠を取り付けていない
- ロック付きクレセントではない
- 貧弱な雨戸・シャッター

- 見通しが悪い
- 錠前が１個しかない
- サムターンが針金などですぐ回る
- ガードプレートが付いていない
- 鍵を屋外のどこかに隠している

- 扉や周囲に単板ガラスや網入りガラスがはめ込まれている
- ピッキングなどに弱い錠前
- 照明・防犯灯がない

- ２階の足場になる
- 見通しが悪い
- 照明がなく、夜間は暗い

- 庭木などで見通しが悪い
- 単板ガラスや網入りガラス
- ロック付きクレセントではない
- 補助錠を取り付けていない
- 貧弱な窓枠、格子

- 周囲から死角になっている
- 薄いプラスチック板や単板ガラス、網入りガラスがはめ込まれている
- ガードプレートが付いていない
- ピッキングなどに弱い錠前
- 錠前が１個しかない
- サムターンが針金などですぐ回る

- 腰壁で外から見通せない

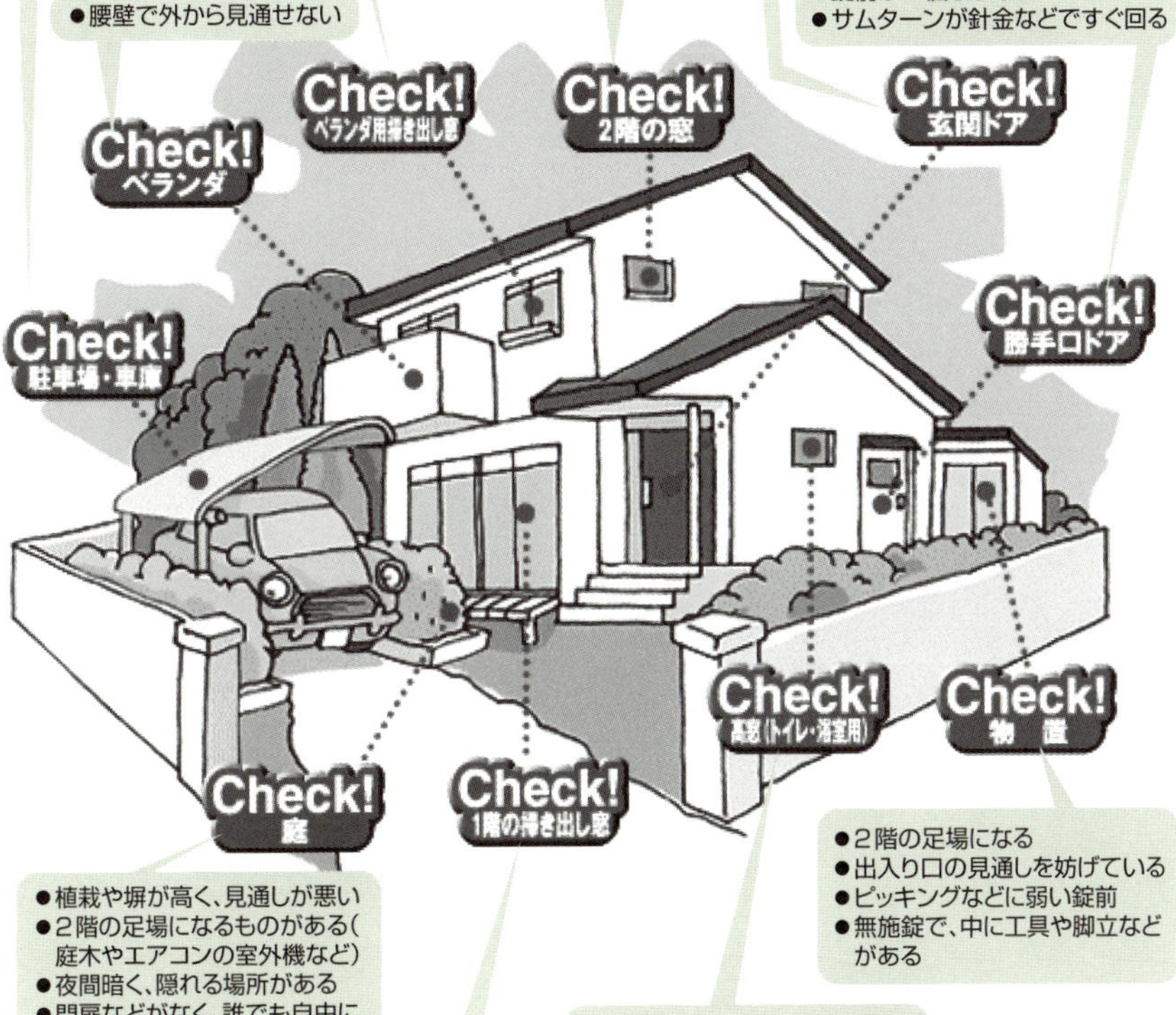

- ２階の足場になる
- 出入り口の見通しを妨げている
- ピッキングなどに弱い錠前
- 無施錠で、中に工具や脚立などがある

- 植栽や塀が高く、見通しが悪い
- ２階の足場になるものがある（庭木やエアコンの室外機など）
- 夜間暗く、隠れる場所がある
- 門扉などがなく、誰でも自由に出入りできる

- 塀や庭木などで見通しが悪い
- 単板ガラスや網入りガラス
- ロック付きクレセントではない
- 補助錠を取り付けていない
- 近くに足場となるものがある
- 貧弱な格子、窓枠

- 見通しが悪い
- 貧弱な雨戸・シャッター
- 単板ガラスや網入りガラス
- ロック付きクレセントではない
- 補助錠を取り付けていない

出典：「住まいる防犯１１０番」（警視庁）

＊MSDS（Material Safety Data Sheet…化学物質等安全データシート）　化学物質やそれらを含有する製品の物理化学的性状、危険有害性、取扱上の注意などについての情報を記載したデータシートのこと。

防犯対策の住宅設備

防犯器具や設備は、あくまでも安全で安心な生活をサポートする道具です。一人ひとりが防犯の意識をしっかり持つことが基本です。侵入盗犯では空き巣が三分の一を占めています。

●侵入の手口

日本はかつて、世界一安全な国といわれていましたが、地域コミュニティの弱体化が進行し、一時犯罪が増えました。二〇二〇年の戸建て住宅への侵入盗犯は、一・六万件です。減少傾向にはありますが、一日当たり五八件の被害が発生しています。戸建て住宅に侵入する手口で、最も多いのが無締りで、その次がガラス破りです。窓ガラス全体を破る必要はなく、クレセント付近のガラスをこじ破ってクレセントを外からはずせば、わずかな時間でサッシを開けて侵入できます。ちょっと出かけるときでも、日頃からサブロックをセットしておくことが大切です。

防犯ガラスはガラスとガラスの間に特殊フィルムを挟んで貼り合わせたもので、簡単に突き破ることができません。AGC(旧旭硝子)では、盗難お見舞い金付きの防犯ガラスを販売しています。ガラスにフィルムを貼って防犯性能を高める方法もありますが、部分的に貼るのでは効果が低くなりますから注意が必要です。なお、防犯ガラスや、全面にフィルムを貼ったガラスでは、地震や転んだりしてガラスが割れても破片が飛び散らないので、怪我をする心配が少なくなります。その他の主な侵入手口は、①ドアの隙間にバールなどを差し込み、施錠部を強引にこじ開けるドア錠破り、②ピッキング、サムターン回しなど合かぎ以外で施錠を開けるその他の施錠開け、③合かぎを使用して施錠をあける合かぎなどです。

【スマートロック】 スマホなどの電子機器を通じて、開錠や施錠を行う鍵のこと。マホ操作だけで鍵の開け閉めができ、遠隔で鍵の開閉履歴も確認できる。一定時間が経過すると自動で施錠を行う機能もある。利便性とセキュリティ対策の面から注目されている。

●五分が分かれ目

侵入に五分かかると侵入者の約七割はあきらめ、一〇分以上かかると侵入者のほとんどはあきらめるという調査結果があります。つまり、侵入に時間をかけさせることが、防犯の大きなポイントです。

警察庁、国土交通省、経済産業省と防犯建物関係の民間五団体から構成される官民合同会議では、「防犯性能の高い建物部品目録」を公表しています。選定の基準は、「騒音が発生しない攻撃方法に対しては、五分以上」「騒音が発生する攻撃方法に対しては、攻撃回数七回（総攻撃時間一分）以上」耐えること、となっています。二〇二一年三月末現在、品目は一七種類約三四三四品目となっています。

最近ではネットワークカメラも普及しています。センサーが動きを感知するとスマホに通知が届き、訪問者が近づく様子が確認できます。外出先から玄関先や部屋の様子を確認できるだけでなく、宅配便の配達員と会話して荷物の置き場所を指定することも可能です。費用は数万円です。

侵入窃盗の侵入手段と入口（一戸建住宅）

侵入盗犯の浸入手段

表出入口 19.4%
非常口 0.1%
その他の出入口 17.1%
窓 53.5%
その他 1.9%
不明 8.0%

総数　16,316件（令和2年）

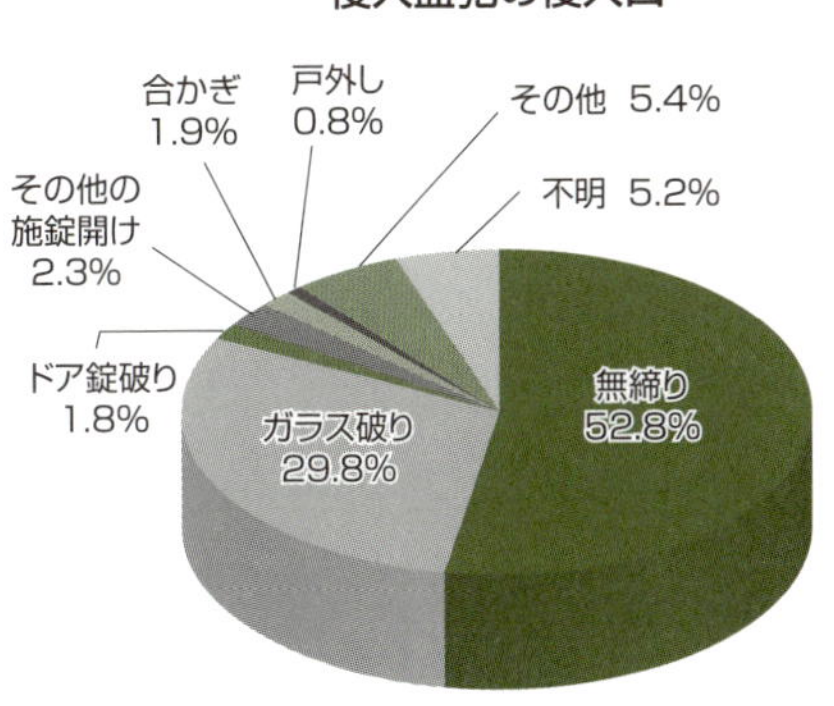

※その他の施錠開け…ピッキング、サムターン回しなど
ピッキング：特殊工具を鍵穴に入れてドアのカギを短時間で開ける方法
サムターン回し：ドアの外側からドリルで穴を開け、内側のドアロックを強引に回して侵入する方法

出典：「住まいる防犯110番」（警察庁）

【防犯設備士】　防犯の設備は、機器を取り付ければ済むものではない。侵入盗、強盗の手口を研究し、何処に何を設置すればよいかということを十分に検討して設計施工を行い、さらに、運用管理が十分になされて初めて効果を発揮する。このような役割を果たすために、（社）日本防犯設備協会が、防犯システムに関する専門家としての養成と認定を行っているのが防犯設備士である。警察関係者からも活躍が期待されている資格である。

15 色や明るさ調整できるLEDランプ

CO_2排出量の削減のために、世界各国で白熱電球を廃止する動きが広がっています。日本でも、二〇一二年までに白熱電球の製造・販売が終了となりました。蛍光ランプやLEDランプへの切り替えが加速しています。

●LEDの省エネ性能

LED（Light Emitting Diodes）は、電流を流すと発光する半導体のランプで発光ダイオードとも呼ばれます。消費電力は、蛍光灯の約二分の一、寿命は一〇万時間程度といわれています。白熱電球の数十倍、蛍光ランプやHIDランプの数倍の寿命です。これまでの照明では当たり前であった熱の発生が少ないことも大きな特徴です。省エネの照明として期待されています。

LED照明はその明るさに比べてサイズが小さいため、配置の自由度が広く、照明器具のコンパクト化が可能です。従来の照明では取り付けることが難しかった場所への設置や新しい照明手法も可能となりました。戸建住宅の六割でLEDが使われています。

●LEDの仕組み

半導体は、電圧などの条件によって電気を通したり、通さなかったりする性質を持っています。マイナスの電荷を持つN型とプラスの電荷を持つP型があります。この二つを接合したものがダイオードで、これに電気を流すと、エネルギーを発生し、光を発します。これがLEDの発光の仕組みです。ダイオードの材料によって、発生する光の色が決まります。

LEDライトの中には、好みに合わせて自在に調色・調光できるタイプがあります。明るさの調整だけでなく、光の色を好みで調整することもできます。朝は昼光色で明るめにすることや、夕方から夜にかけては電球色で明るさを抑えることも可能です。

【Hf蛍光ランプ】 高周波点灯専用形蛍光ランプのこと。従来のスタータ形・ラピッドスタート形蛍光灯より高効率で消費電力を大幅に抑えることができる。インバーターを用いて高周波点灯することに加え、管径を細くしたり、管長を長くすることによってランプ効率を高めている。一般蛍光ランプ器具から、Hf蛍光ランプ器具に交換することで、約30%明るくなる。

LEDの仕組み

発光ダイオードの仕組み(イメージ図)

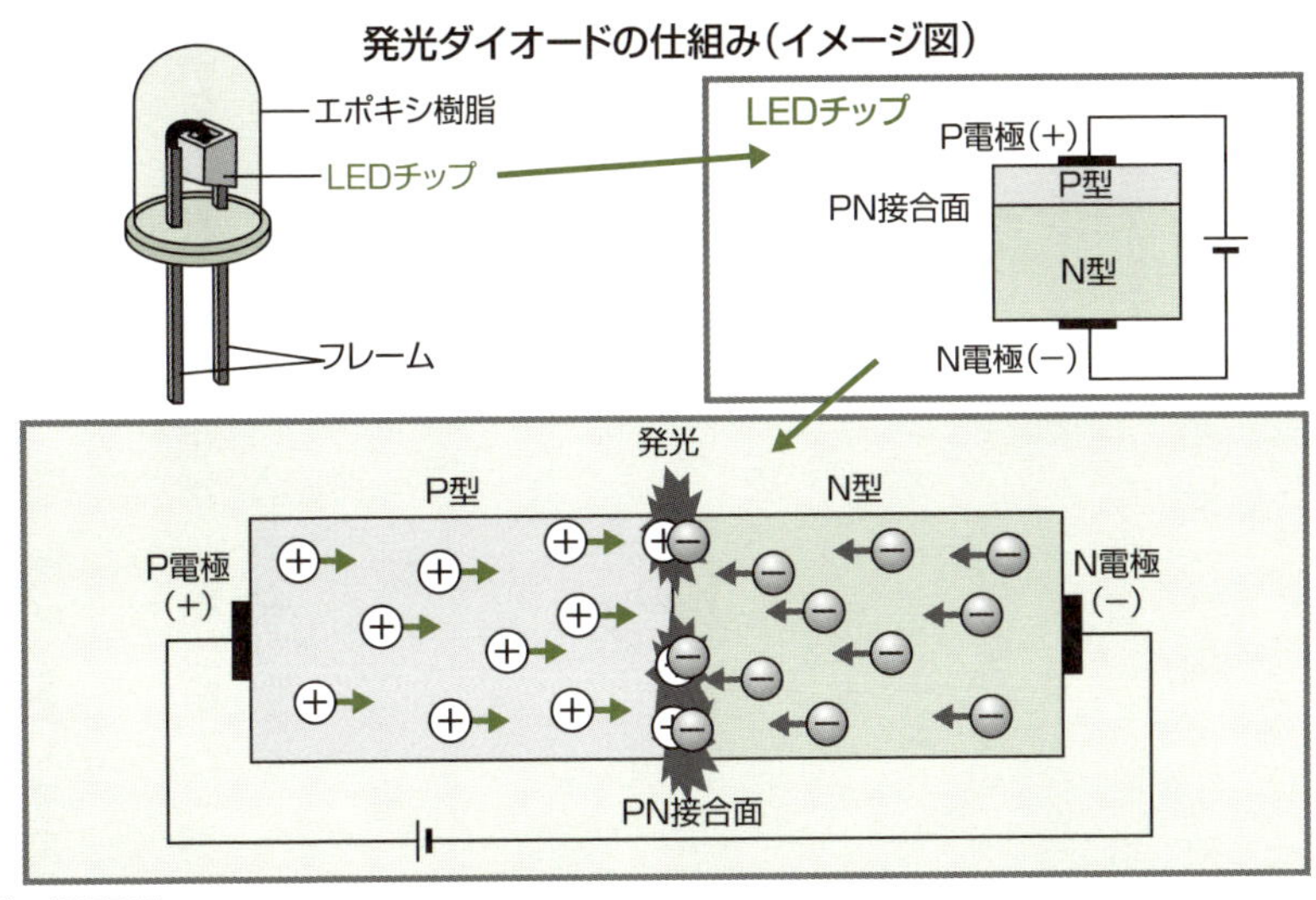

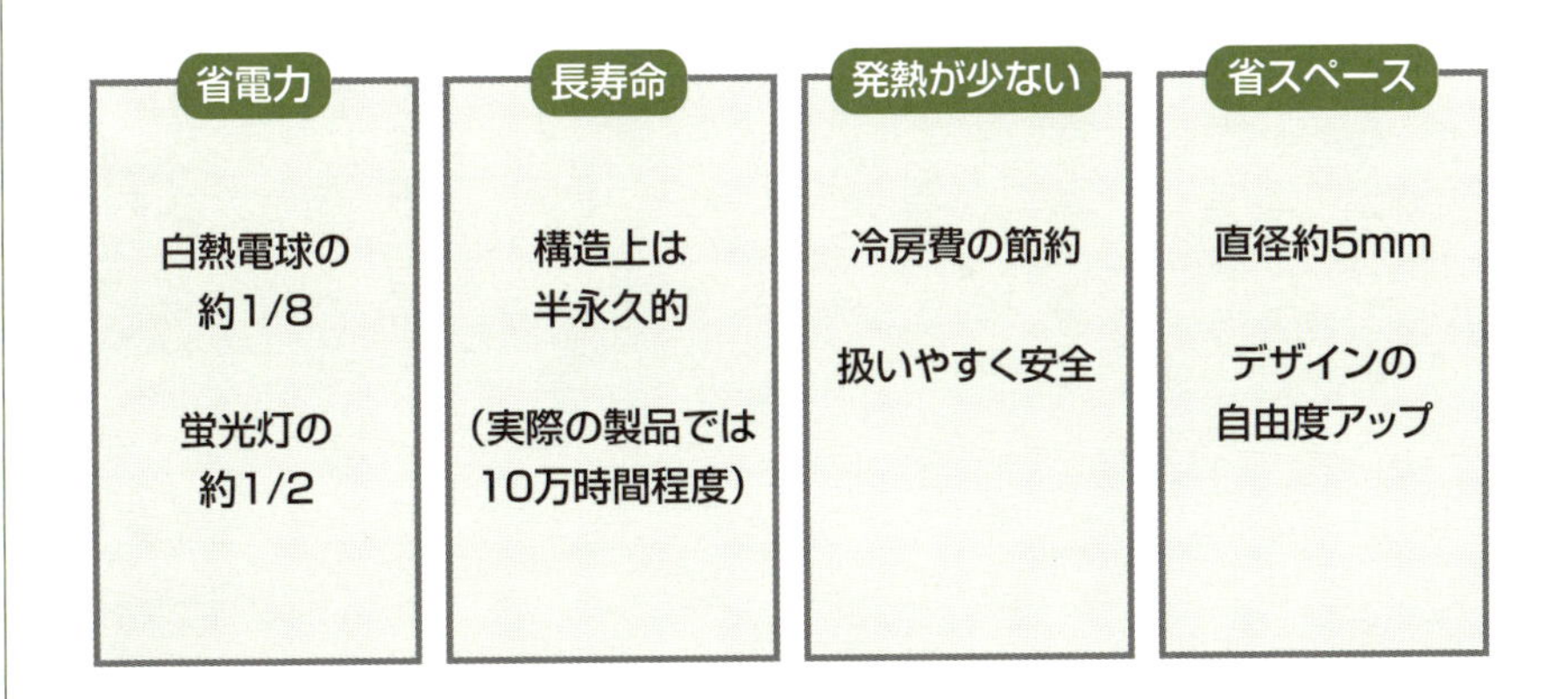

出典:「NEDO」

LEDの性能

LEDの一般的性能

省電力	長寿命	発熱が少ない	省スペース
白熱電球の約1/8 蛍光灯の約1/2	構造上は半永久的 (実際の製品では10万時間程度)	冷房費の節約 扱いやすく安全	直径約5mm デザインの自由度アップ

出典:「NEDO」

【照度の重要性】 暗い場所では視覚の能力が低下し、適切な明るさの下では作業性、安全性、快適性を確保できる。照度には視力の向上効果があり、小さいものを見分けるには高照度が必要になる。逆に照度が低い場合に同じ視力を得ようとすると、見る時間が長くなり、作業性が低下する。文字を見る場合の精密作業で3,000lx、普通作業で1,000〜2,000lx、粗い作業で130lx程度の照度が作業面上で必要である。

いつ起きても不思議ではない地震への対策 16

地震大国といわれる日本ですが、阪神淡路大震災まで、地震対策についての意識はあまり高くありませんでした。現在では、常に住宅購入者の関心も高く、住宅メーカー各社は地震対策に力を入れています。

●地震対策の建物構造

日本は、列島の下にいくつかのプレートが複雑に絡み合っている世界有数の地震国です。地球上の陸地の〇・三％しかない日本の周辺で、世界の地震の約一割が発生しています。そのために過去の数多くの地震を教訓として高度な耐震技術を作り上げてきました。しかし、その実際は、地震の発生都度、予想を超える被害を受けて耐震基準を少しずつ厳しくするということの繰り返しでした。また、建物を強くして地震に耐える**耐震構造**が一般的であったため、強化の方法にも限界がありました。阪神淡路大震災を契機に活断層の調査や観測態勢が充実すると共に、「制震構造」や「免震構造」の技術が急速に進みました。

現在の耐震基準は、大地震に対して建物が倒れなければ良い、という基準で制定されています。しかし、家具や転倒すれば、家の中はメチャクチャになりますし、大きな怪我をすることにもなります。そこで、「制震構造」や「免震構造」の住宅への実用化が進んできたのです。これらの構造は、地震に耐えるのではなく、ダンパーなどの装置によって建物に作用する地震力を吸収、抑制するものです。建物の被害を少なくするだけでなく、建物内部の機能維持にも大きな効果を発揮します。

制震構造は、制震ダンパーによって、地震エネルギーを吸収する構造です。粘るような感じで揺れを低減させます。**免震構造**は、地盤と建物の間に「可動

【予想されていた東日本大震災】　本書の初版（2007）では以下のように記載していた。「地震の起こる確率　国の地震調査研究推進本部では、過去の地震発生履歴をもとに、地震の発生可能性を公表している。30年以内に地震の起こる確率が高いのは、宮城県沖（M7.5）の99%、三陸沖北部（M7.1～7.6）の90%、東海（M8）の86%などとなっている。」

装置」と、「積層ゴム」やなどの揺れを吸収する装置を挟み込み、地震エネルギーを建物に伝えにくくする構造のことです。四〇坪程度の二階建て住宅で、約三〇〇万円掛かります。いざというときに役に立つように、長期的なメンテナンスも必要です。

●普及する制震住宅・免震住宅

ミサワホームが戸建て住宅向けに開発した制震装置「MGEO」が一棟当たり五〇万円という低価格で販売されています。免震装置は二五〇万～四〇〇万円／棟と価格が高いため、制震装置の開発に取り組みました。木造住宅のリフォーム用も発売しています。

積水ハウスは制震構造「シーカス」、ヘーベルハウスはハイパワード制震ALC構造を標準仕様としています。大和ハウスは独自のエネルギー吸収型耐力壁「D-NΣQST」を標準搭載しています。パナソニックホームズも建物のゆがみを抑えるアタックダンパーを採用し、東日本大震災の一・二倍の変形、一八〇回で性能を確認しています。免振構造に力を入れてるのは、一条工務店、三菱地所ホームです。

耐震構造、制震構造、免震構造の特徴

耐震技術	特　徴
耐震構造	丈夫な壁などで建物を頑丈に建てて、踏ん張るように地震に抵抗します。建物は倒れなくても家具などが転倒します。
制震構造	地震のエネルギーを吸収するダンパーなどを壁の中に取り付けて、揺れを抑えます。粘りのある感じで揺れが増幅されません。家具の転倒も防ぎます。
免震構造	コロの上に建物を載せた感じで、地震の揺れは建物に伝わりません。家具の転倒も防ぎます。

【地震保険】　地震保険は、火災保険に付帯する契約であり、火災保険への加入が前提となる。契約金額は、建物5000万円、家財1000万円を限度に、火災保険の30%～50%の範囲内で決めることができる。地震保険の保険料は、建物構造（木造、非木造）により都道府県ごとに算出される。保険金額1000万円（木造）の場合、栃木県なら年間1万2300円であるが、東京では、4万2200円となる。

建材カタログの価格は何のため？

設備や建材のカタログは、建材店や工務店だけでなく、商品を選ぶために施主が見ることも多くなっています。では、そこに掲載されている価格は、誰に向けた価格なのでしょうか。実は、この価格はひと言でいうと「幻の価格」なのです。

通常、建材や設備は、メーカー➡商社➡問屋➡建材店（または施工店）➡工務店…というルートで販売されます。それぞれの取引における基本価格がカタログ価格です。つまり、カタログ価格に仕入れ率をかけたものが、取引価格となるのです。

一般的には、メーカーから商社にはカタログ価格の35～40%程度の価格で取引され、最終的には、建材店や工務店にはカタログ価格の45～50%程度で販売されることが多いようです。

このカタログ価格に対する「%」のことを業界では「掛け率」と呼びます。それぞれの会社は、販売先に対して、カタログとは別に掛け率表を提出します。カタログは、流通過程のそれぞれの会社で共通に使いますが、この掛け率は、それぞれの顧客に漏れると問題があるからです。

この掛け率表を渡しているにもかかわらず、この商品は「何掛けで入る？」とそれぞれ、仕入れ先の担当者に頻繁に問い合わせが入ります。現場での打ち合わせ時に、カタログは持っていても、掛け率表は持って行かないからです。

また、「今回はお客さんの予算が厳しいから、3%ほど下げて」などというやりとりが頻繁に行われます。このような場合のさじ加減を上手にコントロールするのが、建材メーカーや問屋の営業マンの腕の見せどころでもあります。

同じメーカーの商品であってもグレードの違いによって、この商品は40掛け、こちらは45掛けということもあります。また、掛け率は、購入量や会社間の付き合いの長さ、そのときどきの業界情勢にも左右されます。最近では、工務店が建材店で購入するより大規模なホームセンターでの方が安く購入できる状況も発生しています。

中には、掛け率でなく単価で取引価格を決めている会社もありますが、大半は「掛け率」を使っています。新商品が発売されても掛け率が決まっていれば、カタログを渡すだけで済むからです。このような仕組みですから、同じような商品で異なるメーカーのカタログの希望小売価格を比較して、高い方が、本当に高い訳ではありません。

メーカーによっては、カタログ価格を高めに設定して、掛け率を下げることで、お買い得感を与えようとする会社もあります。

メーカーの営業責任者は、新商品の企画に当たって、このグレードの商品は、掛け率○%程度で販売されているから、カタログ価格は□円にしておかないといけない、というように考えてカタログ価格を決めています。

工務店は、工事を請け負う施主への見積書に建材や設備の価格を記入します。もし、「安くしておきます」と言いながら、工事費と別に材料代として、カタログ価格の70%や80%の価格が記入されていたら、それは、材料代でも利益を出していることの現れです。しかし、それが一概に悪いこととはいえません。どこかで利益を出さなければ、工務店も経営していくことができないからです。

このような価格の不透明さが、住宅の本当のコストをわかりにくくしている一因でもあります。最近は、工務店が建材店を通さずに、直接問屋から仕入れたり、大手の住宅会社であれば、メーカーから直接購入することもあります。また、インターネットで直販する会社も増えています。設備や建材がオープン価格になったり、このような掛け率商売が崩れるのは時間の問題かもしれません。

カタログには、価格に対する注意書きとして「価格はメーカー希望小売価格で、消費税および組み立て、施工費は含まれておりません」とあります。設備や建材は、消費者にとっては工事をされないことには、ほとんどの場合、何の意味もありません。施工されてはじめて目的を達するものだからです。

【分厚いカタログ】　住宅には多くの建材や設備が使われる。そして、それぞれに多くのメーカーがあり多くの商品がある。以前は、設計事務所や工務店は分厚い多くのカタログを机の上に広げて建材や設備の選択を検討していた。常に最新版のカタログを備えることも大変だった。最近は各メーカーともWebカタログが充実し、カタログの更新や商品の検討が楽になり、パソコンやタブレットでの持ち運びまでできる。各社のカタログを分野別に検索できるサイトも登場している。

消費者をその気にさせるショールーム

住宅を建てようとする消費者が、住宅展示場に次いで、情報収集のために訪れるのが、建材メーカーの**ショールーム**です。キッチンやバスルームといった水まわりから、壁紙やフローリング、エクステリアまで数多くのメーカーがショールームを出店しています。その中でも、よく利用されているのは、身近な存在となっているキッチン、バス、洗面、トイレなどの水まわり関係のショールームです。

ショールームは商品を眺めるだけでなく、積極的に触って、使って、質問する場所です。例えば、キッチンなら、実物がレイアウトされているので、実際にそこに立ってみて、自分の作業をイメージすることができます。料理教室などを開き、機器の使い心地などをアピールしているところもあります。熱心な消費者は、数社のショールームを回っていろいろと比較検討しています。建材や設備を選ぶときは、コーディネートが大切ですから、候補の商品が決まっている建築主は、サンプルや図面を持ってショールームを訪れます。ショールームにはアドバイザーが常駐しており、説明だけでなく、プレゼンボードやコンピュータでのイメージパースの作成もしてくれます。ベテランのアドバイザーは、できるだけ実際に使う場面を想定して、検討することを教えてくれます。床材のサンプルを確認するときは、必ず床に置き、壁のサンプルは立て掛けて見る、外壁は日光の下で確認する、壁やクロスは、できる限り大きなサンプルで確認するということなどです。雰囲気が違って見えるからです。ドアなども実際に動かしてみて、その重さや使いやすさを確認することをすすめられるはずです。

建材メーカーがショールームを展開するのは、消費者サービスとして実物を確認して欲しいからではなく、実はよりグレードの高い商品を購入して欲しいからです。「消費者は実際に商品を目の前にすると、グレードの高いものを選ぶ傾向が強い」「ショールームで実際の図面に沿って照明やキッチンなどのプランを作ると、そのとおりに購入する比率が高い」といわれています。より良い商品を体感してしまえば、どうしてもそちらが欲しくなるということです。

ですから、ショールームでは、取引先の建材店や工務店ができるだけ多くの消費者を連れてきてくれるように知恵を絞っています。消費者を集めるために、設備選びについてのセミナーや料理教室、工作などのイベントを行っています。また、メーカー各社は、リフォームを意識した展示にも力を入れています。

第5章

住宅業界の問題点

諸外国に比べると短い日本の住宅寿命、欠陥住宅問題、大工の高齢化と技能の低下、悪徳リフォーム、耐震性に劣る多くの既存住宅など、住宅業界は多くの問題を抱えています。

1 住宅産業は「クレーム産業」

住宅業界とは、「クレーム産業」と呼ばれるほど、顧客からの苦情の多い業界です。各社ともにクレーム防止に取り組んでいますが、なかなか根本的な解決には至っていません。

●重視されるクレーム対応

住宅建設では、同じ現場は二つとなく、品質管理が難しい、長期にわたって使用するから問題が出やすい、高い買い物のため期待とのギャップが大きい、などクレームの原因がいろいろと挙げられます。しかし、クレームの原因は、単純な伝達ミスによるものが多いのです。住宅の建築には、営業から設計、現場の職人に至るまで、多くの人々が関与し、それぞれの場面で仕事を進めています。施主の要望や設計者からの指示はただでさえ複雑な内容ですから、電話や口頭で伝えても正しく伝わるはずがないのは当然のことです。

かつては、「引き渡したら顧客には近付くな」ということを公然と言っている会社もありました。また、クレームが出るのは当たり前で、「それにいかに対処するか」が業界の重要な課題となっていました。営業マンは受注棟数が仕事の成果として評価されますから、契約が済んだらすぐ次の顧客への営業活動に注力する必要がありました。このような背景からクレームの根本的な解決は後回しにされていたのです。

住宅着工数の減少により競争が激化し、最近では住宅会社の対応も変わっています。顧客満足をテーマに掲げ、営業マンやアフター担当者がクレームに対して早期対応を実行しています。最近では、多くの住宅会社が「信頼はアフター対応で紹介受注を取ることが大切だ」という考え方で仕事に取り組んでいます。

【クレーム対応】 クレーム対応の基本は、①心情理解・お詫び、②原因・事実確認、③代替案・解決策の提示、④再度のお詫び、感謝である。しかし、謝罪や交換、金銭での補償は対応であって対策ではない。真の原因を追究して商品や工事の改善・改良につなげることが、事業の発展につながる。クレームは、改善のヒントという考え方が大切である。

新築住宅の不具合事象と不具合部位（戸建住宅　n＝8,509）

主な不具合事象	割合	件数	当該事象が多くみられる部位
ひび割れ	22.1%	1,883	外壁、基礎
雨漏り	16.4%	1,393	屋根、外壁
はがれ	11.0%	940	外壁、内装
変形	11.0%	935	開口部・建具、床
性能不足＊	10.0%	855	設備機器、外壁
汚れ	9.8%	836	外壁、床
漏水	5.4%	459	給水・給湯配管、排水配管
作動不良	5.2%	440	開口部・建具、設備機器
排水不良	4.2%	360	排水配管
傾斜	3.8%	321	床
床鳴り	3.0%	256	床
きず	2.6%	224	床、開口部・建具、内装
異常音	2.4%	200	開口部・建具、外壁
腐食・腐朽	2.3%	199	柱、外壁、バルコニー・庇等
沈下	1.9%	158	地盤、外構
結露	1.6%	139	開口部・建具、内壁
異臭	1.1%	91	排水配管
遮音不良	0.7%	57	床、内壁、外壁

＊性能不足（契約内容との相違等を含む）：使用した部材・設備機器等が通常有するべき性能を欠いている、または契約時に定めた性能を満たしていない状態。

出典：「住宅相談統計年報 2021」（（公財）住宅リフォーム・紛争処理支援センター）

【軒天】　軒天は軒裏天井ともいう。外壁の外側にある屋根の裏側の天井のこと。

2 欠陥住宅はなくならない

責任が薄れる下請け構造、利益優先の下請け叩き、作業者の技能低下、建前だけの確認・検査、このような住宅業界の構造が欠陥住宅を生んでいます。

●繰り返される欠陥住宅問題

欠陥住宅を防止するための改革として、二〇〇〇年には住宅の品質確保の促進に関する法律が施行され、二〇〇九年には住宅瑕疵担保履行法が施行されました。

このような、欠陥住宅問題が起こるのは、①住宅着工戸数が減少しており業者間の競争が激しい、②住宅建築の現場では「元請―下請―孫請」という関係の中で、コストダウンの要請が厳しく、手抜きの誘惑に駆られる実態がある、③**工事監理***の役割が機能していない、④現状の中間検査、完了検査などでは、すべてをチェックすることは難しい、⑤消費者は建築技術や法律に詳しくない。

…というような、多くの要因を抱えているからです。

(公財)住宅リフォーム・紛争処理支援センターでは、住宅トラブルの相談業務を行っており、相談件数が増加しています。二〇一九年の相談は、二・五万件となっています。新築住宅の相談対応で、不具合が多く発生しているのは、外壁・基礎・屋根・開口部・内壁・床などで、内容はひび割れ・雨漏りなどが多くなっています。また、不具合は、築後三年未満までに発見されて相談に至るものが、約半数となっています。

性善説を前提に検査制度の仕組みができ上がっている現状で、消費者が欠陥住宅で悩まないようにするには、住宅会社の選択と、専門家による工事監理が大切になります。事業者からのトラブル相談も二~三%あります。

***工事監理**　建築主の代理人として設計図面どおりに工事が行われているかを確認し、欠陥の発生を防ぐ仕事。建築基準法では、安全で適正な建物を建築するための「設計」、設計どおりに建物を建築する「施工」、施工が設計どおりに行われているかどうかをチェックする「監理」という三つの役割を設けている。

トラブルに関する相談件数の推移

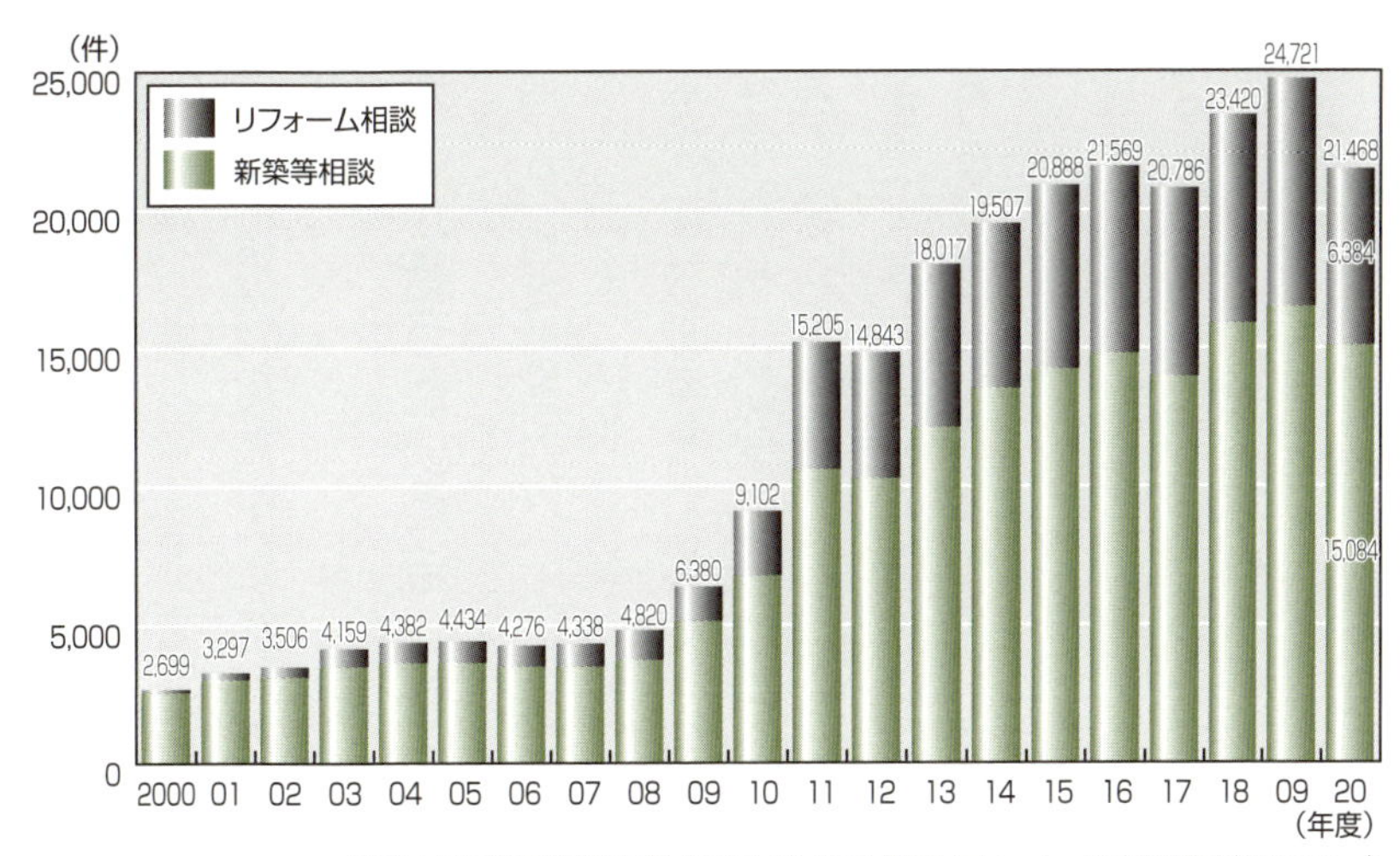

出典：「住宅相談統計年報2021」((公財)住宅リフォーム・紛争処理支援センター)

解決希望内容

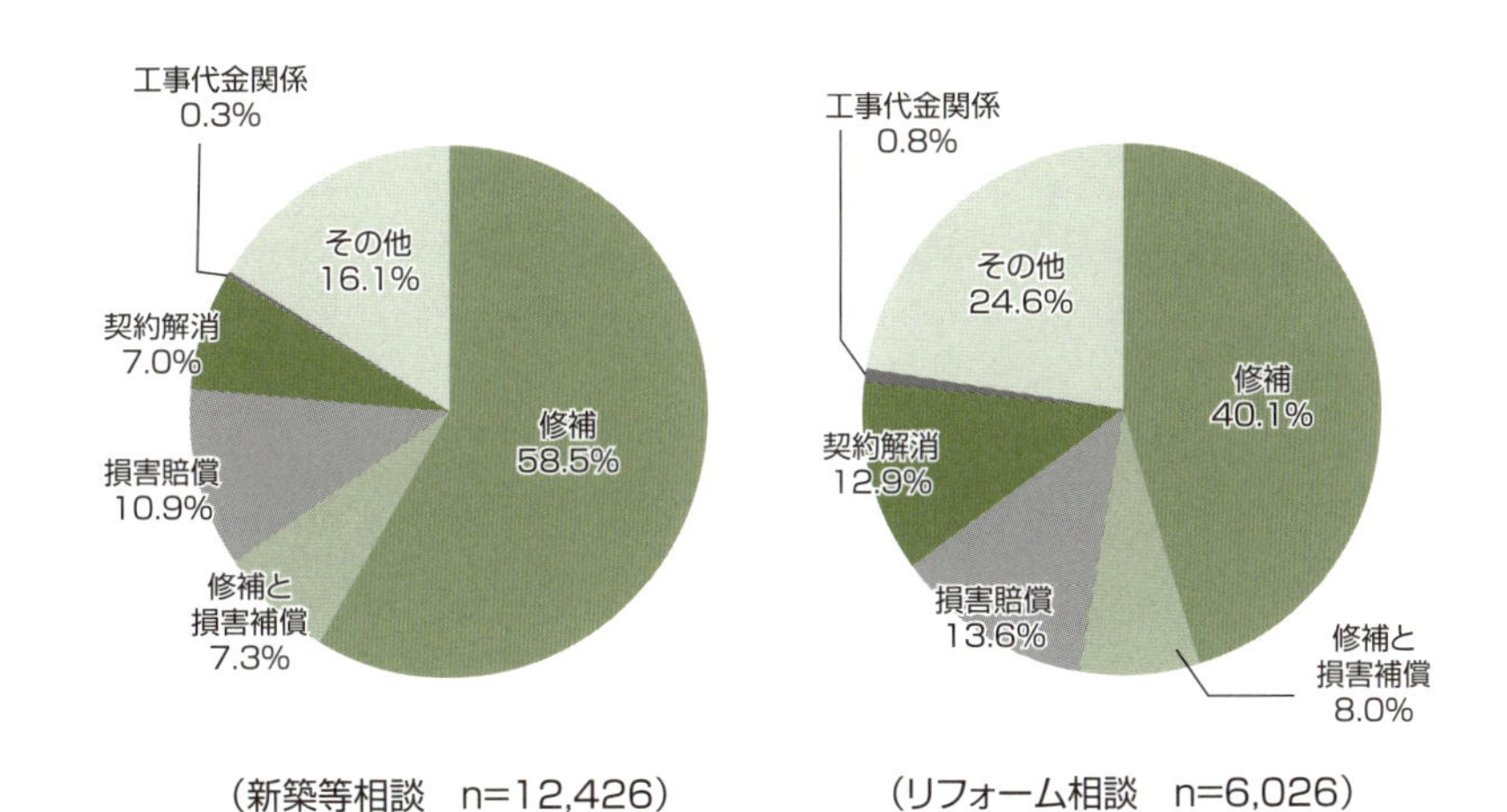

出典：住宅相談統計年報2021((公財)住宅リフォーム・紛争処理支援センター)

【設計・施工・監理】 本来、設計・施工・監理は立法・行政・司法のような三権分立の関係である。しかし、現実には「一括請負」「責任施工」の名のもとに、同一業者が設計・施工・監理を行い、「三権分立」の建前が崩れている。つまり、相互チェックが働かない仕組みになっているのである。

悪質な訪問販売リフォーム

悪質リフォームの被害が後を絶ちません。高齢者や判断力の不十分な人が狙われています。

●悪質業者が行う点検商法

二〇〇四年に、**特定商取引法**＊の改正により、訪問販売の際には販売目的の訪問であることを明らかにしなければならなくなりました。しかし、その後も訪問販売リフォームの相談件数は増えています。

悪質リフォームの手口の一つである**点検商法**方式では、床下や屋根、水道などの点検を装って訪問します。工事の必要がないのに、いろいろな問題や危険性を指摘し、不安につけ込み工事の契約をします。騙しやすい家を見付けて、悪質業者同士が協力する方式もあります。悪質業者が工事を行うと、同じ業者や同業他社が何度も訪れ、別の工事を次々と契約していくのです。中には、工事をすることによって建物が危険な状態になっている場合もあります。その他にも、市役所から来た、近所も工事をした、いまならキャンペーン中、と言って家の中に入り込みます。

こうした業者は業界の一部分ですが、点検箇所をわざと壊して写真を撮影し勧誘するという悪質なケースもあります。

●建設業の許可が必要ないリフォーム業者

現行の建設業法では、建設業の許可がなくても、五〇〇万円未満の「軽微な建設工事」は行うことができます。

つまり五〇〇万円未満のリフォーム工事だけを行う業者は建設業の許可が必要ありません。悪質業者のほとんどは建設業の許可業者でないことから、この制度を変えることが必要だ、との声が上がっています。

＊**特定商取引法**　訪問販売など、消費者トラブルを生じやすい特定の取引を対象に、事業者による不公正な勧誘行為などを取り締まるための法律。勧誘開始前に、事業者名、勧誘目的である旨などを消費者に告げることを義務付けている。また、勧誘行為や価格、支払条件などの重要事項を故意に伝えないなどの行為を禁じている。

訪問販売リフォームの相談件数

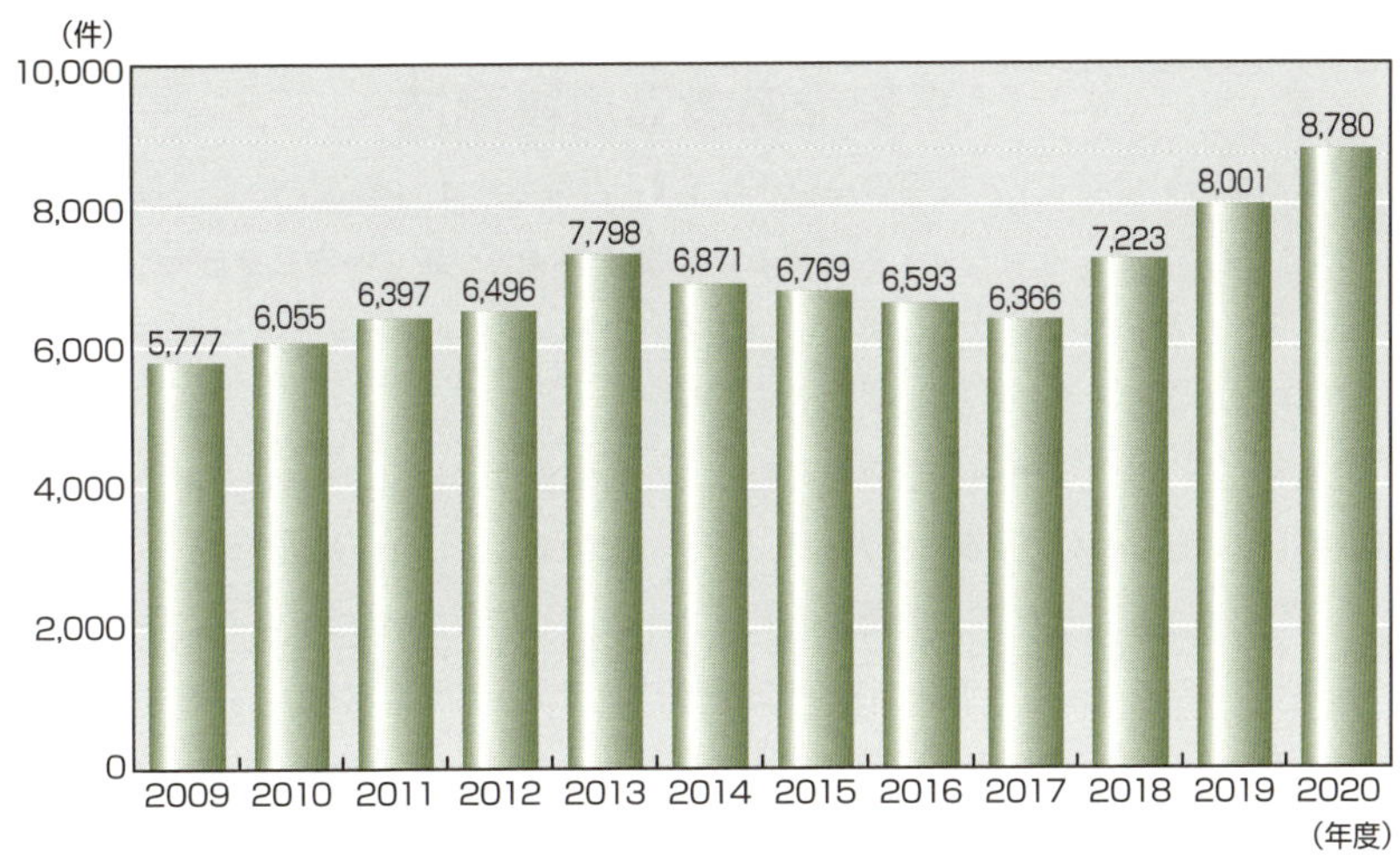

出典：「訪問販売によるリフォーム工事」（(独)国民生活センター）

訪問販売リフォーム・点検商法のトラブル相談事例

隣家で作業をしているという業者が来訪し、屋根修理の契約をした。後日、壁の補修も必要だと言われ追加で契約したが、解約したい。
自宅の外壁塗装をお願いしたいと思い事業者紹介サイトに登録したところ、事業者から電話があり、自宅を訪ねて来た。見積もりを提示され、他社と比較したいと伝えたが応じてもらえず、仕方なく契約してしまった。
訪問してきた業者に塗装工事を勧められた。「契約の効力はないからとりあえず署名、捺印するように」としつこく言われ、断りきれず応じてしまったが、工事をしたくない。
「損害保険で雨どいの修理ができる」と業者の訪問を受けた。せっかくなのでドローンを使って屋根の撮影もしてはどうかと言われ、お願いした。不安になったので断りたいが、業者と連絡が取れない。
「近くで工事をしている」と言って作業員が訪ねてきた。翌日、別の作業員も連れてきて「点検します」と言い、屋根に上った。瓦が割れた写真を見せられ、「このままではもっとひどい状態になる」と言われて屋根工事の契約をしてしまった。
排水管洗浄をしてもらったが、作業終了後に業者から「排水管が古く、今回の高圧洗浄で水漏れが起きる危険性がある。床下点検をしたい」と言われた。応じなければならないか。

出典：訪問販売によるリフォーム工事・点検商法（(独) 国民生活センター）の事例より

【クーリングオフ】　消費者契約法では、業者の勧誘内容に問題があって、困惑したり、勘違いして契約したと気付いた時点から6カ月の間は契約を取り消すことができる。

不安をあおる点検商法

無料あるいは格安で「住宅の点検をします」と持ちかけ、「傷んでいます」「このままでは大変なことになります」と消費者の不安をあおり、新しい商品を売りつけたり、サービスを契約させたりする手口が増えています。実際とは異なる劣化の画像を見せて信用させようとすることもあります。

屋根や床下など消費者が容易に確認できない部分は、本当に不具合があるかの判断が難しく、必要のない工事でも言われるままに契約をしてしまいがちです。

こうした住宅の点検商法に関するトラブルは、以前から高齢者を中心に訪問販売で発生していました。ここ10年間で再び増加傾向にあり、2020年度は7,020件に達しています。

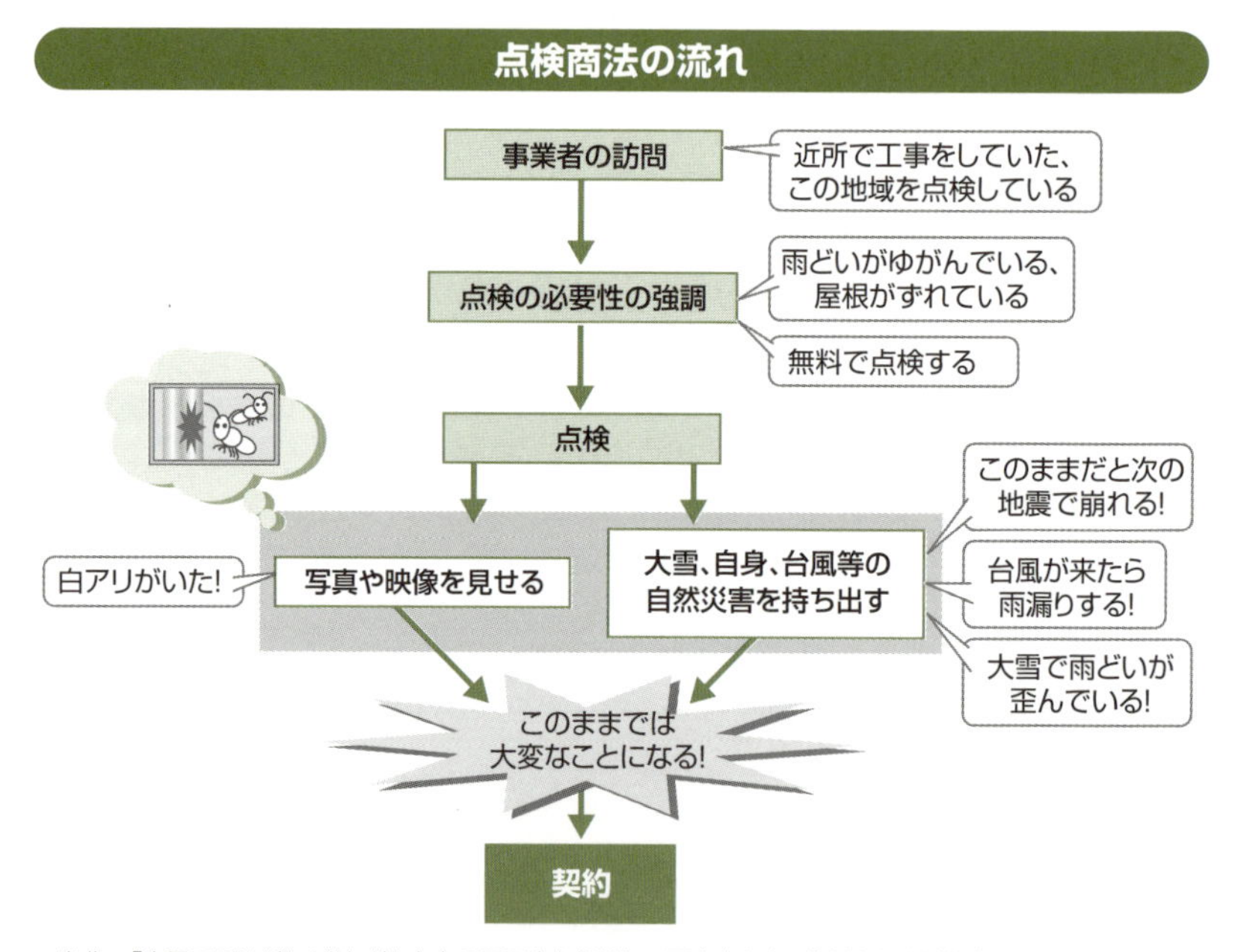

出典：「大雪で歪ゆがんだ」などと自宅の不具合を指摘して不安をあおる「点検商法」((独)国民生活センター)

【既存不適格建築物の建て替え】 既存不適格建築物は、建て替えや大規模な修繕を行う際に、現行の法規定への適合が求められる。そのため、道路幅の拡張により敷地が狭くなったり、従来の規模での建築が不可能になることもある。

（独）国民生活センターでは、これまでの相談を元に以下のアドバイスを行っています。

(1) 点検させてほしいと訪問する業者には対応しない
(2) 高齢者の居室・居宅の様子、言動や態度に家族や周囲の人が日ごろから注意を向ける
(3) 点検する場合は、結果を冷静に確認して業者の話をうのみにしない
(4) その場で契約しない
(5) 契約するときは契約書の内容をしっかり確認する
(6) 火災保険での修理をもちかける業者との契約は避ける
(7) クーリング・オフや契約の取消しを行うことができる

●災害に便乗した悪徳商法

「地震で瓦が落ちているので、修理が必要だ。すぐに屋根の修理工事をしたほうがよい」と、災害に便乗して契約を迫る例もあります。

●リフォーム見積チェックサービス

（公財）住宅リフォーム・紛争処理支援センターではリフォーム工事を契約する前の相談に対して助言を行っています。また、希望に応じて見積書の送付を受けて内容についてのアドバイスを行っています。「単価や合計金額は適正か」「工事内容や工事項目は適切か」という相談が多く寄せられています。

リフォーム見積チェックサービス

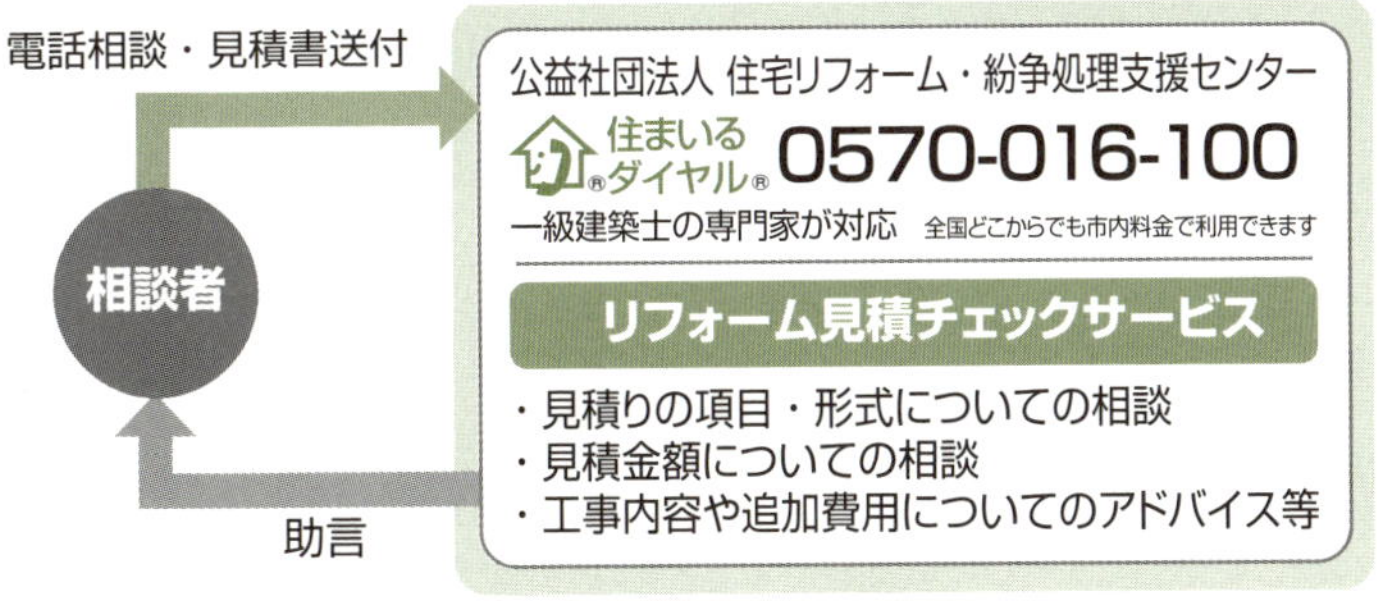

出典：「住宅相談統計年報2017」（（公財）住宅リフォーム・紛争処理支援センター）

保険金を使ったリフォームの勧誘

4

「火災保険を使って自己負担なく住宅の修理ができる」など、「保険金が使える」と勧誘する住宅リフォームに関する相談が国民生活センターに多く寄せられています。

●保険金利用修理の急増

近年、台風や大雨などによる災害が毎年のように発生しています。それに便乗し、保険金を使ったリフォーム工事の勧誘が急増しています。

損害保険は火災や自然災害などの事故によって住宅等に生じた損害に対して支払われる保険です。経年劣化による住宅の損傷は、自然災害などの事故による損害ではないので、保険金支払いの対象とはなりません。

ところが、台風や大雨の発生した地域で軽微な損傷を見つけて「これは災害が原因だから保険金が使える」「自己負担なしで修理できる」「保険金の請求手続きもサポートする」と工事の勧誘を行うのです。

保険の申請があれば、保険会社が被害額の査定を行いますが、大きな災害後は、実際に被害を受けて保険を申請する件数が多いため、十分な審査ができません。そこにまぎれて申請するのです。また、保険金の請求期限は被害が発生してから三年以内であれば申請可能です。そのため、災害直後でなく過去に被害があった地域で勧誘を行うケースもありますし、請求期限が迫っていると勧誘することもあります。保険金の請求は加入者が自ら行うことができますが、このような業者は請求を代行して手数料を求めてきます。

保険金は損害に対して補償されるものなので、保険金を受け取って修理をしなくても問題はありません。これがあやしい勧誘にのってしまいやすい要因にもなっています。業者も心得ていて高い見積もりを提出して、保険料の中から高い手数料を受け取ります。

【保険金を使った修理の勧誘】 事業者による勧誘・契約は10月前後の秋台風シーズンに増加する傾向があり、この時期は特に注意が必要である。

「保険金が使える」と勧誘する住宅修理サービスの年度別相談件数

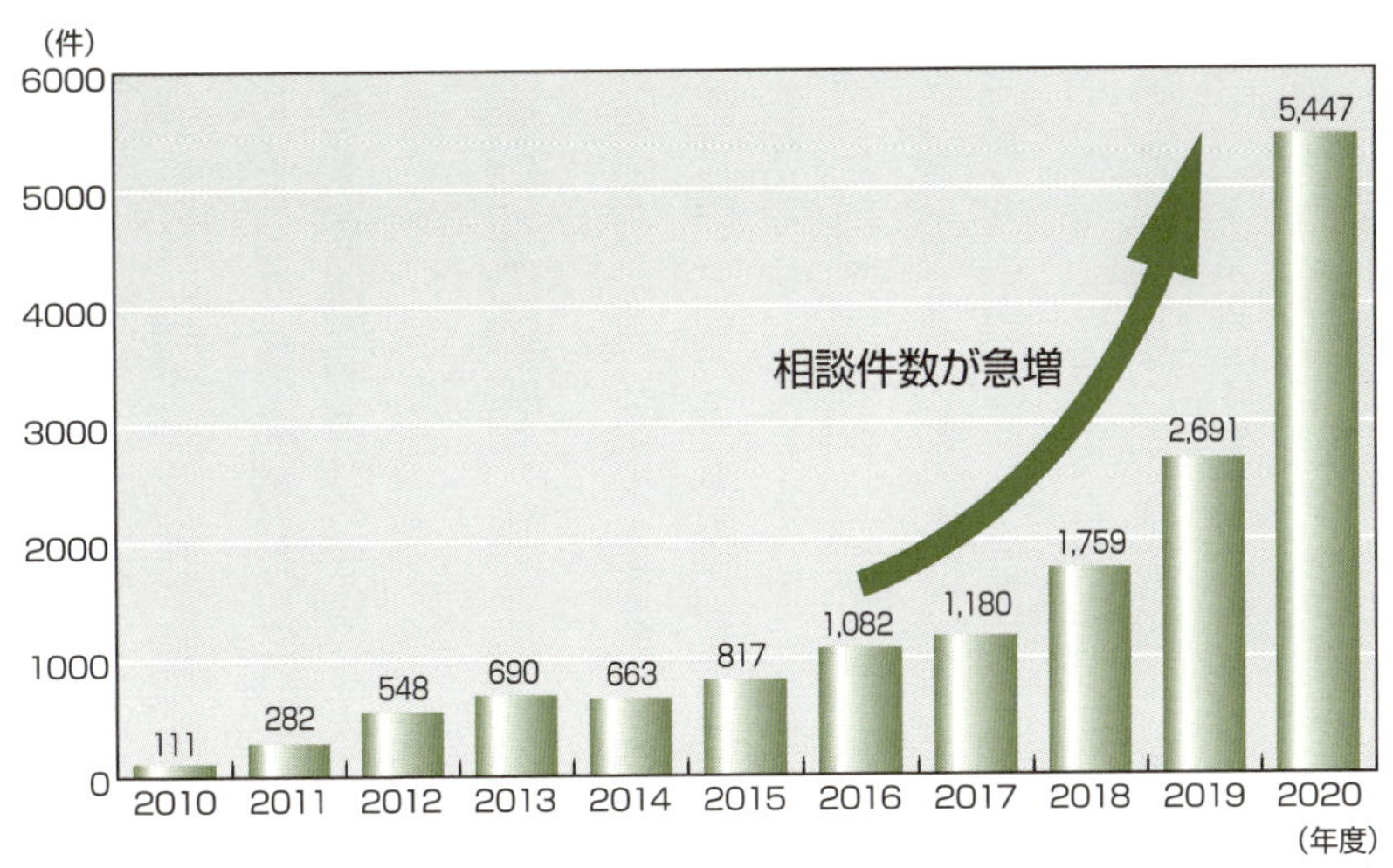

出典：保険金で住宅修理ができると勧誘する事業者に注意!((独)国民生活センター)

「保険金が使える」と勧誘する住宅修理サービス

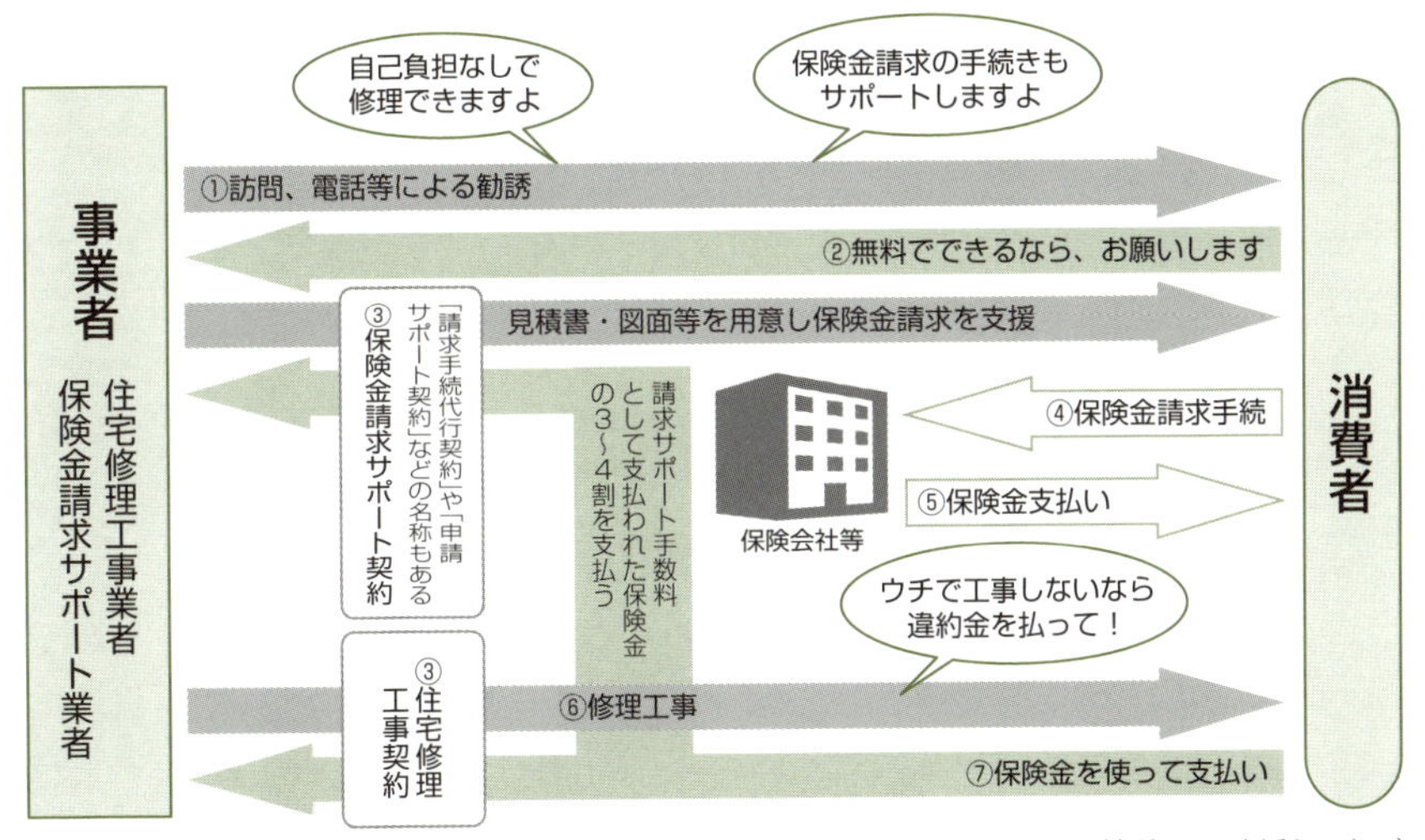

出典：「保険金を使って住宅を修理しませんか」がきっかけでトラブルに！（(独）国民生活センター)

【保険金請求の注意】 経年劣化による損傷と知りながら勧誘にのって保険金を請求すると保険金の返還請求をされたり詐欺罪に問われるおそれがあるので注意が必要。(一社）日本損害保険協会でも注意を喚起している。

周辺環境に悪影響を及ぼす空き家の増加 5

総住宅数に占める空き家の割合は、二〇一八年で一三・六%に達しています。空き家の増加は、建物の老朽化に伴う倒壊の危険性や治安の悪化、放火の誘発や不審者の侵入など周辺環境に悪影響を及ぼします。

●空き家増加の要因

二〇一八年の調査では、全国の**空き家**は、八四九万戸となっています。そのうち、居住用が四一%です。

空き家になる原因としては、①実家を相続したがすでに家を持っている、②遠方に住んでいて管理するのが難しい、③老後施設に入所して帰る予定がない、などです。居住していた親が死亡したが手放す決断ができない、年に数回の帰省のために残している、相続協議が長引いている、解体の費用が出せない、解体して更地にすると固定資産税の軽減措置が受けられなくなる、田舎で買い手がいない、などの理由もあります。

その他に、既存不適格建築で建て替えの制限があるため、解体しても土地活用の困難さが予測され、そのままになっている場合もあります。このような事例は都心の住宅密集地で多くあります。

少子高齢化が進み、住宅寿命も長くなる中で、これからも今までどおりの住宅着工が続けば、空き家がますます増加します。二〇三三年には空き家数二一六六万戸、二〇一八年比二・五倍という予測も出ています。

●空き家対策特別措置法の施行

管理が行われない空き家があると、風景・景観の悪化、防災や防犯機能の低下、ゴミの不法投棄、放火などによる火災の発生などの心配があります。老朽化による倒壊、外壁の落下などの事故も発生しています。

このようなことは、近隣地域の資産価値を低下させる

【空き家の固定資産税問題】 更地の固定資産税評価額が2,000万円の場合、1年間の固定資産税額を「2,000万円×1.4%（固定資産税率）」で28万円となるのに対して、家屋があれば、「28万円×1/6」で4.7万円となる。

ことにもつながります。建築基準法では、建物の所有者に対して、建物を常時適法な状態に維持するように努力義務を課しています。また、所有者に対して除却などを命令することができます。

しかし、基準が不明確であり、法令の適用が困難でした。そのため、二〇一五年二月に**空き家対策特別措置法**が施行されました。問題のある空き家を「特定空き家等」と定義し、市町村が空き家への立入調査を行ったり、指導、勧告、命令、行政代執行の措置を取れるようになりました。所有者が命令に従わない場合は過料が科せられます。さらに、指導に従わない場合は、いままで更地の六分の一だった固定資産税の軽減措置が受けられなくなりました。自治体が立ち入り検査をする権利や空き家を譲渡した場合の税優遇措置も定められました。二〇一五～二〇二〇年度で二・七万件に指導・勧告・代執行などが行われています。

空き家の売却（賃貸）希望者と居住希望者をマッチングする「空き家バンク」に取り組んでいる自治体もあります。遠隔地にある空き家を所有者に代わって管理する**空き家ビジネス**も広がりつつあります。

空き家数および空き家率の推移

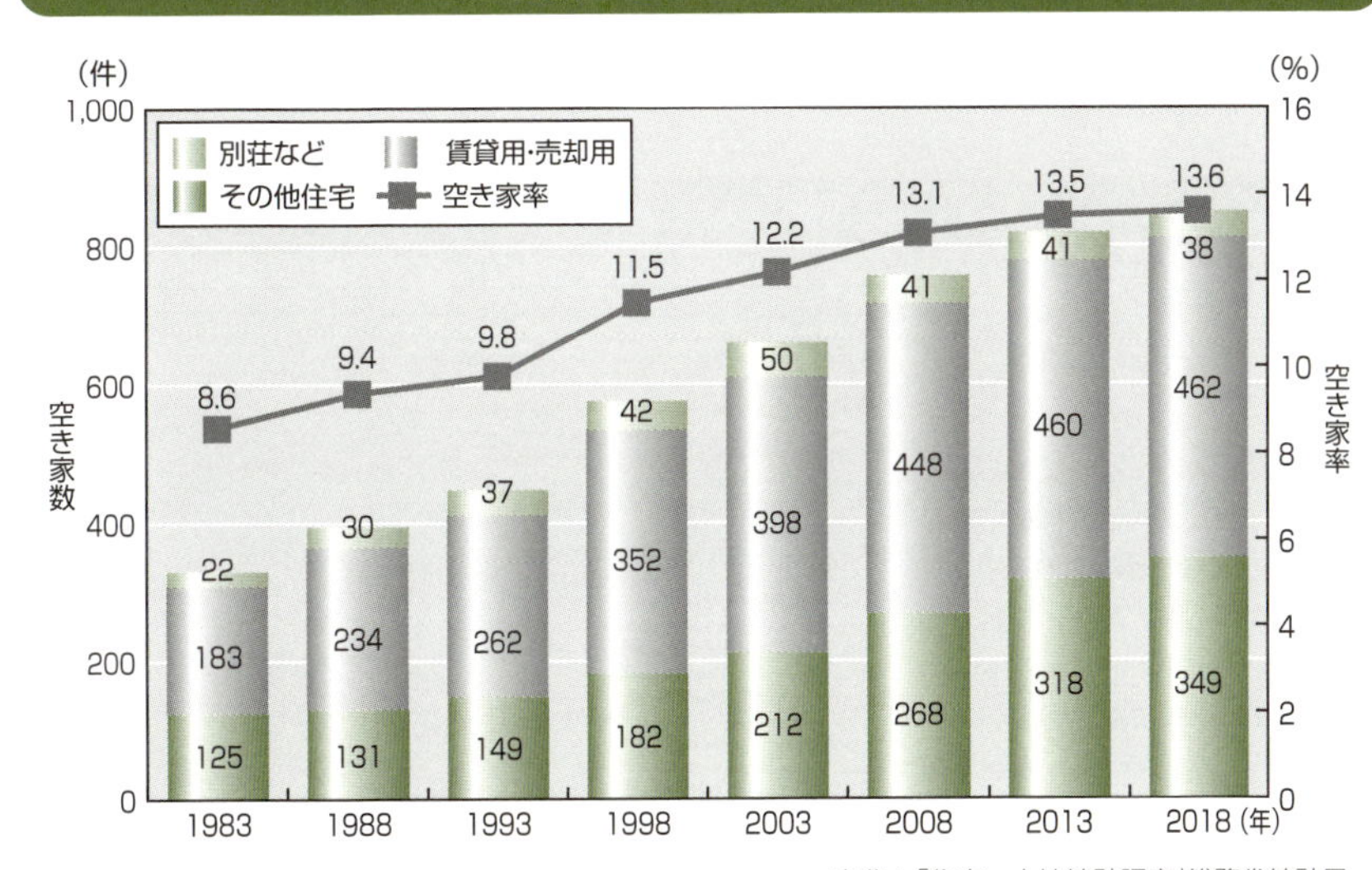

出典：「住宅・土地統計調査」総務省統計局

【「特定空き家」の定義】

①倒壊等著しく保安上危険となるおそれのある状態
②著しく衛生上有害となるおそれのある状態
③適切な管理が行われないことにより著しく景観を損なっている状態
④その他周辺の生活環境の保全を図るために放置することが不適切である状態

建築年代別空き家の利用状況

昭和56年以降建築のものは別荘用等の割合が大きいが、建築時期が古いものは、物置や利用無し、その他が多くなっている。空き家の半数以上に腐朽や破損が生じている。

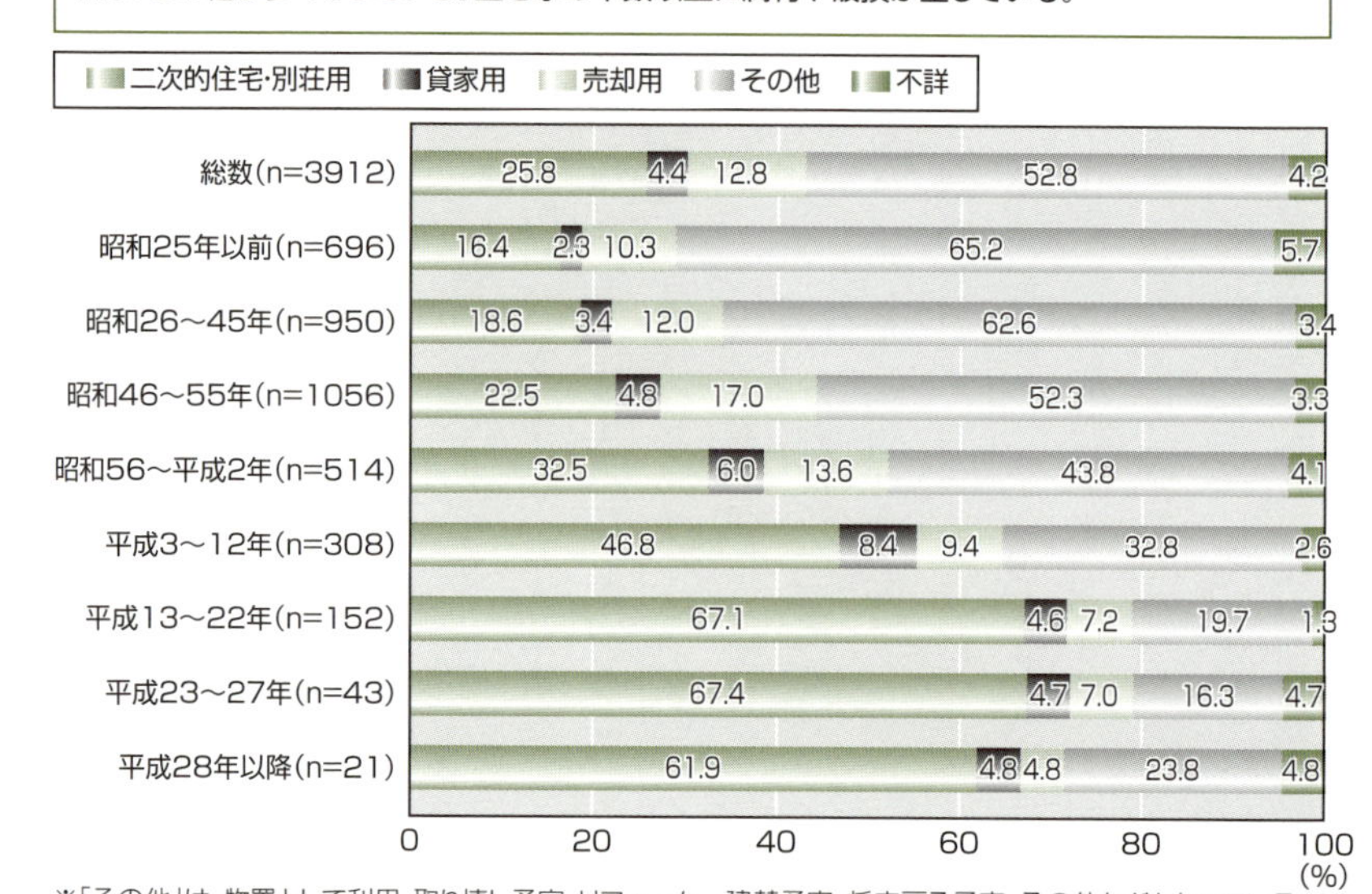

※「その他」は、物置として利用、取り壊し予定、リフォーム・建替予定、将来戻る予定、その他などとなっている。

出典：令和元年空き家所有者実態調査報告書(国土交通省)

空き家にしておく理由

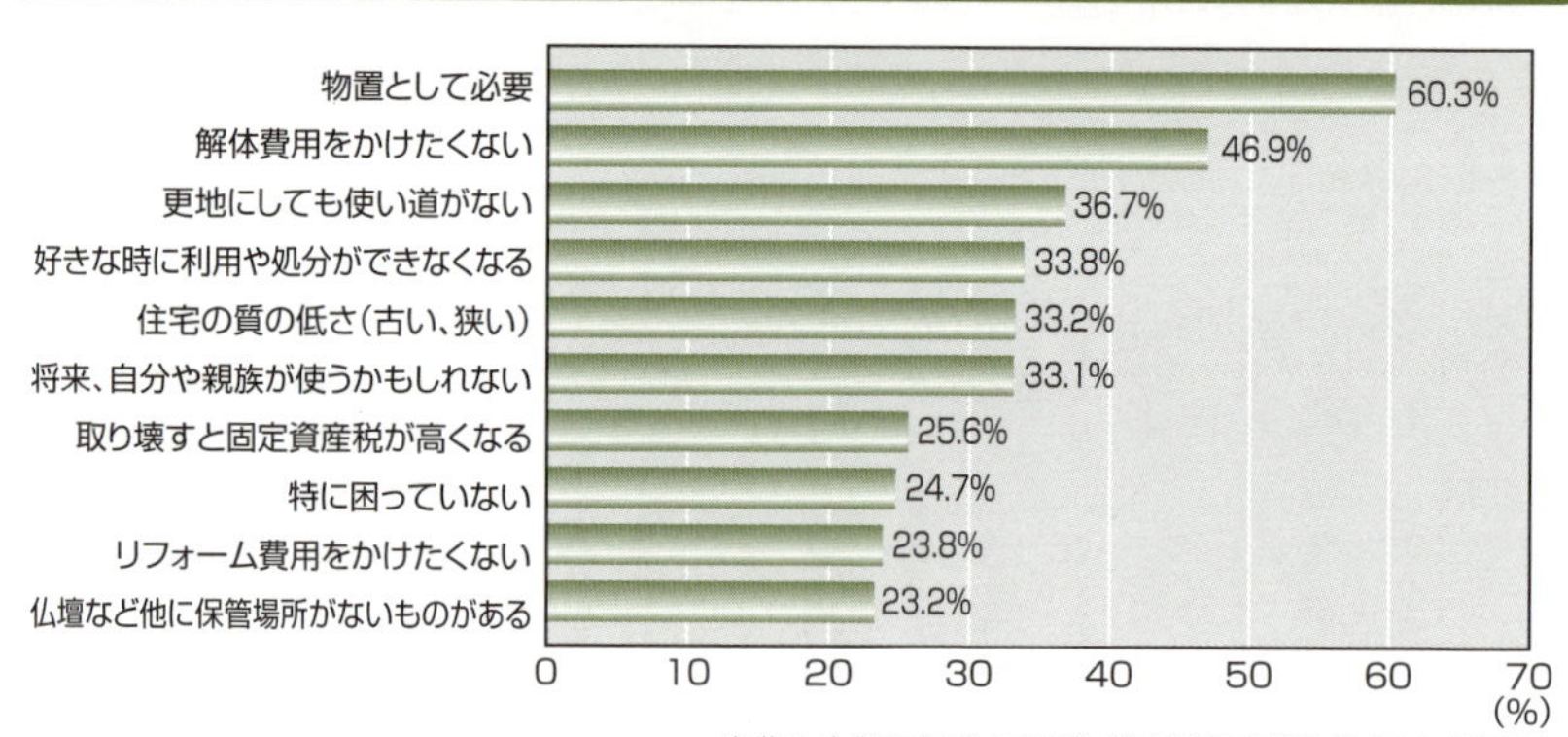

出典：令和元年空き家所有者実態調査報告書(国土交通省)

【空き家率】　2018年の調査では、別荘や売却用、賃貸用以外（居住用）の空き家率の高い県は、高知県12.7%、鹿児島県11.9%、和歌山県11.2%、島根県10.5%、徳島県10.3%となっている。

住宅建築工事費用（本体工事費）の内訳

名称	内容
仮設工事	工事のための足場、養生、仮設トイレなども含まれます。本体工事費の2～3%が目安です。
基礎工事	基礎工事のための掘削、鉄筋、型枠、コンクリート、残土処分などの費用です。基礎の種類によって費用が変わります。地盤改良や杭工事が必要になる場合は、別項目で計上されます。本体工事費の4～5%が目安です。
木工事	土台・柱・梁などの構造材、天井や壁、床、階段などの工事費用です。大工さんの手間代も含まれます。木造軸組工法の場合、本体工事費の35～40%が目安です。
屋根工事	建物平面の凸凹が大きく、屋根形状が複雑になると高くなりますが、通常は本体工事費の5%程度が目安です。屋根勾配が6寸以上になると屋根足場が必要になります。
外壁工事	外壁・軒天・破風などの工事です。外から見える部分だけでなく、バルコニーの内側やビルトインガレージの壁も外壁です。タイルなどを使うと費用は高くなります。
金属製建具工事	サッシやドアの工事費です。複層硝子や防犯硝子を使うと費用は高くなります。
木製建具工事	室内のドアなどの工事費です。
塗装工事	内部・外部で塗装に関わる部分の費用です。
内装工事	内装のクロス・カーペットの他、畳や和室の工事も含まれます。フローリングは、内装工事に入れる場合と、木工事に入れる場合があるようです。屋根・外装・内装・金属建具を合わせて、本体工事費の35～40%が目安です。
防水工事	バルコニーなどの防水工事費用です。
石・タイル工事	玄関・キッチンなどのタイル工事の費用です。
左官工事	基礎や外壁のモルタル仕上げ、内部にしっくいなどを使うと、その費用も含まれます。
電気設備工事	コンセント、スイッチ、インターホン、照明、分電盤などの工事の費用です。
換気工事	換気扇などの工事費用です。
厨房・設備工事	キッチンなどの設備工事費用です。
給排水衛生設備工事	洗面、浴室、トイレ、給湯設備などの費用です。電気設備から給排水衛生設備工事で本体工事費の15%程度が目安です。
雑工事	見積項目に分類できない費用です。
運搬費	工事の材料を運搬する費用です。それぞれの工事項目に含めたり、管理・諸経費に入れることもあります。
現場管理・諸経費	住宅会社の経費です。

【その他】
付帯工事：　特殊基礎工事、杭工事、特殊仮設工事、オプション工事など、
　　　　　　建物の特殊事情により追加になるもの
別途工事費：空調工事、外構工事、照明器具工事、解体工事、カーテン工事など
調査申請費：地盤調査費、敷地測量費、申請手続費、登記費用など

【空き家の解体費用】　木造住宅の解体工事費は延床面積50坪で175万円程度である。その他に仮設費、廃棄物処理費などの費用が発生する。

6 住宅コストの実態

住宅会社は「坪○○万円～」という表現で価格を表しますが、この坪単価は大まかな参考になる程度です。実は、契約書に添付する見積書でさえ、本当の工事費はわかりません。

●わからない本当のコスト

住宅建築の費用は、大きく「本体工事費」、「別途工事費」、「諸費用」の三つに分けられます。

本体工事費は、建物の建築だけに関わる費用です。その内訳は、本文207ページの表の項目のようになります。工務店や住宅メーカーによって分類や名称が若干異なることもありますが、ほぼこのような項目です。

別途工事費は、外構や屋外の給排水工事など、本体以外にかかる費用で、**諸費用**は工事費以外の税金や登記などの諸経費です。

住宅会社から出てくる**見積書***がこのようなかたちになっていて、それぞれ金額が記入されていますから、住宅建築のコストもこのとおりだと考えたくなりますが、実はそうではありません。特に大手住宅メーカーなどは展示場の維持費や立派なカタログ、CMなどその費用は莫大な額になります。そのような費用を項目として記載する訳にはいかないため、工事費の中に分散させているのです。中小工務店の場合も同じです。材料代や専門工事業者などへの支払い価格に数%の利益を上乗せして、項目別の工事費に記載するのはよくあることです。

住宅メーカーの中には、シリーズごとに面積単価が決まっていて、本体工事に関しては面積だけで金額を算出する場合もあります。表に出しにくい費用を隠す工夫です。この場合は、オプション工事や追加変更工事についてのみ、工事種別に金額が明確にされます。

***見積書**　最終的に決定した設計図面と仕様書をもとに、その住宅を建てるために必要な費用を算出する。それを工事項目ごとに整理して、工事請負契約を交わす前に提出されるのが見積書である。住宅会社ごとに書式が異なる。

●住宅会社に便利な「坪単価」

よく使われる**坪単価**とは、住宅の建築工事費を床面積（坪）で割ったものです。本来は、設計して仕様を決め、積算をして建築工事費を出した後に算出できるものですが、消費者に対して概算額をすぐに伝えるために使われます。

本来、坪単価は大きい家より小さい家の方が高くなります。コストのかかるキッチンや浴室、トイレなどの設備の数は、家の大きさに関係なく同じになるためです。また、尺モジュールよりメーターモジュールの住宅の方が、面積当たりの柱の数が少なくなるため、安くなる傾向にあるようです。

凸凹の少ない平面形状やシンプルな形の屋根だとコストを抑えることができるので、これも坪単価を安くすることにつながります。そのため低い坪単価で販売する住宅は、平面形状などに制限があるのです。

また、広告に掲載される坪単価には諸経費や別途工事費は含まれていない場合が多いので、よく確認することが大切です。

広告どおりに、坪単価×建築面積で販売する住宅会社では、確実に利益を確保するための工夫を凝らしています。従来、専門工事業者への発注は、物件ごとの見積を取っていましたが、それだと建物の間取りや形状によって実際の工事面積が変わるため、支払金額が上下してしまいます。

そこで、顧客に「坪○万円」で販売するシリーズの住宅については、外壁工事の発注金額も「坪□万円」、屋根工事は「坪△万円」というように専門工事業者と取り決めをしています。

そうすることにより、仮に建物の形や外壁の面積が変わっても、住宅会社は毎回、計画した利益を得ることができるからです。建物の間取りや形状によるコストのばらつきによるリスクを専門工事業者に負担させているのです。

このような仕組みを使う住宅会社は、低価格をアピールしやすく、多くの物件を受注しています。専門工事業者も、本当ならばそのようなリスクは負いたくありませんが、目先の工事物件数の多さにつられて請け負ってしまうのです。

【相見積】　消費者は、1社からの見積書だけでは、工事費が高いのか安いのかが判断できない。そのため、数社からの見積を比較することで、適正価格を把握しようとする。これを「相見積を取る」という。複数の会社を競わせて値引き交渉をするために相見積を取る施主もいるが、やり過ぎは禁物。良心的な会社が手を引き、そうではない会社が残ってしまうこともあるからである。価格だけを求めるならそれでよいのかもしれないが。

7 費用が悩みの住宅展示場

家を建てたい消費者は、まず住宅展示場を訪れ、そこで住まいへの夢を大きく膨らませていきます。住宅展示場には、家づくりに関するたくさんの情報があり、各社の住宅を比較検討することができます。住宅計画の初期段階として住宅展示場は大きな役割を担っていましたが、それが変わりつつあります。

●負担が大きい住宅展示場

これまで住宅メーカーは、全国各地にきめ細かく**住宅展示場**を新規出展することで、営業エリアを拡大し、販売棟数を増やしてきました。しかし、莫大な経費のかかる展示場を使った営業手法が見直されています。

総合住宅展示場に出展するには、都心部では人件費以外の固定経費として、一件当たり年間三〇〇〇万円が必要といわれています。また、最新の外観スタイルや設備を展示するために、展示場は五~一〇年程度で建て替えなければなりません。大手の住宅メーカーの場合、全国に数カ所の展示場を持っていますから、その負担は数十億円に上ります。

最近では、住宅展示場への来場者が減少気味で、モデルハウスでの成約状況は、一カ月に二~三件というのが一般的です。人件費を含めると、モデルハウスの維持コストは月に五〇〇万円程度かかります。それを、わずか二~三件の成約が支えているということは、一件の契約客の建築資金のうち、約二〇〇万円がモデルハウスのために使われているということになります。住宅着工戸数が減少するなかでモデルハウスの費用対効果が低くなっています。そこで、大手住宅メーカーは総合住宅展示場への出展の絞り込みを始めています。大和ハウスは、全国一九七カ所の展示場

【住宅展示場】 最近では、建て替えサイクルが若干伸びて5~6年サイクルになっている。また、展示場の住宅は大き過ぎて参考にならないとの批判を受け、一般の住宅と同じ大きさのモデルハウスを集めた「リアル展示場」と呼ばれる住宅展示場がある。展示場のイベントは「親が展示場を見学している間、子供が退屈だから」という理由で始まった。

を今後五年で三割減らす計画です。コロナ禍で来場者が減少したことに加えて展示場見学をきっかけとした契約が減っているためです。一方で、インターネットでの情報をきっかけに契約に至る割合が増えているため、ネットを活用した情報提供を強化しています。

●脱展示場を目指す住宅メーカー

実際に建てた住宅を公開展示する**現場見学会**の催しも一般的になっています。構造見学会と完成見学会がありますが、構造見学会では、建築途中の状態を見ることができ、建ててからではわからない建物の構造や工事の様子を確認することができます。住宅展示場の建物は、広い敷地で大きく豪華となり、実際の住宅としては現実的でない場合が多いのですが、実物件だと、現地の条件下で建てられているため、現実的です。実物件を使う現場見学会は、長期的に展示場を管理する必要がないため、中小工務店にも適した営業方法です。

また、体験宿泊を行う住宅会社もあります。宿泊す

住宅情報の利用媒体

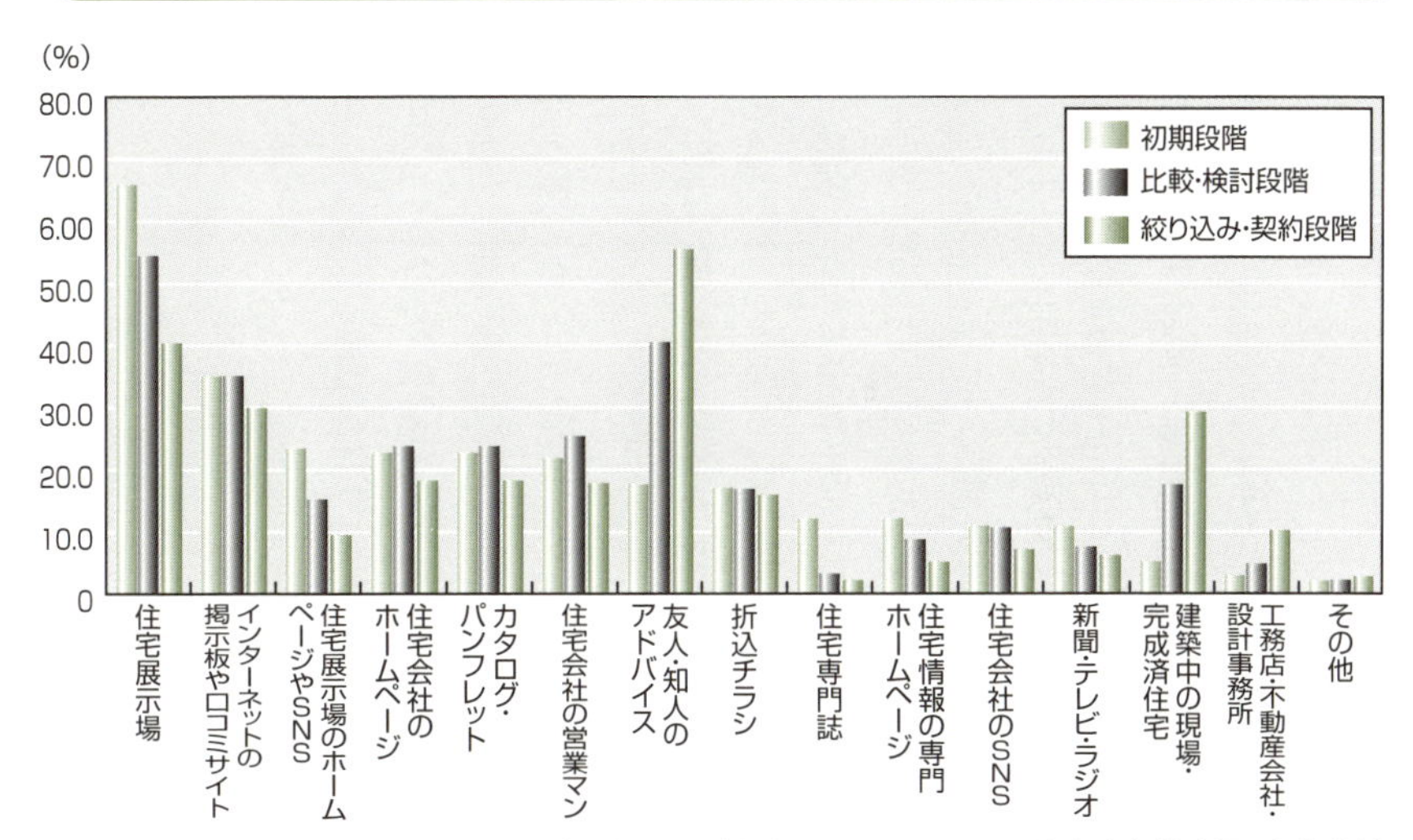

出典：総合住宅展示場来場者アンケート2021調査報告書（住宅展示場協議会）

【ラーメン構造】 柱と梁の接合点をしっかりと固定（剛接合）した枠組みで造る住宅の構造。軸組工法では、接合点をしっかりと固定できないため、筋交いや合板で、柱と梁を固定しているが、ラーメン構造では、筋交いや合板が必要ないため、大きな開口部を設けたり、大空間を確保したりできる。ラーメンとはドイツ語で「枠」のことを指す。

れば断熱性の良さや、屋外や上下階からの遮音性、使い勝手、室内空気環境などもじっくり体感できます。自動車の試乗と同様、住宅の「試住」も広がっています。

大手の住宅メーカーでは、自社の研究施設や工場の試作棟を、展示場や体験施設として活用しています。バーチャル展示場に力を入れる住宅会社も増えてきました。

●DXで変わる住宅展示場

これから住宅を建てる中心となるのが現在三〇代のミレニアル世代です。学生時代にインターネットが普及し、ネット上で買い物をすることが当たり前になっていた世代で、スマホでの情報収集が習慣になっています。

大和ハウスでは、VR展示場やメタバース展示場を公開しています。VR展示場は実際の展示場をVRを使って遠隔から閲覧するものです。パソコンやスマホの操作で、見たい部屋に移動して見たい角度から三六〇度の様子を見ることができます。指定をすると、寸法が表示されたり、その部屋の説明が動画で始まります。

メタバース展示場は、バーチャルな展示場です。担当者がアバターとなって見学者を案内します。見学者もアバターとなって好きな場所に移動したり担当者への質問もすることができます。メタバース展示場は仮想空間ですから、見学者の好みに合わせて内装やインテリアを取り換えることも簡単です。実際にはできない、高い位置から住宅の外観を見ることもできます。どちらもあたかも展示場に行ったかのように見ることができます。展示場の営業マンではなく専門の担当者から詳しい説明を聞くことができます。直接の対面でないため、心理的な負担が少なく見学者も気軽に見学することができます。そして住宅会社にも多くの見学者と接することができるというメリットがあります。

バーチャルな展示場は維持費用も安く設備更新や建て替えも現物の展示場より簡単です。そして常駐の担当者も不要です。今後はバーチャル展示場への移行が増えていくと考えられます。

【メタバース、アバター】　自分が入り込んで活動できる仮想空間のこと。アバターは、仮想空間上で活動する分身であり、アバターを通じて交流をしたり、様々な体験をすることができる。

総合住宅展示場に満足した点

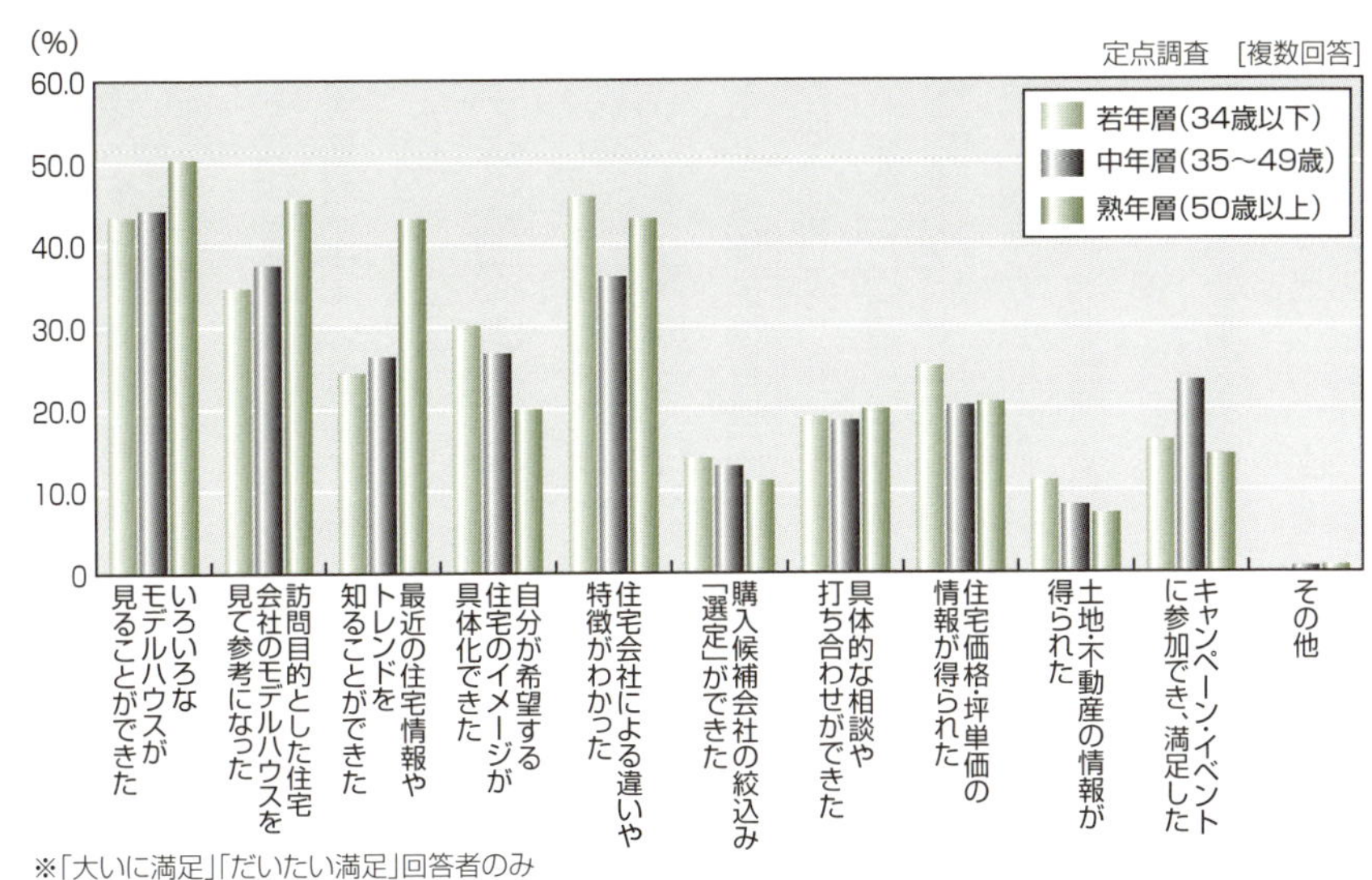

※「大いに満足」「だいたい満足」回答者のみ

出典：総合住宅展示場来場者アンケート 2021 調査報告書（住宅展示場協議会）

VR 住宅展示場

出典：Live Style PARTNER（大和ハウス）より

【VR】　VR（Virtual Reality）は仮想現実と呼ばれる。仮想空間の中に入って、あたかもその場にいるような感覚で現実とは別の空間を体験できる。AR（Augment Reality）は拡張現実と呼ばれ、現実空間に仮想空間を重ねて拡張させる。MR（Mixed Reality）は複合現実で現実空間と仮想空間を複合させ、仮想物体に触れたり操作することができる。いずれも仮想空間を現実空間のように感じることができる。

8 繰り返される偽装事件

二〇〇五年の構造設計偽装事件以降も、偽装事件が繰り返されています。二〇〇七年には、軒天や間仕切りなどの防耐火部材の不正な認定取得が発覚し、二〇〇九年には防火サッシの不正な認定取得が発覚しました。

●戸建て住宅での問題

耐震偽装事件では、構造計算書の偽装を設計図書の作成、建築確認、現場工事、の各段階で元請設計者、工事担当者、指定確認検査機関、建築主事の誰もが見抜くことができませんでした。

耐震偽装事件には戸建住宅は含まれていませんでしたが、住宅会社のなかには、この事件をきっかけにして、建築した全棟の設計図書のチェックを実施し耐震強度不足が判明したため公表した会社もありました。

この対策として、建築確認審査時の審査の厳格化、指定確認検査機関に対する監督の強化、建築士および建築士事務所に対する罰則の強化、専門資格者制度の新設などが行われました。

●構造設計一級建築士と設備設計一級建築士の新設

専門資格者制度の新設により、一定以上の規模の建築物の構造設計と設備設計について、**構造設計一級建築士**と**設備設計一級建築士**のチェックを受けなければならなくなりました。

構造設計一級建築士や設備設計一級建築士として登録するためには、一級建築士としての構造設計あるいは設備設計の実務経験が五年以上で、指定した講習を修了しなければなりません。

【名義貸し】 建築士が、業務を行う意志がないにもかかわらず、建築確認申請書等における申請代理者、設計者、工事監理者等として名義を記載すること。例えば、建築士がいない工務店が設計業務を行ったり、設計事務所としての登録をするため、外部の建築士から名義を借りることなど。代願とも呼ばれる。罰則の強化などにより減っている。

●建材の大臣認定不正取得

二〇〇七年には、建材のトップメーカーが、建材の耐火性能試験や準耐火性能試験に、水を含ませてより燃えにくくした部材を使って合格し、国土交通大臣の認定を不正に受けていたことが公表されました。この建材を軒裏や間仕切り壁に使用した建物は約四万棟に上りました。この事件を発端に市販されている建材の性能試験が行われ、多くの建材メーカーが偽装していたことが発覚しました。認定を取り消された建材は、約六〇社、約一四〇製品に及んでいます。

同様の偽装はサッシでも発生しました。二〇〇九年から二〇一〇年にかけて、樹脂製サッシやアルミ樹脂複合サッシの防火性能で違反が発覚し、認定が取り消されました。大手サッシメーカーのほとんどが関係しており、違反となる建物が数万棟に及びました。二〇一五年にはマンションの杭でデータ偽装が発覚しました。

設計者や施工者はメーカーの出すカタログや仕様書などを信じるしかありません。その信頼が大きく崩れました。生産者のモラルが問われています。

構造一級建築士と設備設計一級建築士

構造設計一級建築士	設備設計一級建築士
平成 20 年に施行された新建築士法で、構造設計一級建築士制度が創設された。一定規模以上の建築物（木造で高さ 13m 超または軒高 9m 超、鉄骨造で階数 4 以上、RC 造または SRC 造で高さ 20m 超、その他政令で定める建築物）の構造設計については、構造設計一級建築士が自ら設計を行うかもしくは構造設計一級建築士に構造関係規定への適合性の確認を受けることが義務付けられた。 2022 年 1 月 21 日で 11,069 人が登録されている。	構造設計一級建築士制度と同時に設備設計一級建築士制度が創設された。一定規模以上の建築物（階数三以上かつ 5,000m² 超の建築物）の設備設計については、設備設計一級建築士が自ら設計を行うかもしくは設備設計一級建築士に設備関係規定への適合性の確認を受けることが義務付けられた。 2021 年 1 月 13 日で 6,066 人が登録されている。

【施工管理技士の実務経験不備】　2019年に大手住宅メーカーで、371人の社員が必要な実務経験を満たしていない状況で、技術検定試験を受験し、施工管理技士の資格を取得していたことが内部通報から明らかになった。その後、建設業法により22日間の営業停止処分を受けた。背景には資格者不足があると考えられる。

9 建材メーカーを悩ませる住宅のモジュール

住宅のモジュールとは、寸法の基本単位のことです。日本では一九五九年に、尺貫法を廃止し、メートル法を採用しましたが、住宅建築の世界では、尺貫法が現在でも根強く残っています。尺貫法では、「尺」や「間（けん）」が基本単位です。

●広さにゆとりのメーターモジュール

日本の住宅建築では、主に三尺（九一〇ミリ）を基本モジュールとして使っています。本来、一尺は三〇三ミリですから、三尺は九〇九ミリとなるのですが、まるめて九一〇ミリとしています。住宅の各部の寸法は、この基本モジュールの二倍、三倍…、二分の一、三分の一…となる数を組み合わせて決められています。

これまで**尺モジュール**を基準にしてきた日本の住宅ですが、最近では、一メートルを基本とする**メーターモジュール**を採用する住宅が増えてきています。

尺モジュールの住宅の場合、廊下の幅は、九一〇ミリから壁の厚さを引いて七八〇ミリ程度となり、狭くて車椅子が通りにくい、階段に手すりを付けると狭くなる、というような問題がありました。メーターモジュールだと八七〇ミリ程度になるため、大きな問題にはなりません。この少しの差が、行動の余裕になるのです。

現在、メーターモジュールで建てられている戸建住宅は二割程度と推定されており、大手住宅メーカーを中心に、メーターモジュールの住宅市場が大きくなっています。積水ハウスでは一九六一年から、メーターモジュールを他社に先駆けて採用しています。メーターモジュールの六畳は、尺モジュール換算で七・三畳となり、約二一％広くなります。

＊**京間（関西間）**　京都を中心として、近畿、瀬戸内、山陰地方で使われる。江戸間（関東間）は、柱の芯と芯との距離が6尺であるが、京間は柱と柱の間の内法（うちのり：内側を測った距離）が6尺として決められている。江戸間よりも、畳1枚の大きさが大きくなっている。

生活にゆとりを生むメーターモジュールですが、二つのモジュールが併存するのは建材メーカーにとっては困った問題です。両方のモジュールに合わせた品揃えをするために、品種数が増えてしまうからです。

●地域によっていろいろある尺モジュール

同じ尺という単位でも、**「江戸間」「京間***」というように、地域によって基準が異なるものがあります。これも、建材メーカーを悩ませる要因になっています。この他に輸入住宅の基本となる**インチモジュール**もあります。構造用合板では、標準寸法として、尺、メーターだけでなく、フィートにも合わせた品揃えをしています。

このように、会社や地域によって九一〇ミリや一〇〇〇ミリ、さらにフィートや日本の各地の尺モジュールも使われるなど、モジュールの乱立が、住宅業界の効率化を阻害していました。どうしても生産量の多い製品のほうがコストが安くなります。最近では材料の無駄を省くために九一〇ミリの尺モジュールと一〇〇〇ミリのメーターモジュールに集約されています。

日本各地の畳サイズ（長辺）

江戸間	1,760mm	5尺8寸
京間	1,910mm	6尺3寸
広島間	1,850mm	6尺1寸
中京間	1,820mm	6尺
団地サイズ	1,700mm	5尺6寸

構造用合板の標準寸法（mm）

幅	長さ
900	1,800
900	1,818
910	1,820
910	2,130
910	2,440
910	2,730

幅	長さ
910	3,030
955	1,820
1,000	2,000
1,220	2,440
1,220	2,730

出典：（公財）日本合板検査会

【フィートモジュール】　北米住宅の基本単位となっているのが、フィート・インチモジュールである。輸入住宅の普及と共に広がった。1220ミリと、日本の尺モジュールに比べて大きいため、輸入住宅ならではのゆとりと開放感が実感できる。

第5章　住宅業界の問題点

10 論争が止まらない充填断熱と外張断熱

ロングセラーとなっている『「いい家」が欲しい』*をきっかけに、住宅の断熱方法として、外断熱工法が話題になりました。しかし、唯一この工法だけが「いい家をつくる」ということはありえません。

●外断熱と外張断熱

木造住宅の断熱材の施工方法には、充填断熱工法、吹込断熱工法、外張断熱工法の三つがあります。**充填断熱工法**は、壁の中の柱の間や、床下の根太*の間に断熱材を充填する方法です。主に繊維系断熱材が使われます。充填断熱では、充填部分で隙間が生じないようにすることが重要です。また、室内の湿気が壁の中に入らないように、断熱材の室内側に防湿シートを連続的に施工します。湿気が壁内に入ったり、断熱材の隙間があると、壁の内部で結露が発生し、断熱性能を低下させると共に、木材を腐らせ、住宅を劣化させるからです。充填断熱と外張断熱の論争では、この弱点が攻められます。

吹込断熱工法は、繊維系の断熱材を細かくほぐしたり、ビー玉程度の大きさにカットして、壁の中や天井裏に詰め込む方法です。壁内に筋交いや金具があっても、隙間なく施工することができます。壁の中に断熱材を充填するという意味で、断熱の考え方は、充填断熱工法と同じです。

外張断熱工法は、柱や梁などの構造体の外側から、建物を包むように断熱材を施工します。断熱や気密の性能を上げやすいのが特徴です。通常は、ボード状の断熱材を釘やビスで柱や間柱に取り付け、断熱材の継ぎ目を気密テープで塞ぎます。

この外張断熱のことを、ベストセラーとなった本が「外断熱」と呼んだことが、断熱工法の用語を誤って

*『「いい家」が欲しい』　松井修三著。住宅の外断熱を推奨し、ロングセラーとなっている。内容には各方面からの批判もあるが、住宅業界の断熱議論に一石を投じた本であることは間違いない。外断熱への関心が高まるきっかけとなった。

広める要因になりました。**外断熱工法**は、正式には鉄筋コンクリート造の建物の断熱方法です。コンクリートの外側を断熱材で覆うため、構造躯体であるコンクリートが直射日光や雨水に直接当たりません。コンクリートの外を断熱材が包んでいるため、コンクリートが蓄熱層となり、室温が真夏や真冬の外気温に左右されにくく、安定します。木造住宅の場合は、木材の柱や間柱が建物全体を構成しているのではありませんし、また、木材自体も蓄熱層にはなりません。ですから、外断熱ではなく外張断熱なのです。

●外張断熱にも弱点はある

外張断熱の場合は、断熱材の外に外壁を施工します。しかし、断熱材は柔らかく、外壁材を支持することができません。したがって断熱材を通して、柱や間柱に直接釘やビスを打ち込むことで、外壁材を固定することになります。断熱材は厚いため、釘やビスの位置や角度が少しでもずれると、柱や間柱に打ち込めません。また、外壁材は重量がありますから、柔らかい断熱材を介して取り付けると、重さで外壁材が垂れ下がる危険性があります。

日本窯業外装協会（ＮＹＧ）*では、外張断熱工法時の外壁の固定方法として、基礎、胴差の部分で、断熱層の部分に木材などの固定材を取り付け、それに対して外壁を保持させるように指導していますが、正しく実行している工務店は多くはありません。このように外壁の施工一つをとっても、外張断熱にも短所があります。

断熱議論は、充填断熱と外張断熱の対決として語られますが、この断熱工法以外はすべてダメ、などということはあり得ません。断熱の位置、断熱材の材料だけでなく、施工性、耐久性、耐火性、健康などいろいろな面でそれぞれの工法に長所短所があります。どちらにしても、特徴を正しく活かして使うことが大切です。基本的なことを理解せずに、断熱材はこれが良い、工法はこれしかない、という説明に安易に飛び付くことが一番の問題です。寒冷地においては、より高い断熱性能を実現するために充填断熱への付加断熱として外張断熱を行う例もあります。このような例がますます増えると考えられます。

＊**根太（ねだ）**　床を張るための下地。45mm角程度の木材を30～45cmピッチで大引に載せ、その上に床を張る。床の荷重を根太が受け、それを大引に伝える。最近では、構造用合板で床下地をつくることが多く、根太を使わないこともある。

充填断熱工法と外張断熱工法

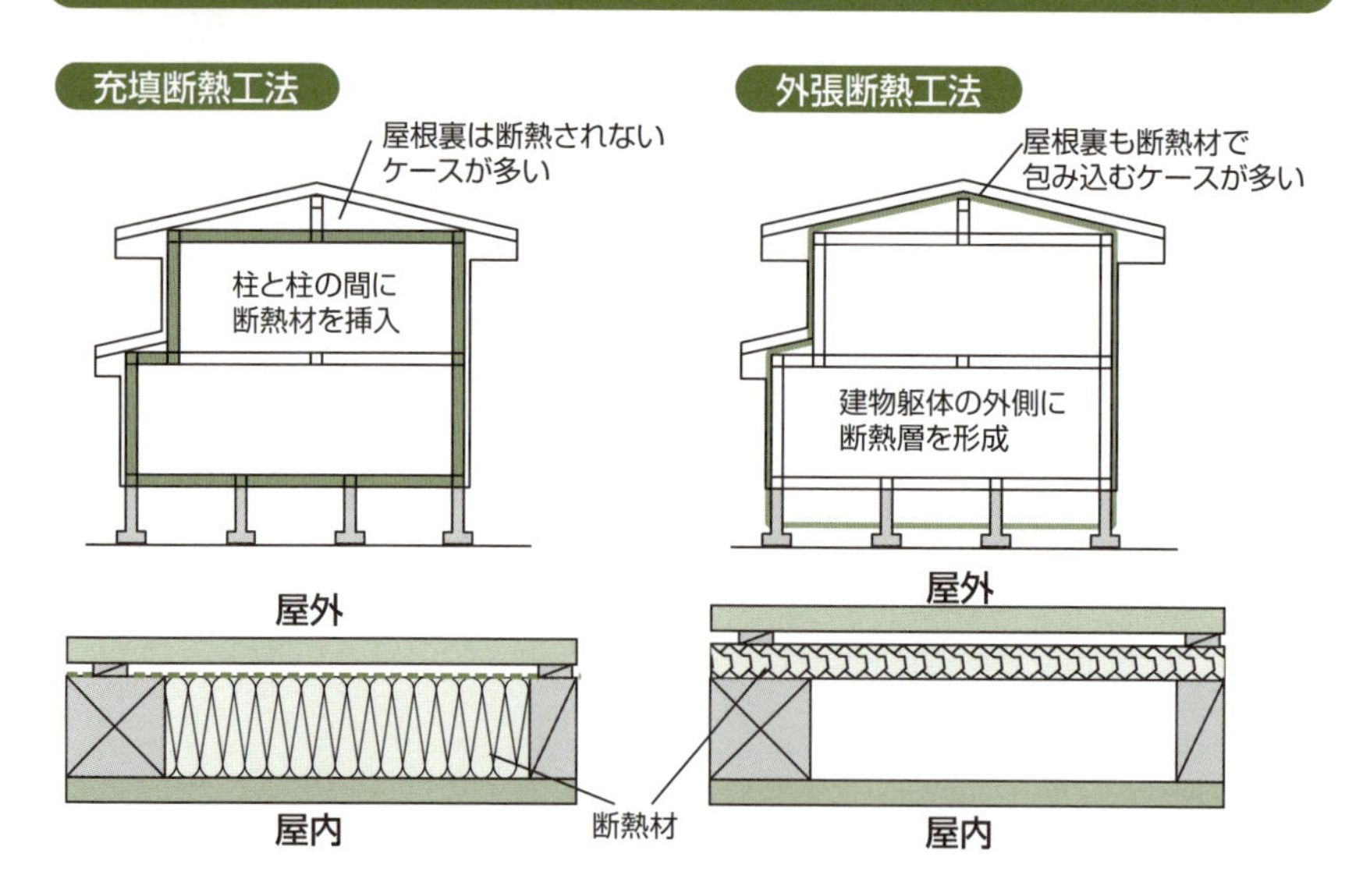

充填断熱工法（通気構法）

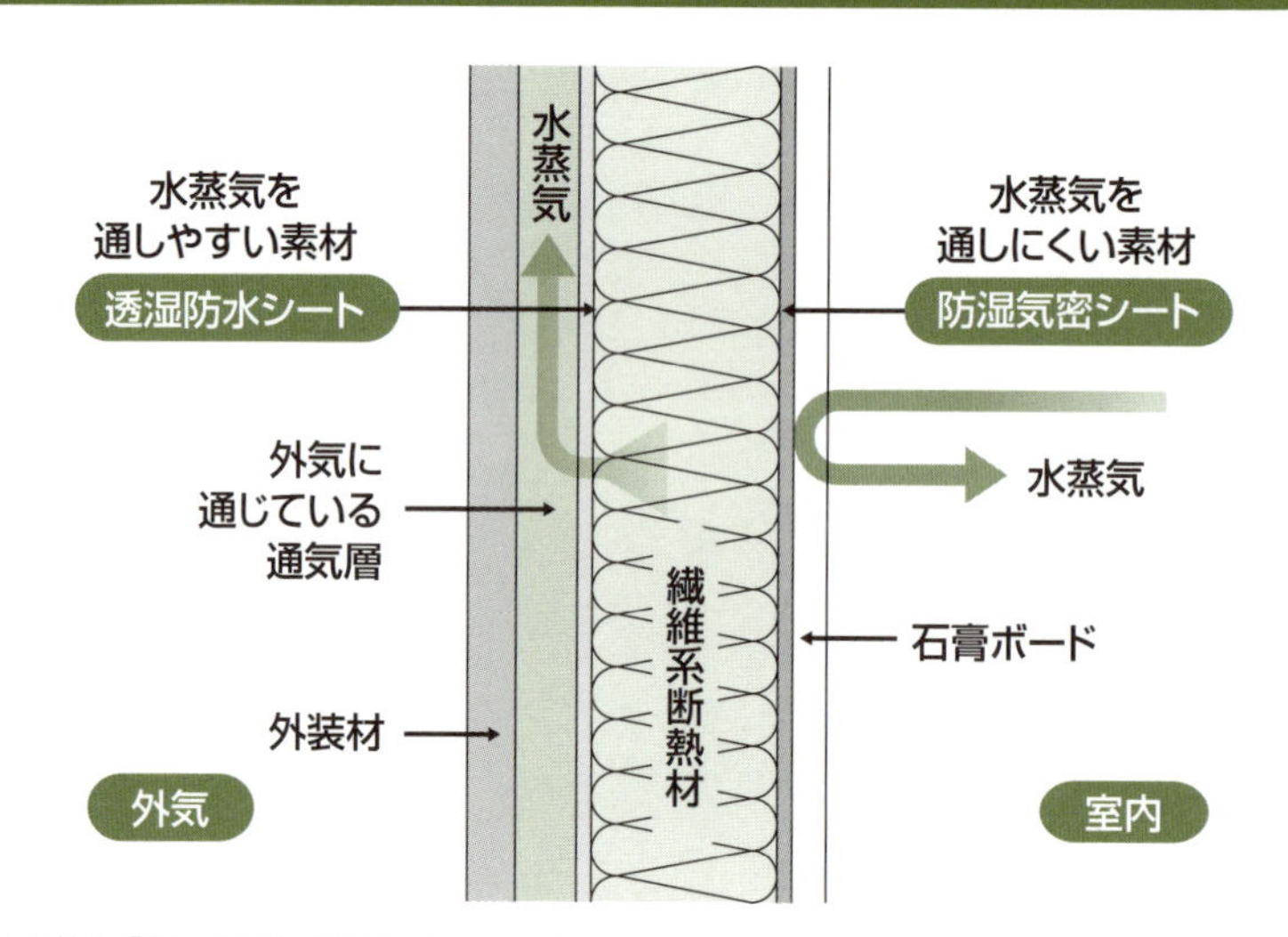

出典：環境省『省エネルギー住宅ファクトシート』

＊**日本窯業外装協会（NYG）**　窯業サイディングの正しい施工法の普及により、住宅の品質、性能の向上を図ることを目的に、メーカー7社で構成されている。協会の自主認定制度として行ってきた「窯業系サイディング施工士」が、2004年に厚生労働大臣認定資格となった。この資格を得るには、日本窯業外装材協会の規定による学科試験、実技試験に合格しなければならない。

外張断熱工法の施工

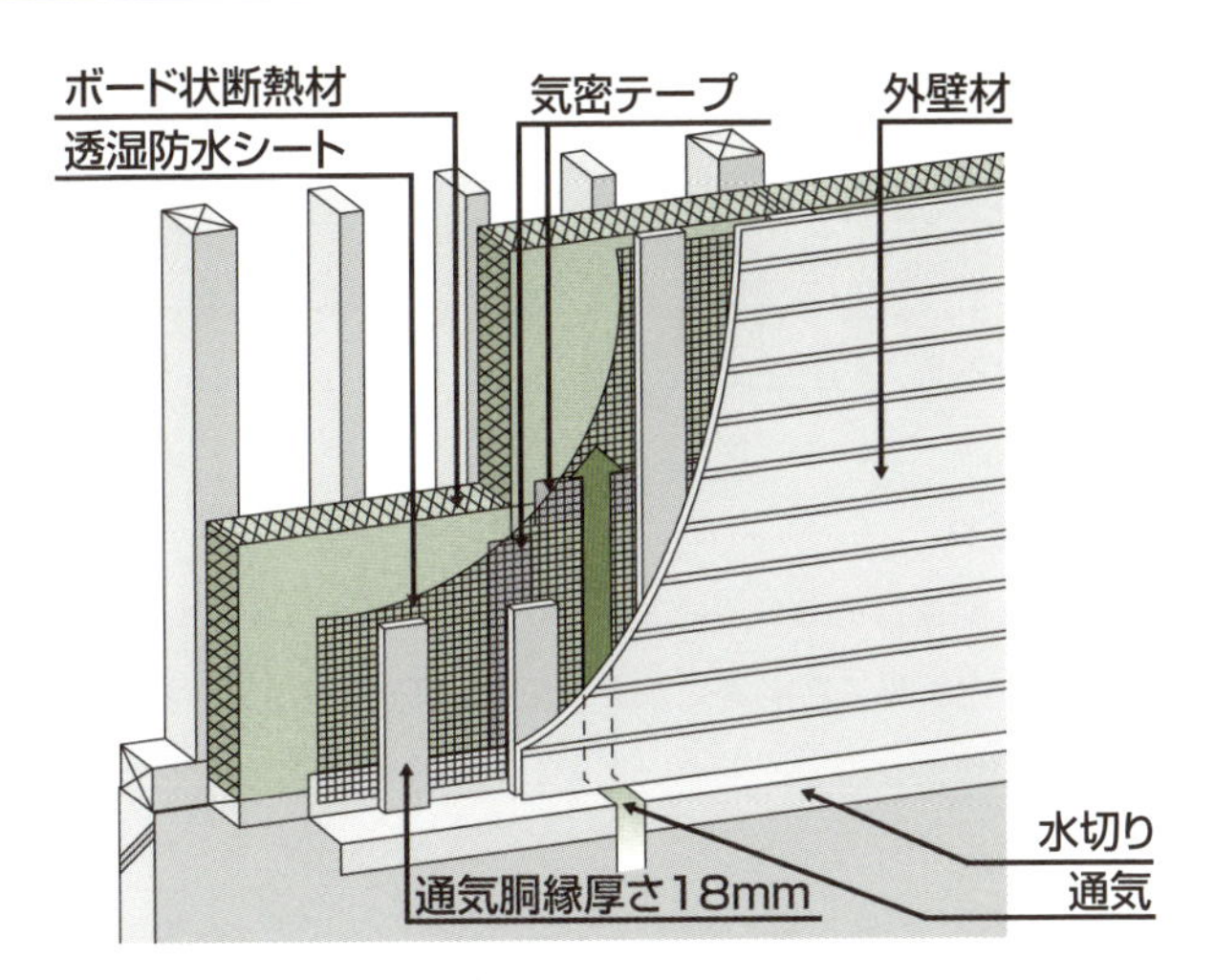

出典：環境省『省エネルギー住宅ファクトシート』

住宅用断熱材の出荷量の推移

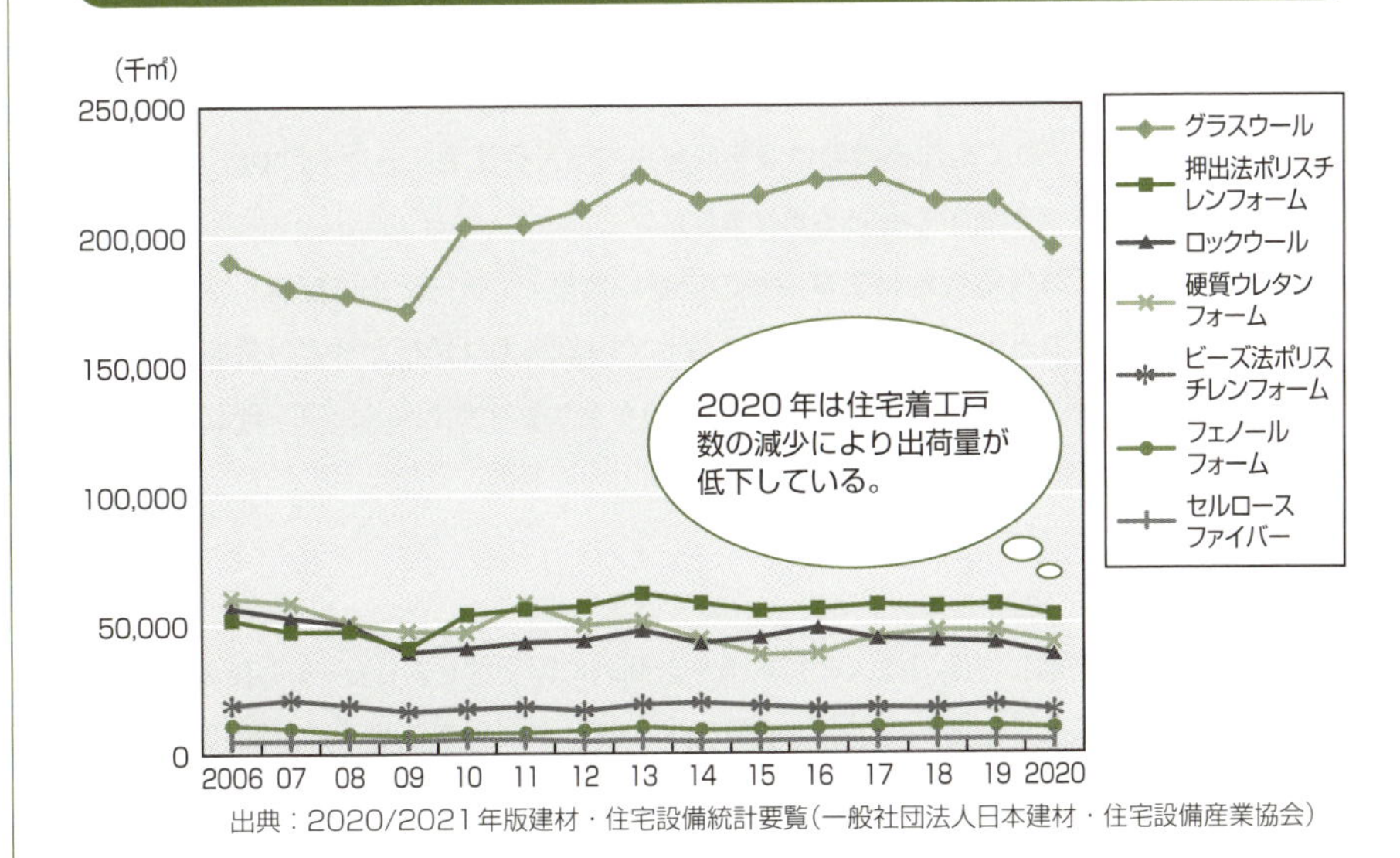

出典：2020/2021年版建材・住宅設備統計要覧（一般社団法人日本建材・住宅設備産業協会）

【プレカット機械】　プレカット機械の大手メーカーとしては、宮川工機のほか、平安コーポレーション、庄田鉄工、ナカジマなどがある。CADソフト会社が各機械メーカーの仕様に合わせたCADを開発して販売している。

新型コロナウイルス感染症の影響

新型コロナウイルス感染症の拡大が住宅業界にも大きな影響を与えました。工事の遅れや資材不足、受注減少などです。

●工事の遅れ

クルーズ船乗客のコロナ感染など、コロナ禍が拡大した2020年2月、国土交通省は新型コロナウイルス感染症対策として「工事一時中止」を打ち出しました。風通しの良い場所での作業なので心配ないと言われていた工事現場でも感染者が出はじめたためです。

工事現場は、躯体工事の段階は風通しも良いのですが、内装工事、設備工事の段階になると建物が囲まれるため風通しも悪くなります。工程ごとに多くの作業者が現場に入り、自分の担当工程が終わると別の現場に移動して作業をします。現場は囲われているためわかりにくいのですが人の出入りは意外に多くあります。感染拡大防止のため大手ゼネコンの多くが工事の一時中断を発表しました。

戸建住宅の現場は、大手ゼネコンの現場に比べて現場で工事に係る人数は圧倒的に少ないですが、それでも作業者の健康を最優先する大手住宅メーカーの中には、施主の了解を得て工事を中断する会社もありました。

一方で、多くの住宅会社は工事中断の決断に慎重で、感染防止に配慮しつつ工事を進めました。工期が延びると賃貸住宅に住んでいる施主は延びた分だけ賃料が増えることになるなど、負担増になるからです。社員が急に在宅勤務になって、確認や連絡に手間がかかるようになりました。

●建設資材の不足

コロナ禍の初期に中国では人の行き来を全面的に停止させました。その結果、工場の製造現場が停止し、中国から部品を調達している日本の生産工場への部品供給が途絶えました。そのため住宅設備や建材の生産が滞り、工事がストップする事態が発生しました。その後、中国国内の製造が再開されると次第に落ち着きを取り戻しましたが、海外からの部品調達のリスクがクローズアップされました。

● 長引く木材不足と価格上昇

2021年に入ってからは、ウッドショックによる資材の高騰・調達難の影響が大きくなりました。原因の1つはアメリカや中国で起きた住宅バブルです。コロナ禍でリモートワークが増加し、都会から少し離れた郊外での住宅購入や、自宅のリフォームが相次ぐようになりました。コロナ禍で需要が減ると思って生産を減らしたところに建築需要が増大して木材不足が加速しました。

もう1つの原因はコロナ禍の影響による貨物便の大幅な減便です。これらの影響により、木材の不足と価格上昇で木材を多く使用する木造住宅の着工が遅れました。輸入木材の価格は2〜3倍程度に高騰しました。

2022年に入ってからは、ロシア材の出荷が止まりました。日本のロシア材の輸入量は多くはありませんでしたが、世界的な品不足は日本にも影響を与えました。構造用合板の価格も1,100円/枚から2,000円/枚を超えるまで上がっています。

国内の林業の現場では、2021年までは、どうせまた外材輸入が元にもどれば、国産材を求める声は消えてしまうと増産に懐疑的でしたが、長引く木材不足で増産の機運が高まり始めています。

製材品の輸入平均単価の推移

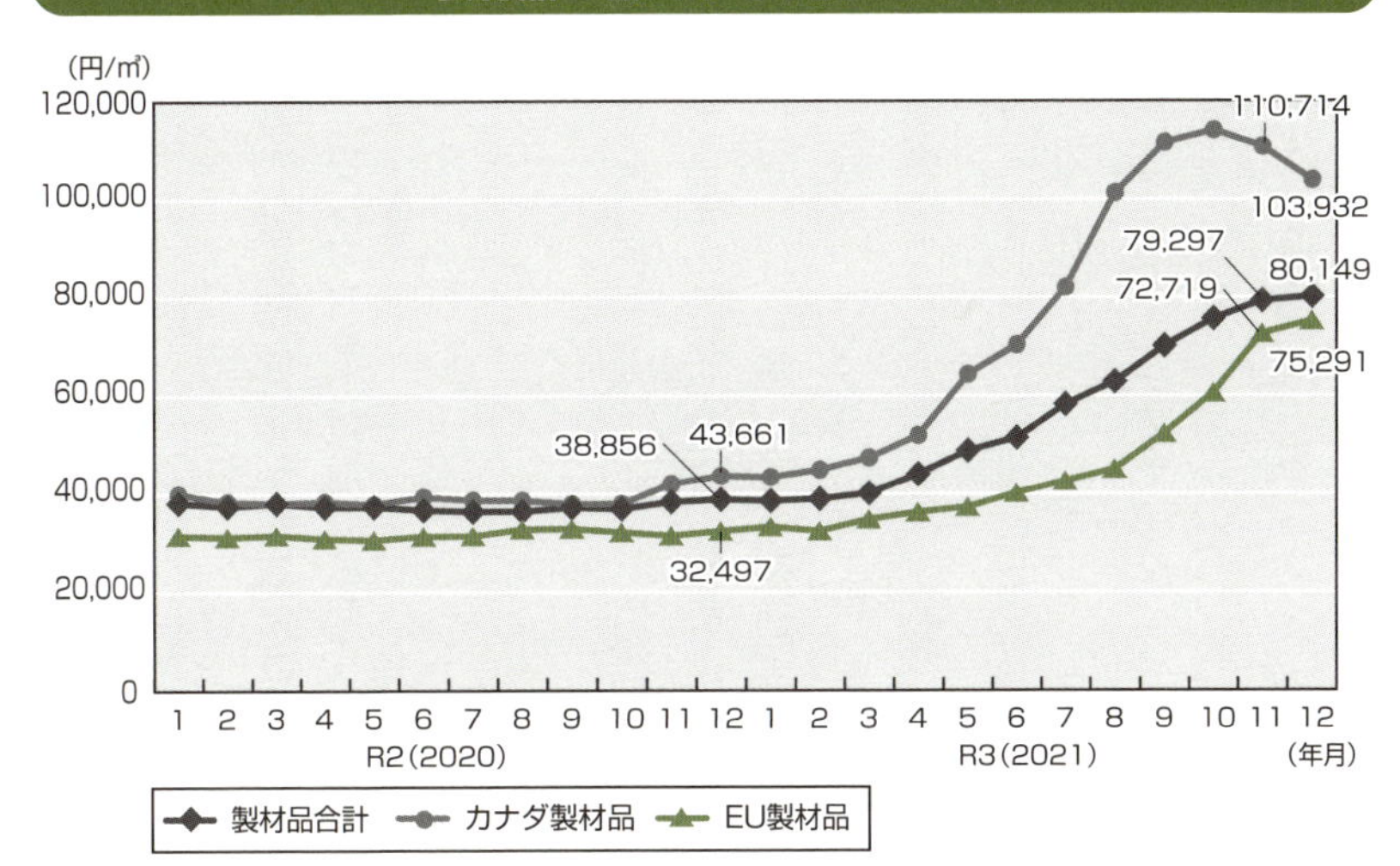

注1：輸入平均単価は、総輸入額を総輸入量で割った値。
　2：令和3(2021)年については、確々報値により算出。
資料：財務省「貿易統計」
出典：令和3年度 森林・林業白書（林野庁）

11

大工の仕事を変える建材の変化

従来の木造軸組工法では、柱と梁など構造部を接合する継手や仕口（4-3参照）は、大工が墨付けを行い、ノコギリやノミなどを使った手作業で加工を行っていました。しかし、プレカットの普及によって、大工の仕事が大きく変化しています。

●作業効率向上が奪う大工の仕事

プレカットとは、木造軸組工法の構造材の継手や仕口を、あらかじめ工場で加工することです。昭和五〇年代に、機械メーカーの宮川工機が継手、仕口の自動加工機械を開発し、プレカットが始まりました。その後、CAD／CAMシステムが導入され、住宅の図面をCAD入力することで自動的にプレカットする全自動化ラインが可能になりました。

それまでは、このような加工は複雑で手間がかかるため、大工の熟練技能が必要とされていました。しかし、熟練技能者の不足、工期短縮や人件費削減などのコストダウンの圧力から、プレカットへと切り替わっていったのです。機械性能の向上もそれを後押ししました。その結果、大工の技量や個々の建築現場の条件などに左右されることが少なくなり、現場作業の軽減と、一定品質の維持ができるようになりました。

木造軸組住宅のプレカット率は、一九八九年には一割未満でしたが、二〇二〇年には九三％となり、大都市部ではほぼすべてがプレカットとなっています。

二〇一六年、全国には七三〇のプレカット工場があり、大型化が進んでいます。日本一のプレカット能力を持つのがポラテックです。月に約三五〇〇棟ものプレカットを行います。

現場での効率を高めるため、羽柄材*、野地板*、床

*羽柄材　主に構造材を補助し、下地となる材料のこと。具体的には、垂木、筋交い（1-6）、間柱、根太（5-10）、胴縁、野縁などを一括して羽柄材と呼ぶ。最近はプレカットされることが増えている。主に和室などで使用される材料で、鴨居、敷居（3-3）、廻り縁（3-3）などは造作材と呼ばれる。

下地などのプレカットも進んでいます。それ以外の建材についても、現場での加工は極端に減少していきます。敷居、鴨居、床の間も部品を組み立てるだけ、収納や階段も同じです。大工はカンナやノコギリを使うことが少なくなり、釘と金具と接着剤で組み立てることが多くなったため、技能を発揮する機会を失ってしまいました。現場の作業効率向上が、大工の仕事を奪ってしまったのです。そのために、大工の仕事は、工事のすべてを統括する棟梁から、いわゆる住宅組立工という立場に変わってしまいました。木造軸組工法の住宅でもプレハブ化が進んでいるのです。

●構造安全性を握るプレカット工場

プレカット工場で住宅の図面を入力するCAD室では若い女性も多く働いています。営業マンが、お客である工務店から持ち帰った図面をもとにデータを入力して伏図を作成します。**伏図**とは、柱や梁などの構造材の組み方を示す図面です。工務店から持ち帰る図面は、間取り図程度のことも多く、CADオペレーターが、梁の大きさなど軸組の構成を考えます。でき上がった伏図を工務店に承認してもらい、加工データを作成して、加工が始まります。なかなか承認をもらえなかったり、直前まで変更があったりするため、加工のスケジュールは厳しくなりがちです。また、建築の現場では、大安に上棟を行おうとするので、どうしても出荷が重なり、仕事が特定の日に集中します。これらの工場の多くは、伏図作成だけでなく構造計算も手掛けています。

プレカットで加工される継手、仕口の精度はコンマ数ミリ単位で調整できます。後々の木材の乾燥収縮を考えると、キツキツの方が建物の構造上、好ましいのですが、短時間で効率よく組み立てるために、叩き込まなくても入る程度のキツさが好まれます。このように、建物の構造は、CADソフトとオペレーターの技量、工場の加工で大きく左右されるのです。極端な言い方をすると、木造軸組住宅の構造安全性を実際に担保しているのは、大工でも設計士でも工務店でもなく、プレカット工場であるといえます。プレカット工場の中には、設計事務所登録をしているプレカット工場もあります。

***野地板**　垂木の上に張る屋根の下地板のこと。この野地板に防水工事としてアスファルトルーフィングを貼り、その上に瓦などの屋根材料が敷かれていく。一般には、野地板として構造用合板が使用される。

12 耐震改修が求められる既存不適格住宅

都心南部直下地震(M七・三)で建物被害一九万棟、死者六〇〇〇人と想定されています。そして、現在九二%である都内建物の耐震化率が一〇〇%になると建物と人的な被害が六割減少すると推計しています。

●既存不適格住宅の問題点

東日本大震災は、宮城、福島、茨城、栃木などの広い範囲で震度六強の強い揺れを起こしました。そして、揺れによる建物の倒壊よりも津波が大きな被害をもたらしました。しかし、阪神淡路大震災では、揺れによって二四万棟の建物が全半壊しました。兵庫県監察医による記録では、建物の崩壊や家具などの転倒、落下を主因とする窒息死や圧死、頭部や首、内臓の損傷死などが全体の八割以上を占めています。その主な原因は、耐震基準が変わる一九八一年以前に建築された、いわゆる**既存不適格建築物***の倒壊によるものでした。さらに、倒壊した住宅から火災となり、多くの犠牲者を出すことになりました。また、倒壊した住宅で道路が塞がれたため、避難、救命、消火などの救助活動にも著しい支障をきたしました。耐震性に不安がある住宅は、被害を拡大させる危険性があるのです。

二〇一八年の調査によると、全国の住宅約五三六〇万戸のうち、一三%に当たる七〇〇万戸で耐震性が不十分と推定されています。戸建住宅に限ると一九%が耐震性不足と推定されています。国は、二〇二五年にはほぼすべての住宅が耐震性を備えることを目標としています。既存不適格建築物の耐震性向上が、地震防災上の重要課題となっています。

●耐震改修促進税制

住宅の耐震化を促進するために、次のような特例処置が設けられています。①一九八一年五月以前に建築

***既存不適格建築物**　建築時は適法であったにもかかわらず、建築基準法の改正によって違反となる建築物をすべて違法建築物とすると、社会的な混乱が大きくなる。そこで、新法に違反する建築物のうち、新法の施行時にすでに存在していた建築物や、建築中、修繕中であった建築物を既存不適格建築物と呼び、違反を問わないこととしている。

された家屋の耐震改修を行うと、二五〇万円を限度として改修工事費用の一〇％相当額が所得税額から控除されます。②一九八一年以前の住宅について、現行の耐震基準を満たすように改修工事を行った場合、固定資産税額が一定期間二分の一に減額されます。また、全国各地の自治体でも耐震診断や耐震改修に対する助成を行っています。しかし、このような促進策を活用して耐震改修を行っている戸建住宅は年間五〇〇〇～一万戸（耐震性不足の約〇・一％）です。耐震性に問題のある住宅には、高齢者や資金的に余裕のない人が多く住んでいるのが現状だからです。

●耐震性能の維持・向上

住宅倒壊の危険をなくすためには、既存不適格住宅の耐震改修だけでなく、新築住宅についても定期点検などのメンテナンスで耐震性を維持していくことも大切です。熊本地震では二日間で震度七の地震が二回起こり、二〇〇〇年の基準を満たした建物でも二回目での倒壊が発生しています。既存住宅の全体的な耐震性能の向上が求められています。

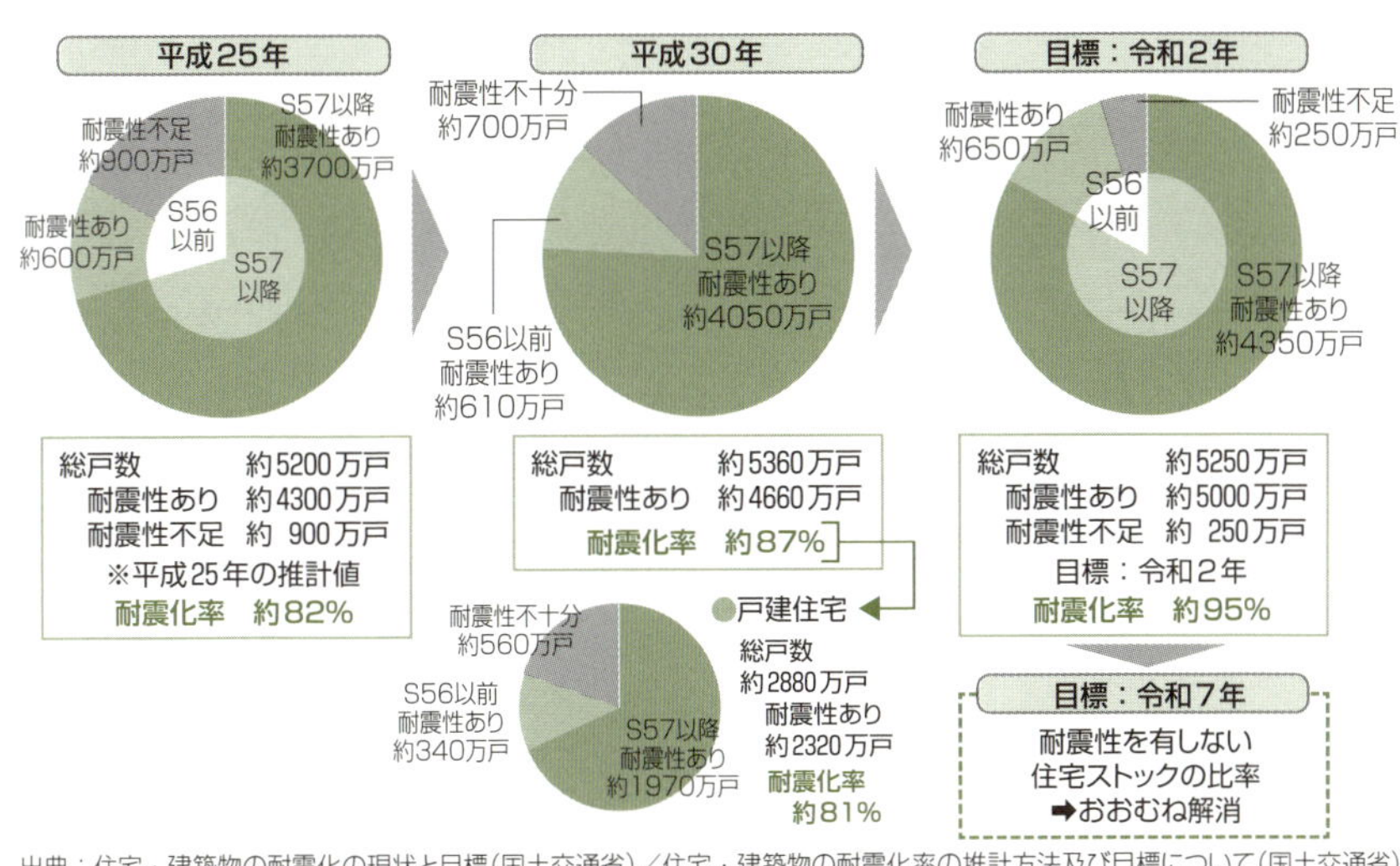

出典：住宅・建築物の耐震化の現状と目標（国土交通省）／住宅・建築物の耐震化率の推計方法及び目標について（国土交通省）

【耐震診断】 木造住宅の耐震診断や耐震改修を推進するため、（一財）日本建築防災協会から「誰でもできるわが家の耐震診断」が公開されている。URLは、「https://www.kenchiku-bosai.or.jp/taishin_portal/daredemo_sp/」。問診をチェックすることで耐震性能を知ることができる。

新耐震基準木造住宅の耐震化

二〇一六年の熊本地震では、一九八一年五月以前の旧耐震基準により建てられた木造住宅に大きな被害があっただけでなく、新耐震基準導入後に建てられた木造住宅にも一定の被害がありました。

●耐震基準の見直し

建築基準法は、一九八一年六月に改正され、軟弱地盤における基礎の強化、筋かい寸法の規定などが見直されました。その後、阪神淡路大震災の被害調査を受け二〇〇〇年六月の改正で筋交等の接合方法の明確化や壁配置のバランスなどが強化されました（3-2節参照）。

●新耐震木造住宅検証法

これまで、自治体が補助する耐震診断・改修は、一九八一年五月以前の**旧耐震基準**により建てられた木造住宅が対象でした。しかし、熊本地震では、一九八一年六月以降の**新耐震基準**で建てられた木造建物のうち、一八・四%が倒壊等の被害を受けました。新耐震基準の木造住宅に被害が出た理由として柱と梁等との接合が不十分であったことなどが指摘されています。これらの接合方法が明確に規定されたのは、二〇〇〇年の建築基準法改正以降のためです。

新耐震基準で建てられた木造住宅に被害が発生したことを受け、一九八一年六月から二〇〇〇年五月までに建てられた木造住宅を対象とした新耐震木造住宅検証法が公表されています。

各自治体も新耐震基準の住宅も対象として耐震診断を行うよう助成制度の見直しを始めています。

【杉並区の新耐震基準木造住宅の耐震診断】 住宅所有者が65歳以上、介護保険認定者、地震保険加入者のいずれかに該当し、木造軸組み工法で基礎がコンクリート造の2階建て以下の住宅が対象である。耐震診断は、簡易診断と精密診断からなり、簡易診断では耐震診断士を派遣して「新耐震木造住宅検証法」による診断を行う。都内でも区によって対応が異なる。

新耐震木造住宅検証法

チェック1～4による検証を行います

チェック1～3ですべて○かつチェック4で該当するものが0または1個以下 ➡ 一応倒壊しない

チェック1～3でひとつでも×またはチェック4で該当するものが2個以上 ➡ 精密診断を推奨

チェック1　平面および立面形状のチェック

平面・立面の形状が整形かを確認

平面　立面

整形

不整形

柱

ガレージ

チェック2　接合部金物の仕様のチェック

木造部材の継手部分等に接合金物が使われているかを確認

柱

梁、土台等

かど金物1　かど金物2

山形プレート　かすがい

チェック3　壁の配置バランスのチェック

1階の外壁面（4面）で、窓やドアなどの開口のない壁の長さの割合が0.3以上か確認

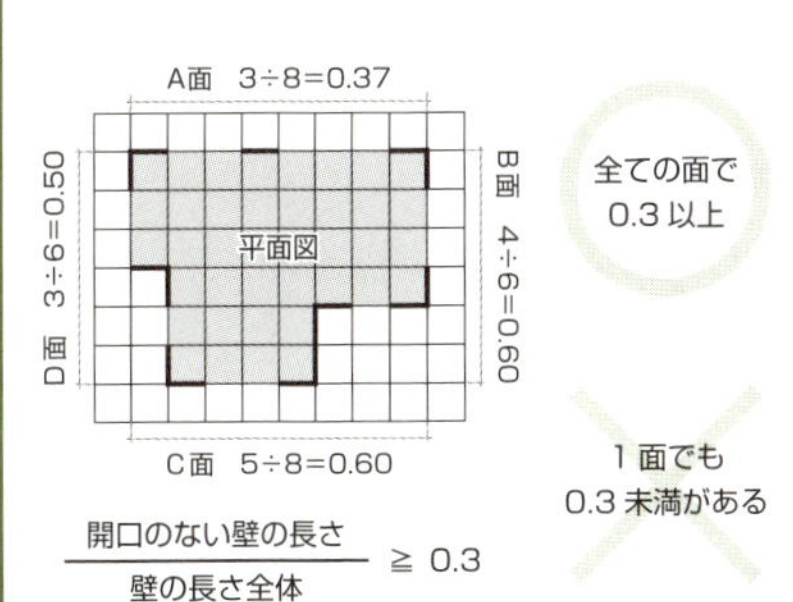

$$\frac{\text{開口のない壁の長さ}}{\text{壁の長さ全体}} \geqq 0.3$$

チェック4　劣化状況のチェック

以下のうち該当するものが何個あるかを確認

1. 外壁
⇒ひび割れや剥落、水浸み痕、こけ、腐朽などがある。

2. 屋根
⇒瓦やスレートが割れたり、棟や軒が下がったり波打ったりしている。

3. 基礎
⇒ひび割れが散見される。

4. 居室や廊下の床
⇒傾斜がある。または過度のたわみや振動がある。

5. 浴室周りの作り
⇒タイル貼りなどの在来浴室である。

出典：「新耐震基準木造住宅の耐震化を支援します」（杉並区都市整備部）

【新耐震木造住宅検証法】　（一財）日本建築防災協会のホームページに「木造住宅の耐震性能チェック（所有者等による検証）」として掲載されている（http://www.kenchiku-bosai.or.jp/nwcon017/wp-content/uploads/2017/11/8100check2.pdf）。

14 特例がなくなる木造二階建住宅

木造で二階建以上、延べ面積二〇〇㎡以上の建物も建築確認・審査の対象となります。

二〇二五年に省エネ基準の適合義務化が行われることになり、それと同時に4号特例の範囲が縮小されることになりました。今後は平屋で延べ面積二〇〇㎡以下の建物だけが特例となります。

●省エネ基準の適合義務化と同時

これまで、二階建て以下で高さ一三m、軒の高さ九m以下で延べ面積五〇〇㎡以下の木造建築物は4号建築物として簡易な構造計算である壁量計算が認められ、確認申請での構造計算書添付が義務付けられていませんでした。熟練した大工が安全な住宅を建築するはずと考えられていたからです。

二〇〇五年の構造計算偽装事件をきっかけに4号特例の見直しが検討されましたが、住宅着工戸数の低迷につながるとして見送られていました。その後、二〇二〇年三月に壁量計算書の保存が義務化されましたが、4号特例はそのままでした。

●特例縮小の背景と課題

省エネ基準の義務化が行われると四号建築物も確認申請で審査が行われます。その場合、省エネだけ審査して構造を審査しないのは消費者の理解が得られないとして、構造の審査も行われることになりました。

省エネ基準の住宅やZEH基準の住宅は、窓が複層ガラスで重くなり、断熱材の使用量も増えます。省エ

【複層ガラスの重さ】 単板カラス（2mm）が1㎡5kgであるのに対して、複層ガラスは10kgになる。戸建住宅の一般的な窓面積30㎡とすると150kgの重量増となる。

ネのために窓を小さくして窓より重い外壁の面積が増えることもあります。さらに太陽光発電パネルを載せると重くなりますし、屋根の日当たりの良い方だけに載せるとバランスが悪くなるため、より強い構造が必要であるともいわれています。このような対策として、必要壁量の見直しを行うことも検討されています。

　確認申請における木造二階建ての省エネ基準と構造のチェック業務が大幅に増えることから確認検査機関では対応の必要に迫られています。

　新築時に4号特例の対象であった建物でも大規模な改修時には確認申請が必要になり、構造の審査を受ける必要があるので、注意が必要です。

確認・審査の特例縮小

<table>
<tr><th colspan="3">高さ等</th><th colspan="4">延べ床面積</th></tr>
<tr><th>高さ</th><th>軒高</th><th>階数</th><th>200m²以下</th><th>300m²以下</th><th>500m²以下</th><th>500m²超</th></tr>
<tr><td>16 m超</td><td>－</td><td>3 階以下</td><td colspan="4" rowspan="2">構造計算・確認検査</td></tr>
<tr><td>16 m以下</td><td>－</td><td>3 階以下</td></tr>
<tr><td rowspan="2">13 m以下</td><td rowspan="2">9 m以下</td><td>2 階</td><td colspan="3" rowspan="2">壁量計算、審査省略</td><td rowspan="2"></td></tr>
<tr><td>平屋</td></tr>
</table>

●今後の方向

<table>
<tr><th colspan="3">高さ等</th><th colspan="4">延べ床面積</th></tr>
<tr><th>高さ</th><th>軒高</th><th>階数</th><th>200m²以下</th><th>300m²以下</th><th>500m²以下</th><th>500m²超</th></tr>
<tr><td>16 m超</td><td>－</td><td>3 階以下</td><td colspan="4">構造計算・確認検査</td></tr>
<tr><td>16 m以下</td><td>－</td><td>3 階以下</td><td colspan="2" rowspan="2">壁量計算
確認検査</td><td colspan="2" rowspan="3"></td></tr>
<tr><td rowspan="2">13 m以下</td><td rowspan="2">9 m以下</td><td>2 階</td></tr>
<tr><td>平屋</td><td colspan="2">壁量計算、審査省略</td></tr>
</table>

※構造種別を問わず、階数 2 以上または 200m² 超の建物は確認・検査の対象
※簡易な構造計算（壁量計算）は高さ 16 m以下、階数 3 以下に拡大（2 級建築士の範囲も整合）
※構造計算を 300m² 超に拡大

【太陽光発電パネルの重さ】　取付用の架台まで含めると400～600kgとなる。屋根面積60㎡の場合、軽い金属屋根に対して重い瓦屋根は300～500kg重い。壁量計算では屋根が軽いか、重いかによって計算基準が異なっているが、軽い屋根であっても太陽光パネルを取り付けると重い屋根と同等の重さとなる。

増え続ける住宅部品の品種数

住宅部品とは、住宅を構成する部材で工場生産されたものです。日本の住宅部品・設備機器のカタログの厚さは、アメリカの五～一〇倍ともいわれています。市場規模は約四兆円です。

●住宅部材の部品化・標準化

住宅部材は、一九五〇年代の材料工業化、一九六〇年代の部品化、一九七〇年代のユニット化の時代を経て発展してきました。初期の住宅部品には、ステンレス流し台、台所換気ファン、洗面器などがありました。アルミサッシは一九六一年に発売された後、急速に普及し一九六五年に一一％であった木造住宅の窓のアルミ化率が一九七四年には八八％に達しました。アルミサッシに続いて、雨戸や玄関ドアも発売されました。ほうろう浴槽やユニットバスも一九六〇年代に登場しています。

その後も現場で造作すると手間のかかる部材の標準化が進みました。これにより現場作業の合理化も進みました。大工や中小工務店が大手住宅メーカーと同じような住宅を建てることができるのは、多くの住宅部品を使うことができるからでもあります。

一九七三年には、財団法人住宅部品開発センター（現（一財）ベターリビング）が設立され、品質、性能、アフターサービス等に優れた優良住宅部品（BL部品）の認定・普及を行ってきました。

●住宅部品増加の理由

このように発展してきた住宅部品ですが、現在は品種が非常に多くなっています。この理由は、住宅部品固有の理由があります。消費者が他の人と違うものを求める、地域ごとのモジュールがある、木造軸組みや

【戸建用宅配ボックス】 Amazonやネットスーパーなどの利用者が増え、宅配便の利用が増加している。再配達の増加と配達員の過剰労働が社会問題にもなった。これに対して、設備メーカーが戸建用宅配ボックスを相次いで発売している。ハウスメーカーでも宅配ボックスの標準装備化を進めている。室内側から配達物を回収できる玄関一体型の宅配ボックスもある。

2×4工法などの住宅構法がある、和風や洋風などの住宅スタイルがある、取替需要があるため古い品種を廃版にできない、品質の向上と機能の高度化、そして住宅部品メーカー間の競争があるためです。

品種を多くすることで、消費者ニーズに応えていますが、逆に商品選定に時間がかかる、見積の手間がかかる、発注ミスが増える、施工の打合せにも時間がかかる、取替やリフォームが難しくなるというような問題が指摘されています。住宅設備・建材総合メーカーのLIXILがホームページ上で建築関係者向けに公開しているカタログは七四〇種で中には一冊で二七〇〇ページを超えるものもあります。

●住宅部品の市場規模

住宅部品全体の二〇一五年度の推計市場規模は約四兆五七〇八億円となっています。最も大きいのが給湯・暖房・冷房関係の一兆二五三八億円（構成比二七・四%）で、次にキッチンルーム関係九〇六一億円（一九・八%）、開口関係六一〇七億円（一三・四%）となっています。

住宅部品の市場規模

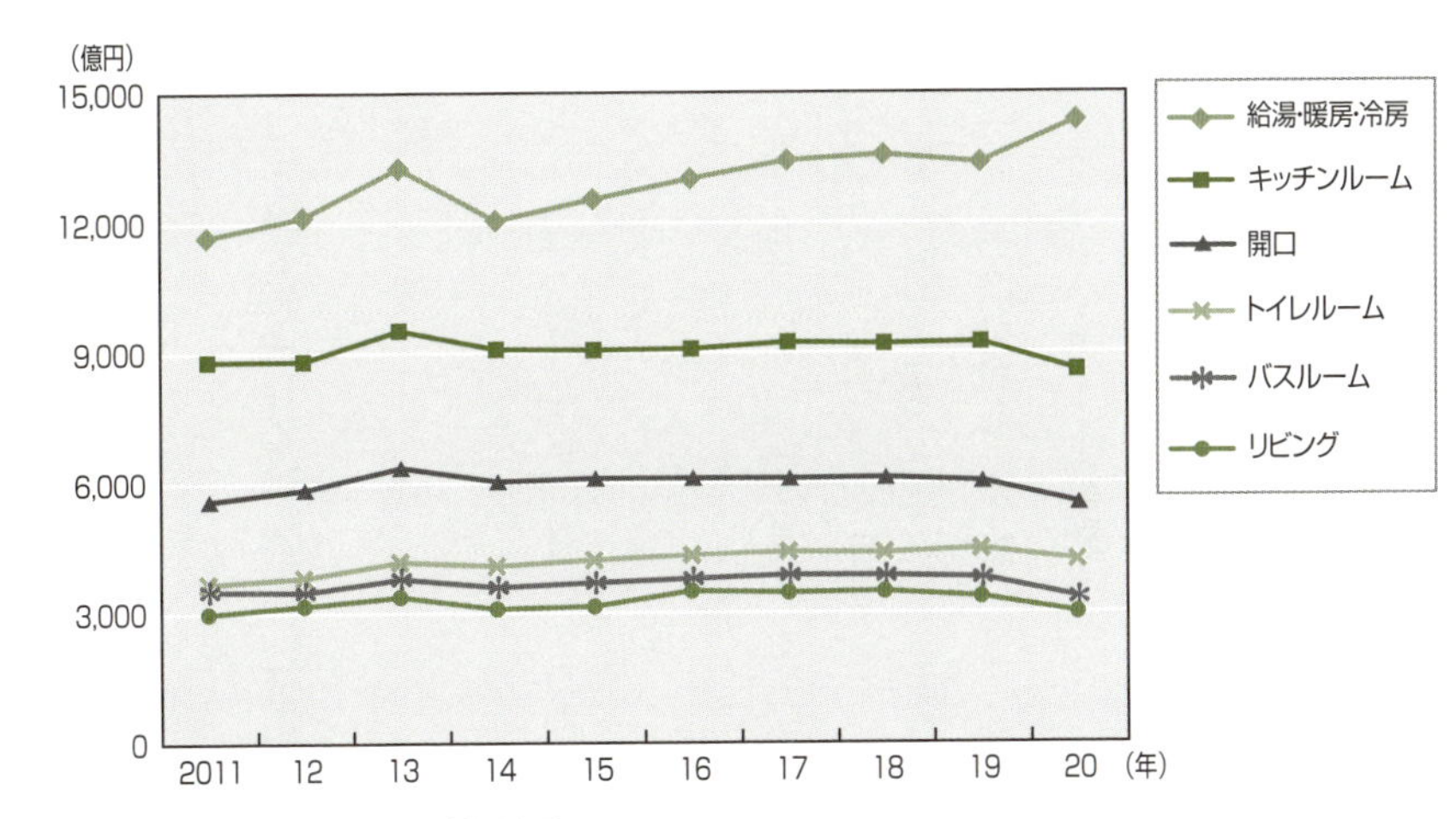

※開口には一部、ビル用サッシが含まれる。

出典：2021年度住宅部品統計ハンドブック（一般社団法人リビングアメニティ協会）

【玄関収納】　玄関収納の設置率が向上しており、7割以上という調査結果もある。玄関収納は、傘やベビーカー、ゴルフバックやアウトドア用品、子供の遊び道具を収納することができる。玄関をつねにきれいにしておくことができる。

16

住宅のビフォー&アフター

大きな問題を抱える住宅を、住宅建築の専門家である「匠」がリフォームで解決していくテレビ番組が人気になりました。

●リフォームへの高い関心

最近は、建材や設備を組み合わせるだけで、標準レベルの住宅を建てることができます。プランについても、展示場や雑誌などを参考にすれば、ほとんどの場合、施主が不満を感じることはありません。そのため、施主の夢を十分に聞き取って、設計者のオリジナルな提案で住宅を建てることは、あまりありません。

人気のリフォーム番組では、悪条件に困りながら不便な生活を強いられている事例が取り上げられます。ここでは、悪条件を逆に利用してリフォームすることで、以前と全く違った快適な生活を実現しています。視聴者は、「匠」の独創的なプランニングに驚くだけでなく、顧客の不便な生活の奥にある気持ちまでを汲み取りながら形にしていくところに感動するのです。自分の家ならどう料理してくれるだろうか、と関心が高まっています。

工務店や住宅会社からは、「デザインだけ良くても実際に生活するのは大変」「テレビ番組ということで、エスカレートさせ過ぎ」「こんなに安く工事ができるはずがない」などの意見が多く聞かれます。多くの事例の中には、依頼者の期待に応えられずトラブルになったものもあったようですが、「消費者はこんなにリフォームに関心が高い」「気持ちを汲み取って形にして欲しいと望んでいる」ことを直視する必要があります。ここに成長するリフォーム市場を獲得するヒントがあるのです。

【住宅用太陽光発電が多い東京都①】 国内全体の太陽光発電では、大規模太陽光発電所（メガソーラー）のパネルが８割を占める。ところが都内は地価が高く未利用地も少ないため、パネルの７割は住宅の屋根に設置されている。

リフォーム実施にあたり重視すること（戸建て　実施段階と検討段階）

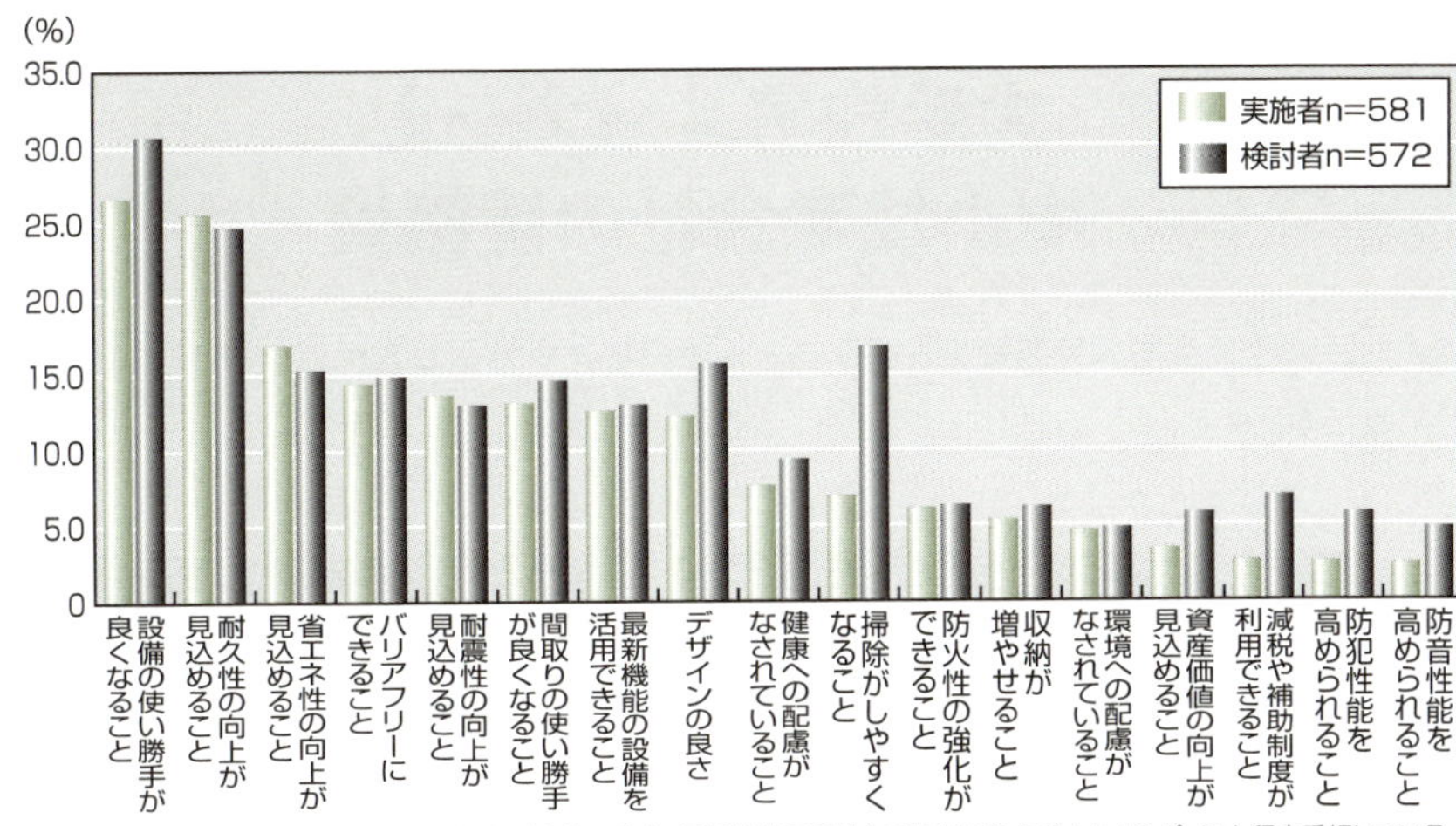

※50代以上の実施者は、設備の使い勝手、耐久性の向上、最新機能の設備をそれ以下の年代より10ポイント程度重視している。
出典：2021年度住宅リフォームに関する消費者（検討者・実施者）実態調査報告書（（一社）住宅リフォーム推進協議会）

リフォーム実施にあたり不安に感じていること（戸建て　検討段階 n = 572）

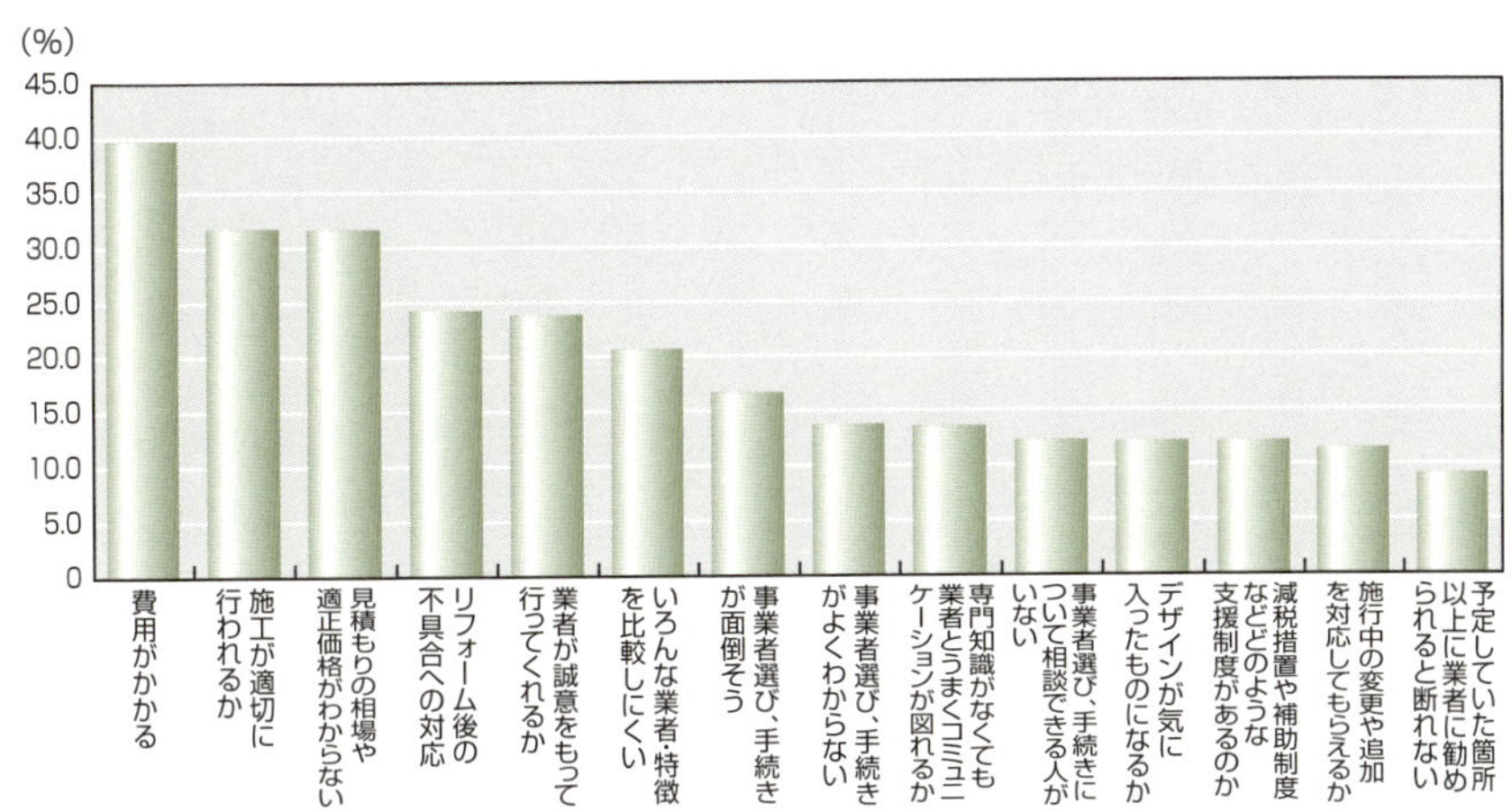

※50代以上の検討者は、施工が適正に行われるか、見積もりの相場や適正価格がわからない、リフォーム後の不具合への対応、業者が誠意をもって行ってくれるかをそれ以下の年代より10ポイント程度不安に感じている。
出典：2021年度住宅リフォームに関する消費者（検討者・実施者）実態調査報告書（（一社）住宅リフォーム推進協議会）

【住宅用太陽光発電が多い東京都②】 2030年には都内の住宅用太陽光パネルの廃棄量が1,000トンを超える見通しである。住宅用太陽光パネルの取り外しと廃棄だけで20～30万円、足場の設置や屋根の修理を含めると100万円程度の費用となる。

大手住宅メーカーと
中小住宅会社の建築費

戸建注文住宅の建築費で比較すると大手住宅メーカーの方が1,000万円以上高くなっています。

戸建注文住宅の平均顧客像

項目		中小住宅会社（n＝447）	大手住宅メーカー（n＝2938）
世帯人数	人	3.25	3.26
延床面積	m²	118.80	128.00
世帯年収	万円	775	991
建築費（古家解体・新築）	万円	3,129	4,568
建築費（土地代無し）	万円	2,549	3,691
借入金額	万円	3,724	4,734
借入金の年収倍率	倍	4.80	4.78

※大手住宅メーカーは、（一社）住宅生産団体連合会の会員企業

出所：2020年度戸建注文住宅の顧客実態調査報告書（（一社）住宅生産団体連合会）

【（一社）住宅生産団体連合会】 大手住宅メーカーを中心とする団体である。企業会員は、旭化成ホームズ（株）、トヨタホーム（株）、住友林業（株）パナソニックホームズ（株）、積水化学工業（株）、ミサワホーム（株）、積水ハウス（株）、三井ホーム（株）、大和ハウス工業（株）、（株）日本ハウスホールディングス、サンヨーホームズ（株）三菱地所ホーム（株）、（株）スウェーデンハウスなどの住宅メーカーと（株）LIXIL、リンナイ（株）、TOTO（株）、YKK AP（株）などの設備メーカー20社である。

巨大なショールームとなる建材商社の展示会

多くの建材メーカーの商品を扱う大手建材商社は、定期的に展示会を行っています。

ジャパン建材が年2回、東京ビッグサイトで行う展示会は、約200社の建材や設備のメーカーが一堂に集まり、最新の商品を展示します。まさに巨大ショールームです。

来場者は、工務店や建材店、専門工事会社だけではありません。最近は、工務店に建築主を連れてくるように誘いかけており、消費者の来場が増えています。商品選択のカギを握る消費者と、できるだけ接点を作ろうとしているのです。

毎回約2万人の来場があり、1回で数百億円もの売上を記録するビッグイベントとなっています。営業マンは、各地からバスで続々到着する顧客の出迎えに大忙しです。

このような展示会では、いろいろなメーカーの商品をその場で見比べることができるのが大きなメリットです。

もともとは、建材店や工務店などプロ向けの展示会でしたが、現在では、住まいの建材や設備に関する国内最大級のイベントとして認知されています。

建材や設備のメーカーは、出展スペースに応じたコマ代を払って出展します。毎年、時期が決まっていますので、その時期に合わせて新商品を開発して発表するメーカーが多くあります。

2～3日間の展示会の終了時には、メーカー各社の売上高と順位が発表されるので、各社の営業マンは競って売上を上げようとします。LIXIL、パナソニック、大建工業などの大手建材メーカーが上位の常連です。大手建材商社では、全国各地の営業所単位での展示会も開催しています。

各地の建材問屋も地域で同様の展示会を行います。寒冷地では雪で工事の少なくなる冬期に展示会が集中しますから、建材メーカーの営業マンには、毎週土日が展示会という時期が続きます。

コロナ禍で中止となる展示会もありましたが、オンラインやオンラインとのリアルのハイブリットなど工夫しての開催もありました。

住宅業界の構造

住宅業界では大手住宅メーカーと中小住宅会社が同じ土俵で競合しています。中小住宅会社も多様な種類の建材や設備を使うことができ、設計次第で、中小住宅会社も個性的で高性能な住宅を建築することができるためです。

住宅業界の全体像

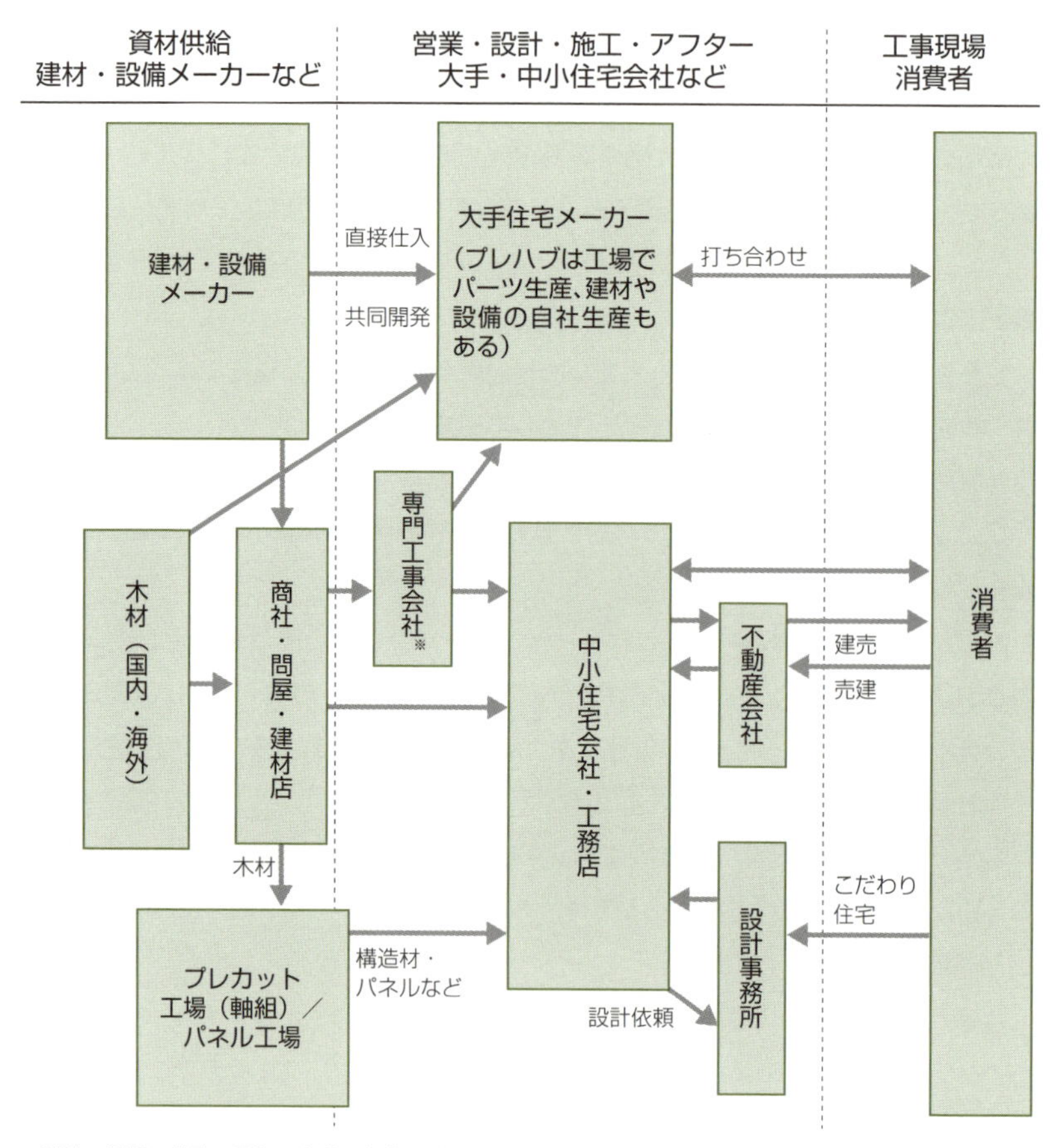

※基礎、屋根、外壁、電気、水道、内装などの専門工事会社（材料持ちで工事を行う場合と材料を支給されて工事を行う場合がある）

第6章

住宅業界の将来展望

住宅着工戸数が減少する一方で、住宅寿命は伸び、リフォーム需要も拡大しています。住宅性能のさらなる向上やIoT住宅、長期優良住宅の普及、中古住宅の流通拡大、DXによる変革など、住宅業界は新たな時代に突入しています。

1 生活を豊かにする「長期優良住宅」

二〇〇九年六月に「長期優良住宅の普及の促進に関する法律」が施行されました。ストック型社会*への転換を実現するためには、住宅の長寿命化を推進することが大切です。

長期優良住宅は、住宅ローン減税における最大控除額が一般の住宅よりも高く、登録免許税、不動産取得税、固定資産税も軽減されます。二〇二一年度年には新築戸建住宅の二八％が長期優良住宅になりました。二〇二一年には累計認定戸数が一三三万戸になり、二〇三〇年に二五〇万戸にする目標です。住宅の寿命が長くなると、家計に占める住居費負担が少なくなります。また、住宅の長寿命化は廃棄物などの削減にもつながります。

二〇一六年四月から既存住宅の増築・改築を対象とした長期優良住宅の認定も開始されました。認定基準が賃貸住宅の実態に合っていないとの指摘があり見直しが行われています。二〇二〇年には災害危険地域が認定対象から除外されました。

●長期優良住宅の認定基準

長期優良住宅は、いい住宅をつくって、きちんと手入れをして、長く大切に使っていこうというものです。認定を受けるためには、住宅の建築計画において、劣化対策、耐震性、維持管理・更新の容易性、可変性、バリアフリー性、省エネルギー性、居住環境、住戸面積、維持保全計画の九つの性能項目の基準を満たさなければなりません。長持ちさせる価値のある優良な住宅を認定するという考え方です。維持保全計画では、構造耐力上主要な部分、雨水の浸入を防止する部分、給排水設備について、点検の時期と内容を定めます。また、少なくとも一〇年ごとに点検を行うことが必要です。

【住宅の寿命と生活のゆとり】 住宅の寿命が30年であれば、おじいさんが家を建てて、お父さんも建てて、私も建てるということになる。一方で、住宅寿命が77年であれば、おじいさんが建てた家をメンテナンスしながらお父さんも私も使うことができる。そうなれば、住宅の建築にかかる費用を生活のゆとりにまわすことができる。

長期優良住宅の認定制度

●長期優良住宅の建築・維持保全に関する計画を所管行政庁が認定
●認定住宅は、税制・融資の優遇措置や補助制度の適用が可能

認定基準

<1>住宅の長寿命化のために必要な条件
劣化対策、耐震性、維持管理、更新性、可変性、バリアフリー性※

<2>社会的資産として求められる要件
高水準の省エネルギー性能、基礎的なバリアフリー性能（共同住宅のみ）

<3>長く使っていくために必要な要件
維持保全計画の提出

<4>その他必要とされる要件
住環境への配慮、住戸面積

<1>住宅の長寿命化のために必要な条件
劣化対策、耐震性、維持管理、更新性、可変性、バリアフリー性※

※共同住宅のみ

出典：「長期優良化リフォーム推進事業について」（国土交通省）

長期優良住宅の認定基準（概要）

性能項目等	概要	住宅性能評価では
劣化対策	○数世代にわたり住宅の構造躯体が使用できること ➡構造躯体が少なくとも100年継続使用するための措置が講じられている。	劣化対策等級３＋α
耐震性	○極めてまれ（数百年に１度）に発生する地震に対し、継続利用のための改修の容易化を図るため、損傷のレベルの低減を図る。	耐震等級（倒壊等防止）２など
維持管理 更新の容易性	○構造躯体に比べて耐用年数が短い内装・設備の維持管理がしやすいこと ➡給排水管などの点検・補修・更新がしやすい	維持管理対策等級（専用配管･共用配管）３ 更新対策等級（共用排水管）３
可変性（共同住宅・長屋のみ）	○ライフスタイルの変化に応じて間取りの変更がしやすいこと ➡天井が高く（躯体天井高2,650mm以上）間取り変更がしやすい	
バリアフリー性	○将来のバリアフリー改修に対応できること ➡廊下、階段、エレベーターのスペースが広くバリアフリーに対応できる	高齢者配慮対策等級（共用部分）３（手すり、段差等を除く）
省エネルギー性	○必要な断熱性能などの省エネ性能が確保されていること ➡省エネルギー判断基準（次世代省エネ基準）に適合する	断熱等性能等級４
居住環境	○地域の良好な景観形成に配慮されていること ➡地域の街並みに調和する	
住戸面積	○良好な居住水準を確保するために必要な規模があること ➡戸建ては75平米以上、共同住宅は55平米以上	
維持保全計画	○定期点検、補修の計画がつくられていること	

出典：「長期優良住宅」（住まいの情報発信局）
※省エネルギー性は2020年10月から断熱性能等級5、一次エネルギー消費量等級6が認定基準となる。

＊**ストック型社会**　住宅や橋・道路などの社会インフラを長持ちさせることで豊かな社会が実現できる。価値ある社会資産が長期的にストック（蓄積）され、何度も作り直す無駄をなくすことで、経済的なゆとりと環境負荷の軽減が実現できる。フロー型社会は、大量生産・大量消費の考え方である。

2

拡大する中古住宅の流通

人口減少社会の到来や環境配慮の観点から、住宅ストックを有効活用する社会への移行が求められています。

●中古住宅流通の課題

中古住宅は、個々の施主が個別に建築した「注文品」が大半であり、①品質や性能が外部からわかりにくい、②維持管理の状態が把握しにくく、価値を正しく評価することが難しいという特徴があります。

住宅を長く使う社会に移行するためには、住宅の質や維持管理の状態を客観的に評価できる仕組みと質の高い中古住宅を安心して売買できる市場の形成、そして、瑕疵保証の仕組みが必要です。

アメリカやイギリスでは中古住宅の購入時に建物検査（インスペクション）を行うことが一般的です。日本でも既存住宅状況検査（インスペクション）や住宅履歴情報、既存住宅売買瑕疵保険、リフォーム瑕疵保険の普及促進が行われるようになりました。二〇一九年の建物状況検査実施率は六％、既存住宅売買瑕疵保険の加入率も二〇一七年で八％です。

●増加する買取再販

買取再販とは、宅地建物取引業者が中古住宅を取得して、リフォームを行った後に販売するものです。個人間の中古住宅売買の場合、不動産会社（宅地建物取引業者）は仲介の立場であり、瑕疵担保期間は三か月程度が一般的です。しかし、宅地建物取引業者が販売を行う場合は、最低二年間の瑕疵担保責任を負うため、個人間売買よりも買主が保護されます。

買取再販戸数の多い上位五〇社の販売実績は二〇一八年には二・四万戸まで増えています。買取再販の多くがマンションですが、戸建住宅も大きく増えています。

【火災保険】 火災保険は、建物と家財を分けて契約する。そのため、建物は契約したけれど家財は契約しなかったということがないよう、注意することが必要。地震、噴火、津波による火災、損壊、埋没、流出の被害が発生した場合は、火災保険での保険金支払はない。

既存住宅流通シェアの国際比較

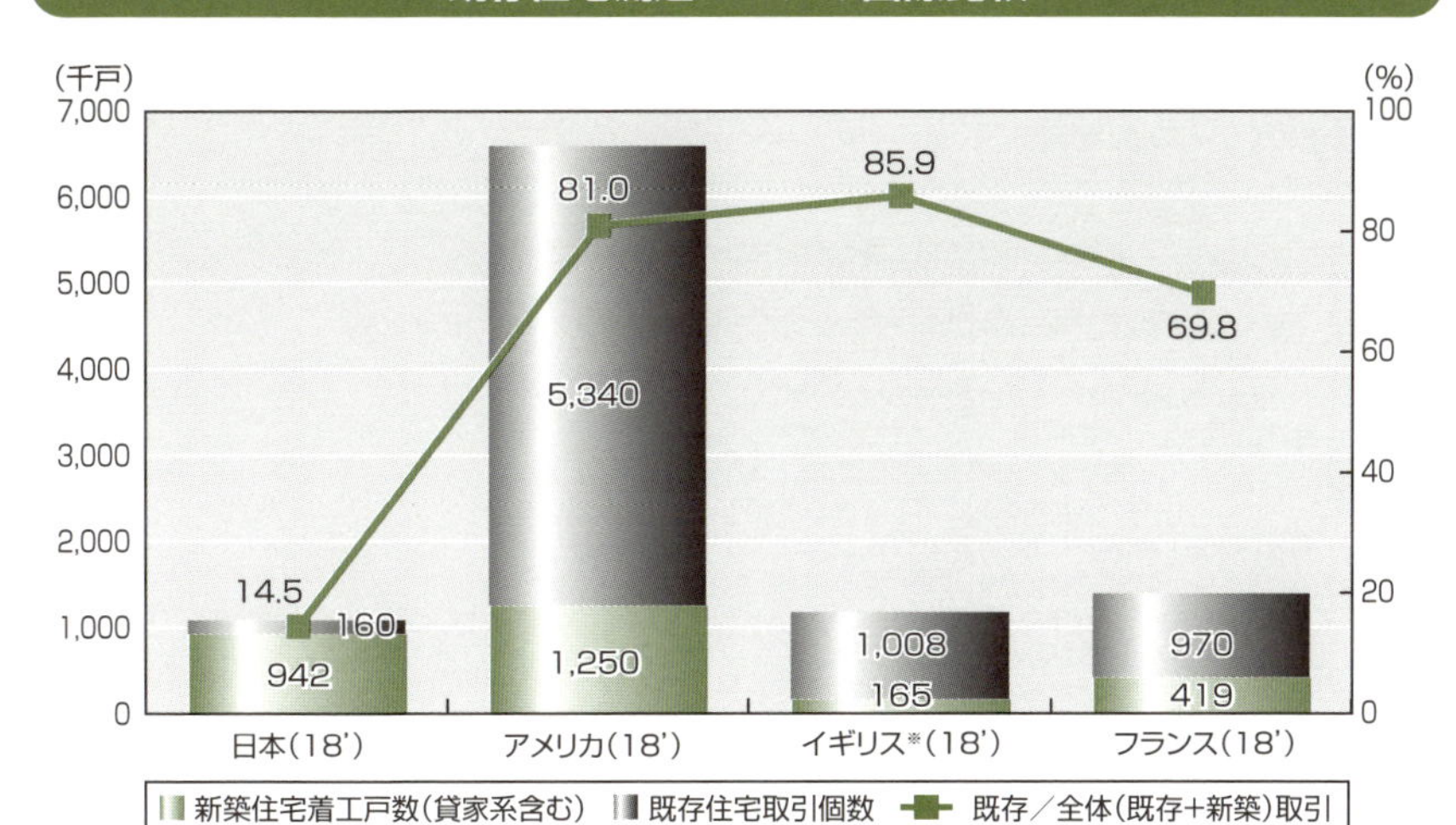

※イングランドのみ

資料：日本：総務省「平成30年住宅・土地統計調査」、国土交通省「住宅着工統計(平成30年計)」

中古住宅流通の課題

売主(所有者(特に注文戸建住宅のオーナー))

①手入れ(リフォーム)しても値がつかないからきちんと手入れしない(履歴も残さない)
②逆に質や管理の情報を隠す傾向(瑕疵担保責任は回避したいが、情報開示のメリットが乏しい)
③建物はほとんど評価の対象とならず売れない→住み替えができない

建物評価実務

①木造戸建住宅の評価=20年で概ねゼロとする慣行の存在(賃貸市場で利用価値があっても評価されない)
②担保評価も同様(返済能力重視のリコースローン)

流通市場

①仲介業者に建物検査や瑕疵保険の知識不足
②物件調査に限界もあり、リスクを避けて「現況有姿」の取引を志向

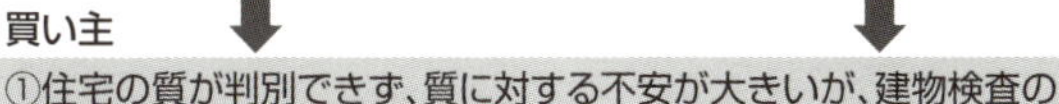

買い主

①住宅の質が判別できず、質に対する不安が大きいが、建物検査の習慣がない
②権利関係等にも不安がある
③銀行は返済能力に基づき融資判断するリコースローン。同じ価値ならリスクの少ない新築を志向

出典:「中古住宅市場活性化・空き家活用促進・住み替え円滑化に向けた取組について」(国土交通省)

【リコースローンとノンリコースローン】　リコースローン(遡及型融資)は、不動産を購入してローンの支払いができなくなった場合に借入額分を最後まで支払う義務がある。ノンリコースローン(非遡及型融資)は、ローンの支払いができなくなった場合に購入した不動産(担保)を提供すればローン残金を支払う組のないローンである。

既存住宅への住み替えを希望しない理由

・消費者は、既存=古い、汚い、不安というイメージから購入を思いとどまっている人が多い
・質で求めているのは「耐震性」

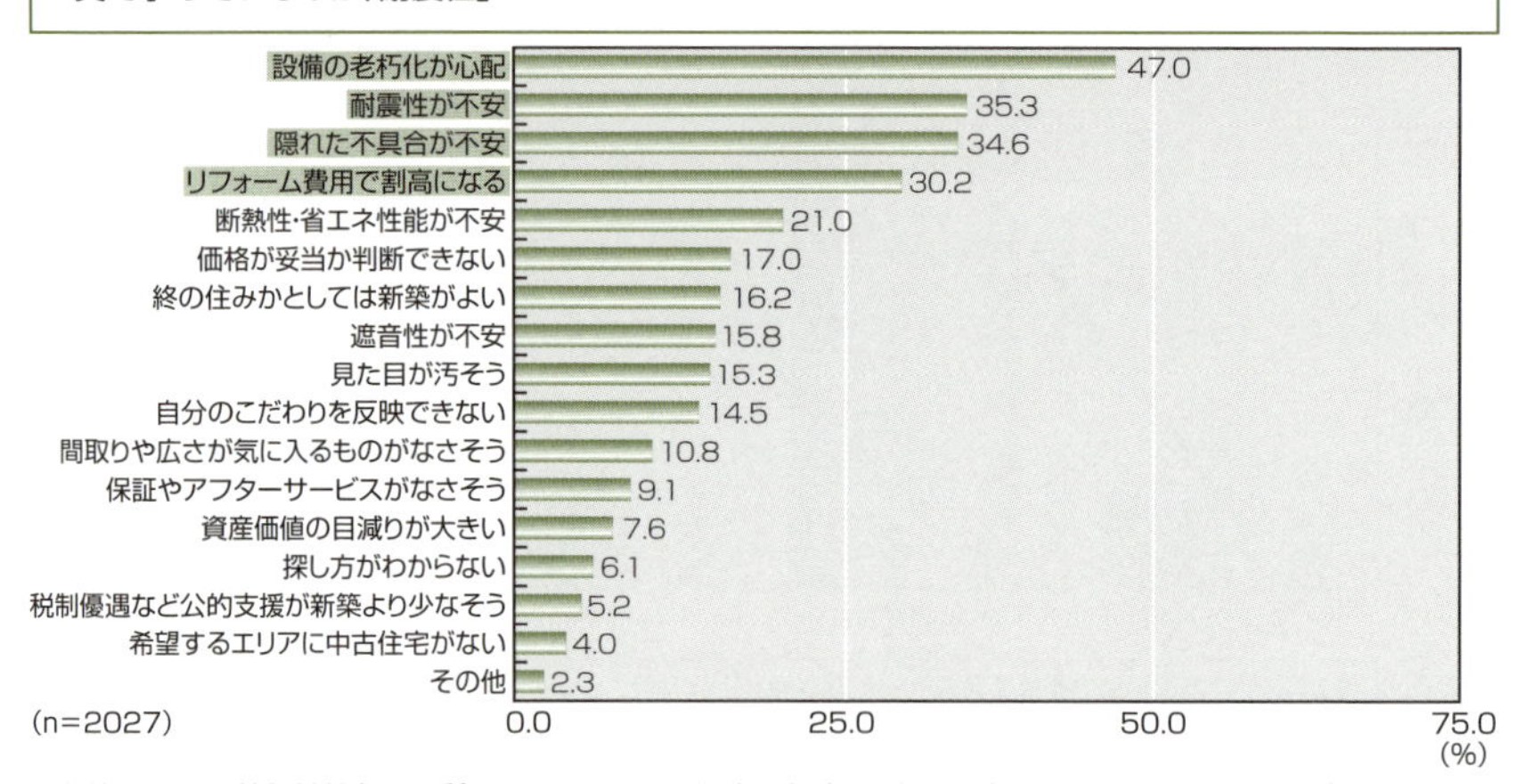

※新築住宅住み替え希望者への質問　　出所：我が国の住生活をめぐる状況等について（国土交通省）

既存住宅の購入を検討するためのサービス

・消費者は、既存住宅購入の際に、何か問題があったときに面倒をみてくれるサービスを求めている

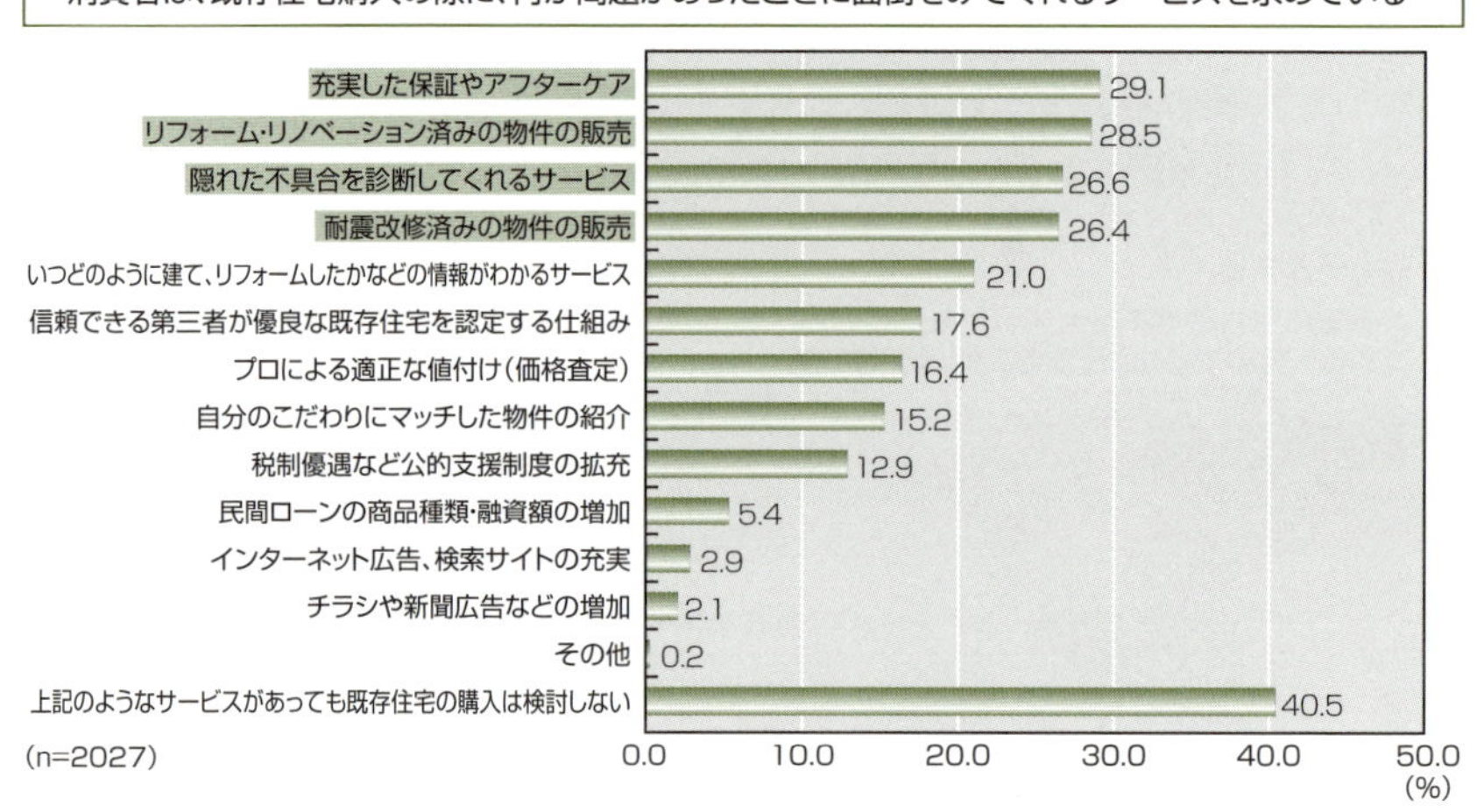

※新築住宅住み替え希望者への質問　　出所：我が国の住生活をめぐる状況等について（国土交通省）

＊**エスクロー**　商取引の際に、信頼の置ける第三者を仲介させて、取引の目的を担保すること。アメリカで不動産取引の決済保全制度として始まった。州政府の審査に合格しなければ認可が取り消される。

＊**ホームインスペクター**　アメリカには、約2.5万人のホームインスペクターがいて、年間200件/人程度のインスペクション業務を行っているといわれる。

日米英の中古住宅流通市場比較

	日本	アメリカ	イギリス
中古住宅取引の体制	インスペクター 売主 ⇄ 買主 不動産業者※ ※売主・買主が別々の不動産業者に依頼することもある。	不動産鑑定士 ホームインスペクター 売主 ⇄ 買主 不動産業者　不動産業者 エスクロー* ※主に西海岸における取引の例。	ビルディングサーベーヤー 売主 ⇄ 買主 不動産業者 ソリシター*　ソリシター ※売主・買主が別々の不動産業者に依頼することもある。
瑕疵担保責任	・買主が事実を知ったときから1年以内であれば、瑕疵担保責任を追及できる（個人間売買では期間を特約で3か月とするのが一般的）。	・買主責任主義であり、不動産に係る売主の瑕疵担保責任に関する法律上の規定はない。	・買主責任主義であり、不動産に係る売主の瑕疵担保責任に関する法律上の規定はない。
売主からの情報開示	・過去の履歴や隠れた瑕疵など、売主にしかわからない事項について、売主が買主に対して告知書を提出することが望ましいとされている。	・売買時において、売主の居住用不動産に関する情報開示義務が定められている州が全米で33州ある（2006年時点）。	・売主による基礎的住宅情報の開示制度が、2004年に義務付けられたが、2010年5月、廃止された。 ・売り主は、ソリシターの質問に回答義務がある。
建物検査（インスペクション）	・中古住宅購入経験者のうち、インペクションを利用した者は、1割未満にとどまる。	・買主の約8割がインスペクションを実施。 ・買主が、自らの負担でホームインスペクター*に依頼する。	・買主の約8割がサーベイヤーを利用。 ・買主は、自らの負担でビルディングサーベイヤー*に依頼する。
評価方法	・戸建の建物については原価法、土地については取引事例比較法によって評価される。	・建物と土地は一体として扱われ、全体として取引事例比較法によって評価される。	・建物と土地は一体として扱われ、全体として取引事例比較法によって評価される。

出典：「既存住宅流通市場の活性化」（国土交通省）より

＊**ソリシター（事務弁護士）**　法廷での弁論以外の法律事務を取り扱う法律専門職のことで、依頼された事件の書類作成などの裁判事務を扱う。イギリスでは、法律専門職は法廷弁護士（バリスター）と事務弁護士とに分かれている。

＊**ビルディングサーベイヤー**　建物調査士のこと。

3 中古の不安を払拭「既存住宅インスペクション」

中古住宅は新築に比べて手ごろな価格で購入することができますが、性能や隠れた不具合に不安があります。二〇一三年六月に既存住宅の現況検査を行うためのガイドラインが策定されました。

●既存住宅検査のニーズ

住宅の質の向上と長寿命化により、既存住宅流通（売買）の比率が徐々に増えています。住宅取得者の間でも、新築でなく既存住宅をリフォームして住もうと考える人が増えています。新築に比べて価格が手ごろであることと、既に存在している建物を見ることで、希望に合った物件を選びやすいことが理由です。

しかし、既存住宅の購入に当たっては、隠れた不具合への心配があります。このような不安に対しては、これまでもいくつかの団体でインスペクションが行われていましたが、それぞれによって基準が異なり、本格的な普及には至っていませんでした。

そこで、既存住宅売買時の利用を前提とした「既存住宅インスペクション・ガイドライン」が二〇一三年に公表されました。これは、中古住宅の売買時に補修工事の必要性などを把握することを目的としています。

ガイドライン発表により既存住宅現況調査技術者登録制度がスタート、二〇一七年からは既存住宅状況調査技術者講習制度に移行しました。宅地建物取引業法の改正により、二〇一八年から中古住宅の売買の際に既存住宅状況調査について説明し、依頼者の意向に応じて事業者を紹介します。重要事項説明においては、既存住宅状況調査を実施している場合にはその結果を説明することが義務づけられました。既存住宅状況調査技術者は二〇二二年六月で二・六万人以上です。インスペクションの費用は戸建住宅で五万円程度です。

【インスペクション】 インスペクションとは、既存住宅検査のこと。米国では既存住宅を購入する人の約８割がインスペクションを利用しているといわれているが、日本では１割未満となっている。

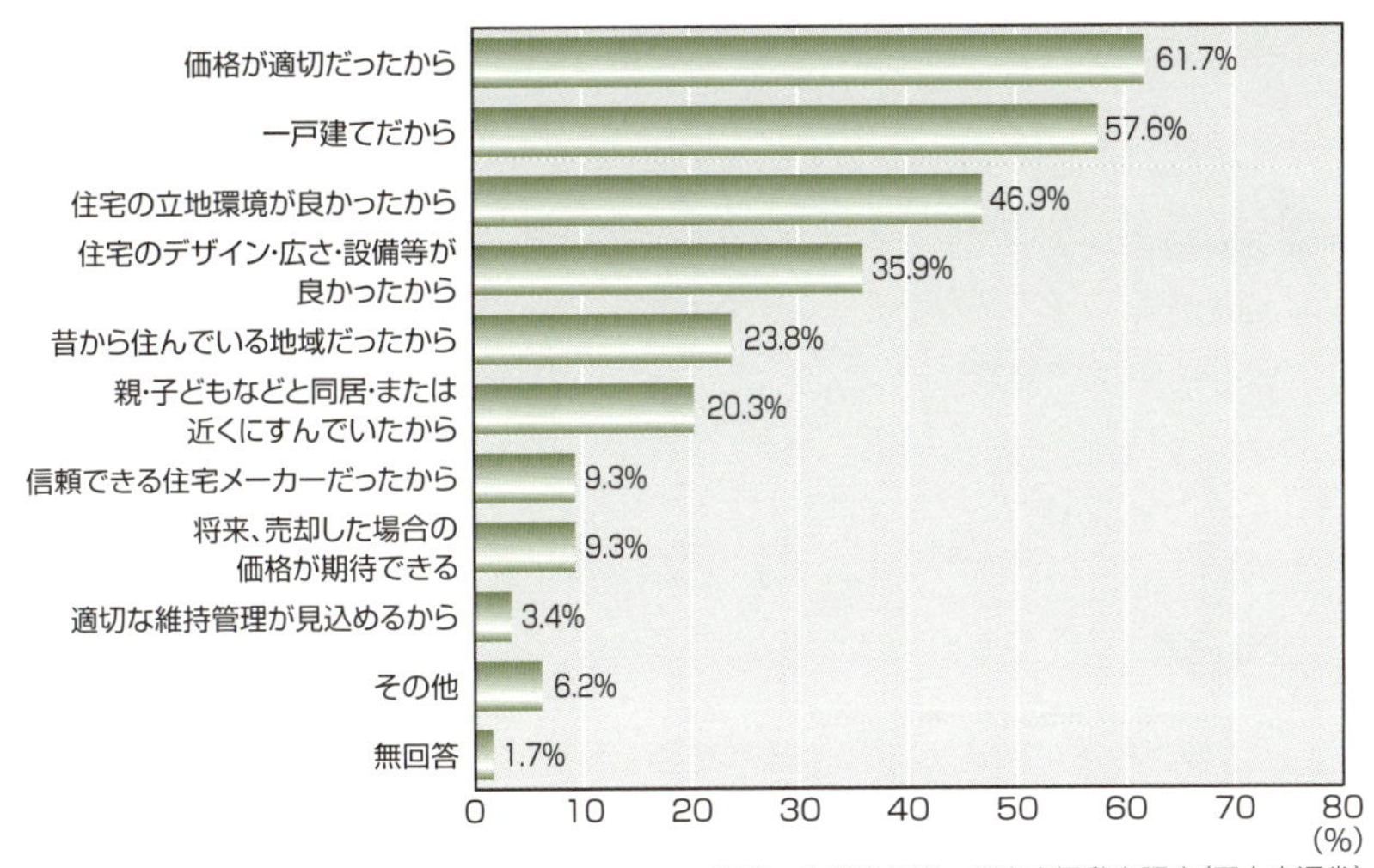

出典：令和３年度　住宅市場動向調査（国土交通省）

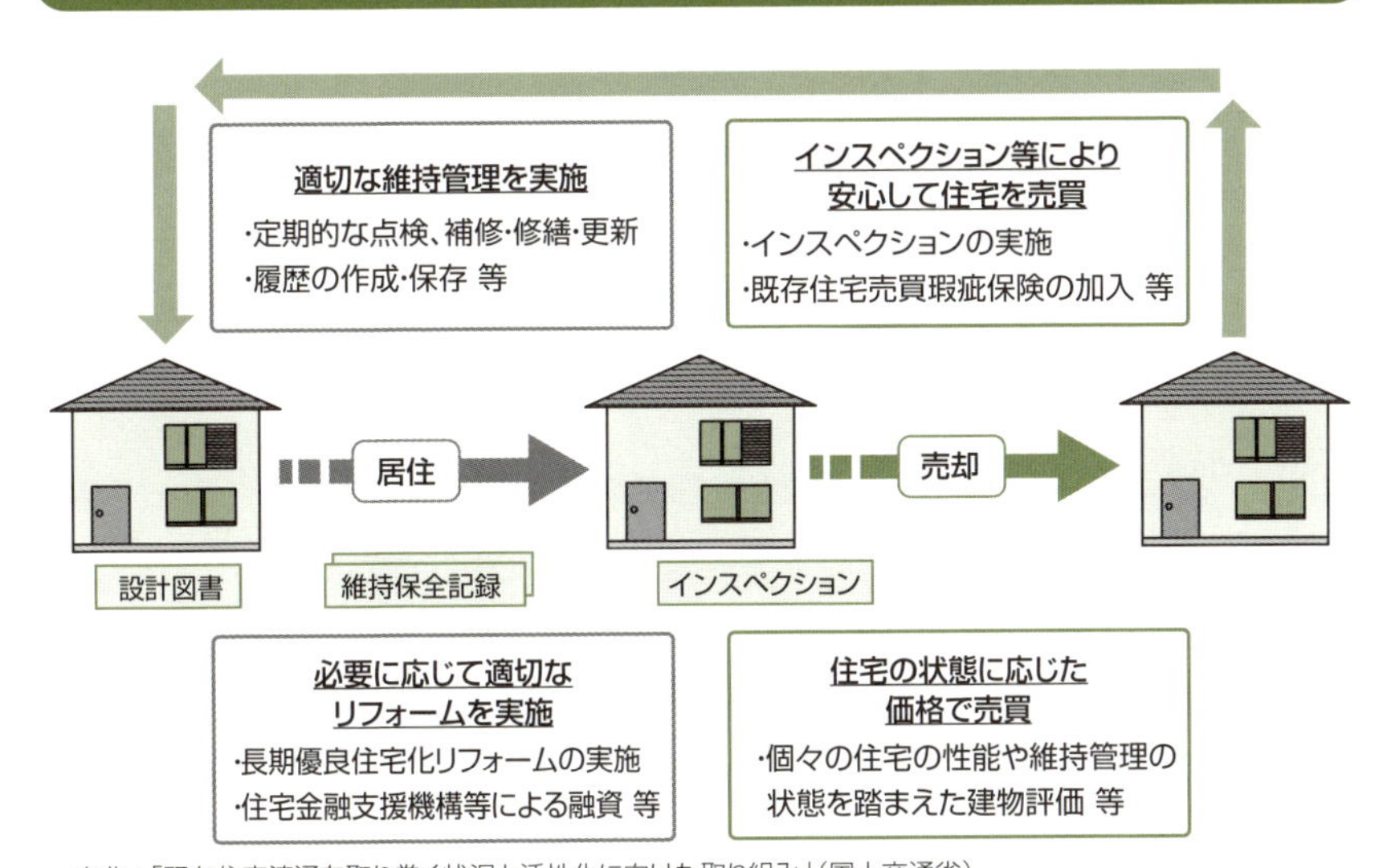

出典：「既存住宅流通を取り巻く状況と活性化に向けた取り組み」（国土交通省）

【既存住宅状況調査】　既存住宅状況調査は、対象住宅に生じている劣化事象等の有無を確認することを目的とし、その住宅の現行の建築基準法関係法令への適合性の確認や、耐震性や省エネ性等の住宅の性能の程度を判定すること、住宅の構造耐力上主要な部分等への隠れた瑕疵の有無の判定や瑕疵がないことを保証することは目的としていない。

インスペクションの種類

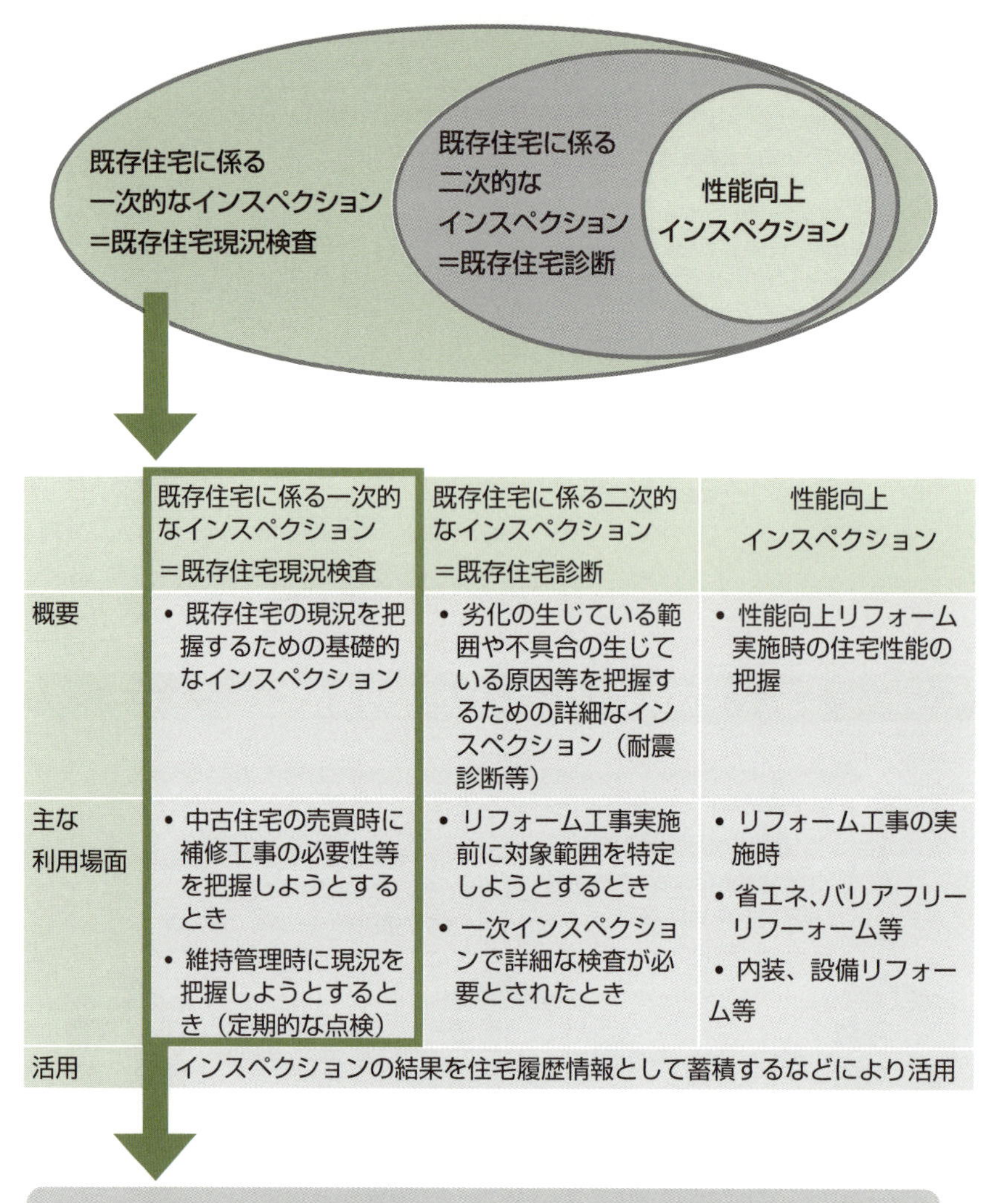

	既存住宅に係る一次的なインスペクション＝既存住宅現況検査	既存住宅に係る二次的なインスペクション＝既存住宅診断	性能向上インスペクション
概要	• 既存住宅の現況を把握するための基礎的なインスペクション	• 劣化の生じている範囲や不具合の生じている原因等を把握するための詳細なインスペクション（耐震診断等）	• 性能向上リフォーム実施時の住宅性能の把握
主な利用場面	• 中古住宅の売買時に補修工事の必要性等を把握しようとするとき • 維持管理時に現況を把握しようとするとき（定期的な点検）	• リフォーム工事実施前に対象範囲を特定しようとするとき • 一次インスペクションで詳細な検査が必要とされたとき	• リフォーム工事の実施時 • 省エネ、バリアフリーリフーォーム等 • 内装、設備リフォーム等
活用	インスペクションの結果を住宅履歴情報として蓄積するなどにより活用		

インスペクションには一定の限界があり、引渡後に劣化が見つかることもある。

出典：「既存住宅インスペクションガイドラインについて」（国土交通省）より加筆作成

【左官】　自然志向の高まりで、土壁、しっくい、珪藻の化石からできる珪藻土などが注目を集めている。このような材料で壁塗りを行うのが左官職人。世帯数当たりの左官業従事者数が多いのは島根県、新潟県、山形県で、島根県の石見地方には「石州左官」と呼ばれる技能集団の技術が伝承されている。

重視すると思う検査項目

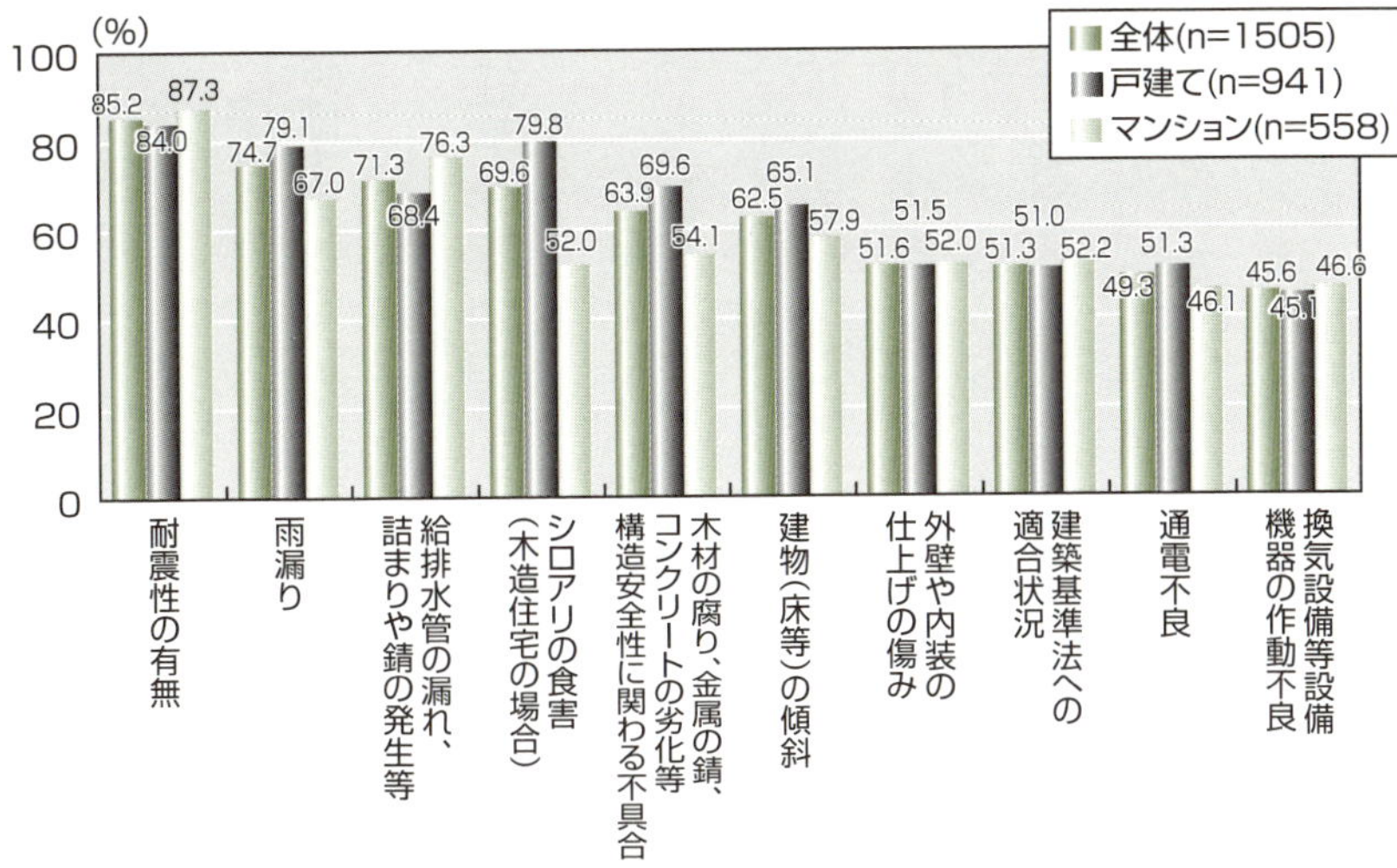

出典：「インスペクションの現状等」(国土交通省)より作成

検査項目（戸建住宅）

●戸建て住宅において共通的に検査対象とすることが考えられる項目

検査の観点	対象部位等	検査対象とする劣化事象等	検査方法
①構造耐力上の安全性に問題のある可能性が高いもの	小屋組、柱、梁、床、土台、床組等の構造耐力上主要な部分。 壁、基礎。	・木造にあっては蟻害・腐朽が、鉄骨造にあっては腐食が、鉄筋コンクリート造にあっては基礎において検査対象とする劣化事象等が生じている状態 ・著しい欠損や接合不良等が生じている状態 ・6/1,000 以上の傾斜が生じている状態（鉄筋コンクリート造その他これに類する構造を除く） ・コンクリートに幅 0.5. ㎜以上のひび割れまたは深さ 20 ㎜以上の欠損が生じている状態 ・鉄筋コンクリート造で鉄筋が腐食している可能性が高い状態（錆汁の発生）や腐食する可能性が高い状態（鉄筋の露出）	目視、触診、打診、計測
②雨漏り・水漏れが発生している、または発生する可能性が高いもの	屋根、外壁。屋外に面したサッシ等。 小屋組、天井、内壁。	・屋根葺き材や外壁材に雨漏りが生じる可能性が高い欠損やずれが生じている状態 ・シーリング材や防水層に雨漏りが生じる可能性が高い破断・欠損が生じている状態 ・建具や建具まわりに雨漏りが生じる可能性が高い隙間や破損が生じている状態 ・雨漏りまたは水漏れが生じている状態（雨漏り・漏水跡を確認）	目視
③設備配管に日常生活上支障のある劣化等が生じているもの	給水管、給湯排。 排水管、換気ダクト。	・給水管の発錆による赤水が生じている状態 ・水漏れが生じている状態 ・排水管が詰まっている状態（排水の滞留を確認） ・換気ダクトが脱落しまたは接続不良により換気不良となっている状態	目視、触診（通水）

出典：「既存住宅インスペクションガイドラインについて」（国土交通省）より

4 手入れとリフォームで価値高まる中古住宅

これまで、中古木造住宅の評価は耐用年数に対する経過年数を基準として行われてきました。建物の価値を適正に評価するため、評価方法改善の動きが進んでいます。

●中古住宅の建物評価の実態

中古住宅の鑑定評価では**原価法**が用いられています。これは、再調達する場合の原価に対して、経過年数によってどれくらい価値が下がったかを評価する方法です。しかし、その前提となる建物の耐用年数の判断材料が存在しないため、建物の状態に関係なく、税法上の耐用年数が一律の目安として用いられてきました。そのため、実際には住むことができるのに、築後二〇～二五年で建物価値がゼロとみなされていました。

リフォームを行っても、その価値評価の指標がないため建物の評価は高くなりませんでした。このため、木造住宅は二〇年で価値がゼロという慣行になっていたのです。

●住宅本来の機能に着目した価値評価へ

このように、流通市場での価値が土地だけの評価になってしまうため、リフォームするよりも建て替えた方が良いという判断になることが多くありました。取引がスムーズに行われず、高齢者が住宅を売却してサービス付高齢者住宅への入居や生活資金を得ようとしても不足することがありました。

そこで、二〇一四年三月に「中古戸建住宅に係る建物評価の改善に向けた指針」が発表されました。適切な内外装・設備の補修等を行えば、基礎・躯体の機能が失われていない限り、住宅の価値は何度でも回復・向上するという原則が打ち出されています。実際の売買価格は需要・供給関係や経済状況に左右されます。

【日米の住宅投資額累計と住宅資産額】 これまでに行われてきた住宅投資額の累積と、住宅ストックの資産額を比較すると、米国では、いずれも14兆ドルと住宅投資額に見合う資産額が蓄積している。ところが日本では、投資額累積900兆円に対して資産額400兆円と約500兆円下回る額のストックしか積み上がっていない。これは、建物の評価が短期間で下がってしまうためである。

中古住宅の建物評価の実態

経年減価の計算方法（鑑定評価（原価法））・金融実務共通）

建物の減価額 ＝ 再調達原価 × 経過年数／耐用年数

実務では木造住宅について 20〜25 年を設定

耐用年数(20年)を想定した評価額(残存価値)の計算(再調達原価－減価額)

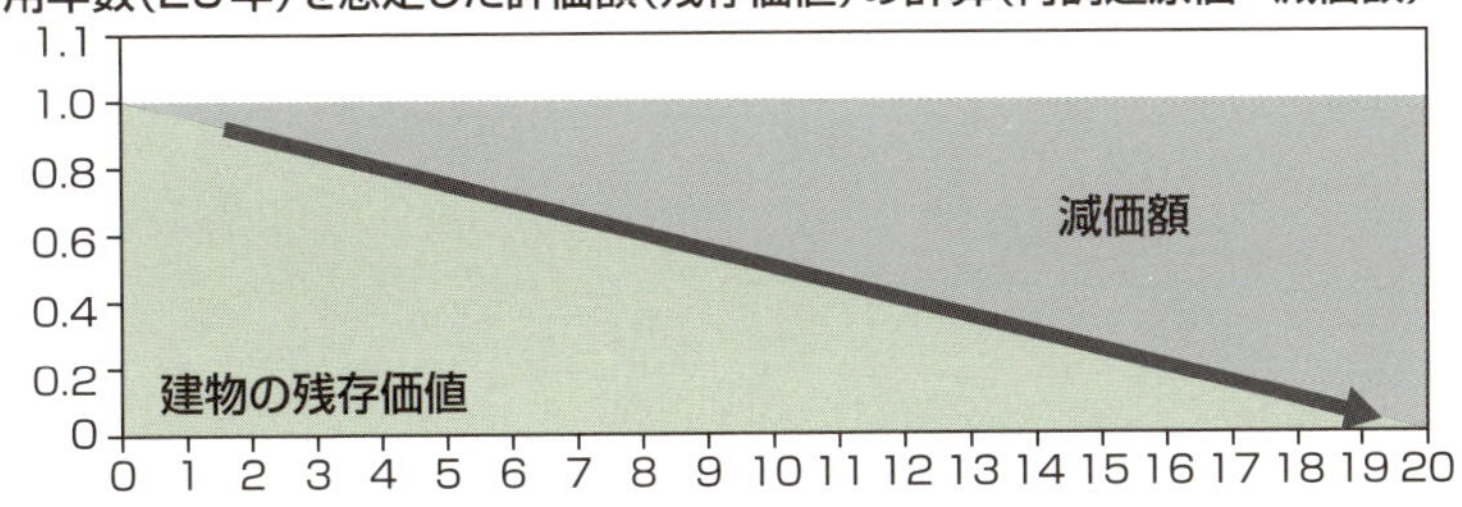

出典：「中古住宅流通促進・活用に関する研究会　参考資料」（国土交通省）

中古住宅の建物評価改善の方向性

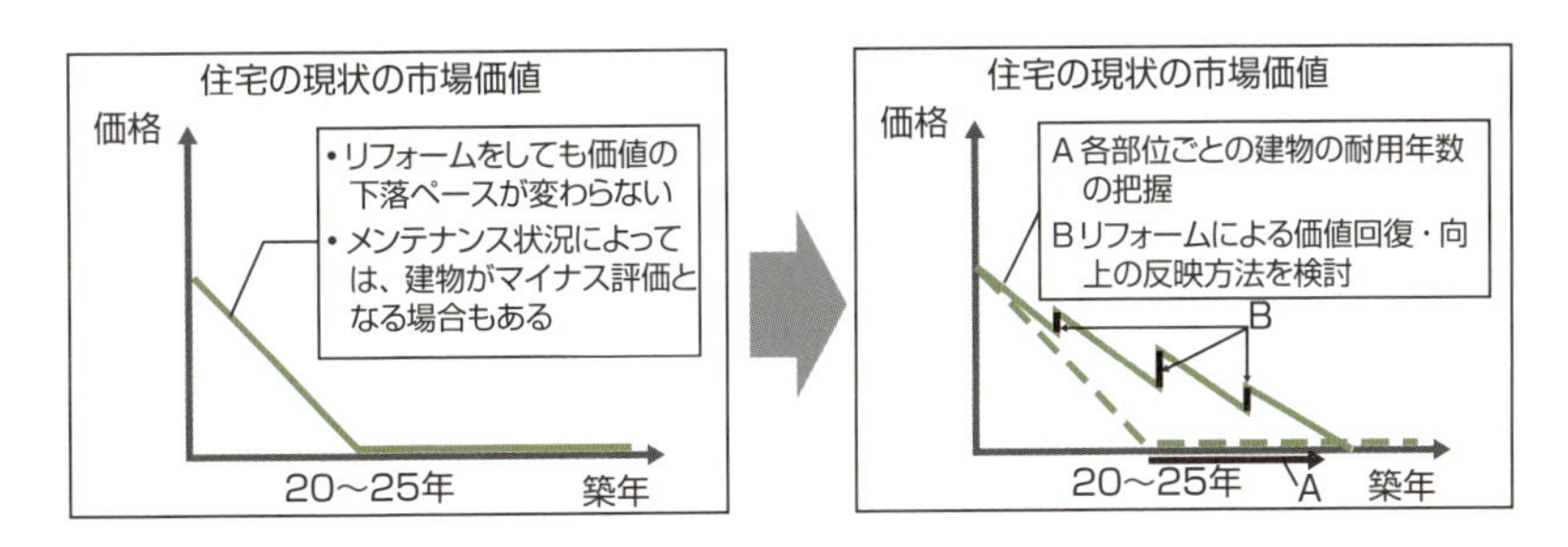

参考価格の提示により期待されるマーケットでの効果（モデルケース）

築年数：30 年
相場：1,500 万円
（建物 0 円＋土地 1,500 万円）

新たな建物評価手法に基づき算出される
参考価格　2,400 万円程度
（建物 900 万円＋土地 1,500 万円）

出典：「中古戸建て住宅に係る建物評価の改善に向けた指針のポイント」（国土交通省）

【不燃材】　通常の火災時に燃焼せず、有害な煙やガスを発生しないとして、建築基準法で認定されている建築材料。コンクリート、レンガ、瓦、鉄鋼、アルミニウム、ガラス、モルタル、漆喰などがある。

内外装・設備の交換周期

部位	仕上材等	瑕疵担保		
		資料①	資料②	資料③
屋根材	粘土瓦葺き	約 30 年	ー	60 年
	化粧スレート葺き	約 30 年	ー	30 年
	鋼板葺き	約 30 年	ー	30 年（注 2）
外壁材	タイル張り	約30年(増貼り等)	ー	40 年（注 3）
	サイディング張り	ー	ー	40 年
	モルタル塗り	ー	ー	30 年（注 4）
外部建具	玄関ドア、サッシ等	約 30 年	ー	40 年（注 5）
内装仕上げ	フローリング	約 30 年	25(美装)～50年	20 年
	カーペット	ー	ー	30 年（注 6）
	畳	約 30 年	約 20 年	30 年
	クッションフロア	約 30 年	約 30 年	ー
	クロス（壁、天井）	約 30 年	ー	30 年
内部建具	木製ドア等	約 30 年	ー	30 年
設備	台所	15～20年(注1)	約 30 年	30 年
	浴室	15～20年(注1)	約 30 年	30 年
	トイレ	15～20年(注1)	ー	40 年
	洗面化粧台	約 10 年	約 30 年	30 年
	給排水管	約 30 年	ー	ー
	給湯器	約 10 年	約 15 年	ー
	照明器具	ー	ー	ー

資料①：「住まいと設備のメンテナンススケジュールガイド」（住宅産業協議会）（注 1）ビルトイン式電気食器洗器等の長期使用製品安全点検制度による特定保守製品は 10 年での交換を推奨

資料②：「よくわかる長持ちする住宅の設計手法マニュアル」（公益財団法人　日本住宅・木材技術センター）に記載されたメンテナンススケジュール

資料③：建築研究資料「建築のライフサイクルエネルギー　算出プログラムマニュアル（1997 年 11 月）」（独立行政法人建築研究所）に記載されている諸元の数値。（注 2）はフッ素樹脂鋼板、（注 3）は磁器タイル（圧着工法）、（注 4）はエポキシ吹付けタイル（モルタル下地）、（注 5）はアルミサッシ引違い窓、（注 6）はタイルカーペット（厚 7mm）に対応する値

※同一の部材、設備等であっても、使用頻度、維持管理の状態、使用環境等によって交換時期が異なることから、交換等周期の推奨値は一定の目安として幅で示されている。

出典：「中古戸建て住宅に係る建物評価の改善に向けた指針のポイント」（国土交通省）

【戸建住宅の長期修繕計画】　分譲マンションでは、およそ30年間の修繕工事計画にもとづいて修繕積立金が計算されている。戸建住宅の場合は、持ち主が個人であるためそのような計画を立てることがない。しかし、戸建住宅もメンテナンスが必要なことに変わりはない。急な出費はハードルが高いため、長期修繕計画と積立が必要である。平均的には30年間に400万円が必要となる。

外壁サイディングのメンテナンス

住宅の外壁は紫外線や風雨、雪、気温の変化などの過酷な条件下にさらされています。外壁サイディングは表面に塗装が施され、サイディング間にはシーリング材が施工されていますが、いずれも永久的なものではないためメンテナンスが必要です。

シーリング材は、ひび割れや剥離が見られた場合に、打替えが必要です。既存のシーリング材の上からではなく、既存部分を切り取ってから新たに施工します。

塗装の劣化は光沢が低下し、変褪色・チョーキングが生じると塗替えを検討する時期になります。さらに劣化が進むと塗膜の減耗や浮きがはじまるからです。

このような塗装の劣化がはじまる時期は、使用されている塗料の種類によって異なります。一般的な塗料で10年目くらい、耐候性の高い塗料で15～20年目が目安になります。多色で塗り分けられた外壁サイディングの塗替えは透明なクリアー塗料を上から塗ることで劣化の回復を行います。最近は塗膜30年保証のサイディングもあります。

表面塗装の劣化について（一般的な塗装仕様の場合）

前期	エナメル塗膜表面から樹脂の劣化が始まり、光沢の低下が生じてきます。
中期	塗膜の樹脂劣化により変褪色が少しずつ進行し、塗膜表面が粉状（チョーキング現象）になります。塗装面を触って塗装色や白い粉が多く付着するようになるとメンテナンス時期です。
後期	塗膜の劣化がさらに進むと、塗膜の減耗や浮き、割れがはじまります。その後、塗膜の部分的な剥離が起こり、基材が露出すると吸水しやすくなり、変形や基材そのものの劣化などが現れてきます。塗膜の剥離がはじまるまでに、塗膜の劣化に応じた前処理を行い、エナメル塗装仕上げを行います。

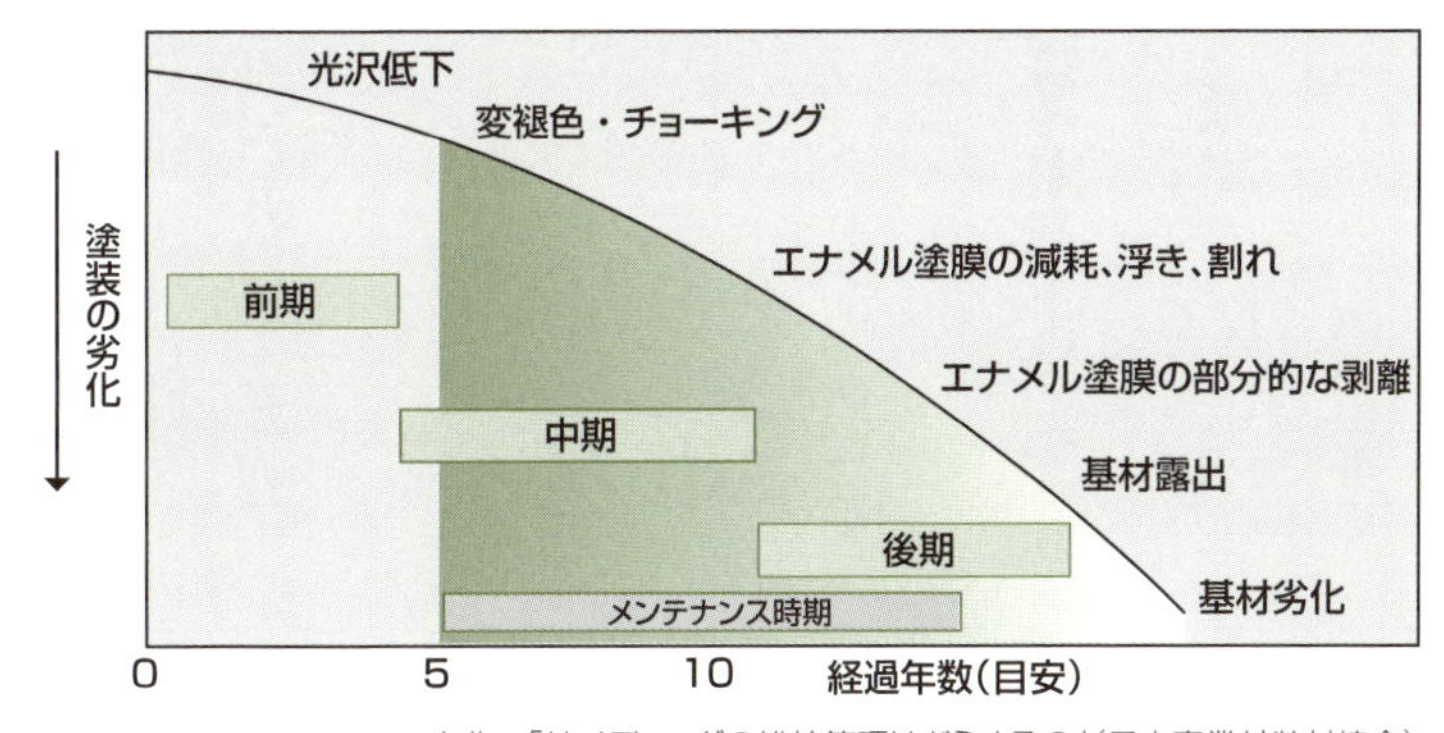

出典：「サイディングの維持管理はどうするの」(日本窯業外装材協会)

増加する大型リフォーム

5

リフォーム市場の拡大に伴い、三〇〇万円以上の大型リフォームが増加しています。五〇〇万円以上が約二割を占めています。

●本格的なリフォーム時代

二〇二一年度のリフォーム実態調査では、今後のリフォーム市場を占う特徴が示されています。一つは、大型リフォームの増加です。戸建住宅リフォームでは、三〇〇万円以上が四割、五〇〇万円以上が二割を占めています。リフォーム費用の平均額は三五〇万円で、築年数が長いほど金額が高くなっています。

リフォームの箇所では、トイレ、浴室、外壁、キッチン、屋根、リビングなどが多くなっています。金額から考えても複数の多様なリフォームが行われていることがわかります。築年数の経過した住宅に本格的に手を入れて長く使っていこうという傾向が明確に表れています。

また、中古住宅の売買においては、その七割で売主または買主による売却前後のリフォームが行われています。売りやすくするためにリフォームする、購入後に自分の好みに合わせてリフォームするという動きが増えています。

●住居費のトータルコストを下げる

これまでのように三〇年ごとに建替えるのではなく、二〇～三〇年ごとに四〇〇～一〇〇〇万円の大規模リフォームを行って長期間活用した方が九〇年間の住宅費は大幅に安くなるとの試算も示されています。

住宅を長く使うための大型リフォームの傾向が今後ますます進むことが予想されています。

【建替と住居費の比較】 （一社）住宅リフォーム推進協議会の「長寿命化リフォームの提案」では90年間の住居費の試算が示されている。30年毎の建替と修繕・メンテナンスを行った場合は7,800万円であるのに対して、長寿命化リフォーム1,000万円を1回と大規模リフォーム400万円を2回に加えて修繕・メンテナンスを行って90年間使い続けた場合は5,300万円と負担が軽くなっている。

戸建住宅のリフォーム金額

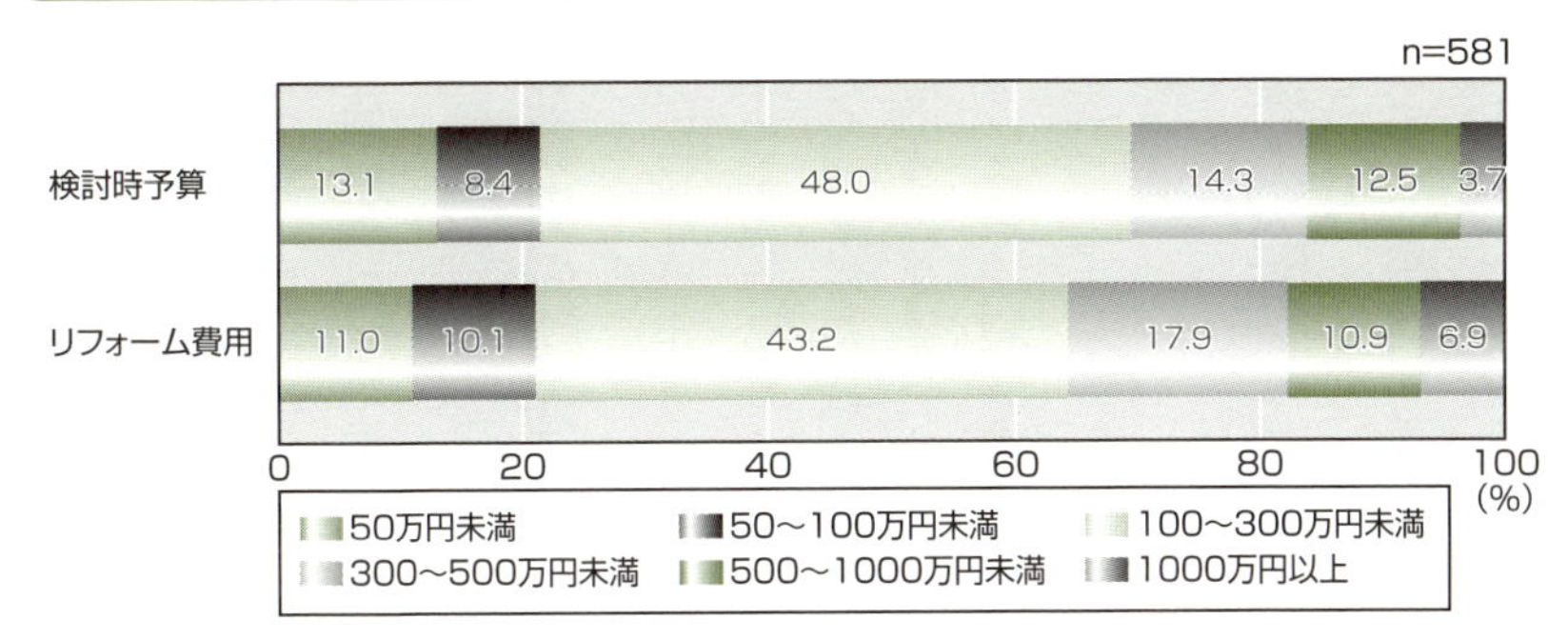

出典：2021年度住宅リフォームに関する消費者（検討者・実施者）実態調査報告書（（一社）住宅リフォーム推進協議会）

戸建住宅のリフォーム実施箇所

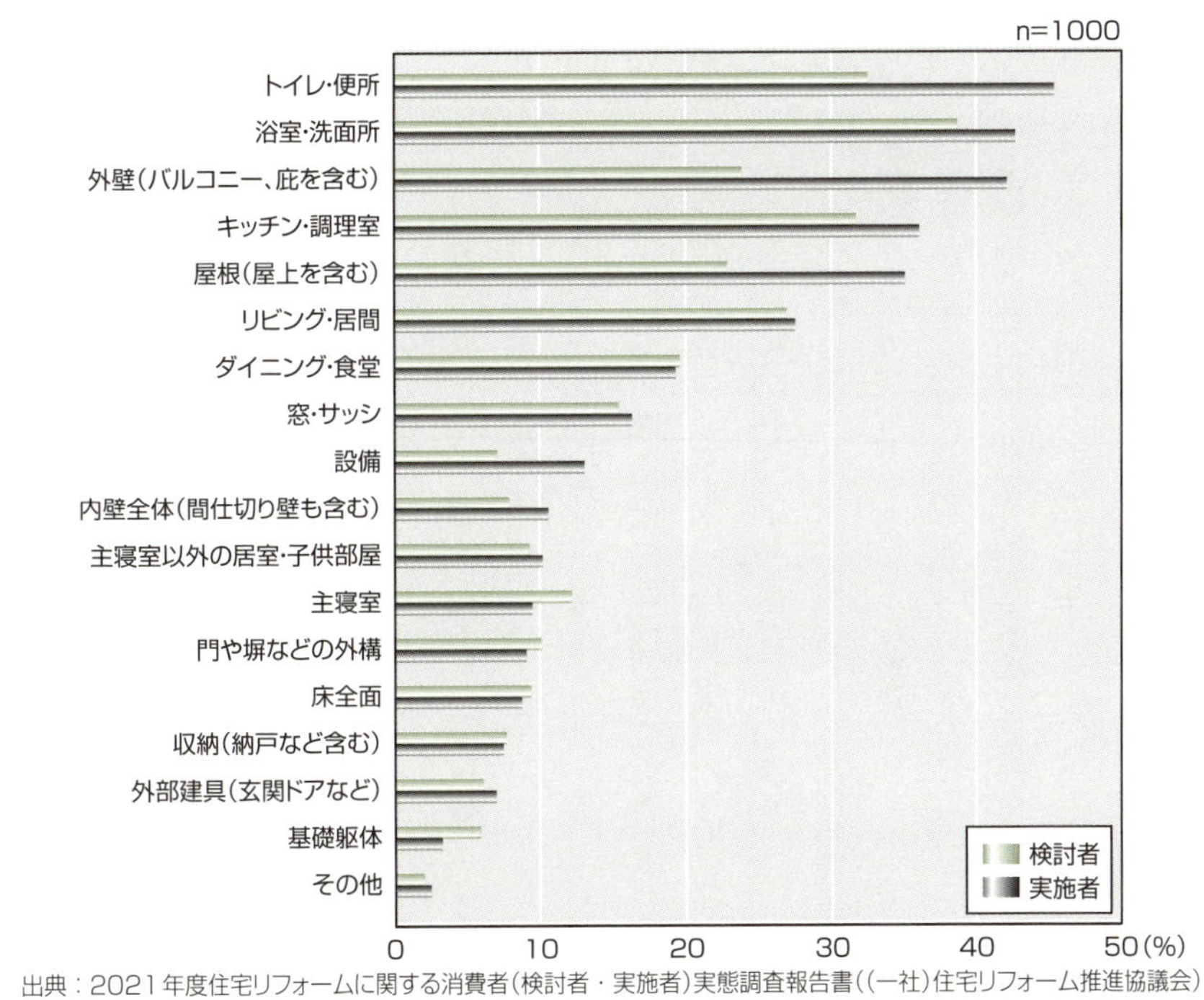

出典：2021年度住宅リフォームに関する消費者（検討者・実施者）実態調査報告書（（一社）住宅リフォーム推進協議会）

【破風・鼻隠し】　屋根の端に見える厚みの部分のこと。断面を隠すように部材を取り付ける。三角形の部分が破風で、水平となる部分が鼻隠しである。

6 DXが変える住宅の営業・設計・施工

DX（デジタルトランスフォーメーション）は、デジタルによる変革を意味します。最新のITを活用した変革が住宅業界でも始まっています。

●住宅業界の課題とDXによる変革

住宅の建築は手作業が多く、現場ごとに環境も異なります。さらに、営業・設計・施工まで多くの関係者が関わります。特に施工段階では、多くの協力会社の職人との連携が重要です。しかも、協力会社や作業者への指示は紙の図面である場合が大半です。図面をCADで作成していても現場で使われているのは紙の図面です。

●営業・設計・施工へのDXの影響

このように、情報の更新や現場の進捗状況の確認などの大半は、アナログで行われています。営業・設計・施工・アフターサービスまで、デジタル技術を活用して生産性を上げる余地が多くあります。

営業では、DXの導入により、**SNS***や**ウェビナー***での集客、商談のオンライン化、VR展示場への案内もすでに行われています。

施工においては、現場の進捗管理や最新情報共有へのタブレットやスマホの活用、作業負荷を軽減するアシストスーツの利用などが広がっています。

AIやIoT、5Gなどの新しい技術の発達により、住宅業界を変革するツールがこれからも次々に登場すると考えられます。二〇二一年の新しい住生活基本計画でも、DX推進計画を策定して実行した大手住宅事業者の割合を二〇二五年に一〇〇％とするという目標が挙げられています。住宅会社の取組みはますます加速していきます。

*【SNS（Social Networking Service）】　インターネット上で、個人がつながる場所を提供するサービス。自分のページに投稿することで、個人自らが情報を発信することができるほか、サービスに登録した会員同士で個別にコミュニケーションを取ったり、グループに参加して他のユーザーと交流することが出来る。写真や動画も簡単に投稿できる。

DXのステップ

デジタイゼーション	デジタライゼーション	デジタルトランスフォーメーション
・手作業のデジタル化やペーパレス化 ・省人化、最適化、コストダウン	・デジタルデータの利用により作業の進め方を変革 ・クラウドを活用した業務の効率化	・デジタルデータを用いてビジネスモデルを変革 ・人や組織、顧客や企業の関与方法も変革

DXによる住宅の営業・設計・施工の変化

営業	ホームページだけでなくSNSの活用も一般化
	VR展示場や動画配信、ウェビナーなどを用いた見込み客の集客
	全国の展示場や設計プランをVRの臨場感で体験
	デジタルコンテンツの閲覧履歴から顧客を分析
	見込み度の高い顧客をターゲットとして営業活動
	オンラインでの商談、無人展示場への来場促進
	チャットツールで顧客とコミュニケーション
設計	図面から建材の数量を拾い出す
	AIで見積もりや実行予算まで作成
	確認申請の電子化（押印不要）、宅建業法の契約書類も電子化（押印不要）
施工	現場の進捗状況や施工写真をクラウドで関係者と共有
	確認や現場指導、検査もカメラを使って遠隔で管理
	作業負荷を軽減するアシストスーツの実用化
	海外では3Dプリンターでの住宅建築が始まる
	日本でもスタートアップ企業による3Dプリンターでの住宅建築が始まる
アフター	ドローンで屋根や壁の劣化状況を確認
	床下や小屋裏をロボットで点検

＊【ウェビナー】　ウェブとセミナーを合わせた造語で、インターネット回線を通じてオンラインで行うセミナーのこと。双方向でコミュニケーションをとるWebミーティングとは異なる。

7 快適、安全、安心をつなげるIoT住宅

IoT住宅は、太陽光発電や蓄電池、エアコンなどの住宅設備がインターネットとつながることで、より快適で安全・安心を実現する住宅です。

●生活パターンを学習

IoT（Internet of Things）は、身のまわりのあらゆるものがインターネットにつながり自動認識や自動制御、遠隔計測などを行う技術です。

IoT住宅では、朝声をかけるとカーテンが自動で開き、照明やエアコンがONになります。そして、「行ってきます」というとすべての電源が自動でOFFになります。夕方、陽が沈むと自動でカーテンが締まり照明が灯ります。AIが住人の生活パターンを学習することによって、住宅設備の制御を自動で行います。外出先からスマホでお風呂を沸かしたり、エアコンのスイッチを入れたりといった家電の遠隔操作もIoTの一例です。

冷蔵庫では、庫内のカメラで食材の在庫確認ができたり、足りない食材をネット注文できるなどの仕組みもあります。AIスピーカーと組み合わせることで、家の中のいろんなものが音声で動かせるようになります。

ベットや洗面台のセンサーで体重・脈拍・血圧などを自動で測定して健康状態を把握しますし、高齢者の見守りも可能です。電気自動車と接続して蓄電池として活用することもできます。

ただし、ロボット掃除機を使うには、部屋の中の段差をなくしておくなどの注意も必要です。また、プライバシーへの配慮や停電時の対応も大切です。サイバー攻撃やセキュリティへの対策も必要といわれてい

【AIスピーカー】 人の言葉を理解し、検索エンジンを用いた調べ物やメモ、音楽や動画の再生、天気予報やニュースの読み上げ、照明器具やテレビなどの家電製品の操作等が可能なスピーカーである。スケジュール管理やおすすめ商品の紹介、電車の運行情報の確認、タクシーの配車なども可能である。日常生活での活用が広がっていくと予想されている。スマートスピーカーとも呼ばれる。

IoT住宅の目指す姿

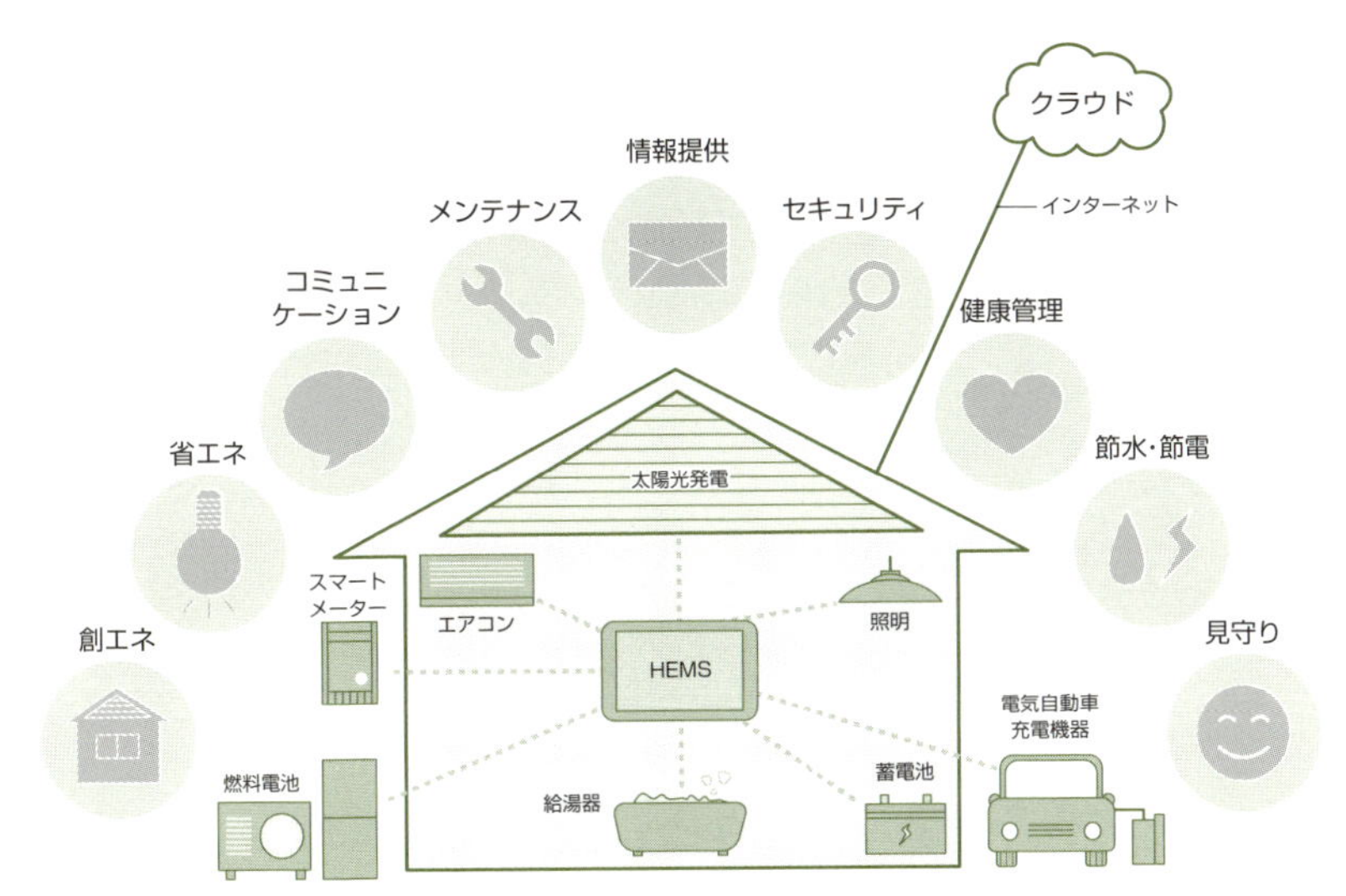

出典：ZEHからIoT住宅へ 省エネで快適な住まいに（(一社）住宅生産団体連合会）

IoT住宅のサービス事例

サービス	方法	具体策
省エネルギー化・省資源化	スマートメーター、HEMS等の活用	住戸内の温熱環境を踏まえた住宅設備機器や家電の最適制御
高齢者支援・介護支援	センサーや音声で状況を確認	買い物や食事の宅配、緊急時の駆けつけ
生産性・利便性の向上	家事の効率化、再配達率の低減等	スマートキーを活用した宅配ボックス、全自動衣類折りたたみ機ロボット掃除機、食材からレシピを提案
住まいの安全・安心の確保	防犯、見守り、防災	スマホと連動したドア・窓の鍵のかけ忘れ確認、見守りサービス
健康の維持・増進	専門機関と連携、個人の健康管理	住宅で取得したバイタルデータ（血圧、体温、脈拍、体重）を医師が遠隔診断

出典：「IoT技術等を活用した次世代住宅懇談会について」（国土交通省）に加筆

【HEMS(Home Energy Management System)】 家庭で使うエネルギーを管理するシステムである。エネルギー消費量や太陽光発電の発電量などをモニターで見える化し、使用量を自動制御する。2012年からハウスメーカーなどが売り出したスマートハウスではHEMSを標準搭載した。スマートハウスとIoT住宅のコンセプトは同じである。

ます。住宅内ではいろいろなメーカーの設備や家電が使われています。そのため、ＩｏＴ住宅を実現するためには、異なるメーカーの機器を共通の規格で使ってネットワーク化する必要があります。ＩｏＴ住宅では、共通のホームネットワーク規格として「ECHONETLite（エコーネットライト）」が利用されています。

●進化するＩｏＴ住宅

住宅と住生活のＩｏＴ化は確実に進みます。通信技術の進化によって、より多くの機能をネットワーク化することができます。そしてＡＩの技術でさらに便利になります。

大手ハウスメーカーも本格的にＩｏＴ住宅に取り組み始めています。これからの住宅は単なる建物ではなく、快適性・利便性を備えた空間になります。そして住宅会社には居住サービスを提供する会社になるという意識が求められます。

IoTのテーマに対する関心の高さ（消費者アンケートの結果）

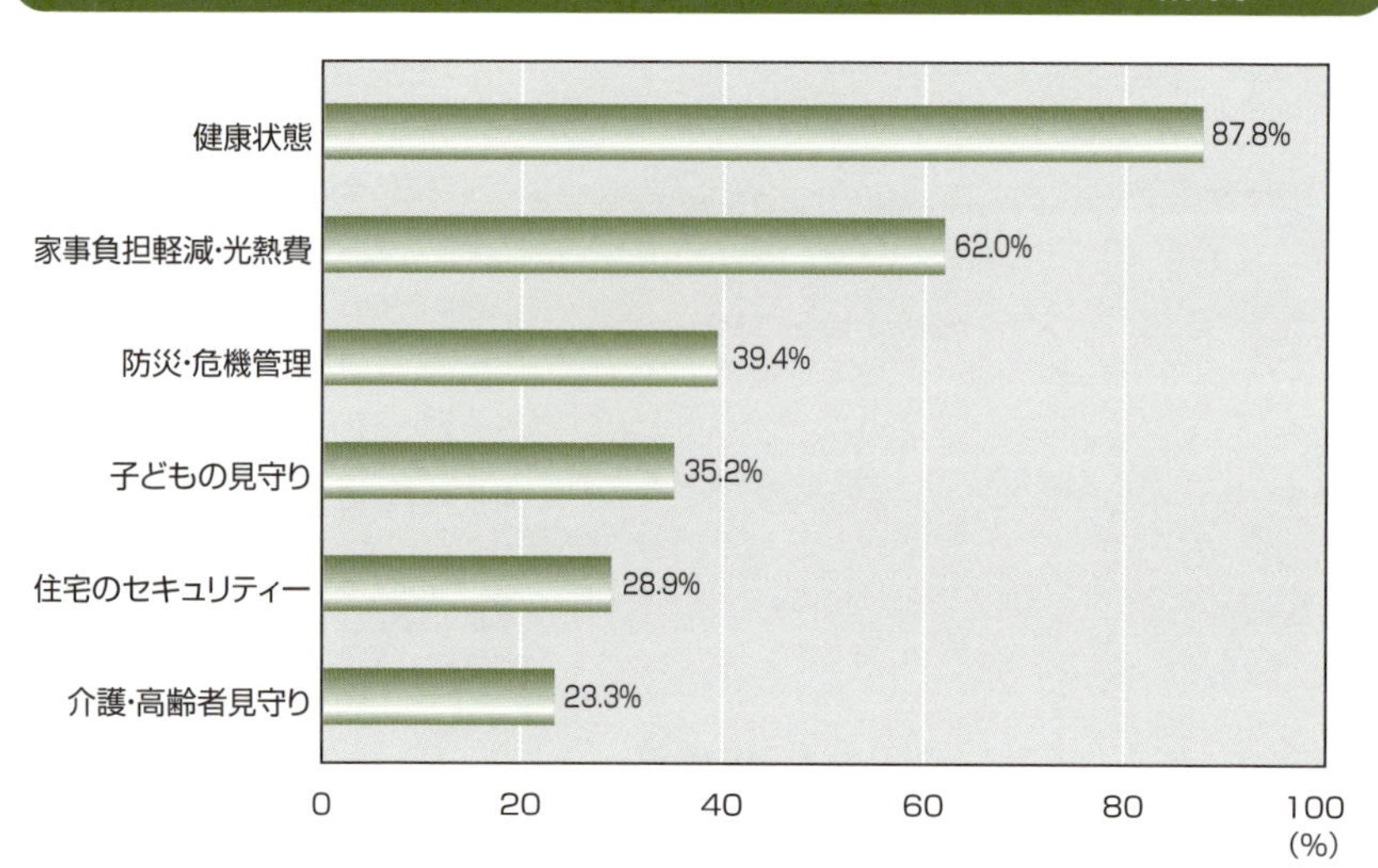

出典：IoT技術等を活用した次世代住宅懇談会について（国土交通省）

【間柱】 柱と柱の間に立てる内外装の下地のための柱。一般に柱は910mmピッチで立つためその真ん中に立てる。柱の半分または1/3の厚さの木材を使用するため、上からの荷重は負担しない。

ハウスメーカーの海外進出状況

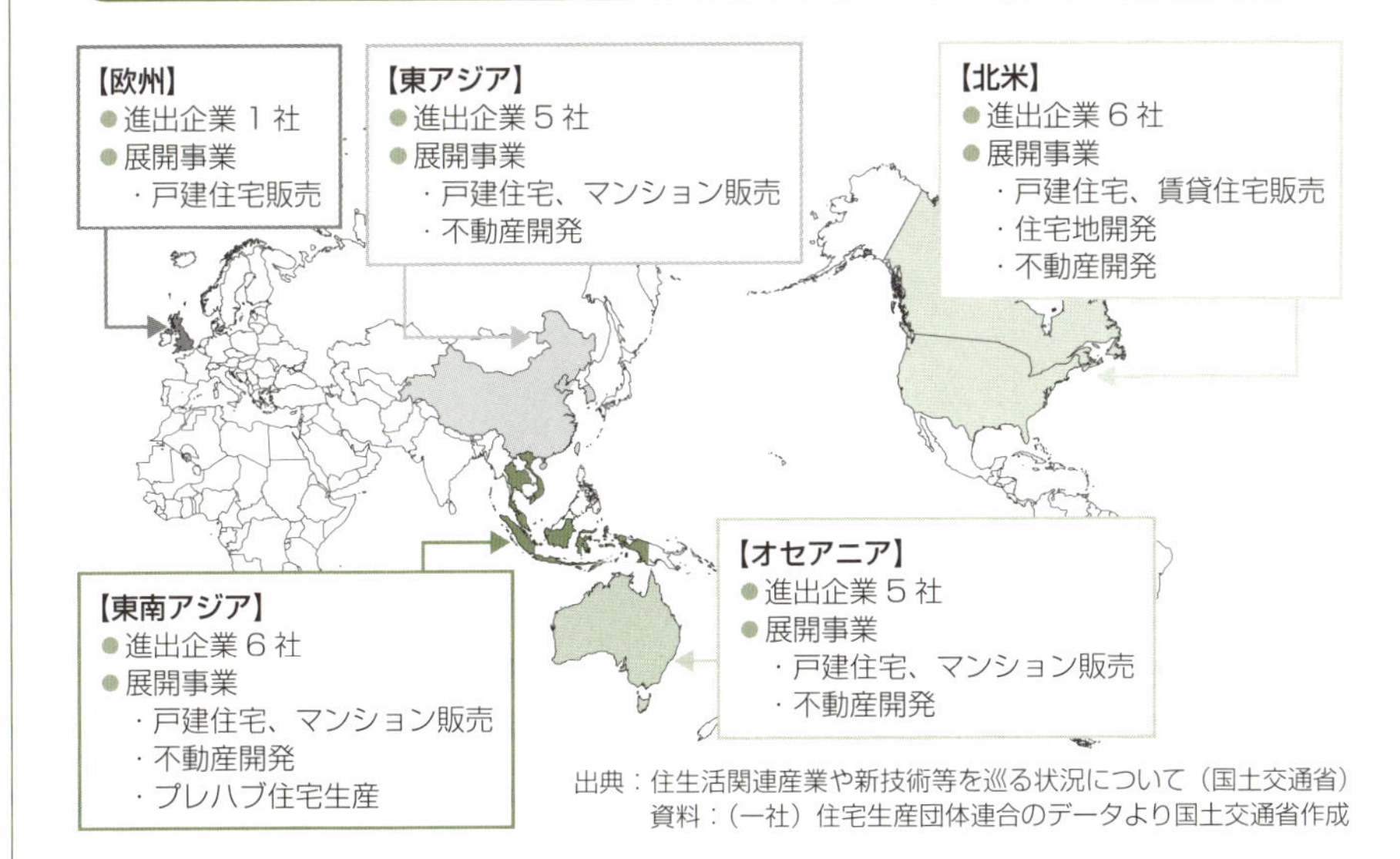

出典：住生活関連産業や新技術等を巡る状況について（国土交通省）
資料：（一社）住宅生産団体連合のデータより国土交通省作成

大手ハウスメーカーの海外進出先

会社	進出先
住友林業	アメリカ、オーストラリア、東南アジア
大和ハウス工業	アメリカ、オーストラリア、中国など
積水ハウス	アメリカ、オーストラリア、英国、中国、シンガポール
セキスイハイム	タイ
一条工務店	アメリカ、オーストラリア
旭化成ホームズ	アメリカ、オーストラリア、台湾
プライム ライフ テクノロジーズ※	アメリカ、オーストラリア、台湾、インドネシア、マレーシア、ニュージーランド
三井ホーム	アメリカ
飯田グループ	ロシア、インドネシア

※パナソニック ホームズ、トヨタホーム、ミサワホーム
戸建住宅だけでなくマンションや賃貸住宅、商業施設などの進出も含む

【アメリカの住宅着工件数】　米商務省が米国内で毎月建設された新築住宅戸数を調査して発表する。季節ごとのばらつきが大きいため、調整をかけたうえで年率換算して発表される。一戸建てと集合住宅に分けて、北東部、中西部、南部、西部の地区ごとに集計される。同時に発表される住宅建設許可件数は、住宅着工件数の先行指標となる。日本と同様に、個人消費への波及効果が大きいとして注目されている。

8 グローバル化する日本の大手ハウスメーカー

住宅は、その国の文化、歴史、気候、風土、国民性などと密接に関係があります。災害に強く、高い品質と性能を兼ね備える日本の住宅に世界からの注目が集まっています。大手ハウスメーカーの多くが海外に進出しています。

●日本の住宅への期待

日本の住宅は四季の変化の中で暑さや寒さに対応し、地震や台風などの自然災害にも耐えるように進化してきました。さらに、住宅会社が販売から施工、アフターサービスまで行うこと、工期が短く性能が素晴らしいことも評価されています。

背景には、海外の住宅不足や施工者不足もあります。

例えば、アメリカの住宅着工件数は二〇二一～二〇二三年は一六〇～一七〇万件で推移しています。そのうち、戸建住宅は八〇～一〇〇万件で推移しており、日本の二倍という大きな市場です。中古住宅の販売は六百万戸程度で日本よりはるかに多くなっています。

少子高齢化と人口減少が進む日本では、新築住宅の需要は減少が続く見込みです。縮小する市場の中で、将来的な経営の安定を目指す住宅メーカーは、海外からの関心に応えて積極的に進出しています。

●住宅メーカーの海外展開

しかし、日本の住宅を海外に持って行ってそのまま売れる訳ではありません。日本の住宅の防水性や断熱性・耐震性が評価される国や地域は限られているからです。日本の品質やデザインにこだわっても評価されず、現地化しすぎると現地企業との差がわかりにく

【海外の住宅：床の仕上げ】　海外では、室内も土足で歩き回るため、床は分厚いムクのフローリング、石、タイルなどを用いる。

くなります。

二〇二二年の大手ハウスメーカーの決算は好調な海外事業が牽引していました。

大和ハウスは二〇二二年にも新たに米国企業をグループ化して米国事業を強化しています。工業化住宅のノウハウを提供し工期短縮を実現しています。二〇二三年三月期は戸建住宅売上六二六八億円のうち四七%を海外売上が占めるまでになっています。米国での戸建住宅供給戸数四万五〇〇〇戸を二〇二六年には一万個に拡大する目標です。

積水ハウスも二〇二二年に新たに米国企業を買収しています。同社の木造住宅「シャーウッド」の販売を拡大します。耐震性能や耐風性能をアピールしてハリケーンの多い地域での販売を計画しています。同社の海外事業も三八八九億円と大きな割合を占めています。二〇二五年に海外での住宅販売一万戸を目標としています。

住友林業の海外住宅・不動産事業は六四四六億円の売上で、海外が国内を上回っています。米国と豪州が中心です。二〇三〇年には米国で二万三〇〇〇戸、豪州で五万五〇〇〇戸を販売する計画です。

セキスイハイムは、タイの建材最大手であるSiam Cement Group（サイアム・セメント・グループ）と提携し、二〇一一年に住宅生産工場を設置しました。日本と同様に、住宅工場の生産ライン見学会を積極的に行っています。

一条工務店は、住宅資材のほとんどをフィリピンで生産しています。製材やサッシ、断熱材の組み込み、タイル張りつけまで行ったパネルを国内に持ち込んで施工しています。さらに、フィリピンの子会社では、木造住宅の技術開発、商品開発、設計も行っています。

飯田グループは二〇一四年にロシアに木材加工の子会社を設立し、現在は住宅販売も行っています。インドネシアでも住宅を販売しています。ロシアやインドネシアは、内装を購入者自ら施工することが一般的ですが、同社は内装も終えた住宅を販売することで日本クオリティとして差別化しています。

LIXILやTOTOなどの住宅設備メーカーもアジアでの売上を急拡大しています。

ワンポイントコラム

【温度のバリアフリー】　暖かいリビングから寒い脱衣場、そして暖かな浴室に移動するなど、大きな温度変化にさらされると、心肺機能に強い負担がかかる。これをヒートショックという。住宅内の高齢者の死亡事故で最も多いといわれるのが浴室であるが、ヒートショックの要因が大きいといわれる。断熱工事によって、部屋間の温度差が少ない環境を作ることを「温度のバリアフリー」という。

住宅リフォームの制度と優遇税制の認知度

2021年度にリフォーム事業者とリフォーム検討者に対して、リフォームに関する制度と減税の認知度が調査されました。

事業者の回答者は従業員数5名以下1098社(65%)、5～10名以下308社(18%)、11名以上245社(15%)の1651社で、工務店が約5割、リフォーム専業が約2割です。回答者の7割が経営層か事業責任者です。

住宅リフォームの制度についての認知度

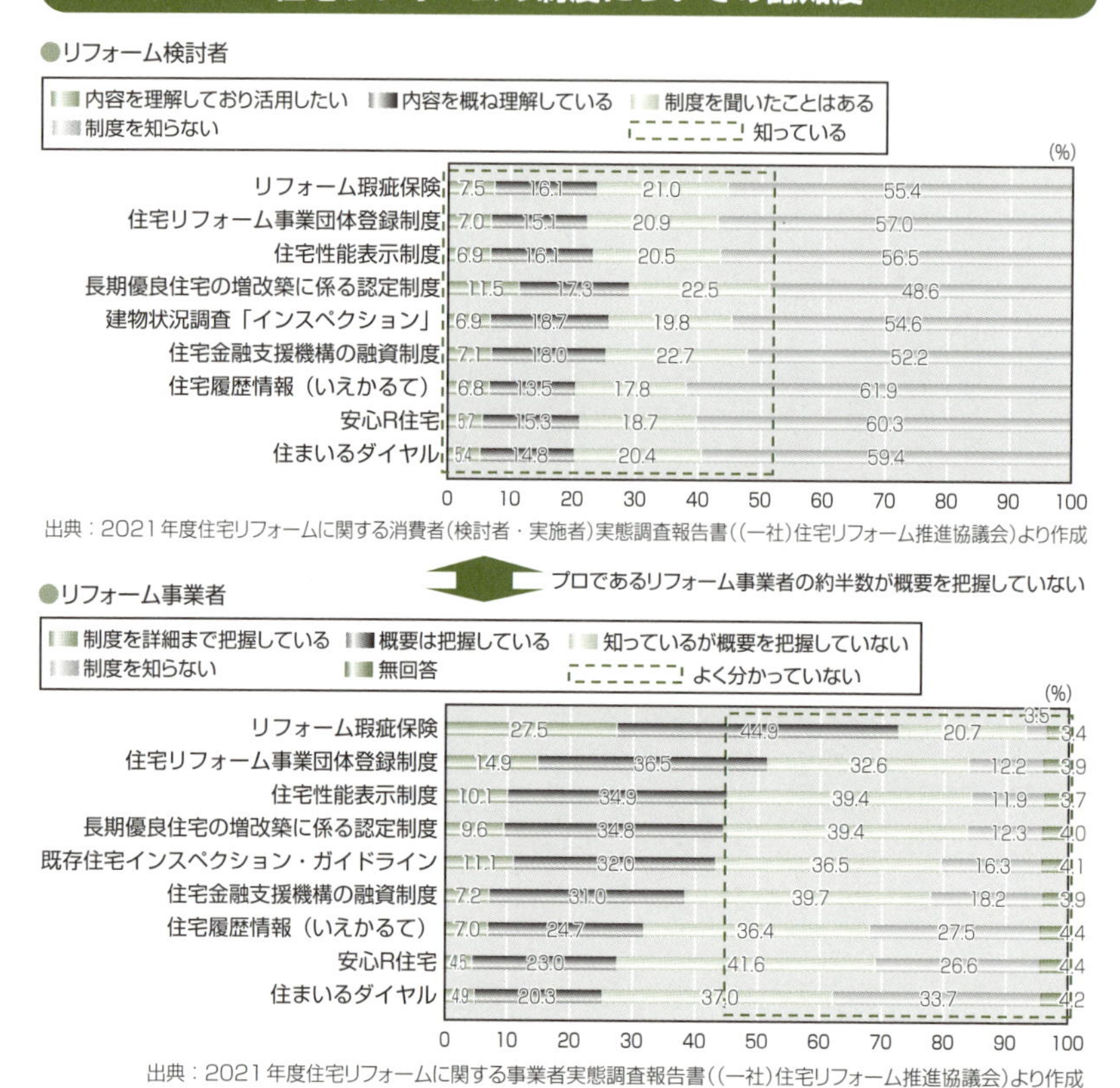

出典:2021年度住宅リフォームに関する消費者(検討者・実施者)実態調査報告書((一社)住宅リフォーム推進協議会)より作成

出典:2021年度住宅リフォームに関する事業者実態調査報告書((一社)住宅リフォーム推進協議会)より作成

リフォーム検討者の約2割が内容を理解しており、「制度を聞いたことがある」を含めると4割を超えます。最近ではYou tubeで住宅に関するあらゆる情報がわかりやすい動画で配信されており、消費者もよく勉強しています。

一方、リフォームを行っている事業者の約半数が制度を知らないか、知っていても概要を把握していません。事業者もプロとして適切に説明できる知識を持っていること、社員にも勉強させることがますます大切になります。

住宅リフォームの税制についての認知度

●リフォーム検討者

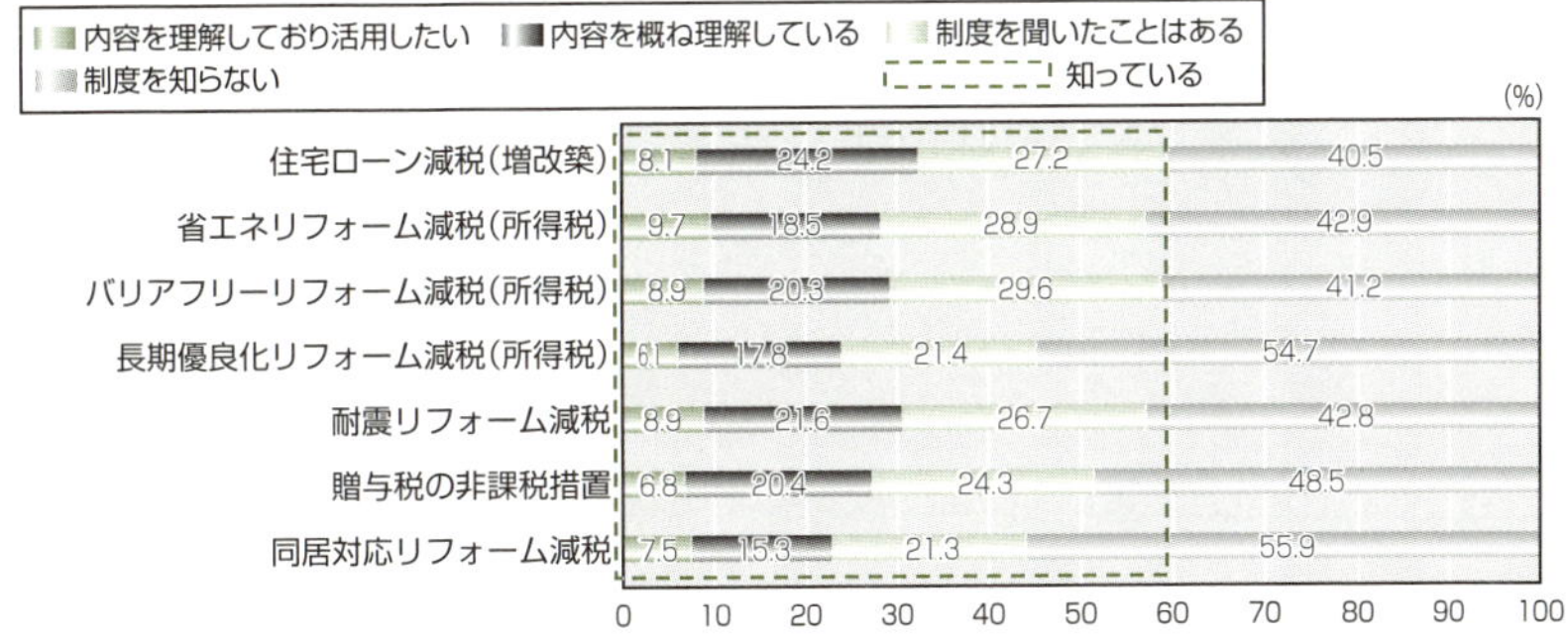

出典：2021年度住宅リフォームに関する消費者(検討者・実施者)実態調査報告書((一社)住宅リフォーム推進協議会)より作成

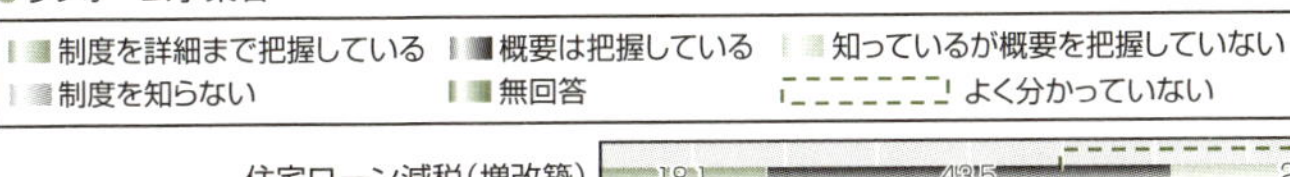

●リフォーム事業者

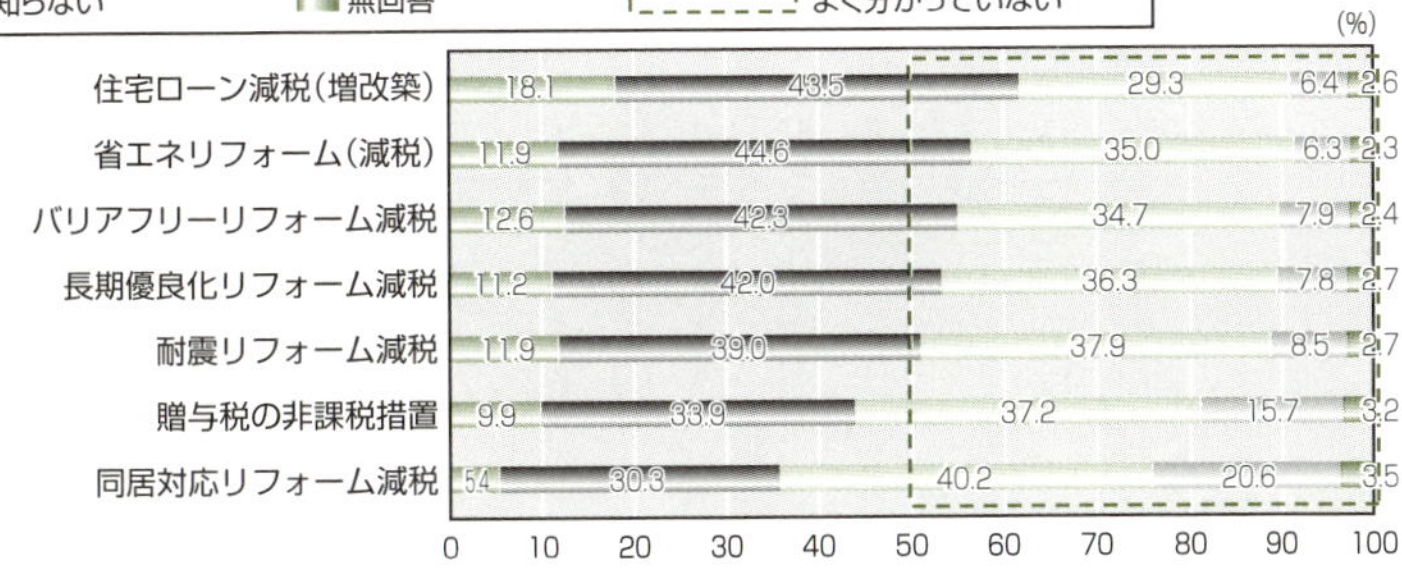

出典：2021年度住宅リフォームに関する事業者実態調査報告書((一社)住宅リフォーム推進協議会)より作成

9 介護保険とバリアフリーリフォーム

二〇一九年には、六五歳以上の高齢者がいる世帯が四九％を超え、そのうちの六割が高齢者の単身、または夫婦のみの世帯となっています。

●高齢者が大半の家庭内死亡事故

高齢者の家庭内事故は年々高いレベルで推移しています。二〇二〇年には、六五歳以上の家庭内事故による死亡者数は一万七一七七人と、交通事故死亡者数の二八三九人を大きく上回りました。しかも、家庭内事故の八九％以上を高齢者が占めている状況です。このようなことから、介護保険を住宅改修費の支給にも適用し、**バリアフリーリフォーム**を行うことができるようになっています。バリアフリーリフォームは、住宅内での転倒・転落、溺死など、高齢者の事故を防ぐだけでなく、介護をする家族の負担も減らすことができます。補助の対象となるのは、以下の工事です。

①手すりの取り付け、②床段差の解消、③滑り防止、④引戸等への取り替え、⑤洋式便器への取り替え

その他に、手すりを付けるための壁の補強工事や段差を解消するための床土台の変更など、関連する工事についても介護保険の対象となります。介護保険での住宅改修費の給付は二〇万円までで、そのうち二万円が自己負担となります。介護認定区分が三段階以上上がったときや転居した場合は、改めて上限二〇万円までの給付を受けることができます。所得税の特別控除や固定資産税の減額、地方自治体による補助もあります。

二〇二〇年度住宅リフォームに関する消費者実施調査によるとリフォーム工事内容は省エネに次いでバリアフリーリフォームが高くなっています。

【福祉住環境コーディネーター】 高齢者や障害者に対して住みやすい住環境を提案するアドバイザー。医療、福祉、建築について、体系的で幅広い知識を身に付けている。ケアマネジャーなどの専門職と連携をとりながら福祉施策、福祉・保険サービスなどの情報提供、福祉用具、介護用品や家具の選択と利用法のアドバイス 、バリアフリー住宅への建て替え、リフォームについてのアドバイスを行う。

65歳以上の高齢者のいる世帯数とその割合

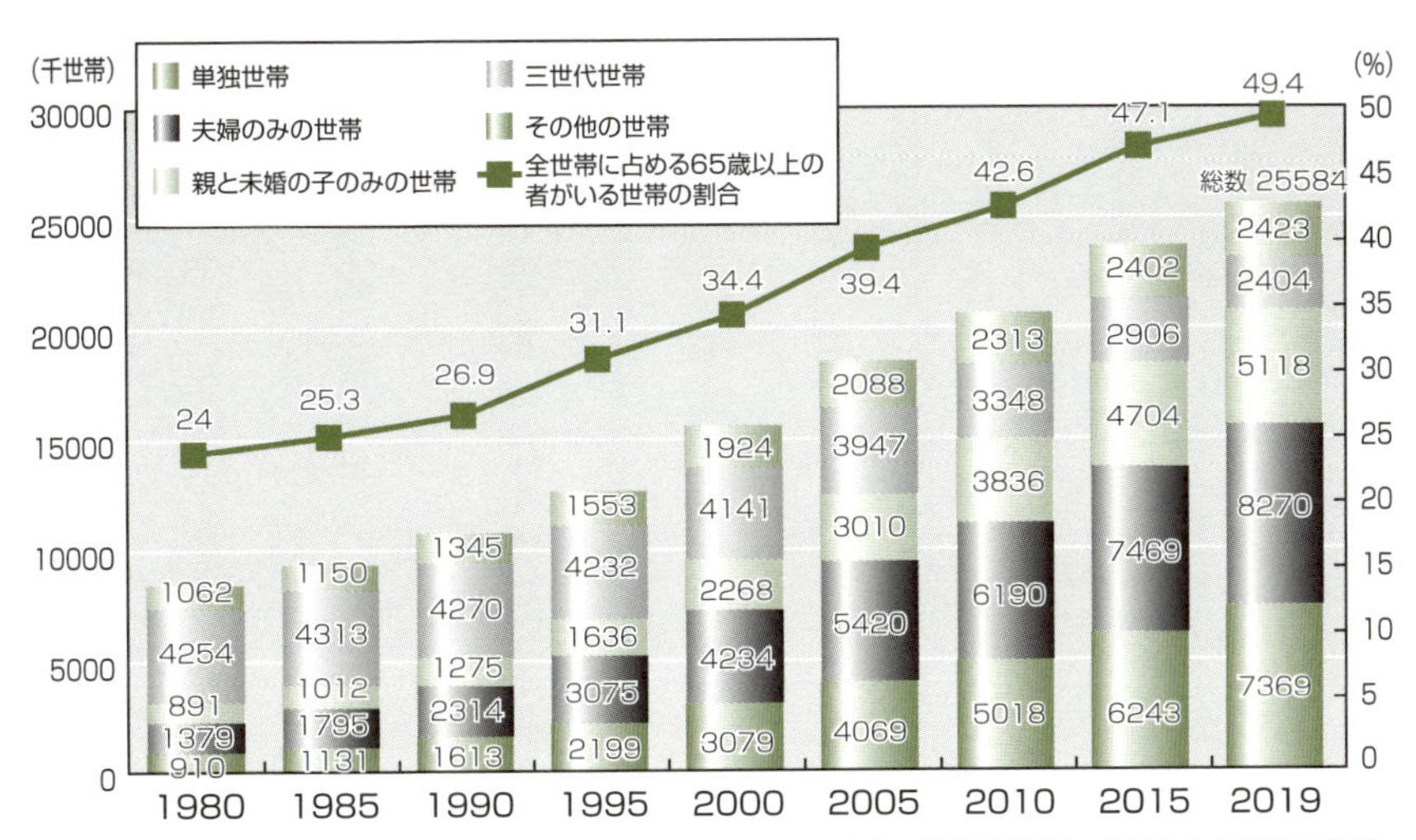

出典：「令和３年版　高齢社会白書」(内閣府)

家庭内事故による高齢者の死亡者数

●家庭内事故では浴槽での溺死が多い

死因	総数	65〜79歳	80歳以上	65歳以上の割合
転倒・転落・墜落	2,418	711	1,399	87.3%
スリップ、つまづき及びよろめきによる同一平面上での転倒	1,461	370	958	90.9%
階段及びステップからの転落及びその上での転倒	395	149	201	88.6%
建物又は建造物からの転落	240	74	70	60.0%
不慮の溺死及び溺水	5,451	1,952	3,131	93.2%
浴槽内での溺死及び溺水	5,004	1,786	2,883	93.3%
浴槽への転落による溺死及び溺水	33	15	15	90.9%
その他の不慮の窒息	3,219	939	1,868	87.2%
煙、火及び火炎への曝露	724	263	274	74.2%
熱及び高温物質との接触	38	6	32	100.0%
有害物質による不慮の中毒及び有害物質への曝露	277	37	44	29.2%
総計	19,260	6,302	10,875	89.2%

出典：令和２年人口動態統計（厚生労働省）

【介護保険】 40歳以上の国民が被保険者となって保険料を負担し、介護が必要と認定されたときに、費用の一部（原則10%）を支払って介護サービスを受けることができる制度。介護や支援が必要と認定された65歳以上の人と、特定の病気が原因で介護や支援が必要と認定された40歳以上65歳未満の人が、サービスを利用できる。介護保険は、介護が必要なお年寄りを助けるばかりでなく、介護をする家族をも助ける保険といえる。

10 コロナ禍で変わるこれからの住宅ニーズ

コロナ禍による外出自粛や在宅勤務により自宅で過ごす時間が増えました。家づくりの意識が変わり、自宅に求められる機能が変化しています。

●コロナ禍で高まった中古住宅の人気

コロナ禍により自宅で過ごす時間が増え、自宅での食事を作る回数も増えました。学校の授業がリモート学習になったり、勤務先の業務が在宅ワークになったり、自宅でオンラインミーティングに参加することも当たり前になりました。これまでの住宅ではそのような生活を想定していなければ、ワーク専用のスペースがありません。リビングをワークスペースにして対応しますが、家族の生活に制限がかかる、外の音が気になる、集中しにくいなどの問題が発生しました。

通信技術の発達により、遠隔での業務や会議はさらに便利になります。これからも在宅勤務の機会が続くと考えて、便利だけど狭くて音が気になる駅近くのマンションよりも広いスペースの取れる郊外の戸建住宅に住み替えをする人が増えています。

中古住宅を購入する場合は、見えない部分の劣化状態に注意することが必要です。新築に比べて保証期間も短く設定されているため、専門家のインスペクションを受けて購入することが有効です。

●住宅ニーズの変化

コロナ禍による緊急事態宣言等を経験し、住宅に関するニーズに変化が表れています。ｓｕｕｍｏリサーチセンターの調査によれば、住宅の基本性能に関しては、①通信環境の充実、②通風・換気性能に優れている、③陽当たりが良い、④遮音性に優れている、⑤省エネ性に優れている、などが重視されるようになって

【G3チャレンジ】　グラスウールを商品とする旭ファイバーグラスとボード系断熱材を持つ旭化成建材がHEAT20のG2、G3レベルの高性能住宅を共同で実現しようとするもの。G3レベルは、断熱材のグレードや厚みが一気に高まるため、1種類だけの断熱材で対応することは実用的ではなく、適材適所に断熱材を使用していくことが求められるためである。

います。自宅で過ごす時間が増えたことからか、眺望が良いこと、天井高が高いことなども挙がっています。

住宅のスペースに関しては、①一人で仕事や趣味に集中できるスペースがある、②収納スペースが充実している、③軽めの運動ができるスペースがある、④広いリビングがある、⑤庭やバルコニーなどの屋外スペースが充実している、などです。コロナ禍を経てこれらを必要と感じる割合が高くなっています。

●賃貸戸建ての人気

これまで供給が少なかった賃貸戸建ても人気となっています。二〇二二年の新設住宅着工戸数八五万戸のうち賃貸戸建ては五千戸と非常に少ない割合です。マンションに比べて劣化が進みやすく管理の手間がかかることが理由でした。

戸建住宅の人気が高まり賃貸戸建が増える傾向です。中古戸建住宅を取得して改装した上で貸し出す会社もあり、空き家問題の解決策としても期待されています。

リフォーム事業者が感じた顧客ニーズの変化

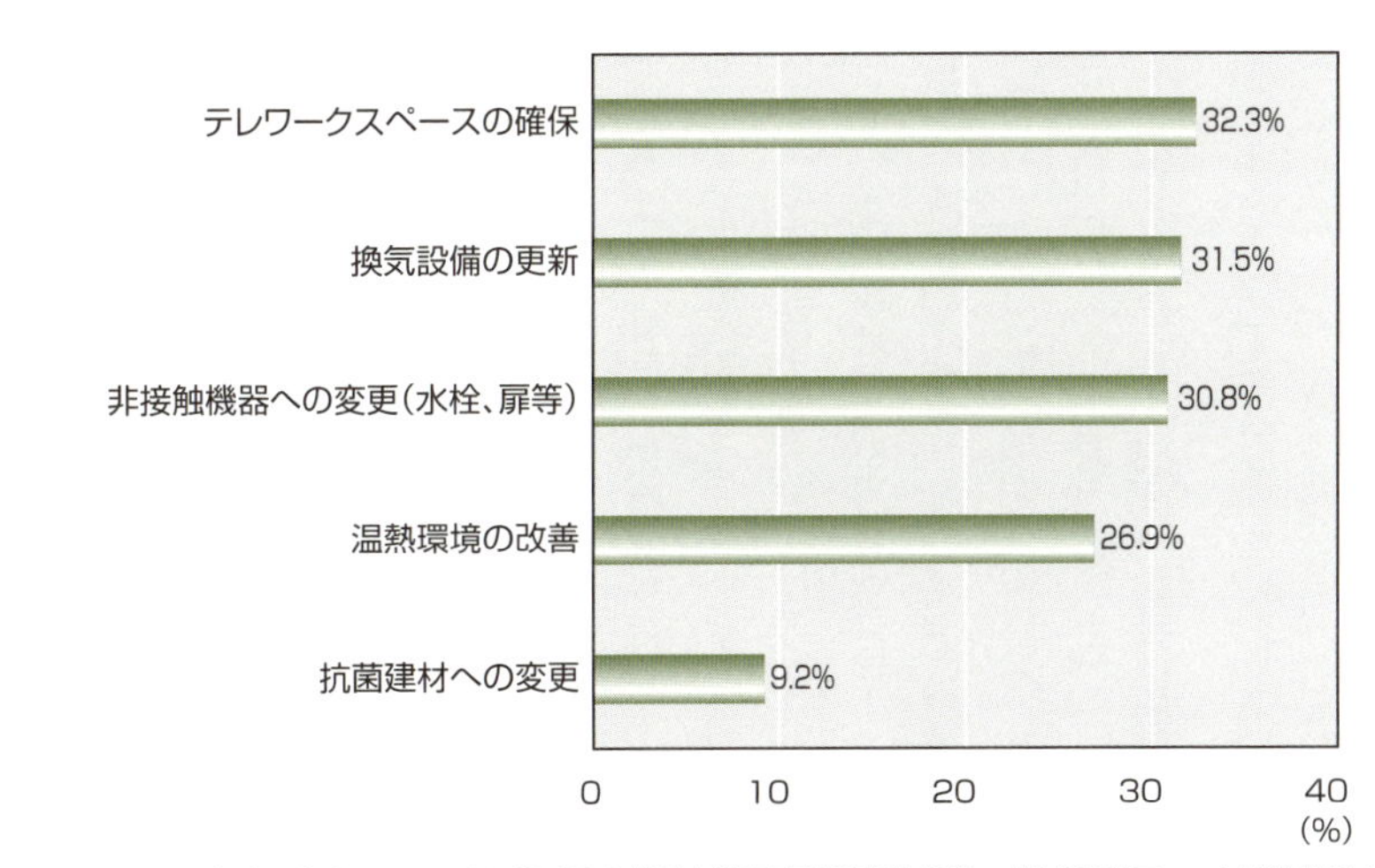

出典：2021年度　住宅リフォームに関する事業者実態調査結果報告書（(一社)住宅リフォーム推進協議会）

【チョーキング】　塗装の経年劣化によって、表面を触ったときに白っぽい粉状のものが付着する現象のこと。塗装の塗り替え時期の目安となる。

11

再編が進む建材業界

新築着工戸数が減少するなかで、建材・住設業界では、企業間の連携・統合が加速しています。規模の拡大による経営の効率化、そして海外での売り上げ拡大に活路を見出そうとしています。

●規模の拡大を目指すLIXIL

これまで、建材・住設業界では、木材、窯業、金属といった材質や取り扱う住宅の部位によって、ある程度、企業の住み分けがされていました。しかし、近年は、M&Aで事業規模を大きくして効率化を図ったり、異分野との連携で総合力を高めるなどの方向に活路を見出そうとする企業が増えています。

LIXILは、トステム、INAX、新日軽、サンウエーブ工業、東洋エクステリアが二〇一一年四月に統合して誕生しました。そして川島織物セルコンも子会社化しました。国内の住宅市場の伸びが見込めないなか、規模の拡大による効率化と海外への大きな飛躍を狙っています。統合により製品の国内シェアは大きく拡大しました。キッチン、バスルーム、洗面化粧台、タイル、住宅用サッシ・ドア、**エクステリア**＊は、国内シェアNo．1となっています。

海外では、米衛生陶器大手のアメリカンスタンダードブランズや独高級水栓金具大手のグローエを子会社化しました。海外売上は三一%です。このような企業の提携、合併は、従業員や取引先の意思とは無関係に行われるため、企業文化の違う者同士が一緒に仕事をする難しさがあります。TOTO（キッチン・浴室・洗面所・トイレ）、DAIKEN（フローリング・内装ドア）、YKK AP（窓・玄関ドア・エクステリア）の三社は、リフォーム分野で業務提携し、リフォームでの快適な住空間づくりを提案しています。

＊**エクステリア**　建物を囲む屋外設備のこと。具体的には、門扉、玄関アプローチ、塀、フェンス、庭、テラス、ウッドデッキ、カーポートなどである。

建材・住設業界の環境変化

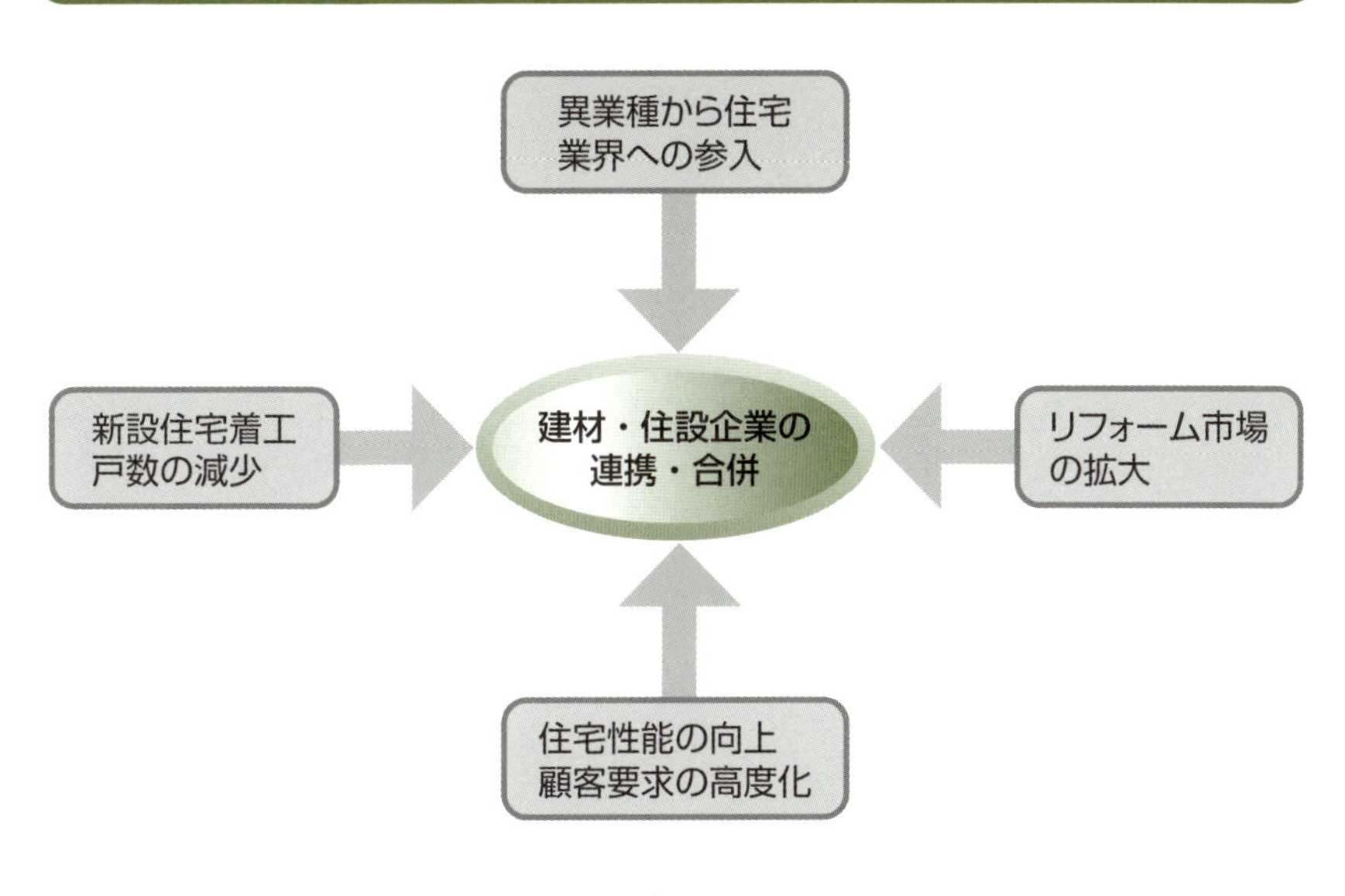

世界企業を目指す LIXIL

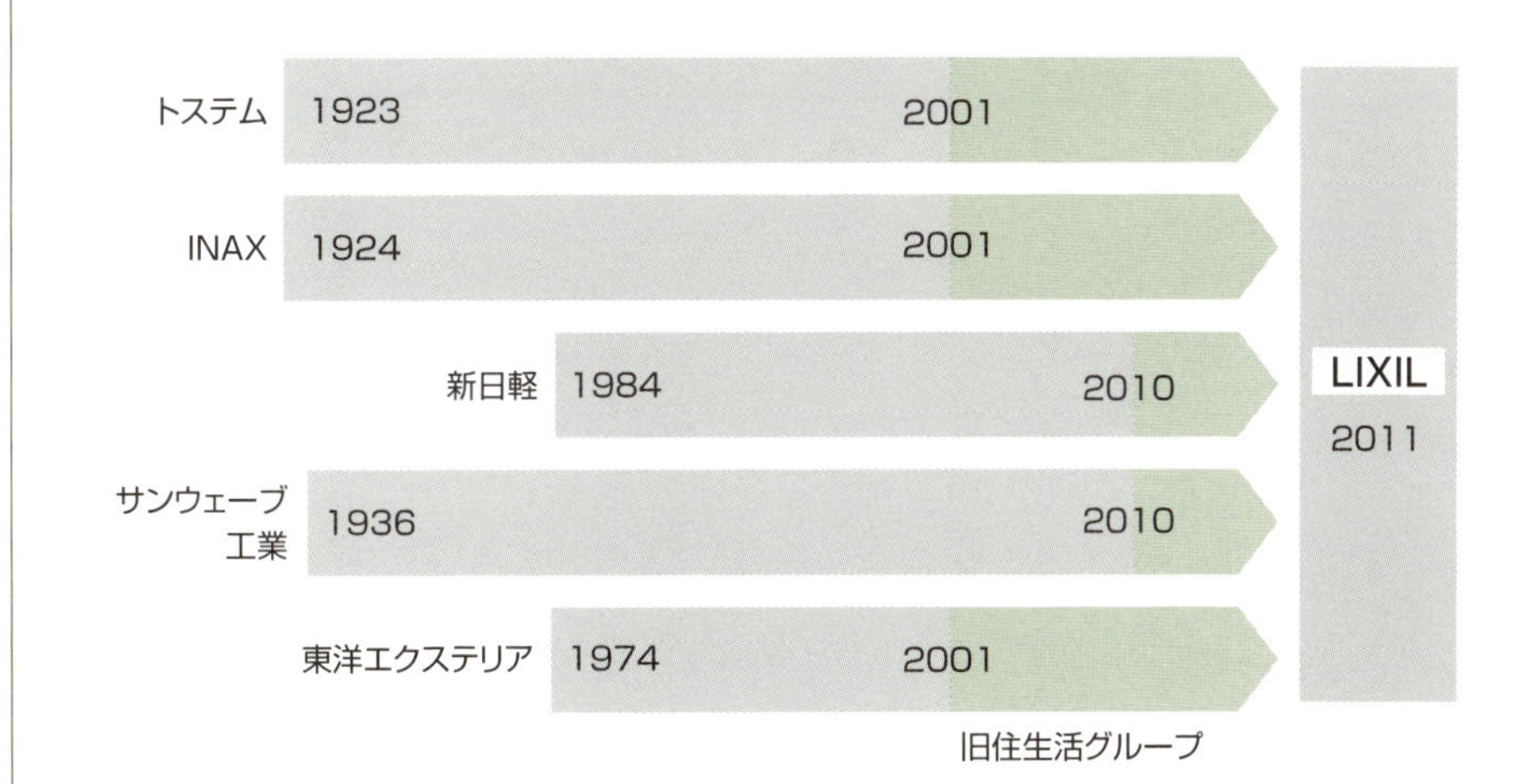

【住宅サッシの新寸法体系】　これまではメーカーごとにバラバラだった住宅サッシの寸法表示が、2003年の10月から標準化された。サッシの内法（うちのり）寸法を基準としてメートル法を基調とする寸法体系に統一された。

12

これからの工務店経営

人口減少時代に入り、住宅着工戸数が、かつてのようなレベルに戻ることは期待できません。多くの工務店は受注が激減し、廃業したり大手住宅メーカーの下請けに組み込まれています。

●消費者意識の変化

かつての家づくりでは、「信頼しておまかせ」という施主が多く、家づくりについて本気で詳しく知ろうとする施主は多くはありませんでした。また、工務店や住宅メーカーも積極的に多くを教えませんでした。

しかし、欠陥住宅などに関するトラブルの増加に伴い、「安くて良い住宅を建てるには、自分自身が住宅のことをきちんと勉強することが必要」と考える消費者が多くなっています。さらに、高額な商品にもかかわらずコスト構成がわかりにくいことから、住宅建築の個々の工事や部材・設備についてのコスト意識も高まってきています。

工務店は、このような消費者の個々のニーズをきちんと把握し、性能やコストも含めて、きちんと説明できるだけの知識と説明力、そして実際に施工できる技術力が求められています。

●「地域密着」の考え方

本来、住宅産業とは、大工による地場産業です。そして、長く住むものですから、改築だけでなくメンテナンスが必要になります。施主にとっては、近くにいて、何かと面倒を見てくれることが一番ありがたいのです。このように、本来の大工とは、家のことだったら何でも相談できる、気軽な存在でした。例えば簡単なリフォームのときに「いくら出せる?」「じゃあそれでやるよ」というような率直な人間関係を作り、維持

【古民家】 一般的には、建築後50年経過した建物とされるが、一般社団法人全国古民家協会では、建築基準法が制定された昭和25年以前の伝統構法住宅を古民家と定義している。古民家再生総合調査報告として、古民家鑑定やインスペクション、耐震性能評価を行い、さらに、古民家移築価値鑑定や古材鑑定も行っている。

していくことが工務店経営だったのです。

　しかし、欠陥住宅問題や基準法の改正、品確法の制定など、業界をめぐる環境が大きく変わりました。省エネ基準の改正やIoT住宅など技術的にも大きな転換期を迎え、多様な消費者ニーズに対して対応できる大手住宅メーカーが有利になっています。工務店は、地域密着や細かいメンテナンス、リフォームに活路を見出そうとしていますが、大手住宅メーカーも地域密着体制への移行や、本格的なリフォームへも進出しています。その結果、各地で地域の工務店と大手住宅メーカー、そしてパワービルダーも交えた競争がますます激化しているのです。

●これからの工務店

　これから工務店が生き残るには、広い地域に戦力を分散するのではなく、今までよりもさらに地域を絞って特化することです。地域に集中して仕事をし、地域で知られ、信用を獲得し、しかも、「地域の信用が増すサイクル」を作って、本当の「地域密着」を実現することが大切です。

住宅業界の変化

- 新築の減少とリフォーム市場の拡大
- 住宅の質の向上、長寿命化
- 法律、制度の改正と新設
- 技術の転換と異分野からの参入
- 大工、職人の高齢化、減少、技能低下
- 工務店と消費者の認識ギャップの拡大

【建築確認・検査の実態】　1995年の阪神淡路大震災をきっかけに建築確認・検査の十分な実行体制が確保できていないことが明らかになった。1998年の完了検査率は38%であった。それ以前は、5～20%程度だったともいわれている。1999年から建築確認・検査の民間開放が行われたため完了検査率が向上し、現在では90%を超えるレベルになっている。

住宅価格の年収倍率

住宅価格は、バブル期をピークに下落しました。住宅価格の平均年収に対する倍率は、平成2年の約9倍から、約5倍にまで低下しています。しかし、年収の少ない人にとっては、まだ、6倍、7倍にもあたります。欧米のように年収倍率の4～5倍程度と比較すると、まだ少し高い水準です。これまで、日本の住宅寿命は欧米と大きな差があり、日本人は住宅ローンを返すために働き、ローンを返し終わったと思ったら、子供の世代がまた建て替えるという、とても無駄なことを繰り返してきました。これからは、このサイクルから抜け出しこれまで住宅に使っていた費用を生活のゆとりに回し、豊かなくらしができるような社会にしていかなければなりません。

首都圏の住宅価格の年収倍率

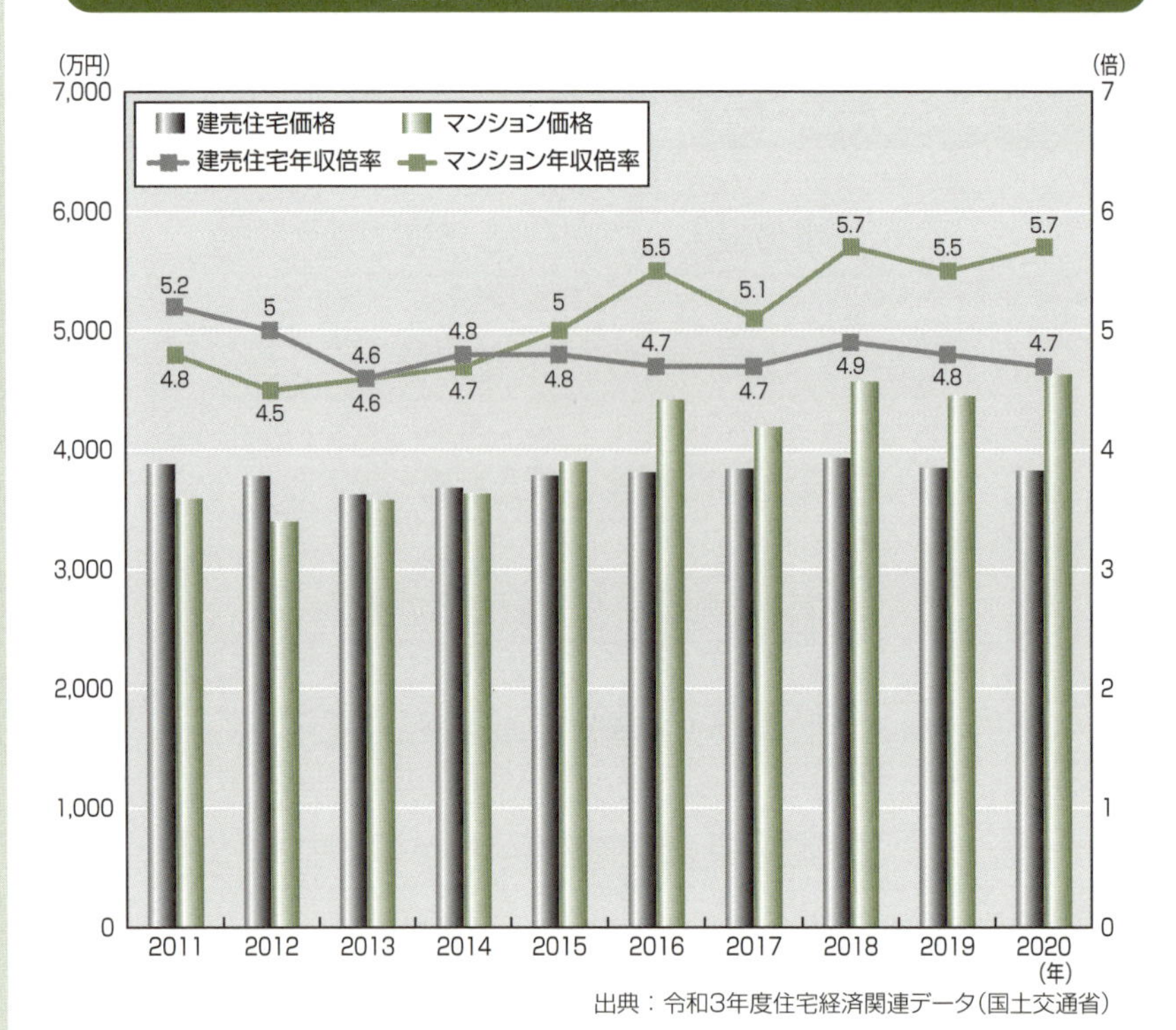

出典：令和3年度住宅経済関連データ(国土交通省)

Data

資料編

●主な住宅関連団体一覧

How-nual
図解入門
業界研究

主な住宅関連団体一覧

(一財)建材試験センター
〒103-0012　東京都中央区日本橋堀留町1-10-15
JL日本橋ビル
TEL　03-3527-2131　FAX　03-3527-2134
https://www.jtccm.or.jp/

建築ガスケット工業会
〒111-0041　東京都台東区元浅草1-1-8
内山ビル202
TEL　03-6802-8183　FAX　03-6802-8185
http://www.bga-japan.com/

(一財)建設業振興基金
〒105−0001　東京都港区虎ノ門4-2-12
虎ノ門4丁目MTビル2号館
TEL　03-5473-4570　FAX　03-5473-1594
https://www.kensetsu-kikin.or.jp/

建設業労働災害防止協会
〒108-0014　東京都港区芝5-35-2
安全衛生総合会館7階
TEL　03-3453-8201　FAX　03-3456-2458
https://www.kensaibou.or.jp/

(一財)建設経済研究所
〒105-0003　東京都港区西新橋3-25-33
フロンティア御成門8階
TEL　03-3433-5011　FAX　03-3433-5239
https://www.rice.or.jp/

(独法)建築研究所
〒305-0802　茨城県つくば市立原1
TEL　029-864-2151　FAX　029-864-2989
https://www.kenken.go.jp/

(公財)建築技術教育普及センター
〒102-0094　東京都千代田区紀尾井町3-6
紀尾井町パークビル
TEL　03-6261-3310
https://www.jaeic.or.jp/

(一財)建築行政情報センター
〒162-0825　東京都新宿区神楽坂1-15
神楽坂1丁目ビル4階
TEL　03-5225-7701　FAX　03-5225-7731
https://www.icba.or.jp/

(一社)建設産業専門団体連合会
〒105-0001　東京都港区虎ノ門4-2-12
虎ノ門4丁目MTビル2号館3階
TEL　03-5425-6805　FAX　03-5425-6806
https://www.kensenren.or.jp/

板硝子協会
〒108-0074　東京都港区高輪1-3-13
NBF高輪ビル4階
TEL　03-6450-3926　FAX　03-6450-3928
http://www.itakyo.or.jp/

(公社)インテリア産業協会
〒160-0022　東京都新宿区新宿3-2-1
京王新宿321ビル8階
TEL　03-5379-8600　FAX　03-5379-8605
https://www.interior.or.jp/

ウレタン原料工業会
〒105-0001　東京都港区虎ノ門3-8-25
日総第23ビル 304
TEL　03-6809-1081　FAX　03-3436-7031
http://www.jura-urethane.org/

ウレタンフォーム工業会
〒107-0051　東京都港区元赤坂1-5-26
東部ビル4階
TEL　03-5413-3660　FAX　03-3401-2950
http://www.jufa-urethane.org/

(一財)大阪住宅センター
〒542-0081　大阪市中央区南船場4-4-3
心斎橋東急ビル4階
TEL　06-6253-0071
https://www.osaka-jutaku.or.jp/

押出発泡ポリスチレン工業会
〒105-0004　東京都港区新橋5-8-11
新橋エンタービル7階
TEL　03-5402-3928　FAX　03-5402-6213
https://www.epfa.jp/

硝子繊維協会
〒169-0073　東京都新宿区百人町3-21-16
日本ガラス工業センタービル2階
TEL　03-5937-5763　FAX　03-5389-6757
https://www.glass-fiber.net/

キッチン・バス工業会
〒105-0012　東京都港区芝大門1-4-9
大門ビル3階
TEL　03-3436-6453　FAX 03-3436-6454
https://www.kitchen-bath.jp/

経済産業省
〒100-8901　東京都千代田区霞が関1-3-1
TEL　03-3501-1511
https://www.meti.go.jp/

(一社)住宅生産団体連合会
〒102-0085　東京都千代田区六番町3
六番町SKビル2階
TEL　03-5275-7251　FAX　03-5275-7257
https://www.judanren.or.jp/

住宅展示場協議会
〒105-0001　東京都港区虎ノ門3-11-15
SVAX TTビル5階(一財)住宅生産振興財団内
TEL　03-5733-6733
http://www.jutenkyo.com/

(一財)住宅保証支援機構
〒162-0825　東京都新宿区神楽坂6-67
マイナビ不動産ビル神楽坂3階
TEL　03-6280-7241　FAX　03-6280-7342
https://www.how.or.jp/

(一社)住宅リフォーム推進協議会
〒102-0071　東京都千代田区富士見2-7-2
ステージビルディング4階
TEL　03-3556-5430　FAX　03-3261-7730
https://www.j-reform.com/

(公財)住宅リフォーム・紛争処理支援センター
〒102-0073　東京都千代田区九段北4-1-7
九段センタービル3階
TEL　03-3261-4567　FAX　03-6830-4360
https://www.chord.or.jp/

樹脂サッシ工業会
〒193-0942　東京都八王子市椚田町1218-3
https://www.p-sash.jp/

(一財)省エネルギーセンター
〒108-0023　東京都港区芝浦2-11-5
五十嵐ビルディング
TEL　03-5439-9710　FAX　03-5439-9719
https://www.eccj.or.jp/

(一社)新都市ハウジング協会
〒105-0001　東京都港区虎ノ門1-16-17
虎ノ門センタービル5階
TEL　03-3504-2381　FAX　03-3504-1018
https://www.anuht.or.jp/

(一社)すまいづくりまちづくりセンター連合会
〒162-0825　東京都新宿区神楽坂1-15
神楽坂1丁目ビル6階
TEL　03-5229-7560　FAX　03-5229-7581
https://www.sumaimachi-center-rengoukai.or.jp/

合成高分子ルーフィング工業会
〒103-0005　東京都中央区日本橋久松町9-2
日新中央ビル3階
TEL　03-6206-2928　FAX　03-6661-9034
https://www.krkroof.net/

NPOコーポラティブハウス全国推進協議会
〒101-0042　東京都千代田区神田東松下町33
COMS HOUSE2階
TEL　03-6206-4558　FAX　03-5294-7326
http://www.coopkyo.gr.jp/

国土交通省
〒100-8918　東京都千代田区霞が関2-1-3
TEL　03-5253-8111
https://www.mlit.go.jp/

(一社)住環境測定協会
〒735-0023　広島県安芸郡府中町浜田本町5-22
TEL　082-890-1023　FAX　082-890-1033
https://www.homenw.net/

住宅金融支援機構(旧住宅金融公庫)
〒112-8570　東京都文京区後楽1-4-10
TEL　03-3812-1111
https://www.jhf.go.jp/

(一財)住宅金融普及協会
〒112-0014　東京都文京区関口1-24-2
関口町ビル
TEL　03-3260-7341　FAX　03-3260-7349
https://www.sumai-info.com/

(一財)住宅・建築SDGs推進センター
〒102-0093　東京都千代田区平河町2-8-9
HB平河町ビル
TEL　03-3222-6681　FAX　03-3222-6696
https://www.ibec.or.jp/

(一財)住宅産業研修財団
〒160-0004　東京都新宿区四谷1-13
虎ノ門実業会館四谷ビル1階
TEL　03-6273-2585　FAX　03-6273-2595
http://www.jaho.or.jp/

(一財)住宅生産振興財団
〒105-0001　東京都港区虎ノ門3-11-15
SVAX TTビル5階
TEL　03-5733-6733　TEL　03-5733-6736
https://www.machinami.or.jp/

(一社)全国警備業協会
〒160-0632　東京都新宿区西新宿1-25-1
新宿センタービル32階
TEL　03-3342-5821　FAX　03-3342-6074
http://www.ajssa.or.jp/

(一社)全国建設業協会
〒104-0032
東京都中央区八丁堀2-5-1
東京建設会館5階
TEL　03-3551-9396　FAX　03-3555-3218
https://www.zenken-net.or.jp/

全国建設業協同組合連合会
〒104-0032　東京都中央区八丁堀2-5-1
東京建設会館4階
TEL　03-3553-0984　FAX　03-3553-0805
http://www.zenkenkyoren.or.jp/

(一社)全国建設産業協会
〒176-0011　東京都練馬区豊玉上2-19-11
サンパーク豊玉2階-地下2階
TEL　03-3948-6214　FAX　03-3948-6214
http://zenkensan.o.oo7.jp

(一社)全国建設産業団体連合会
〒105-0001　東京都港区虎ノ門4-2-12
虎ノ門4丁目MTビル2号館3階
TEL　03-5473-1596　FAX　03-5473-8352
http://www.kensanren.or.jp/

(一社)全国建設室内工事業協会
〒103-0013　東京都中央区日本橋人形町1-5-10
神田ビル4階
TEL　03-3666-4482　FAX　03-3666-4483
http://www.zsk.or.jp/

(一社)全国住宅産業協会
〒102-0083　東京都千代田区麹町5-3
麹町中田ビル8階
TEL　03-3511-0611　FAX　03-3511-0616
https://www.zenjukyo.jp/

(一社)全国浄化槽団体連合会
〒162-0844　東京都新宿区市谷八幡町13
東京洋服会館7階
TEL　03-3267-9757　FAX　03-3267-9789
https://www.zenjohren.or.jp/

(一社)全国測量設計業協会連合会
〒162-0801　東京都新宿区山吹町11-1
測量年金会館8階
TEL　03-3235-7271　FAX　03-3235-5120
https://www.zensokuren.or.jp/

住まいの情報発信局(住宅情報提供協議会)
TEL　03-5211-0572
https://www.sumai-info.jp/

(一社)石膏ボード工業会
〒105-0003　東京都港区西新橋2-13-10
吉野石膏虎ノ門ビル5階
TEL　03-3591-6774　FAX　03-3591-1567
https://www.gypsumboard-a.or.jp/

せんい強化セメント板協会
〒108-0014　東京都港区芝5-15-5
泉ビル3階
TEL　03-5445-4829
http://www.skc-kyoukai.org/

全国板硝子工事協同組合連合会
〒103-0007　東京都中央区日本橋浜町2-38-9
浜町TSKビル6階602号
TEL　03-6413-6222　FAX　03-6413-6223

全国板硝子商工協同組合連合会
〒103-0007　東京都中央区日本橋浜町2-38-9
浜町TSKビル6階601号
TEL　03-6413-8577　FAX　03-6413-3720
http://www.zenshouren.jp/

(公社)全国解体工事業団体連合会
〒104-0032　東京都中央区八丁堀4-1-3
安和宝町ビル6階
TEL　03-3555-2196　FAX　03-3555-2133
https://www.zenkaikouren.or.jp/

全国管工事業協同組合連合会
〒170-0004　東京都豊島区北大塚3-30-10
全管連会館
TEL　03-5981-8957　FAX　03-5981-8958
https://www.zenkanren.jp/

(一社)全国基礎工事業団体連合会
〒132-0035　東京都江戸川区平井5-10-12
アイケイビル4階
TEL　03-3612-6611　FAX　03-3612-6202
http://www.kt.rim.or.jp/~zenkiren/

(一社)全国クレーン建設業協会
〒104-003　東京都中央区京橋2-5-21
京橋NSビル7階
TEL　03-3562-7018　FAX　03-3562-7019
https://www.jccca.or.jp/

(一社)全国木造住宅機械プレカット協会
〒100-0014　東京都千代田区永田町2-4-3
永田町ビル6階
TEL　03-3580-3215　FAX　03-3580-3226
http://www.precut-kyokai.com/home/

全日本板金工業組合連合会
〒108-0073　東京都港区三田1-3-37
板金会館5階
TEL　03-3453-7698
https://www.zenban.jp/group/group-list/zenbanren/

(一社)全日本瓦工事業連盟
〒101-0061　東京都千代田区神田三崎町3-6-4
旭屋石橋ビル3階
TEL　03-3265-2887　FAX　03-3265-2903
http://www.yane.or.jp/

全日本電気工事業工業組合連合会
〒105-0014　東京都港区芝2-9-11
全日電工連会館1階
TEL　03-5232-5861　FAX　03-5232-6855
http://www.znd.or.jp/

(公社)全日本不動産協会
〒102-0094　東京都千代田区紀尾井町3-30
全日会館3階
TEL　03-3263-7030　FAX　03-3239-2198
https://www.zennichi.or.jp/

(一社)ソーラーシステム振興協会
〒101-0047　東京都千代田区内神田1-17-8
内神田ビル6階
TEL　03-5203-9111　FAX　03-5203-6660
https://www.ssda.or.jp/

(一社)太陽光発電協会
〒105-0004　東京都港区新橋2-12-17
新橋I-Nビル8階
TEL　0570-003-045
https://www.jpea.gr.jp/

定期借家推進協議会
〒101-0032　東京都千代田区岩本町2-6-3
全宅連会館
TEL　03-5821-8117　FAX　03-5821-8101
https://teishaku.jp/

(一社)土地改良建設協会
〒105-0004　東京都港区新橋5-34-4
農業土木会館2階
TEL　03-3434-5961　FAX　03-3434-1006
https://dokaikyo.or.jp/

(一社)全国タイル業協会／全国タイル工業組合
〒162-0843　東京都新宿区市谷田町2-29
こくほ21
TEL　03-5206-5491　FAX　03-5206-5492
https://www.tile-net.com/

(公社)全国宅地建物取引業協会連合会
〒101-0032　東京都千代田区岩本町2-6-3
全宅連会館
TEL　03-5821-8111　FAX　03-5821-8101
https://www.zentaku.or.jp/

(一社)全国建具組合連合会
〒101-0042　東京都千代田区神田東松下町42
東建ビル3階
TEL　03-3252-5340　FAX　03-3252-5330
https://www.zenkokutategu.com/

(一社)全国地質調査業協会連合会
〒101-0047　東京都千代田区内神田1-5-13
内神田TKビル3階
TEL　03-3518-8873　FAX　03-3518-8876
https://www.zenchiren.or.jp/

(一社)全国中小建設業協会
〒104-0041　東京都中央区新富2-4-5
ニュー新富ビル2階
TEL　03-5542-0331　FAX 03-5542-0332
https://www.zenchuken.or.jp/

(一社)全国中小建築工事業団体連合会
〒103-0026　東京都中央区日本橋兜町16-2
第2大谷ビル3階
TEL　03-5651-7301
https://zenchuren-group.jp/

(公社)全国鉄筋工事業協会
〒101-0046　東京都千代田区神田多町2-9-6
田中ビル4階
TEL　03-5577-5959
https://www.zentekkin.or.jp/

全国陶器瓦工業組合連合会
〒102-0072　千代田区富士見1-7-10
山京ビル本館6階
TEL　03-3263-2840　FAX　03-3263-2837
http://www.zentouren.or.jp/

(一社)全国木質セメント板工業会
〒112-0005　東京都文京区水道2-16-11
TEL　03-3945-9047　FAX　03-3944-2094
https://www.woodcement.com/

(一社)日本空調衛生工事業協会
〒104-0041　東京都中央区新富2-2-7
空衛会館3階
TEL　03-3553-6431　FAX　03-3553-6786
https://www.nikkuei.or.jp/

(一社)日本建材・住宅設備産業協会
〒103-0007　東京都中央区日本橋浜町2-17-8
浜町平和ビル5階
TEL　03-5640-0901　FAX　03-5640-0905
https://www.kensankyo.org/

日本建設インテリア事業協同組合連合会
〒102-0083　東京都千代田区麹町3-5
柳田ビル4階
TEL　03-3239-6551　FAX　03-3239-6552
http://jecif.or.jp/

(一社)日本建設機械レンタル協会
〒101-0038　東京都千代田区神田美倉町12-1
MH-KIYAビル2階
TEL　03-3255-0511　FAX　03-3255-0513
https://www.j-cra.org/

(一社)日本建設業経営協会
〒135-0016　東京都江東区東陽5-30-13
東京原木会館10階
TEL　03-6458-7291　FAX　03-5690-0888
https://www.nikkenkei.jp/

(一社)日本建設業連合会
〒104-0032　東京都中央区八丁堀2-5-1
東京建設会館8階
TEL　03-3553-0701　FAX　03-3551-4954
https://www.nikkenren.com/

(一社)日本建設組合連合
〒105-0003　東京都港区西新橋1-6-11
西新橋光和ビル6階
TEL　03-3504-1515　FAX　03-3504-1415
http://www.kensetsurengou.org/

(公社)日本建築家協会
〒150-0001　東京都渋谷区神宮前2-3-18
JIA館
TEL　03-3408-7125　FAX　03-3408-7129
http://www.jia.or.jp

(一社)日本建築学会
〒108-8414　東京都港区芝5-26-20
TEL　03-3456-2051　FAX　03-3456-2058
https://www.aij.or.jp/

(一社)土地総合研究所
〒105-0001　東京都港区虎ノ門1-16-17
虎の門センタービル9階
TEL　03-3509-6971　FAX　03-3509-6975
https://www.lij.jp/

日本ウレタン建材工業会
〒103-0005　東京都中央区日本橋久松町9-2
日新中央ビル3階
TEL　03-6206-2753　FAX　03-6661-9034
https://www.nuk-pu.jp/

日本ウレタン工業協会

(一社)日本ウレタン断熱協会
〒103-0013　東京都中央区日本橋人形町1-10-6
日本橋SDビル5階
TEL　03-3667-1075　FAX03-3667-1076
https://www.jua.cc/

(公社)日本エクステリア建設業協会
〒111-0052　東京都台東区柳橋1-5-2
ツネフジビルディング5階
TEL　03-3865-5671　FAX　03-3863-7727
https://jpex.or.jp/

(一社)日本エクステリア工業会
〒101-0021　東京都千代田区外神田3-6-9
沖村ビル5階
TEL　03-6260-9311　FAX　03-6260-9318
https://www.exterior-ia.jp/

日本外壁仕上業協同組合連合会
〒151-0053　東京都渋谷区代々木2-5-1
羽田ビル502
TEL　03-3379-4338　FAX　03-3374-3982
http://www.n-gaiheki.jp/

(一社)日本型枠工事業協会
〒105-0004　東京都港区新橋6-20-11
IKビル1階
TEL　03-6435-6208　FAX　03-6435-6268
http://www.nikkendaikyou.or.jp/

日本金属サイディング工業会
〒103-0012　東京都中央区日本橋堀留町2-3-8
田源ビル9階
TEL　03-3639-9003　FAX　03-3639-8932
http://www.jmsia.jp/

(一社)日本金属屋根協会
〒103-0012　東京都中央区日本橋堀留町2-3-8
田源ビル9階
TEL　03-3639-8954　FAX　03-3639-8932
http://www.kinzoku-yane.or.jp/

(一社)日本左官業組合連合会
〒162-0841　東京都新宿区払方町25-3
TEL　03-3269-0560　FAX　03-3269-3219
http://www.nissaren.or.jp/

(一社)日本サッシ協会
〒105-0002　東京都港区愛宕1-3-4
愛宕東洋ビル7階
TEL　03-6721-5934　FAX　03-6721-5933
https://www.jsma.or.jp/

日本シーリング材工業会
〒101-0041　東京都千代田区神田須田町1-5
翔和須田町ビル9階
TEL　03-3255-2841
https://www.sealant.gr.jp/

日本室内装飾事業協同組合連合会
〒105-0013　東京都港区浜松町2-6-2
浜松町262ビル2階
TEL　03-3431-2775　FAX　03-3431-4667
http://www.nissouren.jp/

(一社)日本シヤッター・ドア協会
〒102-0074　東京都千代田区九段南3-7-14
VORT九段7階
TEL　03-3288-1281　FAX　03-3288-1282
https://www.jsd-a.or.jp/

(一社)日本住宅協会
〒101-0052　東京都千代田区神田小川町1-11
金子ビル6階
TEL　03-3291-0881　FAX　03-3291-0885
http://www.jh-a.or.jp/

日本住宅パネル工業協同組合
〒113-0021　東京都文京区本駒込6-15-7
TEL　03-3945-2311　FAX　03-3945-3119
http://www.panekyo.or.jp/

(公財)日本住宅・木材技術センター
〒136-0075　東京都江東区新砂3-4-2
TEL　03-5653-7662　FAX　03-5653-7582
https://www.howtec.or.jp/

(一財)日本消防設備安全センター
〒105-0003　東京都港区西新橋3-7-1
ランディック第2新橋ビル3階
TEL　03-5422-1491　FAX　03-5422-1583
https://www.fesc.or.jp/

日本建築金物工業組合
〒542-0082　大阪府大阪市中央区島之内1-13-31
建築金物ビル内
TEL　06-6271-4365　FAX　06-6241-1495
http://www.jha-net.or.jp/

日本建築仕上材工業会
〒101-0024　東京都千代田区神田和泉町1-7-1
扇ビル5階
TEL　03-3861-3844　FAX　03-3851-0706
https://www.nsk-web.org/

(一財)日本建築センター
〒101-8986　東京都千代田区神田錦町1-9
東京天理ビル2〜4階、9階
TEL　03-5283-0461　FAX　03-5281-2821
https://www.bcj.or.jp/

(一財)日本建築総合試験所
〒565-0873　大阪府吹田市藤白台5-8-1
TEL　06-6872-0391　FAX　06-6872-0784
https://www.gbrc.or.jp/

(一社)日本建築大工技能士会
〒101-0025　東京都千代田区神田佐久間町1-14
第2東ビル9階
TEL　03-3253-8301　FAX　03-3253-8302
https://jptca.jp

(一社)日本建築板金協会
〒108-0073　東京都港区三田1-3-37
板金会館5階
TEL　03-3453-7698
https://www.zenban.jp/group/group-list/nichibankyo/

(一財)日本建築防災協会
〒105-0001　東京都港区虎ノ門2-3-20
虎ノ門YHKビル3階
TEL　03-5512-6451　FAX　03-5512-6455
https://www.kenchiku-bosai.or.jp/

(公財)日本合板検査会
〒103-0004　東京都中央区東日本橋3-7-19
東日本橋ロータリービル8階
TEL　03-6810-8710　FAX　03-6810-8711
https://www.jpic-ew.net/

日本合板工業組合連合会
〒101-0061　東京都千代田区三崎町2-21-2
プライム水道橋8階
TEL　03-5226-6677　FAX　03-5226-6678
https://www.jpma.jp/

(一社)日本塗料工業会
〒150-0013　東京都渋谷区恵比寿3-12-8
東京塗料会館1階
TEL　03-3443-2011　FAX　03-3443-3599
https://www.toryo.or.jp/

日本土地家屋調査士会連合会
〒101-0061　東京都千代田区神田三崎町1-2-10
土地家屋調査士会館
TEL　03-3292-0050　FAX　03-3292-0059
https://www.chosashi.or.jp/

(一社)日本鳶工業連合会
〒105-0011　東京都港区芝公園3-5-20
日鳶連会館2F
https://www.nittobiren.or.jp/

(一社)日本バルブ工業会
〒105-0011　東京都港区芝公園3-5-8
機械振興会館510
TEL　03-3434-1811　FAX　03-3436-4335
https://www.j-valve.or.jp/

日本複合・防音床材工業会
〒112-0004　東京都文京区後楽1-7-12
林友ビル6階
TEL　03-3868-0971
https://www.jafma.gr.jp/

(公社)日本不動産鑑定士協会連合会
〒105-0001　東京都港区虎ノ門3-11-15
SVAX TTビル9階
TEL　03-3434-2301　FAX　03-3436-6450
https://www.fudousan-kanteishi.or.jp/

(一社)日本壁装協会
〒105-0001　東京都港区虎ノ門3-7-8
ランディック第2虎ノ門ビル7階
TEL　03-5408-5501　FAX　03-5408-5502
https://www.wacoa.jp/

(一財)日本防火・危機管理促進協会
〒105-0021　東京都港区東新橋1-1-19
ヤクルト本社ビル16階
TEL　03-6264-6021　FAX　03-6264-6022
https://www.boukakiki.or.jp/

(一社)日本防水材料協会(JWMA)アスファルト防水部会
〒103-0005　東京都中央区日本橋久松町9-2
日新中央ビル3階
TEL　03-6661-9033
https://aspdiv.jwma.or.jp/

日本接着剤工業会
〒101-0044　東京都千代田区鍛冶町1-10-4
丸石ビル2階
TEL　03-3251-3360　FAX　03-3251-3380
https://www.jaia.gr.jp/

日本繊維板工業会
〒103-0027　東京都中央区日本橋2-12-9
日本橋グレイスビル5階
TEL　03-3271-6883　FAX　03-3271-6884
https://www.jfpma.jp/

(一社)日本造園組合連合会
〒101-0052　東京都千代田区神田小川町3-3-2
マツシタビル7階
TEL　03-3293-7577　FAX　03-3293-7579
https://www.jflc.or.jp/

(一社)日本造園建設業協会
〒113-0033　東京都文京区本郷3-15-2
本郷二村ビル4階
TEL　03-5684-0011　FAX　03-5684-0012
https://www.jalc.or.jp/

(公財)日本測量調査技術協会
〒169-0075　東京都新宿区高田馬場4-40-11
看山ビル6階
TEL　03-3362-6840　FAX　03-3362-6841
https://www.sokugikyo.or.jp/

(一社)日本厨房工業会
〒101-0041　東京都千代田区神田須田町2-2-5
翔和須田町ビルⅡ8階
TEL　03-5244-4834　FAX　03-5244-4835
https://www.jfea.or.jp/

(一社)日本ツーバイフォー建築協会
〒105-0001　東京都港区虎ノ門1-16-17
虎の門センタービル8階
TEL　03-5157-0831　TEL　03-5157-0832
https://www.2x4assoc.or.jp/

(一社)日本ドゥ・イット・ユアセルフ協会
〒101-0044　東京都千代田区鍛冶町1-8-5
新神田ビル5階
TEL　03-3256-4475　FAX　03-3256-4457
https://www.diy.or.jp/

(一社)日本塗装工業会
〒150-0032　東京都渋谷区鶯谷町19-22
塗装会館
TEL　03-3770-9901　FAX　03-3770-9980
https://www.nittoso.or.jp/

(一社)不動産協会
〒100-6017　東京都千代田区霞が関3-2-5
霞が関ビル17階
TEL　03-3581-9421　FAX　03-3581-7530
https://www.fdk.or.jp/

(一社)不動産流通経営協会
〒105-0001　東京都港区虎ノ門3-25-2
虎ノ門ESビル5階
TEL　03-5733-2271　FAX　03-5733-2270
https://www.frk.or.jp/

(一社)プレハブ建築協会
〒101-0052　東京都千代田区神田小川町2-3-13
M&Cビル5階
TEL　03-5280-3121　FAX　03-5280-3127
https://www.purekyo.or.jp/

(一財)ベターリビング
〒102-0071　東京都千代田区富士見2-7-2
ステージビルディング　4階,6階,7階
TEL　03-5211-0556　FAX　03-5211-0548
https://www.cbl.or.jp/

(一社)輸入住宅産業協会
〒170-0013　東京都豊島区東池袋3-1-3
ワールド・インポート・マート・ビル6階
TEL　03-3980-7311　FAX　03-3980-7312
https://www.ihio.or.jp/

(一社)リビングアメニティ協会
〒102-0071　東京都千代田区富士見2-7-2
ステージビルディング6階
TEL　03-5211-0540　FAX　03-5211-0546
https://www.alianet.org/

ロックウール工業会
〒111-0052　東京都台東区柳橋2-21-13
東洋ビル4階
TEL　03-5835-2569
https://www.rwa.gr.jp/

(一社)ALC協会
〒101-0047　東京都千代田区内神田3-24-4
9 STAGE kanda
TEL　03-5256-0432　FAX　03-5256-0431
http://www.alc-a.gr.jp/

日本透湿防水シート協会
https://www.ntba.jp/

(公社)日本防犯設備協会
〒105-0013　東京都港区浜松町1-12-4
第2長谷川ビル4階
TEL　03-3431-7301　FAX　03-3431-7304
https://www.ssaj.or.jp/

(一社)日本木材総合情報センター
〒112-0004　東京都文京区後楽1-7-12
林友ビル4階
TEL　03-3816-5595　FAX　03-3816-5062
https://www.jawic.or.jp/

(一社)日本木造住宅産業協会
〒106-0032　東京都港区六本木1-7-27
全特六本木ビル　WEST棟2階
TEL　03-5114-3010　FAX　03-5114-3020
https://www.mokujukyo.or.jp/

日本床暖房工業会
〒170-0013　東京都豊島区東池袋2-39-2
大住ビル401号室
(株)ガリレオ学会業務情報化センター内
TEL　03-5981-9824　FAX　03-5981-9852
https://www.yukadanbou.gr.jp/

(一社)日本窯業外装材協会
〒104-0032　東京都中央区八丁堀2-19-6
ヤサカ八丁堀ビル2階
TEL　03-6280-3122　FAX　03-6280-3123
https://www.nyg.gr.jp/

(一社)日本レストルーム工業会
〒461-0002　愛知県名古屋市東区代官町39-18
日本陶磁器センタービル2階
https://www.sanitary-net.com/

(一社)日本ログハウス協会
〒107-0052　東京都港区赤坂2-2-19
アドレスビル1階
TEL　03-3588-8808　FAX　03-3588-8829
http://www.loghouse.jpn.com/

(一財)ヒートポンプ・蓄熱センター
〒103-0014　東京都中央区日本橋蛎殻町1-28-5
ヒューリック蛎殻町ビル6階
TEL　03-5643-2401　FAX　03-5641-4501
https://www.hptcj.or.jp

索引
INDEX

か行

あ行

索引

さ行

た行

な行

ま行

は行

ら行

アルファベット

や行

数字・記号

著者略歴

阿部　守
1962年生まれ。九州工業大学大学院開発土木工学専攻修了後、旭硝子（現AGC）を経て、現在、MABコンサルティング代表。
構造設計一級建築士、中小企業診断士。
東京国際大学非常勤講師（中小企業論、生産管理論）。

著書
『改革・改善のための戦略デザイン　建設業DX』
『最新　建設業界の動向とカラクリがよ～くわかる本［第４版］』
『最新　土木業界の動向とカラクリがよ～くわかる本［第３版］』
（以上 秀和システム刊）

図解入門業界研究
最新住宅業界の動向とカラクリがよ～くわかる本［第４版］

発行日　2022年 8月20日　　第1版第1刷

著　者　阿部　守

発行者　斉藤　和邦
発行所　株式会社　秀和システム
〒135-0016
東京都江東区東陽2-4-2　新宮ビル2F
Tel 03-6264-3105（販売）Fax 03-6264-3094
印刷所　三松堂印刷株式会社　　Printed in Japan

ISBN978-4-7980-6774-2 C0033